CW00418960

PROVERBIOS 18-31

COMENTARIOS TEOLOGÍA PARA VIVIR

TEOLOGÍA PARA VIVIR

Fe y Palabra

CHARLES BRIDGES

JAIME D. CABALLERO (EDITOR GENERAL)

Impreso en Lima, Perú

PROVERBIOS 18-31

Autor: © Charles Bridges
Título original en Inglés:

Charles Bridges, *An Exposition of the Book of Proverbs* (New York: Robert Carter & Brothers, 1865), 239-538.
Todos los derechos reservados para la edición en español para Teología para Vivir.

Traducción al español: David L. Torres
Edición: Jaime D. Caballero.
Diseño de cubierta: Billy J. Gil Contreras.
Colección: Comentarios Teología para Vivir - **Serie:** Libros Poéticos

Editado por:
©TEOLOGIAPARAVIVIR.S.A.C
José de Rivadeneyra 610.
Urb. Santa Catalina, La Victoria.
Lima, Perú.
ventas@teologiaparavivir.com
https://www.facebook.com/teologiaparavivir/
www.teologiaparavivir.com
Primera edición: Julio de 2022
Tiraje: 1000 ejemplares

Hecho el Depósito Legal en la Biblioteca Nacional del Perú, N°: 2022-05805
ISBN Tapa blanda: 978-612-5034-46-5

Se terminó de imprimir en julio de 2022 en:
ALEPH IMPRESIONES S.R.L.
Jr. Risso 580, Lince
Lima, Perú.

TABLA DE CONTENIDOS

PREFACIO A LA SERIE "COMENTARIOS TEOLOGÍA PARA VIVIR"

La serie de comentarios *Teología para Vivir (TPV)* busca poner a disposición del público de habla hispana algunos de los mejores y más selectos comentarios jamás escritos a cada libro de la Biblia. Esta serie de comentarios esta designada primariamente para pastores y predicadores. Sin embargo, se ha prestado especial atención en seleccionar comentarios que sean útiles para el público en general por su valor devocional, así como para el estudio pastoral y en el hogar. Los autores buscan hacer justicia al texto de las Escrituras, prestando especial atención a los detalles exegéticos del texto, así como interpretando el texto a la luz del canon de las Escrituras como un todo. Entre las características de la serie están:

Amplio reconocimiento de su utilidad

Cada uno de los comentarios elegidos para esta serie han superado la prueba del tiempo, y están considerados como *clásicos* en su respectiva área de estudios. A diferencia de los comentarios actuales, los comentarios de esta serie han sido de bendición a la iglesia por un largo tiempo, y la iglesia los continuará consultando en el futuro. El criterio principal para la elección de los comentarios en esta serie ha sido su reconocimiento universal por la iglesia como comentarios de suma utilidad, y están entre los mejores comentarios jamás escritos. La serie de comentarios *Teología para Vivir (TPV)*, es una serie que resistirá la prueba del tiempo.

No hemos considerado para la elección de los comentarios en esta serie a volúmenes publicados antes del siglo XIX. La disciplina hermenéutica alcanzó algunos de sus mayores logros durante el siglo XIX, siglo que revolucionó los estudios bíblicos. Si el siglo XVII vio la aparición de algunas de las más grandes obras de teología sistemática jamás escritas, el siglo XIX fue el siglo de los estudios bíblicos y la exégesis. Este es uno de los factores claves que hemos tenido en cuenta como criterio para la selección de los comentarios en esta serie.

Un compromiso con la inerrancia e infalibilidad de las Escrituras

Todos los autores de esta serie siguen un compromiso con la inerrancia e infalibilidad de las Escrituras. Es bajo esta presuposición teológica que se busca hacer justicia a las demandas del texto, usando las mejores herramientas exegéticas disponibles. Por otro lado, un compromiso con la inerrancia de las Escrituras no significa un compromiso con una interpretación particular del texto de las Escrituras, o una escuela teológica protestante. La variedad en la comunidad evangélica de intérpretes de las Escrituras es reflejada en esta serie.

Exegesis e interpretación teológica

La regla de fe busca hacer justicia al significado de cada texto de las Escrituras tal y como habría sido comprendido por la audiencia primaria. Sin embargo, esto es solo la mitad del trabajo exegético, y una interpretación que *solo* preste atención al aspecto literario, histórico, gramatical del texto es una interpretación mutilada del texto. La Biblia es un libro inspirado por Dios, es escritura sagrada, y debe ser interpretada como tal, asumiendo una unidad y diversidad entre sus partes. Aunque existe diversidad en los temas contenidos en los diferentes libros de las Escrituras, existe también una unidad teológica, y la interpretación bíblica debe hacer justicia a dicha regla de fe. Dicha unidad se ve reflejada en la interpretación teológica y Cristo-céntrica que siguen los autores de estos comentarios.

Utilidad para pastores, maestros y uso en el hogar

La serie de comentarios *Teología para Vivir (TPV)* es una serie escrita primariamente para aquellos que tienen la responsabilidad y privilegio de exponer el mensaje de las Escrituras de manera regular. Por lo cual, los comentarios buscan hacer justicia a los detalles exegéticos del texto, sin descuidar la aplicación de las Escrituras a la vida de los oyentes. La serie de comentarios *Teología para Vivir (TPV)* es ideal para ser usada en la preparación de sermones expositivos del texto bíblico. Dada la naturaleza práctica de los comentarios, estos pueden ser usados en grupos de estudio en el hogar, y en el estudio en familia de las Escrituras. Animamos al lector a usar estos comentarios de manera devocional, y como ayuda para liderar un grupo de estudio con su familia y en su iglesia.

Universalidad evangélica protestante

Los autores de estos comentarios no siguen una denominación o escuela teológica particular. En cada caso el criterio principal para selección de un comentario ha sido la utilidad, reconocimiento y valor del comentario en sí mismo, en lugar de su pertenencia a una denominación en particular. La serie de comentarios *Teología para Vivir (TPV)* está escrita desde una perspectiva evangélica protestante conservadora; en otras palabras, se han excluido autores de persuasión liberal, pues somos conscientes que nuestras presuposiciones teológicas siempre afectarán nuestra interpretación del texto sagrado. Sin embargo, dentro de estos límites interpretativos existe una variedad considerable entre los autores y sus respectivas escuelas teológicas, así como de las denominaciones evangélicas representadas. Los comentarios de la serie de *Teología para Vivir (TPV)* son comentarios escritos desde una perspectiva evangélica protestante, por evangélicos y para evangélicos.

Introducción contemporánea

Cada volumen contiene una introducción contemporánea escrita por un especialista en el tema, y desde una perspectiva bíblica-teológica. La teología bíblica como disciplina teológica ha evolucionado considerablemente en el ultimo siglo. El propósito de incluir una introducción contemporánea al libro usando un enfoque canónico de la teología bíblica, es decir, siguiendo una exposición de un libro particular del canon sagrado, en lugar de una explicación de un tema a lo largo de varios libros, es ayudar al lector a poder apreciar los temas teológicos principales contenidos en cada libro de las Escrituras. Esto es de especial utilidad para la interpretación del texto, y en caso de que se desee hacer una exposición temática del libro. Una exposición temática del libro tiene particular relevancia en el aspecto pedagógico, a menudo antes de explorar los detalles del texto es de ayuda ver como todo encaja como una unidad canónica.

Obra completa y sin abreviar

Los libros en esta serie corresponden a la edición completa y sin abreviar, tal y como fueron originalmente publicada. La labor editorial ha consistido principalmente en tres áreas. Primero, se han añadido algunas notas de estudio para facilitar la comprensión del texto. Las notas usualmente explican algún termino teológico, o proveen de material biográfico; en cada caso las notas añadidas por el editor son indicadas con las siglas "(n.ed)" al final de la nota para diferenciarlas de las notas originales del autor. Segundo, en algunos casos se ha completado la referencia al texto bíblico citada por el autor, incluyendo la cita completa para una mayor compresión. Por ejemplo, si el autor escribe en el texto original: "porque de tal manera amó Dios al mundo, etc", se ha escrito: "porque de tal manera amó Dios al mundo, que dio a su hijo unigénito para que todo aquel que en el crea no se pierda más tenga vida eterna" **(Jn 3:16).** Tercero, en los casos donde se ha considerado conveniente se han añadido títulos o subtítulos para una mejor comprensión del texto.

Si el Señor lo permite, en su versión final la serie completa tendrá más de 80 volúmenes, y será publicada en un espacio de quince años, entre el 2022 y el 2037 a un ritmo de cinco o seis volúmenes por año. *Soli Deo Gloria.*

JAIME D. CABALLERO
Editor General

UNA
EXPOSICIÓN
DEL

LIBRO DE PROVERBIOS

POR

EL REV. CHARLES BRIDGES, M.A.,

VICARIO DE OLD NEWTON, SUFFOLK;
AUTOR DE UNA "EXPOSICIÓN DEL SALMO CXIX", "EL MINISTERIO CRISTIANO", ETC.

NUEVA YORK:
ROBERT CARTER & BROTHERS,

No. 530 Broadway

1865

SEGUNDA PARTE (10:1-22:16 - CONTINUACIÓN): PROVERBIOS DE SALOMÓN – PRIMERA PARTE (18:1-22:16)

C. SEGUNDA COLECCIÓN – TERCERA PARTE: EL SEÑOR Y SU REY (18:1-22:16)

5. El discurso de los necios frente al discurso de los sabios (18:1-21)

a. El discurso de los necios frente a la defensa de los justos (18:1-11)

1. *El que vive aislado busca su propio deseo, contra todo consejo se encoleriza.*
2. *El necio no se deleita en la prudencia, sino solo en revelar su corazón.*

EL DESEO es la rueda de la carroza del alma, la fuente de energía y deleite. El hombre de negocios o de ciencia está lleno de su gran propósito, y *por causa del deseo se separa* de todo impedimento y obstáculo, para poder *inmiscuirse en* toda su extensión. "Una cosa" –dice el hombre de Dios– "hago" (Fil. 3:13). Esta única cosa es todo para él.

Por causa del deseo se separa de los enredos de la compañía vana, de las diversiones o estudios triviales, de los compromisos innecesarios, para poder *buscar e inmiscuirse en toda sabiduría.* Juan *se aisló* en el desierto (Lc. 1:80); Pablo en Arabia (Gá. 1:17-18); y nuestro bendito Señor estuvo abstraído frecuentemente (Mc. 1:35; 6:31, Lc. 6:12) a fin de poder concentrarse más en su obra trascendental. El ministro cristiano siente profundamente la responsabilidad de esta santa *separación*, a fin de poder "entregarse por completo" a su oficio (2 Ti. 2:4, 1 Ti. 4:15).

> **2 Timoteo 2:4** El soldado en servicio activo no se enreda en los negocios de la vida diaria, a fin de poder agradar al que lo reclutó como soldado.
> **1 Timoteo 4:15** Reflexiona sobre estas cosas; dedícate a ellas, para que tu aprovechamiento sea evidente a todos.

Sin ella, cristiano, tu alma no puede prosperar. ¿Cómo puedes inmiscuirte *con la gran sabiduría* de conocerte a ti mismo, si toda tu mente está llena de la paja y la vanidad de este mundo? Debe haber un retiro para "tener comunión con tu propio corazón", y hacerte la pregunta: "¿Dónde estás? ¿Qué haces aquí?" Hay mucho que preguntar y reflexionar. Todo aquí requiere nuestros más profundos e íntimos pensamientos. Debemos caminar con Dios en lo secreto, o el enemigo caminará con nosotros, y nuestras almas morirán. "Levántate, sal a la llanura, y allí hablaré contigo" (Ez. 3:22). "Cuando estabas bajo la higuera, te vi" (Jn. 1:48).

Trabaja mucho en lo secreto, si quieres conocer "lo íntimo del Señor". Como tu Divino Maestro, nunca estarás menos solo que cuando estás solo (Jn. 16:32). Hay mucho que puede ser forjado, ganado y disfrutado. Aquí encontrarás tu conocimiento más espiritual, tu experiencia más rica. Mira a tu alrededor, ¡qué cantidad de *sabiduría* celestial *donde inmiscuirse*! La vista abrumó al Apóstol con un asombro lleno de adoración (Ro. 11:33). Incluso "los ángeles desean mirarla" (Ef. 3:10, 1 P. 1:12). Los redimidos se ocuparán por toda la eternidad de esta búsqueda placentera, explorando "la anchura, la longitud, la profundidad y la altura", hasta que "sean llenos de toda la plenitud de Dios" (Ef. 3:18-19).

Sin embargo, *el necio no se deleita con este conocimiento.* Todo su deseo es derramar su propia frivolidad, salir a ser objeto de observación pública, para que *su corazón revele* inmediatamente *de sí mismo* –un descubrimiento vergonzoso en verdad– la escasez de su conocimiento y la vanidad de su mente.

3. *Cuando llega el impío, llega también el desprecio, y con la deshonra viene la afrenta.*

El egoísmo conforma el carácter del *impío:* "Dondequiera que vaya, es propenso a arrojar *desprecio y afrenta* sobre el rostro de cada hombre".[1] Las circunstancias o debilidades de su prójimo le proporcionan material para hacerlo objeto de burla. La palabra de Dios no tiene aprobación alguna ante sus ojos. Su pueblo es objeto de su *afrenta.* A su seriedad la llama pesimismo; a su alegría, ligereza (Mt. 11:18-19). Si "no encuentra ninguna ocasión o falta" (Dn. 6:3–5), su inventiva forja una con inagotable ingeniosidad.

---

[1] Obispo Joseph Hall (1574-1656). Cf. Pr. 29:16.

Daniel 6:3–5 Pero este mismo Daniel sobresalía entre los funcionarios y sátrapas porque había en él un espíritu extraordinario, de modo que el rey pensó ponerlo sobre todo el reino. Entonces los funcionarios y sátrapas buscaron un motivo para acusar a Daniel con respecto a los asuntos del reino. Pero no pudieron encontrar ningún motivo de acusación ni *evidencia alguna de corrupción*, por cuanto él era fiel, y ninguna negligencia ni corrupción *podía* hallarse en él. Entonces estos hombres dijeron: «No encontraremos ningún motivo de acusación contra este Daniel a menos que encontremos *algo* contra él en relación con la ley de su Dios».

"Como dice el proverbio de los antiguos, la impiedad procede del impío" (1 S. 24:13). Debemos considerar sobre este horno, aunque los fuegos del martirio se apaguen. Nuestro bendito Señor soportó todos los males del mundo sin vacilar.

Pero *el desprecio y la afrenta* atravesaron su alma con más fuerza que los "clavos de sus manos y sus pies". "El *escarnio*", dice él, "ha quebrantado mi corazón" (Sal. 69:9, 20, Mt. 27:39-44). ¿No debe el siervo esperar ser como su amo? (Mt. 10:24-25, Jn. 15:20). Sin embargo, a menudo la justicia retributiva abruma a *los malvados* con *deshonra y afrenta* (2 S. 7:20-27, Est. 7:9-10). Un espíritu que menospreció a los piadosos nunca es olvidado. Cada palabra amarga es registrada hasta el gran día (1 P. 4:4-5, Jud. 14-15).

¡Qué espectáculo será entonces, cuando los afrentados se levanten, vestidos con toda la gloria del "Rey de los santos", y los rostros de sus perseguidores sean cubiertos de "eterna vergüenza y *desprecio*"! (Is. 66:5, Dn. 12:2). La visión de ese día nunca se borrará. "La afrenta de su pueblo será quitada de toda la tierra, porque el Señor lo ha dicho" (Is. 25:8).

4. *Aguas profundas son las palabras de la boca del hombre; arroyo que fluye, la fuente de la sabiduría.*

La primera cláusula está limitada, por la segunda, a *las palabras de un hombre sabio*. Cuando "un hombre se ha inmiscuido en toda sabiduría", sus *palabras* son, en sí mismas, *aguas profundas*; y, al ser comunicadas, son fructíferas *como un arroyo que fluye* (1 R. 10:8). Su sabiduría es *una fuente* 'de la cual manan arroyos llenos, listos para desbordar sus orillas. ¡Tan abundantes son sus buenos discursos y sus saludables consejos!'.[2]

Tan *profundas eran las aguas* de la fuente del sabio, que *sus palabras* casi saturaron la capacidad de su oyente real (1 R. 10:4-7). Uno "más grande que Salomón" "asombró al pueblo" por la claridad, no menos que por la *profundidad de las aguas* (Mt. 7:28-29). Ninguna bendición es más valiosa que una "rica morada de la palabra", lista para ser aprovechada en todas las ocasiones adecuadas de instrucción (Col. 3:16, 4:6). Si el sabio a veces "ahorra sus palabras" (Pr. 17:27), no es por falta de material, sino para una mayor edificación. La corriente está lista para fluir, y a veces apenas puede ser contenida (Job 32:19, Jer. 20:9, Hch. 17:16). El cristiano profesante especulativo y de corazón frío tiene su *caudal*, a veces un torrente de palabras, pero sin una gota de materia provechosa; estremecedor, incluso cuando es doctrinalmente correcto; sin vida, unción o amor. ¡Buen Dios! ¡Líbranos de esta estéril "palabrería de labios"! (Pr. 14:23). ¡Que nuestras *aguas sean profundas*, y fluyan de tu propio santuario interior, refrescando y fertilizando la iglesia de Dios!

Esta *fuente* resulta especialmente vigorizante, cuando, como el caso de Crisóstomo, otorga un brillo celestial a la elocuencia exterior. La mente y el talento consagrados son dones de Dios. ¡Oh! que sean perfeccionados en simplicidad, no para el honor de la criatura, sino para la gloria del Gran Dador.

5. *No es bueno mostrar preferencia por el impío, para ignorar (Lit. echar a un lado) al justo en el juicio.*

---

[2] Obispo Joseph Hall (1574-1656). Cf. Pr. 10:11; 16:22; 20:5. "Joseph Hall (1574-1656) fue un obispo inglés, satirista y filósofo moral. Sus contemporáneos lo conocieron como escritor devocional y como polémico de alto nivel a principios de la década de 1640. En la política eclesiástica, se inclinó de hecho por una vía intermedia. Su padre, John Hall, trabajaba a las órdenes de Henry Hastings, III conde de Huntingdon, presidente del norte, y era su diputado en Ashby. Su madre era Winifred Bambridge, una puritana rigurosa. Hall asistió a la Ashby Grammar School. Fue enviado al Emmanuel College de Cambridge, donde se graduó con una licenciatura en 1592 y una maestría en 1596 (licenciatura en 1603 y doctorado en 1612), obteniendo las más altas calificaciones en sus respectivos grados. Obtuvo una alta reputación en la universidad por su erudición, y dicto la conferencia de retórica pública en las escuelas durante dos años con mucho crédito. Es autor de muchos libros, especialmente en el área de la filosofía y la ética. Fue elegido como uno de los delegados para el Sínodo de Dort (aunque cayó enfermo y no pudo asistir). Aunque Hall era calvinista y reformado, defendía una iglesia establecida en Inglaterra, y estaba en contra de los separatistas durante la guerra civil inglesa. Hall escribió muchos libros sobre filosofía moral, ética y virtud." (n .ed).

¿No se "sacudirían los cimientos de la tierra" si escucháramos de tan grave violación de la regla de derecho? (Sal. 82:2-5). Sin embargo, en un mundo del cual Satanás es Dios y Príncipe, la injusticia es un principio natural del gobierno. El piadoso rey de Judá señaló a sus jueces el ejemplo divino. Miren y sean como Él (2 Cr. 17:7–9).

> **2° Crónicas 17:7–9** En el año tercero de su reinado envió a sus oficiales Ben Hail, Abdías, Zacarías, Natanael y Micaías, para que instruyeran *a los habitantes* de las ciudades de Judá. Con ellos envió a los levitas Semaías, Netanías, Zebadías, Asael, Semiramot, Jonatán, Adonías, Tobías y Tobadonías, levitas *todos;* y con estos a los sacerdotes Elisama y Joram. Ellos enseñaron *a la gente* en Judá, teniendo consigo el libro de la ley del Señor. Recorrieron todas las ciudades de Judá y enseñaron al pueblo.

Toda lo repugnante está conectado con *la impiedad.* No hay nadie tan noble, que no se degrade; tan bello, que no se deforme; tan culto, que no engañe.
Por lo tanto, preferir su persona no es bueno (Pr. 17:26; 24:23; 28:21). "Abominación" es su verdadero nombre, el sello de Dios (Pr. 17:15. Cf. Lv. 19:15, Dt. 1:16-17).

> Cualquier excusa que el hombre pueda ofrecer por este accionar es una ofensa a Dios, una afrenta a la justicia, un mal a la humanidad, y un verdadero servicio prestado al reino del pecado y de Satanás.[3]

En el juicio, que la causa sea escuchada, no la persona. Que la persona sea castigada por su maldad, no que la maldad sea cubierta a causa de la persona. Cuando esto se hace *para echar al justo en el juicio;* se derriba el trono del juicio

---

[3] Matthew Henry (1622-1714) *in loco.* "Matthew Henry (1662-1714), fue un comentarista inglés no conformista. Hijo de un ministro anglicano que había sido expulsado en virtud del Acta de Uniformidad (1662), Henry se convirtió en ministro presbiteriano y sirvió en Chester (1687-1712) y en Hackney, al norte de Londres (1712-14). La exposición bíblica a la manera puritana fue su gran prioridad. El fruto duradero fue su Exposición del Antiguo y Nuevo Testamento en varios volúmenes (1708-10; hasta el final de los Hechos; otros lo completaron). Numerosas ediciones, abreviaturas y adaptaciones atestiguan el continuo atractivo de su enfoque práctico y devocional, su piedad sencilla, su estilo alegre e incluso atrevido y su sabio sentido común. Su exégesis espiritualizadora precrítica ha influido durante mucho tiempo en la religión evangélica." David F. Wright, "Henry, Matthew (1662–1714)," *Encyclopedia of the Reformed Faith* (Louisville, KY; Edinburgh: Westminster/John Knox Press; Saint Andrew Press, 1992), 171.

en la tierra. Los Siquemitas fueron severamente castigados por su pecado, pues *mostraron preferencia* por Abimelec e hicieron a un lado los justos reclamos de la casa de Gedeón (Jue. 9:2-5, 45-49). No es de extrañarse pues los derechos de Dios son despreciados, y los reclamos de su justicia desechados. "El que gobierna a los hombres debe ser justo, gobernando en el temor de Dios" (2 S. 23:3).

Tal fue nuestro modelo divino en la carne; "de entender diligente en el temor del Señor", y por lo tanto "juzgó en justicia" (Is. 11:3-4). Tal será su juicio, cuando "juzgue al mundo en justicia" (Hch. 17:31). Su decisión será exacta, su sentencia inmutable.

6. *Los labios del necio provocan riña, y su boca llama a los golpes. 7. La boca del necio es su ruina, y sus labios una trampa para su alma.*

No es poco notable que el Apóstol, al describir la anatomía de la depravación del hombre, se detenga principalmente en "el miembro pequeño" con todos sus acompañantes: la garganta, la lengua, los labios, la boca (Ro. 3:13-14). ¡Tal "mundo de iniquidad es, contaminando todo el cuerpo"! (Stg. 3:6). A menudo vemos su maldad hacia los demás; aquí observamos su maldad consigo misma.

Los labios del necio provocan riña. Esto es realmente una necedad. El sabio puede ser arrastrado a ella por la debilidad de su temperamento (Hch. 15:39) o por la fuerza de las circunstancias (Gn. 13:5-9). Pero "en cuanto dependa de él, vivirá en paz con todos los hombres" (Ro. 12:18. Cf. 14:19), apagando incluso el primer síntoma de *la riña* (Pr. 17:14).

El necio entra en ella, interviniendo inútilmente en la contienda (Pr. 20:3; 26:17), o azuzándola voluntariamente (Pr. 16:27-28), 'como la alarma para la guerra, y los tambores preparando la batalla'.[4] De este modo, prepara una vara para sí mismo (Pr. 14:3; 19:19, 29). Pone un arma en las manos de Satanás, con la que golpeará su propia cabeza. Sus "carbones encendidos" son la fragua, donde lo martillea con *golpes* terribles (Pr. 26:21). La caprichosa *riña* de los hombres de Sucot y Peniel con Gedeón *llamaba a golpes* (Jue. 8:4-17). La boca burlona de los muchachos fue su merecida *ruina* (2 R. 2:23-24). Los *labios* calumniosos de los perseguidores de Daniel fueron *trampa para sus almas* (Dn. 6:12-13, 24. Cf. Sal. 52:1-5). No hay necesidad de cavar una fosa para el *necio*.

---

[4] Thomas Cartwright (c. 1535-1603) in loco.

Él la cava para sí mismo (Sal. 7:14-15, 64:8). Las bocas de las bestias salvajes se devoran unas a otras.

La boca del necio es su propia ruina (Pr. 10:8, 14; 13:3, Ec. 10:12-13).

Proverbios 10:8, 14 El sabio de corazón aceptará mandatos, Pero el necio charlatán será derribado... Los sabios atesoran conocimiento, Pero la boca del necio es ruina cercana.

Proverbios 13:3 El que guarda su boca, preserva su vida; El que mucho abre sus labios, termina en ruina.

Eclesiastés 10:12–13 Llenas de gracia son las palabras de la boca del sabio, Mientras que los labios del necio a él lo consumen, El comienzo de las palabras de su boca es insensatez, Y el final de su habla perversa es locura.

El lazo del cazador no es necesario, pues "está atrapado en la transgresión de sus labios" (Pr. 12:13). No sólo es la causa, sino el agente de su propia *destrucción*.

Y el hijo de Dios, ¿no velará en piadoso temor para que su *necedad no llame al golpe* de su Padre? Puede "cortar" severamente con la espada (Os. 6:5), como si fuera a matar, a fin de dar vida. Pero siempre es un amor sabio y misericordioso, como dice uno de los Padres: 'amenaza para no golpear, y golpea para no destruir'. Si mostrando la vara logra su propósito, con gusto se abstendrá de golpear. Pero si nuestra insensatez, como dice Robert Leighton (1611-84), "le extrae el castigo de las manos",[5] ¿a quién debemos agradecer por el escozor sino a nosotros mismos?

---

[5] Leighton, *Works,* v. 114. "Robert Leighton (1611-84), abad de Glasgow. Después de pasar algún tiempo en Francia, fue ordenado en 1641, fue director de la Universidad de Edimburgo en 1653, obispo de Dunblane en 1661 y arzobispo de Glasgow en 1670. Su aceptación de un obispado no se debió al abandono de los principios presbiterianos, ni a un mero compromiso, sino a su creencia de que había sido elegido para ayudar a poner paz en el conflicto entre el presbiterianismo y el episcopalismo. Se esforzó por restaurar la unidad de la Iglesia en Escocia, pero fracasó en sus esperanzas de acomodar los dos sistemas. Leighton veía lo bueno y lo malo tanto en las formas de culto episcopales como en las puritanas inglesas. El Partido Puritano ganó tal popularidad que Leighton se retiró del Ministerio en Newbattle, citando la introducción de las ideas cromwellianas en cuanto a doctrina y ritual, como su principal razón. El "Apóstol de la Paz" de Escocia, como llegó a ser conocido, asumió el cargo de director de la Universidad de Edimburgo durante un período de 8 años, antes de ser llamado a Londres, por el Rey Charles II. Se propuso retirarse de su obispado de Dunblane cuando el Gobierno continuó persiguiendo a los Covenanters (1665), pero al ser tranquilizado por Charles II, cedió. Finalmente renunció a su arzobispado en 1674, tras redoblar en vano sus esfuerzos por la conciliación. Conocedor del latín, el griego y el hebreo, combinaba una profunda creencia calvinista con una calidad de devoción que

8. *Las palabras del chismoso son como bocados deliciosos,*[6] *Y penetran hasta el fondo de las entrañas.*

¿Se niega, cuestiona o suaviza la depravación de nuestra naturaleza? Recuerda que el virulento veneno de un solo miembro destruye la piedad práctica, el orden social y la amistad mutua.

El chisme estaba expresamente prohibido por la ley (Lv. 19:16), y no es menos opuesto al espíritu del evangelio (1 Co. 13:6). Ningún carácter es más despreciable, ninguna influencia más detestable que la del *chismoso*. Es justo, en efecto, "informar de la mala fama" (Pr. 24:11-12, Gn. 37:2, Lv. 5:1) para prevenir el pecado.

> **Génesis 37:2** Esta *es la historia de* las generaciones de Jacob: Cuando José tenía diecisiete años, apacentaba el rebaño con sus hermanos. El joven *estaba* con los hijos de Bilha y con los hijos de Zilpa, mujeres de su padre. Y José trajo a su padre malos informes sobre ellos.
>
> **Levítico 5:1** "Si alguien peca al ser llamado a testificar, siendo testigo de lo que ha visto o sabe, y no *lo* declara, será culpable.

Así fue que Elí pudo, aunque sin efecto, reprender a sus hijos (1 S. 2:23-24). Así, la vida de un apóstol fue preservada (Hch. 23:15-22. Cf. Jer. 40:13-16, 41:1-2) y serios males en la iglesia fueron refrenados o corregidos (1 Co. 1:11, 11:18). Pero esto nunca puede ser hecho correctamente por *el chismoso*, porque lo hace con ligereza y placer (Jer. 20:10). Con él hay puro egoísmo, sin ningún otro principio más allá del amor al pecado por sí mismo. Vive del escándalo del lugar, y hace que sea su odiosa ocupación el divulgar cuentos o calumnias de las faltas de su prójimo.

> La palabra significa propiamente un vendedor ambulante, que compra bienes (que pueden ser robados) en un lugar, y los vende en otro, y cuida de hacer su propio mercado con ellos. Así el chismoso hace sus propias visitas, para

---

aprendió en parte de los escritos de San Bernardo y Thomas à Kempis." F. L. Cross and Elizabeth A. Livingstone, eds., *The Oxford Dictionary of the Christian Church* (Oxford; New York: Oxford University Press, 2005), 970." (n.ed).

[6] Nota del Traductor: La versión usada en el inglés original señala literalmente: "Las palabras del chismoso son como heridas..."; de allí las referencias realizadas por el autor.

recoger algo en un lugar y decir en otro, aquello que cree disminuirá la reputación de su vecino, y así poder construir la suya propia.[7]

Tales relatos son devorados con avidez, y el malhechor se alimenta con suma codicia del fruto de su cruel indulgencia. Para él, esto puede parecer un juego inofensivo. Pero, si no se causa hemorragia, ni se observa ninguna lesión externa, se inflige una *herida* interna, a menudo incurable (Pr. 26:22, 1 S. 22:9). Puede parecer que tomamos a la ligera *el relato* que nos han contado, y que lo despreciamos por completo. Pero el veneno sutil ha surtido efecto. 'Supongamos que es verdad. Quizás, aunque sea exagerado, pueda haber alguna base para ello'. Este pensamiento, permitido sólo por un momento, trae sospecha, desconfianza, frialdad; y a menudo, termina en la separación de los mejores amigos (Pr. 16:28; 17:9, 1 S. 24:8; 26:19, 2 S. 16:1–4). ¡Tan peligroso resulta un miembro como la lengua sin un control decidido y severo!

El relato de un momento de descuido puede causar una tremenda e irreparable herida. Podemos encontrar esta mala disposición en buena compañía. Puede encontrarse con la acogida del público.

Pero ningún favor puede alterar su verdadero carácter, como una abominación tanto para Dios como para el hombre. ¡Ah! ¿Qué otra cosa sino el poder del amor santo, que abre libremente los canales de la bondad y la tolerancia, puede vencer a esta perjudicial propensión? ¿Qué traerá este espíritu de amor, sino un verdadero interés en los privilegios cristianos y el correspondiente sentido de las obligaciones cristianas? (Col. 3:12-14).

9. *También el que es negligente en su trabajo Es hermano del que destruye.*[8]

Observa la afinidad de los diferentes principios y mecanismos de la corrupción. El perezoso y el pródigo pertenecen a la misma familia. El hombre que "escondió el talento del Señor", fue tan infiel como el que "desperdició sus bienes" (Mt. 25:25, cf. Lc. 16:1).

El perezoso no tiene corazón para *su trabajo*. Se le escapan importantes oportunidades. Su capital, en lugar de incrementarse por medio del comercio, se

---

[7] *'Sermon on Friendly Visits'* de M. Henry. Cf. Pr. 11:13, 20:19.

[8] Nota del Traductor: La versión usada en el inglés original señala literalmente: "... el que es perezoso en su trabajo es hermano de un gran derrochador"; de allí las referencias realizadas por el autor.

reduce gradualmente hasta la penuria. 'Dios tiene una "mano generosa y colma de abundancia a todo ser viviente" (Sal. 145:16). Pero a menos que tengamos una mano diligente con qué recibirla, podemos morir de hambre. Aquél que por la *pereza* de su mano se despoja de los medios para conseguirlo, es el pariente más cercano que puede haber de un *derrochador*'.[9]

Es hermano de un gran derrochador; el señor de una gran propiedad, que, en lugar de trabajarla, mejorarla y disfrutarla, la *desperdicia* en extravagancia e insensatez. Lo mismo sucede en la religión. Uno se contenta con una ortodoxia sin corazón. Su oración secreta no es recordada posteriormente. Su culto familiar es una rutina de formalidad, no la importante ordenanza del día. La "comunión con su propio corazón" es una generalidad estéril, que no le aporta ningún conocimiento exacto y humillante de sí mismo.

¿En qué se diferencia del descuidado *derrochador* de sus privilegios? ¿Cuál es la diferencia significativa entre aquél que ora, lee y trabaja formalmente, y aquél que desecha completamente estos altos privilegios? Ambos toman la misma dirección, aunque por caminos algo diferentes. Uno cruza sus brazos en indolencia. El otro abre sus manos en despilfarro. Uno no recibe nada. El otro gasta lo que obtiene. Uno se sienta tranquilamente y espera la llegada de la miseria (Pr. 6:11; 24:34). El otro se precipita hacia ella. Uno muere consumiéndose lenta, sutil e ineludiblemente. El otro, por una rápida y violenta enfermedad. Con todo, terrible es la culpa, solemne el balance, y cierta la ruina de ambos.

Dios da talentos, no sólo para enriquecernos, sino para emplearlos. Y ya sea que se descuiden egoístamente, o se tiren por la borda imprudentemente, "siervo malo" pronunciará la condena. "Las tinieblas de afuera" serán la justa y eterna retribución (Mt. 25:26-30).

Mateo 25:26–30 »Pero su señor le dijo: "Siervo malo y perezoso, sabías que siego donde no sembré, y que recojo donde no esparcí. "Debías entonces haber puesto mi dinero en el banco, y al llegar yo hubiera recibido mi dinero con intereses. "Por tanto, quítenle el talento y dénselo al que tiene los diez talentos (216 kilos de plata)". »Porque a todo el que tiene, *más* se le dará, y tendrá en abundancia; pero al que no tiene, aun lo que tiene se le quitará. »Y al siervo inútil, échenlo en las tinieblas de afuera; allí será el llanto y el crujir de dientes.

---

[9] Sermón del Obispo Robert Sanderson (1587-1663) sobre 1 Co. 7:24.

¡Siervo de Cristo! Que la vida de tu Maestro sea tu patrón y tu estándar. Ni un momento suyo fue descuidado *perezosamente*, ni un momento inútilmente *desperdiciado*. Igual de ferviente era en el trabajo diario como en la oración nocturna. Síguelo en su trabajo, y serás honrado con su recompensa (Jn. 12:26).

10. *El nombre del Señor es torre fuerte, a ella corre el justo y está a salvo (Lit. es puesto en alto). 11. La fortuna del rico es su ciudad fortificada, y como muralla alta en su imaginación.*

La conciencia de peligro induce incluso a la creación animal a buscar refugio (Pr. 30:26, Sal. 104:18). Para el hombre, *una torre fuerte* ofrece tal protección (Jue. 9:50, 2 Cr. 14:7, 26:9, 27:4). Pero el hombre, como pecador, ¿se da cuenta de su inminente peligro, de su amenazadora ruina? ¡Oh! que crea y acepte el testimonio del evangelio. Esta gloriosa manifestación del *nombre del Señor* le muestra una *torre fuerte*. La completa "declaración de *este nombre*" establece de manera muy poderosa la extensión y plenitud del refugio. Cada letra añade confirmación a nuestra fe (Ex. 34:5-7).

Éxodo 34:5–7 El Señor descendió en la nube y estuvo allí con él, mientras este invocaba el nombre del Señor. Entonces pasó el Señor por delante de él y proclamó: «El Señor, el Señor, Dios compasivo y clemente, lento para la ira y abundante en misericordia y verdad (fidelidad); que guarda misericordia a millares, el que perdona la iniquidad, la transgresión y el pecado, y que no tendrá por inocente *al culpable*; que castiga la iniquidad de los padres sobre los hijos y sobre los hijos de los hijos hasta la tercera y cuarta generación».

Cada manifestación renovada trae un nuevo rayo de luz y bendición.[10] El sentido de peligro, el conocimiento del camino, la confianza en la *fuerza de la torre*; todo ello otorga una energía de vida y seriedad para *correr hacia ella*.[11] Aquí no tememos el dardo más agudo o rápido que pueda ser disparado contra nosotros. Aquí se concreta nuestra seguridad ante los problemas externos (Dt. 33:27-29, Sal. 61:3; 91:2, Is. 54:14), y ante las pruebas que ejercitan la fe (Is. 50:10). Estamos *a salvo* de su justicia retributiva, de la maldición de su ley, del pecado,

---

[10] Vea los nombres de Dios en el Nuevo Testamento. Ro. 15:5, 13, 2 Co. 1:3; 5:19, 1 P. 5:10. Cf. Sal. 9:10.

[11] Vea los ejemplos de Jacob, Gn. 32:11, 28, 29; David, 1 S. 30:6, Sal. 56:3; Asa, 2 Cr. 14:11; Josafat, 20:12; Ezequías, 2 R. 19:14-19.

de la condenación, de la segunda muerte. Nos gozamos en nuestra *seguridad* (Sal. 18:1–3, Is. 25:4)*,* y, además, en nuestra *exaltación*.[12]

Nuestros intereses están fuera del alcance de todo daño (Col. 3:3); y así, la nación *justa* retoma la canción de triunfo: "Tenemos una ciudad fuerte: Salvación puso Dios por murallas y baluartes" (Is. 26:1-4). No obstante, aquí sólo se encuentran *los justos.* ¿Qué sabe el impío de este refugio?

> La misericordia de nuestro Dios es una misericordia santa. Él sabe cómo perdonar el pecado, no cómo protegerlo. Él es un santuario para el penitente, no para el presuntuoso.[13]

Qué alegría es que las puertas de esta ciudad estén siempre abiertas. Ningún momento es inoportuno. Ninguna distancia ni ninguna debilidad impiden la entrada.

El lisiado puede *correr*, como "Asael, ligero de pies" (2 S. 2:18). Todos los que entran están guarnecidos para salvación.

> Satanás levanta baterías contra el fuerte, usando todos los medios para tomarlo, ya sea por fuerza o estratagema, incansable en sus asaltos, y muy hábil para conocer sus ventajas.[14]

Pero, a pesar de todo su perturbador poder, "la paz de Dios" fortalece diariamente nuestros corazones del temor al mal (Fil. 4:7; Gr. Cf. Pr. 1:33, 14:26). ¡Tal es nuestra *torre fuerte*! ¡Cuánto debemos a nuestro Salvador lleno de gracia, que ha hecho nuestro camino hacia ella tan libre, tan brillante! (Mt. 11:27, Jn. 1:18, 14:6). Reposamos en el seno de Dios, y estamos en paz.

Sin embargo, *¿tiene el hombre rico una ciudad fuerte y murallas altas?* (Pr. 10:15). Bien hace el sabio al añadir: *en su imaginación.* No se imagina que en un momento pueden desmoronarse hasta ser polvo y dejarlo en la terrible ruina del desamparo.

---

12 M. R. Is. 33:16.
13 Obispo Edward Reynolds (1599-1676) sobre Os. 14:1, 2.
14 1 P. 1:5; Gr. Robert Leighton (1611-84) sobre ese pasaje.

Los problemas encontrarán una entrada a su castillo. La muerte lo asaltará y lo tomará. Y el juicio lo arrastrará a él y a su castillo a la perdición.[15]

Es verdaderamente un contraste conmovedor entre un refugio real y uno imaginario (Cf. Is. 1:10-11, Mt. 7:24-27).

Isaías 1:10–11 Oigan la palabra del Señor, Gobernantes de Sodoma. Escuchen la instrucción de nuestro Dios, Pueblo de Gomorra: «¿Qué es para Mí la abundancia de sus sacrificios?», Dice el Señor. «Cansado estoy de holocaustos de carneros, Y de sebo de ganado cebado; La sangre de novillos, corderos y machos cabríos no me complace.

Cada hombre es como aquello en lo que confía. La confianza en Dios comunica un espíritu divino y elevado. Sentimos que estamos rodeados de Dios, y moramos en lo alto con Él. ¡Oh la dulce calma de un alma así protegida por una fortaleza inexpugnable! Pero la confianza vana acarrea un corazón vano y orgulloso, el precursor inmediato de la ruina.

b. Transición (18:12)

12. *Antes de la destrucción el corazón del hombre es altivo, pero a la gloria precede la humildad.*

Hemos revisado estos dos Proverbios por separado (Pr. 16:18; 15:33). Seguramente esta repetición, como el paralelo que nuestro Señor repite a menudo (Mt. 23:12, Lc. 14:11; 18:14),[16] tenía la intención de profundizar

---

[15] Thomas Scott (1741-1821). Compare Ez. 28:1-10, Lc. 12:18-20. Vea también un hermoso pasaje en el 'Rambler', al mejor estilo de instrucción solemne del Dr. Johnson. No. 65.

[16] Vea Horacio, Od. 1:34. "Quinto Horacio Flaco (diciembre del 65 - 27 de noviembre del 8 a.C.), conocido como Horacio, fue el principal poeta lírico romano de la época de Augusto (también conocido como Octavio). El retórico Quintiliano consideraba sus Odas como las únicas letras latinas que merecían ser leídas: "Puede ser elevado a veces, pero también está lleno de encanto y gracia, es versátil en sus figuras y felizmente atrevido en su elección de palabras". Horacio también elaboró elegantes versos en hexámetros (Sátiras y Epístolas) y cáustica poesía yámbica (Epodos). Los hexámetros son obras divertidas y a la vez serias, de tono amable, lo que llevó al antiguo satírico Persio a comentar "mientras su amigo se ríe, Horacio pone astutamente el dedo en cada una de sus faltas; una vez que se lo permite, juega con la fibra del corazón"."

nuestra percepción de su importancia. Es difícil persuadir a un hombre de que es orgulloso. Todos desaprueban este pecado.

Sin embargo, ¿quién no abriga esta víbora en su propio seno? El hombre entiende muy poco que la dependencia de su Dios constituye la felicidad de la criatura, y que el principio de la independencia es la locura y su final, destrucción (Gn. 3:5-6). Los altivos caminan al borde de un temible precipicio, y sólo un milagro los preserva de la ruina instantánea. La seguridad del hijo de Dios reside cuando yace postrado en el polvo. Si se eleva, el peligro es inminente, aunque esté al borde del cielo (2 Co. 12:1-7).

El peligro para un joven cristiano reside en una profesión demasiado avanzada. El resplandor del primer amor, la despertada sensibilidad a la condición de sus prójimos pecadores que perecen, la ignorancia del sutil funcionamiento de la vanidad innata, el equivocado celo de los amigos poco juiciosos; todo ello tiende a fomentar la autocomplacencia. ¡Oh! Que sepa que *la humildad precede al honor*.

En el bajo valle de la humillación se llevan a cabo manifestaciones especiales (Job 42:5-6, Is. 6:5-7, Dn. 9:20–23).

> **Job 42:2–6** «Yo sé que Tú puedes hacer todas las cosas, Y que ninguno de Tus propósitos puede ser frustrado. "¿Quién es este que oculta el consejo sin entendimiento?". Por tanto, he declarado lo que no comprendía, Cosas demasiado maravillosas para mí, que yo no sabía. "Escucha ahora, y hablaré; Te preguntaré y Tú me instruirás". »He sabido de Ti *solo* de oídas, Pero ahora mis ojos te ven. »Por eso me retracto, Y me arrepiento en polvo y ceniza».

Tener grandes dones y un aparente aumento de la utilidad, sin profundizar en la humildad de Cristo; acarrearán la decadencia, no el progreso, de la gracia. Ese es, sin duda, el espíritu más humilde; el que tiene más del espíritu de Cristo.

La regla para entrar en su escuela, el primer paso para ser admitido en su reino es: "Aprended de mí, que soy manso y humilde de corazón" (Mt. 11:29). No obstante, esta *humildad* no está en las palabras, ni en el abatimiento o las lágrimas. Su fruto es la sencillez mental, la mansedumbre de carácter, la gratitud al recibir la reprensión, el olvido de las ofensas, la disposición a ser apenas considerado. Esta es *la humildad* "que el Rey se complace en honrar". "Bienaventurados los pobres de espíritu, porque de ellos es el reino de los cielos. Él levanta al pobre del polvo, para sentarlo con los príncipes, incluso con los príncipes de su pueblo" (Mt. 5:3, Sal. 113:7-8).

c. El comportamiento de la persona educada en el conflicto y su discurso (18:13-21)

13. *El que responde antes de escuchar, cosecha (Lit. le es) necedad y vergüenza.*

Demasiado a menudo se verifica este proverbio en la vida cotidiana. Los hombres apenas escucharán lo que es inaceptable para ellos. Interrumpirán a quien habla antes de que lo hayan escuchado completamente; y por lo tanto *responderán a un asunto* que han sopesado poco y han entendido imperfectamente. El que se apresura a contender se enorgullece de su agudo juicio. Interrumpe a su oponente, y confunde los argumentos o contradice las declaraciones, *antes de haberlas escuchado por completo.*[17]

Los amigos de Job parecen haberse equivocado aquí (Job 20:1-3; 21:1-6). Eliú, por otra parte, se contuvo consideradamente hasta que escuchó *el asunto* (Job. 32:4, 10-11).

> **Job 32:4, 10-12** Eliú había esperado para hablar a Job porque *los otros* eran de más edad que él... »Por eso digo: "Escúchenme, también yo declararé lo que pienso".» Yo esperé sus palabras, escuché sus argumentos, mientras buscaban qué decir; les presté además mucha atención. Pero no hubo ninguno que pudiera contradecir a Job, ninguno de ustedes que respondiera a sus palabras.

Job mismo prudentemente "examinaba la causa que no conocía" (Job. 29:16). Este espíritu impaciente muestra poca franqueza o humildad, y sólo imprime en el carácter del hombre *necedad y vergüenza*. Está lleno de injusticia en el tribunal de justicia (Jn. 7:45-5). Aquí, al menos, el juez debe escuchar y sopesar cuidadosamente a ambas partes para dar un veredicto satisfactorio.

El sabio escuchó atentamente el caso difícil antes de dar su sentencia (1 R. 3:16-28. Cf. Pr. 25:2). Job fue escrupulosamente exacto al "contender con su siervo" (Job 31:13). Potifar, a falta de esta recta consideración, fue culpable de la más flagrante injusticia (Gn. 39:17-20). Los autócratas orientales rara vez se preocupaban por filtrar las acusaciones. Incluso "el hombre conforme al corazón de Dios", pecó gravemente en este asunto. Pero sus decisiones apresuradas

---

[17] Vea las sabias reglas, Eclesiástico 11:7-8.

trajeron *vergüenza* sobre ellos, siendo cubiertos o virtualmente retractándose (Est. 3:8-11; 8:5-13, Dn. 6:9, 14, 24, 2 S. 16:1–4; 19:26–30).

El *asunto* de nuestro Señor *fue respondido, antes de que fuera escuchado* (Lc. 22:66-71). El Apóstol recibió un tratamiento similar (Hch. 22:21-22; 23:2), aunque en otras ocasiones encontró un juicio más imparcial (Hch.. 23:30–35; 24:1–22; 25:1–5, 24–27; 26:30–32).

Esta *necedad* estuvo directamente prohibida por la ley de Dios (Dt. 13:12-14, Jn. 7:24). No era menos contraria a su propio procedimiento. Él investigó a Adán, antes de pronunciar su sentencia (Gn. 3:9-19). Bajó a ver a Babel y a Sodoma antes de su destrucción, para dar una clara demostración de su justicia (Gn. 11:5; 18:20-21). Mientras estuvo en la tierra, una investigación paciente caracterizó sus decisiones (Mt. 22:15-33, cf. Is. 11:3). "Todos sus caminos son justos; Dios de verdad, y sin iniquidad; justo y recto es Él" (Dt. 32:4. Cf. 1 S. 2:3).

14. *El espíritu del hombre puede soportar su enfermedad, pero el espíritu quebrantado, ¿quién lo puede sobrellevar?*

El hombre nace en un mundo de problemas con un considerable poder de resistencia. El coraje natural y la vivacidad de espíritu nos ayudan a soportar incluso la presión de los males más pesados, la pobreza, el dolor, la enfermedad, la necesidad. Los ejemplos de fortaleza pagana abundan en los anales de la historia.[18]

El principio cristiano fortalece la fortaleza natural. David, en el momento más terrible, "se fortaleció en el Señor su Dios" (1 S. 30:3–6).

> **1º Samuel 30:3–6** Cuando David y sus hombres llegaron a la ciudad, vieron que había sido quemada; y que sus mujeres, sus hijos y sus hijas habían sido llevados cautivos. Entonces David y la gente que *estaba* con él alzaron su voz y lloraron, hasta que no les quedaron fuerzas para llorar. Las dos mujeres de David, Ahinoam la jezreelita y Abigail, la viuda de Nabal, el de Carmel, habían sido llevadas cautivas. Y David estaba muy angustiado porque la gente hablaba de apedrearlo, pues todo el pueblo estaba amargado, cada uno a causa de sus hijos y de sus hijas. Pero David se fortaleció en el Señor su Dios.

---

[18] Vea el excelente retrato de Virgilio de Eneas. Æn. i. 208, 209

El Apóstol "se complacía en las *debilidades*" (2 Co. 12:10). Los mártires "eran más que vencedores" bajo las más crueles torturas (Ro. 8:35-37). Los problemas externos son tolerables, sí, más que tolerables, si hay paz interior.

El espíritu del hombre puede soportar su enfermedad. Pero si *el espíritu está quebrantado*, si la hélice se rompe, todo se hunde. *La lesión en el espíritu* es mucho más penetrante, pues el espíritu mismo es más vital que el cuerpo. Cuando el que lo hizo, *hiere* o permite que Satanás *hiera,* podría desafiarse a toda la creación: *¿Quién puede sobrellevarlo?* El sufrimiento del alma es el alma del sufrimiento. Las heridas espirituales, como el bálsamo que las cura, nunca pueden ser conocidas, hasta que se sienten. A veces es como si las flechas del Todopoderoso fueran sumergidas en el lago de fuego y se dispararan ardiendo al centro del alma, que es más sensibles que la niña del ojo (Job 6:4; 19:11, Sal. 88:15). Los mejores gozos de la tierra nunca pueden calmar tal envenenado aguijón. La risa es locura (Ec. 2:2) y vejación (Pr. 25:20).

Hay un infierno para el impío en este lado de la eternidad. El castigo de Caín fue "más grande de lo que podía soportar" (Gn. 4:13). Saúl fue entregado a las tinieblas de la desesperación (1 S. 28:6, 15). Zimri, en una locura rebelde, se lanzó a las llamas (1 R. 16:18). Pasur se convirtió en un terror para sí mismo (Jer. 20:4). Ahitofel y Judas "eligieron ahorcarse en lugar de seguir con vida" (2 S. 17:23, Mt. 27:3-5, Job 7:15). Tal es el anticipo del infierno; ¡unas pocas gotas de ira, por unos momentos! ¿Cuál será entonces la realidad, la esencia, por toda la eternidad?

Observa la tragedia del *espíritu quebrantado* en los hijos de Dios. Job, entregado "por un pequeño momento" al poder del enemigo, "maldijo el día de su nacimiento" (Job 2:6; 3:1; 10:17). David "gimió por la conmoción de su corazón. Las saetas del Todopoderoso se clavaron en él, y su mano lo apretó con fuerza" (Sal. 32:3-4, 38:1-8).

Los mártires,[19] en un momento de apostasía temporal, no pudieron soportar la angustia del *espíritu quebrantado*, y eligieron las llamas, como la alternativa menos amarga. Tal es el filo de la espada del Señor, y el peso de su mano, que cada golpe es mortal. La conciencia es el asiento de la culpa, y su vívido poder convierte, por así decirlo, "el sol en oscuridad, y la luna en sangre" (Joel 2:31); y las preciosas promesas de perdón gratuito en argumentos de desaliento desesperado. Y si no fuera por la graciosa restricción del poder y el amor del

---

[19] Bainham, Bilney, Cranmer. Vea los registros de John Foxe.

Señor, la dura desesperación sería la exitosa "ventaja de las maquinaciones de Satanás" (2 Co. 2:7-11).

Sin embargo, mira al Getsemaní, el *espíritu quebrantado allí*, la decaída humanidad del Hijo de Dios, "su fuerte llanto y lágrimas", su dolor extenuante, su "clamor extremadamente grande y amargo", bajo la oscuridad de la deserción (Mt. 26:37-39; 27:46). Si se requirió todo el apoyo de la Divinidad que moraba en Él para su sostenimiento, con tembloroso asombro clamamos: *Al espíritu quebrantado, ¿quién lo puede sobrellevar?*

Sin embargo, ¿no es este *espíritu quebrantado* el primer sello de misericordia del cristiano, en preparación para toda misericordia futura y eterna? (Hch. 2:37, 16:27-30). Ciertamente es amarga la angustia cuando la masa de pecado se levanta de la tumba del olvido, y "se pone delante de nuestros ojos" (Sal. 50:21). Pero, ¿no es este el panorama que hace a Jesús y su libre salvación inexpresablemente precioso? (Hch. 2:41–47; 16:31–34. Cf. Mt. 9:12).

Además, ¿no nos coloca este espíritu dentro del ámbito de su labor de curación? (Is. 61:1-2). Nos preguntamos ahora, no *quién puede sobrellevarlo*, sino ¿quién puede curarlo? Bien dijo Lutero, y no hay mejor juez en tales asuntos; 'es tan fácil hacer un mundo como acallar una conciencia turbada'. Ambas son obras creadoras de la Omnipotencia de Dios (Gn. 1:1, Is. 57:19). A Él, "al estar heridos, debemos volver para ser curados" (Os. 6:1). La visión de sí mismo herido por nosotros es su remedio (Is. 53:5). Y esa visión, tan sanadora, tan revitalizante, ¡cómo afina el corazón para alabanza eterna!

15. *El corazón del prudente adquiere conocimiento, y el oído del sabio busca el conocimiento.*

El conocimiento está recogiendo sus rayos por todos lados; pero todo lo que es intrínsecamente valioso se centra en el *conocimiento* divino. Como enseña el Obispo Joseph Hall (1574-1656): 'Todas las artes son doncellas de la Divinidad. Por lo tanto, todas la veneran y le prestan servicio'.[20]

Sin embargo, en la esfera divina, el valor *del conocimiento* se estima de acuerdo a su carácter. Cuando es especulativo, no experimental; general, sin influencia práctica, es peor que algo inservible. Es poder para el temible mal. Es lamentable pensar en la cantidad de frívolos en el *conocimiento* divino; escuchan

---

[20] Joseph Hall, *Works,* viii. 107.

sin retener; retienen sin inteligencia, o sin aplicación personal. A menudo "el precio está en las manos del necio, que no tiene corazón para ello" (Pr. 17:16).

Pero aquí tenemos al *prudente*. Ha reflexionado, y ha hecho una estimación precisa de la bendición. *Su corazón* se ha unido a ella (Pr. 15:14), y, como los medios son gratuitos y la conquista segura (Pr. 2:3-6, Os. 6:3, Stg. 1:5), la ha *adquirido*.

> **Proverbios 2:3–6** Porque si clamas a la inteligencia, alza tu voz por entendimiento; si la buscas como a la plata, y la procuras como a tesoros escondidos, entonces entenderás el temor del Señor y descubrirás el conocimiento de Dios. Porque el Señor da sabiduría, de Su boca *vienen* el conocimiento y la inteligencia.
> **Oseas 6:3** »Conozcamos, pues, esforcémonos por conocer al Señor. Su salida es tan cierta como la aurora, y Él vendrá a nosotros como la lluvia, como la lluvia de primavera que riega la tierra».

Como prueba de su posesión, *busca* más. Pues ¿quién de los que tiene un tesoro, se satisface con lo que tiene depositado, contento con una menor medida, mientras que una mayor está a su alcance? *Su oído* ahora ha sido despertado para buscar el ministerio de la palabra y la conversación de cristianos curtidos. Cada vía de instrucción es diligentemente aprovechada (Pr. 1:3; 9:9).

Una palabra a los jóvenes: Piensen en lo importante que es *adquirir conocimiento*. Levántense temprano para buscarlo. Que tenga el máximo de su tiempo, su primer y mejor momento. Comiencen antes de que sus mentes sean corrompidas con falsos principios; antes de que hayan aprendido demasiado que deba ser desaprendido, como discípulos de Cristo. ¿Cuál es el carácter de sus oraciones? ¿Muestra la concentración del alma que está llena de un deseo y hace lo posible para que éste sea aceptado y satisfecho? El único *conocimiento* salvífico desciende del cielo, y es traído desde allí sobre nuestras rodillas. ¿Cuál es el pulso de su esfuerzo? ¿Prueba que el corazón se deleita en lograr su objetivo? ¿O es sólo un inicio momentáneo que luego se hunde de vuelta en el sueño del perezoso?

El conocimiento del cielo conduce hacia allí. Un conocimiento más claro aleja muchas nubes. Vemos mejor nuestro trabajo, y es más fácil para nosotros. Vemos nuestro camino, y caminamos más agradablemente. No sólo podemos guiarnos a nosotros mismos, sino que también podemos "amonestarnos unos a otros" (Ro. 15:14).

Por lo tanto, apresúrense en seguir adelante, "crezcan en conocimiento" (2 P. 3:18). La felicidad y la utilidad, la luz y la gloria, están ante nosotros.

16. *La dádiva del hombre le abre camino y lo lleva ante la presencia de los grandes.*

Ya hemos hablado antes de la influencia corruptora de *los sobornos* (Pr. 17:8, 23. Cf. 19:6).

> **Proverbios 17:8–9, 23** Talismán es el soborno a los ojos de su dueño; dondequiera que se vuelva, prospera. El que cubre una falta busca afecto, pero el que repite el asunto separa a los mejores amigos... El impío recibe soborno bajo el manto para pervertir las sendas del derecho.

Pero podemos aplicar merecidamente este proverbio a su uso legítimo. Las *dádivas* de Eliezer le *abrieron camino* en la familia de Rebeca (Gn. 24:30-33). Los *regalos* de Jacob le *abrieron camino* en el corazón de su hermano (Gn. 33:1–11). Tampoco fue inconsistente con su integridad el enviar un presente al gobernador de Egipto, para *llevar* a sus hijos a ser aceptados *en la presencia del gran hombre* (Gn. 43:11).

El regalo de Aod *abrió camino* para su recado (Jue. 3:17-18); los de Abigail, para preservación de su casa (1 S. 25:11–27). A menudo, en efecto, se presentaban simplemente como una muestra de respeto (1 S. 9:7), como ahora en algunas partes de Oriente; de modo que, sin ellos, un inferior apenas sentiría que tenía algún derecho sobre el favor o protección de su superior.[21] El ministro del Evangelio reconoce su valor, *abriendo camino para él*, tal vez también para su mensaje.

La simpatía da peso a su enseñanza, cuando según el ejemplo de su divino maestro, combina la bondad hacia el cuerpo con el amor hacia el alma. Sin

---

[21] Vea 'Illustrations' de George Paxton (1762 – 1837), 2:29. George Paxton (1762-1837) nació en East Lothian, Escocia. Era el hijo mayor de Jean Milne y William Paxton, carpintero y ebanista. En su infancia se trasladó con su familia a Melrose, y después a Makerstoun, cerca de Kelso. Aprendió el latín y griego desde muy joven. Tras un aprendizaje inconcluso como carpintero, dejó su ciudad natal para asistir a la Universidad de Edimburgo, pero la abandonó en 1784 sin obtener un título. Continuó su educación con el tutor privado Reverendo William Moncrieff en Alloa. Aquí se convirtió en "un firme secesionista". Entre sus obras principales están, *An Inquiry into the Obligation of Religious Covenants upon Posterity* (1801), *Ilustraciones de las Sagradas Escrituras 3* vols (1822).

embargo, es evidente que se requiere gran sabiduría y discernimiento a fin de evitar un mal grave de una caridad bien intencionada. Una sabia consideración puede también *abrirnos camino* con *grandes hombres* para el avance de la causa cristiana. Pero en esta práctica tan delicada, reconozcamos plenamente nuestros propios principios; de lo contrario, incluso en el servicio a Dios, seremos "carnales y caminaremos como hombres" (1 Co. 3:3), y no como los dignos servidores de un Maestro celestial.

¡Bendito sea Dios! No carecemos de dádivas que *nos lleven ante Él.* Nuestra bienvenida es libre, nuestra puerta de acceso siempre está abierta. Nuestro tesoro de gracia en su favor inmutable es inescrutable.

17. *Justo parece el primero que defiende su causa hasta que otro (Lit.* su prójimo) *viene y lo examina.*

Recientemente hemos revisado una regla en contra de juzgar a los demás (v. 13). Aquí se nos advierte a no justificarnos a nosotros mismos. La autocomplacencia conforma nuestra preciada naturaleza, valora enormemente nuestras supuestas excelencias, pero es muy ciega a nuestras verdaderas imperfecciones. Estamos tan dispuestos a poner *nuestra propia causa* bajo una luz fuerte; y a veces, casi inconscientemente, a arrojar una sombra, o incluso omitir, lo que podría equilibrarla en el lado opuesto. Es tan difícil indicar hechos y circunstancias con perfecta precisión, cuando nuestro propio nombre u honor están involucrados.

Por lo tanto, al aparecer *primero nuestra causa, parece justa.* Pero nuestro *prójimo*, que conoce el caso real, viene y nos *examina*, expone nuestra falacia y nos avergüenza. Saúl pretendió parecer *justo en su propia causa.* La urgencia del caso parecía justificar la desviación del mandamiento. Pero Samuel lo *examinó* y expuso su rebelión (1 S. 15:13–26). La causa de Siba *parecía justa* a los ojos de David, hasta que la explicación de Mefi-boset lo *examinó* hasta que confesó (2 S. 16:1-4; 19:26. Cf. Pr. 28:11).[22]

La incauta autodefensa de Job fue puesta al descubierto por la reveladora solicitud de Eliú (Job 32:10-14; 33:8-12).

Job 33:8–12 »Ciertamente has hablado a oídos míos, y el sonido de *tus* palabras he oído: "Yo soy limpio, sin transgresión; soy inocente y en mí no hay culpa. -"Dios busca pretextos contra mí; me tiene como Su enemigo. -"Pone mis pies

---

22 Vea los sermones del Ob. Robert Sanderson (1587-1663). Job 29:14-17.

en el cepo; vigila todas mis sendas". »Pero déjame decirte que no tienes razón en esto, porque Dios es más grande que el hombre.

Un abogado elocuente fácilmente puede hacer que una mala *causa que viene primero parezca justa*. Pero, según el proverbio, 'el primer relato es bueno hasta que el segundo es escuchado'. El demandante siempre tiene la razón, hasta que el argumento del demandado es examinado. Con todo, la verdadera regla de justicia sería determinar que ninguno de los dos tiene razón hasta que ambas partes hayan sido escuchadas. Que toda la evidencia sea cuidadosamente analizada; pues a menudo una apariencia verosímil es barrida por una investigación más profunda (Hch. 24:1-5, 12-13).

Por tanto, los jueces están obligados a "considerar, tomar consejo y hablar" (Jue. 19:30), cuidando de no prejuzgar la causa, hasta que todo haya sido plenamente presentado ante ellos; de lo contrario, el último en defender *su causa* puede tener desventaja, aunque su causa sea justa. En nuestra *propia causa*, mantente siempre atento a la condena. Vigila el espíritu de autojustificación. Cultiva el espíritu de la desconfianza en uno mismo. Sopesa la declaración de nuestro enemigo con nuestros propios prejuicios. Juzga como bajo el ojo de Dios, y con la sincera y anhelante oración de mantenerte abierto en caso revele un mal oculto.

El engaño, en cualquier forma, nunca responde a su fin. Tener "una conciencia sin ofensas tanto hacia Dios como hacia el hombre" debe ser nuestro gran objetivo (Hch. 24:16).

18. *La suerte pone fin a los pleitos y decide* (*Lit.* hace división) *entre los poderosos.*

El uso general de la suerte ha sido explicado antes (Pr. 16:33). Es anunciada aquí como una ordenanza para lograr una solución pacífica. Ya sea por la uniformidad de la balanza, o por falta de confianza en la sentencia que podría traer el procedimiento legal ante una autoridad dudosa.

Por lo tanto, las partes en disputa acuerdan acatar la decisión de las suertes. Así se determinaron asuntos de orden importantes bajo la Teocracia Divina (1 Cr. 6:63; 24:31, Neh. 11:1). ¡Cuántas *pleitos habría* habido *entre los poderosos*, al establecerse los respectivos límites de las tribus, si no se hubiera adoptado este medio para *ponerles fin*! (Nm. 33:54). Cuando Saúl fue elegido para el reino

(1 S. 10:20–24), y Matías "contado entre los Apóstoles" (Hch. 1:26), la elección fue consentida como la voz de Dios. Por lo tanto, no parece haber ninguna prohibición bíblica para el uso de esta ordenanza, siempre que se ejerza bajo una reverente dependencia de Dios (Hch. 1:24-25), y no sea profanada en propósitos comunes o fines mundanos.

Al mismo tiempo, como hemos observado anteriormente, la palabra de Dios parece ser reconocida más plenamente como el árbitro de la voluntad divina. Todos los *pleitos cesan* con una disposición – que sea sencilla, como la de un niño, y sin reservas– a ser guiados por esta "regla más segura". El alcance del perdón está claramente definido aquí (Mt. 18:21-22), y tanto el principio como el motivo para su ejercicio están efectivamente suministrados (Col. 3:12-14).

> **Colosenses 3:12–14** Entonces, ustedes como escogidos de Dios, santos y amados, revístanse de tierna compasión, bondad, humildad, mansedumbre y paciencia; soportándose unos a otros y perdonándose unos a otros, si alguien tiene queja contra otro. Como Cristo los perdonó, así también *háganlo* ustedes. Sobre todas estas cosas, *vístanse de* amor, que es el vínculo de la unidad.

Tal vez era más fácil cumplir la decisión de la suerte que la de la palabra. Esta última requiere más abnegación, humildad y paciencia, y por lo tanto es más útil en la práctica.

19. El hermano ofendido es más difícil de ganar que una ciudad fortificada, y los pleitos son como cerrojos de fortaleza.

En referencia a ponerle *fin a los pleitos*, ¡qué conmovedor es este caso de especial dificultad! *El hermano*, no un enemigo, es *más difícil de ganar que una ciudad fortificada*; como si mientras más cercana sea la relación, más amplia es la brecha.[23] El hilo, una vez roto, no se une fácilmente. "Qué perspectiva nos da de nuestra corrupción el hecho que el amor natural implantado en nosotros degenere en un odio satánico."[24]

---

[23] 'Acerrima firma proximorum odia sunt.'-Tácito.

[24] Martin Geier (1614-1680) in loco. Martin Geier (1614-1680) fue un teólogo luterano alemán. Martin Geier nació como hijo del mercader y comerciante de Leipzig del mismo nombre y de su esposa Sabina Fischer. Estudio varios grados académicos en las universidades de Leipzig, Estrasburgo y Wittenberg, estudiando filosofía y teología a nivel bachiller y maestría. Geier también asistió a las clases de Wilhelm Nigrinus , Paul Röber ,

Así ha ocurrido con el *pleito* de Caín con Abel (Gn. 4:5-8); de los hermanos de José con él (Gn. 37:3-5, 18-27); de Absalón y Amnón (2 S. 13:22–32); las guerras civiles entre Benjamín y sus hermanos (Jue. 20); en tiempos posteriores, entre Judá e Israel (2 Cr. 13:16-17); y, en nuestro propio país [Inglaterra], las continuas y ruinosas *disputas* entre las casas de York y Lancaster. Las ciudades en la antigüedad estaban fuertemente fortificadas con *barras* de hierro contra un asedio (ver Is. 45:2). ¡Qué asedio tan largo soportó la ciudad *fortificada* de Esaú antes de que fuera *ganada* por el poder del amor, y los *cerrojos de su castillo* abrieran sus caminos para la conciliación!²⁵

En ningún lugar la concordia es tan importante como en la Iglesia. Jamás podrá prosperar –salvo que mantenga la forma de Jerusalén– "una ciudad unida entre sí" (Sal. 122:3). Habiendo sido engendrados por la misma palabra, viviendo del mismo alimento, siendo animados por la misma vida, ¿no deberíamos, con todas nuestras pequeñas diferencias, mantener "la unidad del Espíritu"?²⁶ Si lazos tan estrechos no pueden unirnos, al menos que nuestro bienestar común, y el peligro común, apaguen este fuego impío; así también el temor del enemigo externo podría disipar el malentendido mutuo en el interior.

Sin embargo ¡cuán dolorosamente *los pleitos* entre Lutero y Calvino (sin mencionar otros de fecha más reciente en la Iglesia) mostraron la temible dificultad *de ganar a un hermano ofendido*! (Lc. 17:3–5).

Lucas 17:3–5 »¡Tengan cuidado! Si tu hermano peca, repréndelo; y si se arrepiente, perdónalo. »Y si peca contra ti siete veces al día, y vuelve a ti siete veces, diciendo: "Me arrepiento", perdónalo». Los apóstoles dijeron al Señor: «¡Auméntanos la fe!»

Wilhelm Leyser I, Johann Hülsemann y Martin Trost . El 19 de junio de 1636 obtuvo permiso para dictar un Magister en Wittenberg, enseñó la lengua hebrea y regresó a Leipzig en mayo de 1637. Aquí, Heinrich Höpfner se convirtió en su patrocinador adicional. El 19 de agosto de 1639 Geier se convirtió en profesor de lengua hebrea en la Universidad de Leipzig. Es reconocido por sus muchos comentarios a las Escrituras, y obras teológicas. Geier se mantiene como uno de los biblistas luteranos más importantes del siglo XVII.

²⁵ Gn. 27:41-45; 33:5-11. La arraigada enemistad de la nación parece poner en duda la cordialidad de la reconciliación. Vea Nm. 20:14-21; Ez. 35:5, Abd. 10–14.

²⁶ Dos razones hicieron que un hombre piadoso y culto (Strigelius) anhelara dejar este mundo: '1. Para poder disfrutar de la dulce vista del Hijo de Dios y de la Iglesia de Dios. 2. Para poder ser liberado del cruel e implacable odio de los teólogos.' Melchior Adam. *in vita. Crisóstomo da esta regla.* 'No tengas más que un enemigo: el diablo. Con él nunca te reconcilies; con tu hermano nunca rompas filas'.

Con todo, la extrema dificultad no disminuye la obligación. Por lo tanto, que ésta no paralice el esfuerzo. Nada puede ser más claro y decisivo que la regla evangélica. Sin embargo, tan repugnante es para la carne y la sangre, para el orgullo, los sentimientos y las altas nociones de toda naturaleza, que clamamos con los discípulos de antaño: "¡Señor, aumenta nuestra fe!" Pide ayuda de este principio, el único que puede constreñir el corazón, y asegurarás la victoria cristiana. La gracia reinará triunfante.

20. *Con el fruto de su boca el hombre sacia su vientre, con el producto de sus labios se saciará.* 21. *Muerte y vida están en poder de la lengua, y los que la aman comerán su fruto.*

¿Quién no tendría cuidado al escoger la semilla que sembrará en un campo fructífero, cuando sabe que su cosecha será de acuerdo a la semilla que escogió? (Gá. 6:7-8). Aquí tenemos, no es un campo, sino "un mundo" (Stg. 3:6) que debe ser cultivado, para que podamos *saciarnos con el fruto* y estar *satisfechos con el producto.* Lo que este *fruto* y este *producto* pueden ser, es una alternativa terrible.

    El fruto de nuestros labios, el poder de nuestra lengua, será venenoso o saludable, *muerte o vida* (v. 7, Sal. 50:20-21, Mt. 5:22; 12:36, Jud. 14-15). Las palabras malas tienden a la muerte, las buenas a la vida (Pr. 12:14; 13:2, Sal. 34:11-12).

    Esto se manifiesta claramente en las responsabilidades públicas. El testimonio de los testigos, la decisión legal del juez, la doctrina de los falsos o verdaderos maestros, todo muestra que *la muerte o la vida están en el poder de la lengua.* En el transcurso común de la vida, ella es "fuente tanto de aguas amargas como dulces", tan poderosa para destruir como para edificar, el veneno o el antídoto, según se utilice.

El hombre que usa la lengua correctamente al hablar, exhortar, atestiguar, o aconsejar, puede salvar; y, pero si abusa de ella de cualquiera de estas maneras, o de cualquier otra, puede destruir.[27]

---

[27] Peter Muffet (m. 1617) in loco.

De cualquier manera se *saciará con el fruto*. La maldición por destruir a otros volverá sobre él (Pr. 13:2). Al administrar una bendición a su prójimo, toda su alma será alimentada (Pr. 11:25).

Los que la aman comerán su fruto. Sin embargo, es el uso habitual, no el ocasional, de este pequeño pero formidable miembro, lo que determina su fruto. El santo puede "hablar imprudentemente", o el pecador aceptablemente, "con sus labios", pero nada de esto determinará su verdadero carácter.

¿No son entonces los pecados de la lengua una manifestación abrumadora de la longanimidad de Dios? "¡Ay de mí! porque soy hombre de labios inmundos" (Is. 6:5). Cuando pienso en su *poder,* incluso para *muerte* (Mt. 12:37) *o vida eterna,* ¿no debo, como advierte Crisóstomo, 'guardarla más que la niña del ojo'?[28] ¿No debo clamar a mi Dios para que la contenga (Sal. 141:3), sí, y clamar con más fuerza para que la consagre (Sal. 51:15), para que sea mi gloria, no mi vergüenza, mi órgano de alabanza, mi instrumento de gozo? (Sal. 57:7-8). En el hombre interior, el corazón es lo más importante que debe guardarse (Pr. 4:23), en el hombre exterior, la lengua (Pr. 21:23, Stg. 3:2).

> **Proverbios 21:23** El que guarda su boca y su lengua, guarda su alma de angustias.
> **Santiago 3:2** Porque todos fallamos de muchas maneras. Si alguien no falla en lo que dice, es un hombre perfecto, capaz también de refrenar todo el cuerpo.

Oh Dios mío, tómalos a ambos bajo tu protección, bajo tu propia disciplina, como instrumentos para tu servicio y tu gloria.

6. La riqueza y la sabiduría en la corte y en el hogar (18:22-19:22)

a. La pobreza, la riqueza y las compañías (18:22-19:7)

22. El que halla esposa halla algo bueno y alcanza el favor del Señor.[29]

---

[28] Homilía 62 sobre Mateo.

[29] El Dr. Kennicott minuciosamente insiste en proporcionar una limitación distintiva de la lectura de la LXX. Vulgata, y alguna vieja paráfrasis caldea, (Second Dissertation on the Hebrew Text, pp. 189–192.) Pero, el término general, frecuentemente usado por el sabio

Obviamente, esto ha de tomarse con limitación. Manoa *encontró algo bueno en su esposa* (Jue. 13:22-23), pero Job no lo hizo (Job 2:9-10; 19:17). Algunos encuentran "una corona para su cabeza"; otros "podredumbre en sus huesos" (Pr. 12:4).

Lo único que merece tal nombre es, en efecto, *algo bueno*. Si en el estado de inocencia "no era bueno para el hombre estar solo" (Gn. 2:18); mucho más en un mundo de preocupaciones y problemas, "dos son mejores que uno" para el apoyo mutuo, ayuda y simpatía (Ec. 4:9-10).[30]

> **Eclesiastés 4:9–10** Más valen dos que uno solo, pues tienen mejor pago por su trabajo. Porque si uno de ellos cae, el otro levantará a su compañero; pero ¡ay del que cae cuando no hay otro que lo levante!

Lo bueno implica piedad, y una idoneidad adecuada. La piedad se encuentra cuando el hombre se casa "en el Señor" (1 Co. 7:39), y sólo con alguien que sea del Señor. El "yugo desigual con los incrédulos" (2 Co. 6:14); la unión de por vida de un hijo de Dios con un hijo de Satanás, es una anomalía terrible. El piadoso Obispo Joseph Hall (1574-1656) dijo:

> Desearía que Manoa pudiera hablar tan alto que todos nuestros israelitas lo oyeran. ¿No hay una mujer entre las hijas de tus hermanos, o entre todo el pueblo de Dios, para que vayas a tomar una esposa de los filisteos incircuncisos? Si la religión es algo más que una insignificancia, ¿cómo es que no la tenemos en cuenta en nuestra elección más importante? ¿Es una filistea hermosa? ¿Por qué la deformidad del alma no es más poderosa para disuadirnos, que la belleza del rostro para seducirnos?[31]

La destrucción del mundo surgió de esta ilusión autocomplaciente (Gn. 6:1-6). Y muchos diluvios de iniquidad han alcanzado a la familia de un hombre piadoso provenientes de la misma fuente (2 Cr. 18:1; 21:5-6).

Sin embargo, puede haber piedad en ambos lados, sin esa idoneidad mutua que hace que la esposa "sea una ayuda idónea para el hombre" (Gn. 2:18). *Lo*

---

para la limitación obvia, es suficiente para explicar su significado, Cap. 15:10; 16:10; 22:1; 29:4, Ec. 7:28. La LXX. añade: 'El que expulsa a su esposa, expulsa lo bueno; pero el que retiene a la mujer extraña es insensato e impío'.

[30] Vea el Servicio Matrimonial.

[31] Joseph Hall, 'Contemplations', 10:3.

bueno ocurre cuando el hombre honra a su esposa, no como la más sabia o la más santa, sino como la persona a quien Dios vio como la mejor y más apta para sí mismo en todo el mundo, su consuelo para la vida, su ayuda para el cielo.[32] Una comunión así espiritualiza sus afectos y lo eleva de la tierra al cielo.

¿Pero cómo se halla *algo bueno*? Isaac la *halló* donde cada cristiano busca su bendición, como respuesta a la oración (Gn. 24:12-63). La preferencia del hombre por su propia indulgencia traerá una maldición sobre sí mismo y su familia (2 Cr. 18:1-2; 21:1–6). "Escoge mi herencia para mí" (Sal. 47:4) es el clamor y la confianza del hijo de Dios. Entonces realmente *alcanzará* el regalo, no como el resultado de la fortuna, o como prueba de su propio buen discernimiento, sino como Adán recibió a su esposa, "del Señor" (Pr. 19:14, Gn. 2:21-23), como una muestra de su especial *favor*.

> **Proverbios 19:14** Casa y riqueza son herencia de los padres, Pero la mujer prudente *viene* del Señor.
>
> **Génesis 2:21–23** Entonces el Señor Dios hizo caer un sueño profundo sobre el hombre, y *este* se durmió. Y *Dios* tomó una de sus costillas, y cerró la carne en ese lugar. De la costilla que el Señor Dios había tomado del hombre, formó una mujer y la trajo al hombre. Y el hombre dijo: «Esta es ahora hueso de mis huesos, y carne de mi carne. Ella será llamada mujer, porque del hombre fue tomada».

23. *El pobre habla suplicando, pero el rico responde con dureza.*[33]

Es natural para *el pobre,* consciente de su dependencia, *hablar suplicando.* Y es muy natural esta humillación como disciplina para esa pobreza de espíritu que el Señor sella con su primera bendición (Mt. 5:3). No obstante, es una vergüenza para *el rico* responder a menudo a *estas súplicas con dureza.* En lugar de dejar fluir sentimientos bondadosos, parece que se le limitara de ellos con cadenas de hierro.

El rico escucha con indiferencia la historia de la desgracia, y, como nunca ha probado el pan amargo, no tiene un corazón compasivo y servicial. A menudo encontramos hombres de mundo, bien educados, que son todo cortesía y refinamiento en sus propios círculos, pero con los que están bajo sus pies son

---

32 Lc. 1:6. Vea la hermosa imagen de Pr. 31:10-31. Cf. Eclesiástico 26.
33 Este verso y el siguiente son omitidos en la LXX.

insufriblemente groseros e insensibles. Su buena educación es, en realidad, sólo el brillo del egoísmo. Hace tan poco uso de su verdadero poder, que el ejercicio del mismo sólo lo transforma en un tirano.

En lugar de esparcir sus bendiciones, sólo se hace temer y odiar por el mal uso de su responsabilidad (1 S. 25:11-12, 17). Si estudiara el carácter de su divino Maestro, vería cómo el ejercicio del poder se combina con la verdadera grandeza. ¿No fue Él tan considerado con el ciego Bartimeo como con el noble de Capernaum? (Mc. 10:46-52, Jn. 4:46-50). Todos los rangos recibían por igual su más tierna simpatía.

Y, sin embargo, así como los ricos en su consciente superioridad pueden ser dominantes, así *los pobres, al hablar suplicando*, pueden mostrar un espíritu servil y sumiso (1 S. 2:36), descendiendo de esa audaz integridad de carácter que dignifica tanto al más bajo como al más alto de los hombres. Las circunstancias providenciales nos traen tentaciones acosadoras a todos nosotros. Caminar cerca a Dios es nuestra única salvaguarda.

Pero seguramente *el rico, al responder con dureza a los pobres,* haría bien en considerar ¡cuánto más depende él de su Dios que su hermano más sencillo depende de él mismo! Y cuando se presenta ante su Dios, ¿no debe entonces llevar el ropaje de la *pobreza*, aunque sea un rey (Sal. 40:17; 86:1), *usando súplicas*, y no presentando reclamos? Sí, todos nosotros somos *pobres* ante el trono de la gracia.

Todos nosotros debemos *hablar suplicando* allí. Con todo, ¿cuándo *responde* nuestro bondadoso Padre a su *pobre* hijo *suplicante con dureza*, excepto cuando disciplina sabiamente su fe, mientras su propio corazón está lleno de añoranza y amor paternal hacia él? (Mt. 15:26. Cf. Gn. 42:6-7).

24. *El hombre de muchos amigos se arruina, pero hay amigo más unido que un hermano.*[34]

Un verdadero amigo no es una adquisición común (Pr. 17:17). Hay muchas pretensiones –muchas profesiones– de amistad. Pero la joya en sí misma es tan rara como preciosa. Pero, ¿qué es la vida sin esta bendición alentadora y enriquecedora? Los reyes han dejado por un tiempo sus derechos para disfrutarla

---

[34] Nota del Traductor: La versión usada en el inglés original señala literalmente: "El hombre que tiene amigos ha de mostrarse amigo..."; de allí las referencias realizadas por el autor.

(Sal. 55:13-14). Para Alejandro, el mundo conquistado, sin su Hefestión, habría sido un desierto. Pero si *un hombre tiene amigos* y quiere conservarlos, debe *mostrarse amistoso*. Deshacerse de ellos por negligencia, capricho, disgustos irrazonables u ofensas innecesarias, es mostrarse totalmente indigno de la bendición.

Observa a Rut y a Naomi cada una con una cálida reciprocidad de interés, ofreciéndose cada una por la otra (Rut 1:16; 2:11, 18, cf. 3:1-14, 16; 4:16); a David reconociendo la bondad de sus amigos en medio de dificultades (1 S. 30:26–31); el delicado trato del Apóstol con la sensibilidad herida de su amigo (Flm. 8–20); y su considerado cuidado por el bienestar de sus compañeros (Tit. 3:13). Es por medio de tales oficios que el vínculo se cimienta mutuamente.

Un hombre que tiene amigos ha de mostrarse amigo. El amor engendra amor, y está acompañado de amor.

No obstante, cuidemos de basar nuestras amistades sobre un fundamento verdadero. De lo contrario, pueden romperse en pedazos por la más mínima trivialidad, o, pueden convertirse en un amor idólatra, usurpando el lugar de Dios en el corazón. Las disposiciones optimistas y afectuosas están muy expuestas a las fantasías repentinas e impresiones equivocadas. Pero el encanto se rompe por la respuesta fría, o por profesiones vacías, del amor fuera de lugar; y la ilusión es barrida en humilde decepción.

El vínculo de la verdadera amistad es a menudo más estrecho que el vínculo natural. "El amigo es como la propia alma" (Dt. 13:6). Así era Jonatán para con David, un *amigo más unido que un hermano,*[35] tierno y comprensivo, mientras que su *hermano* estaba lleno de sospechas poco amables.[36] Afrontó el mortal disgusto de su padre con una adhesión abierta, mientras su esposa le mostró su amor a expensas de su nombre (1 S. 18:20, 28; 19:12-17, con 20:24-33. Cf. Eclesiástico. 22:25).

Los amigos de Job, a pesar de sus conceptos ásperos y erróneos, se mantuvieron al lado del sufriente afligido, mientras su esposa y su familia le eran "extraños" (Job 3:11-13, cf. 19:13-17). Y ¿no recordamos que, cuando *los hermanos* de Jesús se volvieron de su lugar cerca a la cruz, "*allí de pie junto a la cruz estaba el discípulo,* a quien Jesús amaba", recibiendo con gusto de sus

---

[35] La versión del obispo Miles Coverdale (1487–1569) es maravillosamente simple: 'Un amigo que se deleita en amor, da al hombre más amistad y se adhiere más rápido a él que un hermano'.

[36] 1 S. 17:28, cf. 18:3; 19:2-4, 2 S. 1:26. Es interesante observar la reciprocidad, con una excepción (2 S. 16:1-4.), por parte de David hasta el final de la vida, 2 S. 9:1; 21:7.

labios el sagrado cuidado de su afligida madre? (Jn. 19:25-27). Incluso las mentes naturales, con un alto grado de sensibilidad, pueden exhibir esta fuerza en la amistad. Pero su vínculo más seguro es aquello que une a toda la familia de Dios. La identidad del gusto santificado; la simpatía de la experiencia; la santa consagración para la ayuda mutua; y, sobre todo, la unión como miembros de un cuerpo a una cabeza, de la cual fluye esa atracción celestial; una amistad divina.

¿Pero dónde encontraremos la manifestación plena de este exquisito retrato, excepto en Él, quien se convirtió en nuestro Hermano, para que pueda *unirse* a nosotros *más que un hermano* en ternura y ayuda? (Heb. 2:11, 14-18). Verdaderamente "ama en todo tiempo" (Pr. 17:17); y es un Amigo real; en la tentación nos abre, cuando es necesario, "una salida" (1 Co. 10:13); en la aflicción, nos alienta con el Divino Consolador (Jn. 14:17-18); "en la enfermedad, mulle nuestra cama" (Sal. 41:3); en la muerte, nos sostiene con "su vara y su cayado" (Sal. 23:4); en la eternidad, nos "recibe para sí" (Jn. 14:3; 17:24). ¿Qué *hermano se une* tan estrechamente como él?

Y entonces, cuando pensamos en los objetos de su amor (Ro. 5:8), en su libertad (Jn. 6:37), su alto precio (Jn. 15:13, 1 Jn. 3:16), su perseverancia a pesar de todos los desalientos de nuestra obstinación y necedad (Is. 42:4, Os. 11:7, 8, Mal. 3:6); en que nos "ama hasta el fin" (Jn. 13:1)[37] como partes y miembros de sí mismo; ¿cómo podríamos honrar debidamente a éste, nuestro fiel, tierno e inmutable amigo? ¿Habrá alguien que se jacte de su fidelidad para con las criaturas, pero que no tenga corazón para esta amistad divina, ni afecto recíproco por este amigo incomparable? ¿No condenará nuestra sensibilidad nuestra indiferencia? Pues no hay prueba más convincente de su depravación y confusión, que el hecho que su afecto fluye plenamente a la criatura, y, sin embargo, se muestra frío y muerto para con el Amigo Divino.

¡Oh, que Él sea la primera elección de la juventud, el Amigo probado y elegido de la edad madura, el Amigo para toda la eternidad!

CAPÍTULO 19

1. *Mejor es el pobre que anda en su integridad que el de labios perversos y necio.*[38]

---

[37] Vea el hermoso Himno en la 'Olney Collection', B. I. 53.
[38] Este verso y el siguiente son omitidos en la LXX.

LA POBREZA nunca es una desgracia, excepto cuando es fruto de la mala conducta. Pero cuando está adornada con una *integridad* piadosa, es muy honorable. *Mejor es el pobre que* aquél a quien las riquezas elevan en sus propios ojos, y se ha entregado a su *perversidad y necedad* (Pr. 28:6).

A menudo el hombre pone bajo sus pies a aquellos a quienes Dios acoge en su seno; honra a los *perversos* por sus riquezas y desprecia a los *pobres* por su pobreza. 'Pero, ¿qué tiene el rico, si no tiene a Dios? Y ¿qué es del pobre, si tiene a Dios? Es mejor estar en un desierto con Dios que en Canaán sin él'.[39] ¿No resultó Job, en el estercolero, *andando en su integridad, mejor* que el impío Acab en el trono? (Job 2:7-8).

> **Job 2:7–8** Entonces Satanás salió de la presencia del Señor, e hirió a Job con llagas malignas desde la planta del pie hasta la coronilla. Y *Job* tomó un pedazo de teja para rascarse mientras estaba sentado entre las cenizas.

¿No era Lázaro, con sus harapos, *mejor* que el hombre rico con su "lino fino y su espléndida comida"? (Lc. 16:19-21). Cuenta la sabiduría según el estándar de Dios, que no juzga según la posición social, sino según el carácter. Estima las cosas a la luz de la eternidad. ¡Cuán pronto pasarán todas las distinciones ocasionales, y sólo valdrán las distinciones personales! La muerte despojará al pobre de sus harapos y al rico de su púrpura, y llevará a ambos "desnudos a la tierra de donde vinieron" (Job 1:21; Ec. 12:7).

Mientras tanto, aprendamos del mensaje de nuestro Señor a su pueblo despreciado: "Yo conozco *tu pobreza*, pero tú eres rico" (Ap. 2:9). Qué glorioso es el sello puesto sobre los profesantes desterrados *que andan en su integridad,* "de los cuales el mundo no era digno" (Heb. 11:37-38).

> **Hebreos 11:37–38** Fueron apedreados, aserrados, tentados, muertos a espada. Anduvieron de aquí para allá *cubiertos con* pieles de ovejas *y* de cabras; destituidos, afligidos, maltratados (de los cuales el mundo no era digno), errantes por desiertos y montañas, por cuevas y cavernas de la tierra.

Para ellos está preparado un honor que viene sólo de Dios: su sello, su sonrisa, su corona eterna.

---

[39] 'Works' del Obispo Edward Reynolds (1599-1676), p. 9-10.

2. *Tampoco es bueno para una persona* (Lit. alma) *carecer de conocimiento, y el que se apresura con los pies peca.*

'*Tampoco*' parece rastrear *los caminos perversos del necio* hasta su fuente. Su *alma carece de conocimiento*. La ignorancia le da perpetuidad a la necedad. *El conocimiento* es valioso incluso para la mente. Aumenta sus poderes, y, cuando es dirigido correctamente, nos preserva de muchas tentaciones acosadoras. Dice un elocuente predicador:

> Tengan la seguridad de que no es porque el pueblo sabe mucho que se convierte en sujeto voluntario de cualquier demagogo faccioso o inescrupuloso. Es simplemente porque sabe muy poco. Es porque la ignorancia es el campo sobre el cual la charlatanería de un impostor político recoge su más abundante cosecha.[40]

El conocimiento también abre las puertas a un disfrute saludable. Los pobres inteligentes son preservados en el bienestar de sus hogares de las tentaciones de la cervecería. Los más educados se elevan por encima de las frivolidades de la disipación. Así, ambas clases se mantienen alejadas de la sensualidad de la impiedad.

Pero, con mucha más razón para *el alma* –hecha para Dios– *no es bueno carecer de su conocimiento*. Y aquí no se trata simplemente de expandir o restringir, sino de luz y vida. Sin ella, ¿qué sabemos del perdón y la paz presentes (Lc. 1:77-79), o de la vida eterna? (Jn. 17:3). El mundano descuidado, inmerso en el placer y jugando con nimiedades, ¿qué es sino un "hombre sin entendimiento", comparado con justicia con "las bestias que perecen"? (Sal.

---

[40] 'Commercial Discourses' de Thomas Chalmers (1780-1847), p. 375. "Thomas Chalmers (1780-1847) fue un ministro, teólogo y visionario social escocés. La carrera de Chalmers comenzó como ministro en la Escocia rural, donde desarrolló su pasión por la educación parroquial, la predicación y la ayuda a los pobres. Puso a prueba estos compromisos en la iglesia de San Juan, en la ciudad de Glasgow, donde su influencia se extendió gracias a la visión social articulada en *La economía cristiana y cívica de las grandes ciudades*. Chalmers pasó a ocupar cátedras en la Universidad de St. Andrews (1823-1828) y en la Universidad de Edimburgo (1828-1843), enseñando y escribiendo sobre filosofía moral y teología natural. Como líder evangélico dentro de la Iglesia de Escocia, Chalmers dirigió la disrupción de 1843 y la formación de la Iglesia Libre de Escocia por las cuestiones del patronazgo y la jurisdicción espiritual de la Iglesia". Kelly M. Kapic and Wesley Vander Lugt, *Pocket Dictionary of the Reformed Tradition*, The IVP Pocket Reference Series (Downers Grove, IL: IVP Academic, 2013), 32.

49:20). ¿Es la ignorancia, entonces, la madre de la devoción? ¿No es lo peor del mal, el centro de todo mal (Is. 1:3, 4; Hch. 3:17; 1 Co. 2:8; 1 Ti. 1:13), madre de la irreligión, y precursora de ruina? (Pr. 10:21; Os. 4:6; Lc. 19:41-42).

Oseas 4:6 Mi pueblo es destruido por falta de conocimiento. Por cuanto tú has rechazado el conocimiento, Yo también te rechazaré para que no seas Mi sacerdote. *Como* has olvidado la ley de tu Dios, Yo también me olvidaré de tus hijos.

Lucas 19:41–42 Cuando Jesús se acercó, al ver la ciudad, lloró sobre ella, diciendo: «¡Si tú también hubieras sabido en este día lo que conduce a la paz! Pero ahora está oculto a tus ojos.

Horribles son sus agravantes: ser ignorante, en una época de conocimiento; ciego, en una tierra de luz, carecer de iluminación, en "el valle de la visión".

Pero señalemos el mal práctico de esta falta de *conocimiento*. 'Donde no hay discreción, el alma no está bien'.[41] El niño no instruido, o el bárbaro, actúan precipitadamente. Así, el hombre *sin conocimiento,* en lugar de "considerar su camino" (Pr. 4:26), *se apresura con sus pies,* yerra en el blanco, y *peca. La prisa,* en oposición a la pereza, es la energía de la gracia divina (Sal. 119:60, Lc. 19:6). En oposición a una reflexión previa, actuar *apresuradamente es pecado.* El no tomarse el tiempo para preguntar, es *carecer de conocimiento.* Esta impaciencia es un mal imperante, el genuino ejercicio de la obstinación, es "no esperar por el consejo del Señor".

El piadoso Josué falló de esta manera (Jos. 9:14-15). La impaciencia de Saúl le costó su reino (1 S. 13:12–14). La *prisa* de David fue ocasión de una gran injusticia (2 S. 16:1–4). La precipitación de Josafat, al pedir consejo después (en lugar de antes) de emprender su curso, fue reprendida duramente (2 Cr. 18:1–4; 19:2). Los experimentos precipitados, resultado de la *prisa,* a menudo amenazan con graves males al estado.

El mismo espíritu desgarra a la Iglesia con el cisma. El profesante *impetuoso* vaga de Iglesia en Iglesia, y de secta en secta, sin reflexionar. En la vida cotidiana, ¡cuánto *pecado* ha sido fruto de unas cuantas palabras imprudentes o de unas líneas precipitadas! Un impulso repentino ha tomado el lugar del principio reflexivo. Recordemos siempre que, sin autodisciplina, no puede haber coherencia ni estabilidad cristiana; que en mil casos *la prisa* puede hundir

---

[41] Traducción del obispo Miles Coverdale (1487–1569).

nuestros pies en el pecado (Pr. 28:20, 22), si no en la ruina; y que nuestra fuerza sirve para permanecer en calma, de pie o sentados, y así ver cómo Dios aparecerá de nuestro lado para abrirnos camino a través de las profundas aguas de la perplejidad (Ex. 14:13, Is. 30:7). "El que cree, no se apresure" (Is. 28:16).

3. *La insensatez del hombre pervierte su camino, y su corazón se irrita contra el Señor.*

¡Ésta fue *la insensatez* de Adán! Primero, *pervirtió su camino*, luego culpó a Dios de su amargo fruto. "Dios, lo hizo recto", lo hizo feliz. Si el hombre se hubiera regido por Su Voluntad, habría continuado así. Pero, "buscando sus propios artimañas" (Ec. 7:29), se hizo a sí mismo miserable.

Como autor de su propia miseria, era razonable que se irritara contra sí mismo. Pero era tal su orgullo y su bajeza, que *su corazón se irritó contra el Señor*, como si Él, y no él mismo, fuera el responsable (Gn. 3:6-12). Así también con su primogénito, cuando su propio pecado trajo castigo sobre él, *se molestó*, como si "fuera más grande de lo que podía soportar" (Gn. 4:8–13). Ésta ha sido *la insensatez* de los hijos de Adán desde entonces.

Dios ha unido el mal moral y el penal, el pecado y el pesar. El necio se precipita en el pecado, y *se irrita* irrazonablemente por el dolor (ver 1 R. 3:7-14); como si pudiera "recoger uvas de los espinos, o higos de los abrojos" (Mt. 7:16). Echa la culpa de sus cruces, no a su propia perversidad, sino a la injusticia de Dios. Pero Dios está libre de toda culpa (Ez. 18:25); Él había mostrado lo mejor. El hombre eligió lo peor (Stg. 1:13-14). Él había advertido con su palabra y a través de la conciencia.

El hombre, sordo a la advertencia, se sumió en la miseria; y mientras "comía el fruto de sus propios caminos", *su corazón se irritó contra el Señor*. 'Es difícil tener pasiones y ser castigado por complacerlas. No pude evitarlo. ¿Por qué no me dio la gracia para evitarlo?' (ver Jer. 7:10). ¡Tal es el orgullo y la blasfemia de un espíritu sin humillar! El malhechor culpa al juez por su sentencia justa (Is. 8:21-22; Ap. 16:9-11, 21).

Pero veamos un poco esta audaz acusación de la justicia de Dios. '¿Por qué no me dio gracia?' ¿Está Dios obligado a dar de su gracia? ¿Tenemos algún derecho sobre Dios? ¿No es la gracia de Dios solamente suya? (Mt. 20:15; Ro. 9:15-24). ¿No es el necio que sigue su propia voluntad responsable de lo que hace? ¿Por qué no puede volverse a Dios? No escucha ni obedece.

Los medios son gratuitos delante de él. Ninguna fuerza o imposibilidad natural se lo impide. Sólo su terquedad resulta en su impotencia. No puede, porque no quiere; y, por lo tanto, si perece, no es por su debilidad, sino por su obstinación (Mt. 23:37; Jn. 5:40). La peor parte de su maldad es la voluntad impía. No es que su naturaleza sea mala, sino que él está dispuesto a que así sea. Si tan sólo sintiera su incapacidad moral; si lo mirara a Él, quien es "vista a los ciegos", "oídos para los sordos", "pies para los cojos"; su curación sería segura.

Esta perversidad se muestra en cada manifestación de la corrupción. El fariseo se burla de Dios con su servicio hipócrita, y luego *se irrita* porque no obtiene nada bueno de ello (Is. 58:3, Mal. 3:14). El orgulloso gusano abriga un humor descontento contra la Providencia. O bien se le niega el consuelo deseado, o bien se ha contrariado su voluntad. Si su lengua está quieta, *su corazón se irrita*. Si se le hubiera colocado de otra manera, habría tenido más éxito. Por lo tanto, Dios tiene la culpa de su fracaso.

Sin embargo, es obvio que, si no está listo para servir a Dios, necesita un cambio de corazón, no un cambio de lugar. La enfermedad está dentro, y por lo tanto lo seguirá a través de diferentes circunstancias con el mismo resultado; dejándolo tan lejos, como siempre, de la felicidad. La lucha constante de la voluntad es estar en cualquier otro lugar, excepto donde Dios nos ha puesto para nuestro mejor bienestar.

Es humillante ver esta *insensatez* en el pueblo del Señor. Nuestro descuido o porfía acarrea la vara, no obstante, *el corazón se irrita* bajo la reprimenda (2 S. 6:4-8, Jon. 4:9). Mientras evitamos lo que es ciertamente pecaminoso, muchas veces permitimos ocasiones de pecado; circunstancias o compañía que, la experiencia nos ha enseñado, obstaculizan la oración, disminuyen el gusto espiritual y hieren la conciencia. ¿Por qué entonces permitirlo? Al menos, cúlpense a ustedes mismos, no a Dios, de la amarga consecuencia.

A menudo también nos encontramos discutiendo con lo aquello que no podemos alterar, y así, sólo duplicamos la carga, añadiendo culpa a nuestro problema. Si "la contienda del necio" con su hermano "llama a los golpes" (Pr. 18:6), mucho más cuando tenemos un murmurador y un quejoso contra Dios (Jud. 16); al "hombre que pleitea con su Hacedor" (Is. 45:9), o más bien al niño que patea la vara de su Padre, en lugar de "humillarse bajo su mano poderosa" (1 P. 5:6). Si se conociera a sí mismo, si pudiera confiar en su Dios, no miraría la vara, sino la mano que la sostiene (1 S. 3:18, 2 S. 16:11, Sal. 39:9). ¿Podría *irritarse* su *corazón* por verla en las manos de su Padre? ¿No debería besarla (aunque lo golpee), pacíficamente, y sí, agradecidamente, "aceptando el castigo de su iniquidad"? (Lv. 26:41).

Esta turbulenta insurrección contra la soberanía divina trae su propio tormento. Coloca todos los poderes del alma fuera de su lugar. No hay paz ni tranquilidad, sino nos complacemos con la voluntad de Dios, estando completamente reconciliados con sus disposiciones y dispensaciones. Mientras "Efraín era como un buey no acostumbrado al yugo", estaba más *irritado*. Después de eso "fue convertido e instruido", "se calmó como un niño destetado", y entró en razón (Jer. 31:18-19).

Jeremías 31:18–19 »Ciertamente he oído a Efraín lamentarse: "Me has castigado, y castigado fui Como becerro indómito. Hazme volver para que sea restaurado, pues Tú, Señor, eres mi Dios. -"Porque después que me aparté, me arrepentí, y después que comprendí, me di golpes en el muslo; me avergoncé y también me humillé, porque llevaba el oprobio de mi juventud".

Estemos siempre listos con el clamor: "Muéstrame por qué contiendes conmigo. Enséñame tú lo que no veo. Si he cometido iniquidad, no lo haré más" (Job 10:2; 34:32). En lugar de "quejarnos por el castigo de nuestros pecados, examinemos nuestros caminos, y probemos, y volvámonos al Señor". "Soportaré la indignación del Señor, porque he pecado contra Él" (Lm. 3:39, Mi. 7:9).

La disciplina que educa la voluntad en la sujeción es una bendición invaluable. Bien satisfechos estamos de que todo lo que Dios hace se mostrará; cuando el misterio esté terminado, cuando cada hoja de su Providencia sea expuesta con la plena manifestación de su gloria; que la cruz de los deseos no concedidos fue el medio de gracia para salvarnos de la ruina, y de ejercitarnos para la resistencia,[42] y, en última instancia, para el disfrute.

Verdaderamente será un gozo y un deleite mirar atrás, hacia cada paso del "camino recto, por el cual nuestro Padre nos ha conducido a ciudad habitable" (Sal. 107:7), y notar cuán necesaria fue la disciplina en cada punto, cuán adecuada a cada exigencia; y cuántos motivos de alabanza proporciona para esa paciencia infatigable, con la cual nuestro amante Padre "nos soportó en el desierto" (Hch. 13:18).

---

[42] 'Quos Deus amat indurat et exercet'. Séneca, De Otio. Sape. c. 4.

4. *La riqueza añade muchos amigos, pero el pobre es separado de su amigo.*

Ya hemos revisado antes lo sustancial de este proverbio (Pr. 14:20. cf. v. 6).

> **Proverbios 14:20** Aun por su vecino es odiado el pobre, pero muchos son los que aman al rico.
> **Proverbios 19:6** Muchos buscan el favor del generoso, y todo hombre es amigo del que da.

Es nominalmente cierto que *la riqueza añade muchos amigos*. Pero, generalmente, son de poco valor. 'La riqueza los tiene', dice el Obispo Joseph Hall (1574-1656), 'no el hombre'.[43] El principio es el egoísmo, no el interés en una amistad verdadera y permanente. Hallaremos que pocos de ellos "nos aman en todo tiempo, y son como hermanos en la adversidad" (Pr. 17:17).

Dios ha hecho de la pobreza una escala en el rango económica; y como tal estamos obligados a considerarla. El hombre la convierte en un muro de separación. Pone a prueba nuestra propia fe y paciencia, y no menos el amor y la sinceridad de nuestro amigo.[44] Pero, ¿qué pasa si el *pobre* que es del Señor *es separado* de su *prójimo* egoísta? (v. 7). Hay uno que "conoce su alma en la adversidad" (Sal. 31:7) y que ha dado su palabra: "Nunca te dejaré ni te abandonaré" (Heb. 13:5). ¡Sí! Ésta es la alegría, la permanencia de su confianza: "Aunque pobre y necesitado, el Señor pensará en mí" (Sal. 40:17).

La pobreza puede *separar* al pobre *de su amigo*. Pero ¿quién o qué lo separará de su Dios? (Ro. 8:38-39). "Coheredero como es con Aquél a quien

---

[43] Joseph Hall, 'Works', viii. 77.

[44] 'Amicus certus in re incertâ cernitur.'-Cicero. "Cicerón fue un famoso estadista y orador romano del siglo I que destacó tanto por su actividad política como por sus influyentes escritos y discursos (106-43 a.C.). Como figura política, Cicerón fue un personaje clave en la época de Julio César, Pompeyo, Marco Antonio y Octavio. Defendió la autoridad senatorial y fue desterrado de Roma por su participación en la denuncia de una conspiración de Catilina. A su regreso del exilio, se opuso a César (m. 44 a.C.) y, posteriormente, a Marco Antonio. Finalmente, Cicerón fue capturado y asesinado por los hombres de Antonio como acto de venganza (véase Plutarco, Cic., 48-49; Séneca, Contr., 7.2). Como orador, Cicerón pronunció más de cien discursos que contribuyeron a su reputación como uno de los más grandes oradores de la antigüedad. Como escritor, produjo cientos de cartas y otros escritos sobre filosofía, religión y retórica. La magnitud de la producción literaria de Cicerón hace que sus escritos sean inmensamente valiosos para el estudio del cristianismo primitivo. En particular, sus obras sobre retórica y filosofía antiguas influyeron en el entorno filosófico y religioso en el que se desarrolló el cristianismo primitivo." John D. Barry et al., eds., "Cicero," *The Lexham Bible Dictionary* (Bellingham, WA: Lexham Press, 2016).

Dios ha nombrado heredero de todas las cosas", ¿qué le puede faltar? (Ro. 8:17, Heb. 1:3, cf. 1 Co. 3:21-23).

> Si fuera posible que Él estuviera absolutamente necesitado del uso y servicio de la creación entera, todas las criaturas del mundo seguramente le servirían y le serían asignadas a Él.[45]

5. *El testigo falso no quedará sin castigo, y el que cuenta mentiras no escapará.*

Si el "testigo verdadero libra las almas" (Pr. 14:25), *el falso testigo* las destruye. ¡Terrible culpa y responsabilidad (v. 28) que se extienden –sin el sacrificio expiatorio– por toda la eternidad!

> **Proverbios 14:25** El testigo veraz salva vidas, pero el que habla mentiras es traidor.
> **Proverbios 19:28** El testigo perverso se burla de la justicia, y la boca de los impíos esparce iniquidad.

¿Podemos preguntarnos si tal descubrimiento lo condenará de forma segura? (v. 9; Pr. 21:28, Dt. 19:16-21). Es una ofensa contra las dos tablas de la ley. El perjuro "toma el nombre de Dios en vano". El *testigo falso* transgrede directamente el derecho de nuestro prójimo.

Sin embargo, esta maldad no llega a este extremo de inmediato; sino que el hábito de *contar mentiras*, el permitir la falsedad por diversión, o tal vez bajo el pretexto de hacer bien (Ro. 3:8), crece hasta este agravamiento (Jer. 9:3-5). La tolerancia de una mentira pronto destierra todo temor a un juramento. Puede escapar a la detección del hombre. Pero está abierta y descubierta ante los ojos de Dios.

Allí *no quedará impune, ni escapará*. Puede ser que el mentiroso no haya planificado o intentado hacer daño. Pero ningún atenuante es admitido en el tribunal de Dios. "*Todos los mentirosos* tendrán su parte en el lago, que arde con fuego y azufre" (Ap. 21:8).

---

[45] 'Works' del Obispo Edward Reynolds (1599-1676), p. 11.

6. *Muchos buscan el favor del generoso* (*o* noble), *Y todo hombre es amigo del que da*. 7. *Todos los hermanos del pobre lo aborrecen, ¡Cuánto más sus amigos se alejarán de él! Los persigue con palabras, pero ellos se han ido* (*Lit.* no están).

Aquí se sigue exponiendo el cuarto verso aquí con una descripción muy precisa del egoísmo natural del hombre. 'Un príncipe nunca desea admiradores por su favor'.[46] Todos aman, o profesan amar, a aquellos de quienes esperan un beneficio; "adulando a las personas para obtener beneficio" (Jud. 16); valorándolos por sus posesiones, no por sus virtudes. Pero si "las riquezas se hacen alas y se alejan" (Pr. 23:5), ¿no se alejarán con ellas? Si la misma persona, ahora adulada por sus dones, fuera llevada por la Providencia a la pobreza, los mismos *amigos la aborrecerían* o la ignorarían.

El Obispo Joseph Hall (1574-1656) pregunta: '¿Quién de ellos se atrevería a reconocerlo, cuando va a la cárcel?'[47] *Los amigos del pobres se alejan de él,* abandonándolo en su calamidad. Si él *los persigue con palabras, aun así,* son sordos a sus súplicas de ayuda y simpatía. Job halló un gran agravante de su aflicción en estos amigos de "verano" (Job 6:15-22; 19:13-19; 29; 30).[48] Jerusalén en sus días de prosperidad era "el gozo de toda la tierra"; pero, luego de haber caído en desgracia, "te llamaron" –dijo el afligido profeta– "desechada, diciendo: esta es Sión, a quien nadie busca" (Sal. 48:2, cf. Jer. 30:17).

Sin embargo, ¡cómo debemos *suplicar por el favor de nuestro Príncipe!* ¡Qué regalos le *da* a su amado pueblo! Y ¿no mostrarán ellos la norma de misericordia a sus hermanos más necesitados (Gá. 6:10, Heb. 6:10), especialmente a Sus pobres, los príncipes y herederos de su reino? (Sal. 113:7-8, Stg. 2:5).

Salmo 113:7–8 Él levanta al pobre del polvo, Y al necesitado saca del muladar, Para sentar*los* con príncipes, Con los príncipes de Su pueblo.
Santiago 2:5 Hermanos míos amados, escuchen: ¿No escogió Dios a los pobres de este mundo *para ser* ricos en fe y herederos del reino que Él prometió a los que lo aman?

---

[46] Obispo Simon Patrick (1626-1707).
[47] Obras, viii. p. 77.
[48] Donec *eris felix, multos numerabis amicos, Tempora si fuerint nubila, solus eris.* Ovidio De Trist. Lib. i.

Como suplica un escritor espiritual:[49] '¡Señor! en mi mayor abundancia, ayúdame a recordar y sentir la pobreza de los demás; y en mi condición más próspera, evita que olvide las aflicciones de tu José'.

b. La sabiduría en la corte y en el hogar (19:8-15)

8. El que adquiere cordura ama su alma; el que guarda la prudencia hallará el bien.

Parecería que el interés propio podría llevarnos a la religión. ¡Pecador descuidado! Poco sabes de la firme felicidad que pierdes. Si hay algo que vale la pena *adquirir*, y cuando lo tienes, vale la pena *guardarlo:* "Lo principal es la sabiduría; por tanto, *adquiere sabiduría*, y con todo lo que obtengas *adquiere inteligencia*" (Pr. 4:5-7). Cómo se debe obtener esta bendición, ya lo ha explicado antes Salomón. Aplica diligentemente tu corazón en dicha búsqueda; luego lleva tu corazón a Dios para que te ilumine y te enseñe; y así, el tesoro será tuyo (Pr. 2:1-6).

> **Proverbios 2:1–6** Hijo mío, si recibes mis palabras y atesoras mis mandamientos dentro de ti, da oído a la sabiduría, inclina tu corazón al entendimiento. Porque si clamas a la inteligencia, alza tu voz por entendimiento; si la buscas como a la plata, y la procuras como a tesoros escondidos, entonces entenderás el temor del Señor y descubrirás el conocimiento de Dios. Porque el Señor da sabiduría, de Su boca *vienen* el conocimiento y la inteligencia.

---

[49] 'Christian Man's Calling' de George Swinnock (1627-1673), Part ii. 338. "George Swinnock (1627-1673) fue un clérigo y escritor inglés no conformista. Swinnock nació en Maidstone, Kent, en 1627, hijo de George Swinnock de Maidstone, cuyo padre era alcalde del municipio. Debido a la muerte de su padre, George Swinnock, hijo, fue criado en la casa de su tío Robert, un celoso puritano. Fue educado en el Emmanuel College, Cambridge, de donde se trasladó el 7 de octubre de 1645 al Jesus College (Addit. MS. 5820, f. 162); se graduó en 1647-8 y luego se dirigió a Oxford para obtener un puesto de trabajo. En 1655 fue designado para la capilla de San Leonardo en Aston Clinton en Buckinghamshire, y el 10 de enero de 1661 fue presentado a la vicaría de Great Kimble en el mismo condado por Richard Hampden, de quien era entonces capellán. Al año siguiente fue expulsado de San Leonardo y de Great Kimble por inconformista, y se instaló con la familia Hampden en Great Hampden. Cuando se emitió la Declaración de Indulgencia en 1672, se retiró a Maidstone, donde se convirtió en pastor de una gran congregación. Murió el 10 de noviembre de 1673 y fue enterrado en la iglesia parroquial."

No obstante, se requiere tanto cuidado para *guardar* la bendición, como para *adquirirla*. Puede escaparse rápidamente de una mano negligente. "Guarda tu alma con diligencia" (Dt. 4:9), y guardarás tu tesoro; como el hombre que, habiendo encontrado un tesoro escondido en el campo, compra el campo para asegurarlo (Mt. 13:44).

Sin embargo, no es un *bien* carnal el que se *halla* aquí. Es el sacrificio del cristiano, no su porción (Lc. 14:33). Pero es real, infinito, celestial: "el que me halle, hallará la vida" (Pr. 8:35), todo en mí, todo conmigo. ¿No es éste el bien primordial, el que está por encima de todo bien terrenal (Sal. 4:6-7), el bien eterno que permanece cuando todo bien terrenal haya pasado? (Sal. 73:25-26; 103:15–17).

Ya sea que Cristo o el mundo tengan nuestro amor más alto, nuestra suprema confianza, nuestro primer momento y nuestro más selecto talento; uno debería avergonzarse de admitir tal pregunta. ¿No es la simple mención de la misma una respuesta suficiente? Es como comparar piedras con perlas, polvo con diamantes, escoria con oro. Seguir nuestro propio camino es, entonces, destruir, *no amar, nuestras propias almas*. "El que peca contra mí, perjudica su propia alma; todos los que me odian aman la muerte" (Pr. 8:36. Cf. v. 16; Pr. 29:24).

9. *El testigo falso no quedará sin castigo, y el que cuenta mentiras perecerá.*

"Dios de verdad, y sin iniquidad; justo y recto es Él; un Dios que no puede mentir; fiel y verdadero" (Dt. 32:4, Tit. 1:2, Ap. 19:11). ¡Ese es el carácter revelado de Jehová! No podemos sorprendernos de las repetidas denuncias contra el engaño. ¡Muy grande es la deshonra a su inmutable atributo! Aquí se añade algo a la frase anterior (v. 5). El castigo no sólo será cierto: "*El que cuenta mentiras* no escapará", sino que será la ruina total: *perecerá* (Jer. 28:15-17; 29:31, 32, 2 P. 2:1-3, Ap. 22:15).

> **Jeremías 28:15–17** Y el profeta Jeremías dijo al profeta Hananías: «Escucha ahora, Hananías, el Señor no te ha enviado, y tú has hecho que este pueblo confíe en una mentira. »Por tanto, así dice el Señor: "Te voy a quitar de sobre la superficie de la tierra. Este año morirás, porque has aconsejado la rebelión contra el Señor"». Y murió el profeta Hananías aquel mismo año, en el mes séptimo.

"La mentira y la destrucción" están unidas (Os. 12:1). "Seré pronto testigo contra los que juran mentira y los que no me temen, dice el Señor de los Ejércitos" (Mal. 3:5).

10. *Al necio no conviene la vida de lujo;*[50] *mucho menos a un siervo gobernar a los príncipes.*

¿Qué tiene que ver *el necio* con *el placer*? La prosperidad de este mundo, hasta donde él conoce, sólo puede ser una maldición para él (Pr. 1:32). *El deleite* "es apropiado para el justo" (Sal. 33:1), adecuado a su carácter. Tiene un derecho y un título sobre él (Sal. 32:11). Pero *no conviene al necio* (Pr. 26:1). Él tiene, en efecto, su alegría y su insensatez (1 S. 25:25, 36, Ec. 7:5-6, Is. 5:11, 12; 22:12-14, Os. 7:3-5, Am. 5:3-6).

> **Amós 5:3–6** Porque así dice el Señor Dios: «La ciudad que sale con mil, se quedará con cien; y la que sale con cien, se quedará con diez en la casa de Israel». Porque así dice el Señor a la casa de Israel: «Búsquenme, y vivirán. »Pero no busquen a Betel, ni vayan a Gilgal, ni pasen a Beerseba; porque ciertamente Gilgal será llevada cautiva, y Betel caerá en desgracia. »Busquen al Señor y vivirán, no sea que Él les caiga como fuego, oh casa de José, y consuma a Betel sin que haya quien *lo* apague.

Pero no conoce el gozo verdadero. Es mucho más adecuado para él la vara de castigo (Pr. 10:13-14; 26:3). Y si el Señor en su gracia santificara esta dispensación, ¡como lo ha hecho en muchos casos!, entonces ésta le introducirá en ese "*deleite, que entonces le será conveniente*" (2 Cr. 33:11–23. Lc. 15:14-24).

Mucho menos conveniente es la manifestación de *un siervo que gobierna sobre los príncipes*. Tal prominencia es peligrosa para el individuo.[51] Para el reino, es una de las "cosas que la tierra no puede sufrir" (Pr. 30:22. Cf. Ec. 10:5-9). *El siervo* tiene, en efecto, la misma capacidad racional que su soberano. Pero los hábitos mentales que ha contraído no le permiten gobernar. Hay excepciones, como el caso de José (Gn. 41:39-45). Pero rara vez se invierte el orden de Dios

---

[50] Nota del Traductor: La versión usada en el inglés original señala literalmente: "Al necio no conviene el deleite..."; de allí las referencias realizadas por el autor.

[51] Est. 3:1-2; 7:10. 'Ex insolentiâ, quibus nova bona fortuna det, impotentes lætitiæ insanire.' Liv. Lib. xxx. c. 42. Cf. Lib. xxiii. c. 18.

sin anarquía y confusión (2 S. 3:24-25, 39, Is. 3:5). Tal fue el reinado de nuestro Eduardo II, cuando secuaces inútiles *gobernaron sobre el príncipe*; elegidos por sus virtudes externas, o por su sumisión a su insensatez.

La paz y la felicidad le pertenecen al contentamiento piadoso (1 Ti. 6:6). "Que cada hombre, en el estado al que fue llamado, permanezca con Dios" (1 Co. 7:24). Para aquellos a los que ha puesto en una posición subordinada, la voz de nuestro Padre está llena de instrucción: "¿Buscas para ti grandezas? No las busques" (Jer. 45:5).

11. *La discreción del hombre le hace lento para la ira, y su gloria es pasar por alto una ofensa.*

¿Qué es la *ira*, sino una locura temporal? Por lo tanto, ceder a su paroxismo – actuar sin deliberación bajo su impulso– es hacer no sabemos qué, lo que seguramente traerá ocasión para arrepentirse (Pr. 14:17, 29). Una pausa entre la irritación interior y la manifestación exterior de la *ira* resulta muy importante.

La discreción del hombre aplaza su ira. Consciente de su propia debilidad, se protegerá de ataques de ira indecentes, tomándose el tiempo para considerar y teniendo cuidado de no sobredimensionar la ofensa (Pr. 16:32, Ec. 7:9, Stg. 1:19. Cf. 1 S. 10:27).[52]

> **Eclesiastés 7:9–10** No te apresures en tu espíritu a enojarte, porque el enojo se anida en el seno de los necios. No digas: «¿Por qué fueron los días pasados mejores que estos?». Pues no es sabio que preguntes sobre esto.

Una afrenta es, por lo tanto, la prueba de si tiene *discreción* o si es esclavo de su propia pasión. La norma de uso común es: 'Estar *parejos*, y devolver un insulto por otro'. La norma cristiana es estar *por encima* de ello; "no devolver insulto por insulto, sino, por el contrario, bendecir".[53]

---

[52] Incluso los moralistas paganos reconocen el valor de esta *discreción*: 'Te habría golpeado, si no estuviera enojado', dijo el filósofo a su siervo ofensor. A Augusto, bajo el impulso de la ira, se le pidió que repitiera el alfabeto, para darle tiempo a calmarse. 'Es más fácil' –observó sabiamente Séneca– 'no admitir la pasión, que, al admitirla, gobernarla'. Justino Mártir, cuando se le preguntó cuál fue el mayor milagro de Cristo, nombró su gran paciencia en medio de tan grandes pruebas.

[53] 1 P. 3:9. El ejemplo de José, Gn. 45:4-15; 1:21. David, 1 S. 24:7-19, Sal. 35:7-14; 38:12-14. El profeta, 1 R. 13:4-6. El Sr. Thomas Scott (1741-1821) con razón comenta sobre la

Así también, *pasar por alto una ofensa*, es una vergüenza para la orgullosa insensatez del juicio del hombre, es carecer de coraje y de un espíritu decente. Pero Salomón, un sabio, y un rey, declara que el no poder soportar nada es un acto de debilidad, no de fuerza o grandeza.[54]

Es gloria pasar por alto una ofensa. Así debe ser, porque es en semejanza a Dios. ¡Qué motivo! ¡Qué ejemplo resulta su longanimidad con tales provocaciones diarias y deliberadas! (Ef. 4:31-32, Col. 3:13). Si nos ha creado de nuevo, debe ser como antes, a su propia imagen.

Por lo tanto, la tolerancia y el perdón tomarán el lugar del resentimiento y la malicia. La fuerza moral puede, en algunos hombres, frenar la manifestación exterior. Pero el veneno se esconde en el interior. Dominarse a uno mismo, por un motivo puro –*pasar por alto la ofensa* en amor gratuito– es un noble triunfo de la gracia, muy honorable para Dios; y cargado con el más rico botín para nuestras propias almas.

12. *Como rugido de león es la ira del rey, y su favor como rocío sobre la hierba.*

El monarca de la selva es comparado apropiadamente con el monarca de la tierra (Cf. Jer. 4:17; 50:17, 2 Ti. 4:17). "El león ha rugido, ¿quién no temerá?" (Am. 3:8, Ap. 10:1-3).[55] Las rocas y las colinas hacen eco del terrible grito. Toda clase de animales salvajes se ve obligada a huir, o quedan petrificados en su lugar. Tal es *la ira del rey* en una tierra de despotismo (Pr. 16:14; 20:2; 28:15), que reina sin ley, por encima de la ley, y con su voluntad como única ley; un horrible cuadro de crueldad (Mt. 2:16-18), tiranía (Ex. 5:4-9, Dn. 3:1–19), o capricho (Dn. 2:5–12).

El poder ilimitado resulta demasiado grande para que la orgullosa naturaleza humana lo pueda soportar, a menos que cuente con una gracia especial de lo alto. Así también, el *poder del rey* es una bendición revitalizante, *como rocío sobre la hierba;* el alimento de la vida vegetal en el Este, donde la influencia más poderosa es sólo parcial o periódicamente conocida (Pr. 16:15, 2 S. 23:3-4).

---

afinidad del estándar del Antiguo Testamento con el de Cristo y sus apóstoles. Cf. Mt. 5:38-42; 18:21-22, Ro. 12:17-21, Pr. 25:21-22.

[54] El moralista romano podría decir: Infirmi est animi exiguique voluptas. Ultio. Juven. Sat. 13.

[55] Vea la excelente descripción de Homero, Iliad. xx. 166–171.

2° Samuel 23:3–4 »Dijo el Dios de Israel, Me habló la Roca de Israel: "El que con justicia gobierna sobre los hombres, que en el temor de Dios gobierna, es como la luz de la mañana *cuando* se levanta el sol en una mañana sin nubes, *Cuando brota* de la tierra la tierna hierba por el resplandor *del sol* tras la lluvia".

Pero si *la ira de un rey es* tan terrible; ¡oh, alma mía, cuál será la ira de Dios! (Lc. 12:4-5). Si es tan terrible en este mundo, donde cada gota está mezclada con misericordia, ¡cómo será en la eternidad, donde se "derrama pura", sin cesar (Mr. 9:44, Ap. 14:10-11), donde su poder se manifiesta tan terriblemente, no sólo en el tormento, sino en la preservación; "estableciendo para corregir"! (Hab. 1:12).

¡Oh! que esta ira sea el gran objeto de mi reverente temor. Que huya de ella por medio del único camino de escape, mientras que éste aún está abierto para mí; y que busque su *favor*, como el "rocío" enriquecedor de Israel, que vigoriza y fertiliza mi suelo estéril (Os. 14:5–7. Cf. Sal. 72:6).

13. *El hijo necio es ruina de su padre, y gotera constante las contiendas de una esposa.*

'Muchas' —observa un viejo comentarista— 'son las miserias de la vida de un hombre; pero ninguna como la que viene de aquello que debía ser el reposo de su vida'.[56] Así como "el hijo sabio alegra al padre" (Pr. 10:1; 15:20; 29:3), así *el hijo necio es ruina de su padre;*[57] un conjunto de calamidades reunidas en una sola, de manera tal que ninguna porción terrenal –ni riquezas, honor ni posición social– puede aliviar o equilibrar. La denuncia de "inscribir a este hombre como sin hijos" (Jer. 22:30).[58] sería, en comparación, un favor para su corazón. El trono de la gracia será el único refugio del *padre* cristiano en su dolor. Allí derramará la amargura de su alma, humillándose a sí mismo y suplicando por su hijo; y hallará descanso (2 S. 23:5).

¡Oh! ¿Podemos ser demasiado fervorosos al prevenir esta *ruina*? ¿No debemos buscar una gracia temprana para nuestros hijos, y, *combinada con ésta,* una gracia especial para nosotros mismos (Jue. 13:12), que nos preserve de

---

[56] Michael Jermin (1590-1659) in loco.

[57] Heb. Plur. Pr. 17:21, 25.

[58] Se dice que Augusto, en un arrebato de dolor en medio de sus pruebas domésticas, se aplicó a sí mismo la exclamación de Héctor contra su cobarde hermano: '¡Ojalá no hubieras nacido, o nunca te hubieras casado!' Iliad. iii. 40.

sembrar involuntariamente una semilla en sus corazones jóvenes que produzca después un fruto tan mortífero?

Se menciona otra *calamidad* doméstica, no menos aguda.

Las contiendas de una esposa son como *una continua gotera* (Pr. 27:15, cf. 21:9, 19; 25:24) de lluvia que pasa a través del techo de una casa vieja.

> **Proverbios 27:15** Gotera constante en día de lluvia y mujer rencillosa, son semejantes.
> **Proverbios 21:9, 19** Mejor es vivir en un rincón del terrado que en una casa con mujer rencillosa… Mejor es habitar en tierra desierta que con mujer rencillosa y molesta.
> **Proverbios 25:24** Mejor es vivir en un rincón del terrado que en una casa con mujer rencillosa.

Tal *gotera* destruye completamente la comodidad de su hogar, y "desgasta" un corazón tan firme como una "piedra" (Job 14:19). Este juicio es más desgastante porque no hay un escape lícito. El *hijo necio* puede ser expulsado (Dt. 21:18), pero la *esposa contenciosa* debe ser soportada (Mt. 5:32; 19:3-9, 1 Co. 7:11).

Sin embargo, ¿se presentaría esta cruz si se respetara la clara regla de sujeción de las Escrituras? (Gn. 3:16, 1 Co. 14:34, Ef. 5:22-24, Col. 3:18, Tit. 2:5). O, ¿no es el justo castigo por descuidar el mandato divino, tan esencial para asegurar la felicidad en el yugo? (1 Co. 7:39, 2 Co. 6:14). O quizá ¿no será el "aguijón en la carne", la condición necesaria para no caer en algún peligro inminente, sutil y terrible? (2 Co. 12:7).

La soberbia y la impaciencia huirán de la cruz. La fe buscará la fortaleza para soportarla mansamente para la honra de Dios, obteniendo una bendición sólida de una prueba dura (2 Co. 12:8-9). Y, por último, ¿quién sabe si luego *la esposa contenciosa* sea entregada a la oración perseverante y a la paciencia, como una ayuda para su marido, y ambos finalmente "moren como coherederos de la gracia de la vida"? (1 P. 3:7, Gn. 2:18. cf. 1 Co. 7:16).

Con todo, seguramente nuestro Dios nos enseña una valiosa lección acerca de la vanidad de este mundo, fijando decepción en sus comodidades más sustanciales. Que sus hijos se cuiden de erigir su descanso en una porción terrenal, de caer en la trampa de sus mejores bendiciones; o de lo contrario su Padre celoso amargará sus más dulces fuentes de disfrute, y les enseñará, mediante una dolorosa disciplina, a no procurar entrar en ningún otro reposo que no sea el suyo.

14. *Casa y riqueza son herencia de los padres, pero la mujer prudente viene del Señor.*

"Toda buena dádiva viene *del Señor*" (Stg. 1:17), sólo que algunas vienen en un curso ordinario, y otras más directamente de él. *Casas y riquezas,* aunque son *sus dones*, vienen por descendencia; *son herencia de los padres* (Pr. 13:22, Nm. 27:7, Dt. 21:16, 1 R. 21:3-4, 2 Co. 12:14).

El heredero es conocido, y, siguiendo el curso de los acontecimientos, toma posesión de su patrimonio. Pero *la esposa prudente* no tiene ninguna conexión con el hombre. No ha habido ningún vínculo previo de relación (1 S. 25:39–42). A menudo es traída de un lugar distante (Gn. 24:4-5). "El Señor la trae al hombre" (Gn. 2:22) mediante su especial Providencia, y por tanto, como su especial regalo. La historia de Ruth ilustra maravillosamente la trayectoria de la Providencia matrimonial.

La moabita se casó, contra toda probabilidad humana, con un hombre de Israel, para que fuera llevada a la familia de Noemí, volviera con ella a su propia tierra y, en el curso de su deber filial, fuera puesta bajo la mirada y atraída al corazón de Booz, su esposo designado (Rut 1:1-4; 4:13). A menudo los vaivenes de la obra del Señor en este interesante asunto constriñen la admiración de hombres que no están bien ejercitados en la observación espiritual (Gn. 24:50). ¡Cuánto más entrañable y seguro es un don especial de Dios! El pan que desciende del cielo es más valorado que si hubiera sido el fruto del trabajo. Así es honrada *la esposa prudente*, como 'una bendición especial de la elección inmediata de Dios, la cual, por lo tanto, ha de obtenerse de la mano del dador mediante nuestras oraciones'.[59]

Sin embargo, la *prudencia* aquí descrita implica no sólo el sabio gobierno de su casa (Pr. 31:27), sino esa consideración piadosa unida a la sabiduría divina (Pr. 8:12), por medio de la cual ella se convierte en el gozo y confianza de su marido (Pr. 31:11, 23, 28; 18:22), así como *la esposa contenciosa* es su problema y su desgracia.

> **Proverbios 31:11, 23, 28-29** En ella confía el corazón de su marido, y no carecerá de ganancias... su marido es conocido en las puertas *de la ciudad,* cuando se sienta con los ancianos de la tierra... sus hijos se levantan y la llaman

---

[59] Obispo Joseph Hall (1574-1656).

bienaventurada, *también* su marido, y la alaba *diciendo:* «Muchas mujeres han obrado con nobleza, pero tú las superas a todas».

No obstante, ¿no proviene el marido, no menos que *la esposa, del Señor*? Que cada uno potencialmente busque la bendición de la ordenanza de Dios, de *Él mismo*; nunca confiando en nuestro propio juicio y afectos, sin referencia primaria a su guía (Pr. 3:6). Démonos cuenta de la responsabilidad de esta unión, así como de su complaciente consuelo; considerándola siempre como un talento para Dios, para su servicio y gloria; y no dudando respecto a nosotros mismos, que 'todas las cosas se volverán para nuestro bien y consuelo, si llevamos el yugo en concordia de corazón y mente".[60]

15. *La pereza hace caer en profundo sueño, y el alma ociosa sufrirá hambre.*

Toda la experiencia y toda observación atestiguan el hecho de que los hábitos *perezosos* destruyen la energía mental, y que *la ociosidad* es el camino hacia la escasez. ¿Qué podríamos esperar del haragán que está en su cama todo el día? Tan poco como del *perezoso*, que hace su trabajo como si estuviera sumido *en un profundo sueño* (Pr. 6:9-11).

¡Pecador irreflexivo! Piensa en cómo se aplica esto a la obra de Dios. Te persuades a ti mismo de que todo está bien, porque no te molestarás en abrir los ojos a la verdad; y te contentas con dejar que las cosas sigan su curso. No te rebelas contra el Evangelio. Sin embargo, ¿no ha dicho nuestro divino Maestro: "El que no es conmigo, está contra mí"? (Mt. 12:30). Concibes que no has hecho ningún daño. Pero ¿no es malo haber desperdiciado hasta ahora toda oportunidad para la eternidad? ¿Haber vagado en la vanidad desde tu cuna, en lugar de vivir para Dios? Estás decidido a dormir de todas formas. Y aunque los dos tesoros más grandes: el favor de Dios y tu propia alma, están en peligro inminente, aún así "dices a tu alma: alma, descansa" (Lc. 12:19). En lugar de estar sumido en un amor sufrido, en oración tenaz y en activa diligencia, estás sumido *en un profundo sueño*. "Despierta, tú que duermes" (Ef. 5:14); si no, dormirás el sueño de la muerte eterna.

¡Cristiano profesante! ¿Esperas que la gracia de Dios funcione como un hechizo, sin, o independiente de los medios? Este ha sido un engaño mortal, que

---

[60] Homilía sobre el Matrimonio.

arroja *al profundo sueño* de la presunción. ¡Un *alma tan ociosa sufrirá hambre*! (Pr. 10:4-5; 20:4).

> **Proverbios 10:4–5** Pobre es el que trabaja con mano negligente, pero la mano de los diligentes enriquece. El que recoge en el verano es hijo sabio, el que se duerme durante la siega es hijo que avergüenza.

El alimento duradero es un don de Dios; pero, como toda bendición del Evangelio, sólo se da como fruto del trabajo (Jn. 6:27, cf. Heb. 6:11-12, 2 P. 1:5, 11).

La boca ociosa, que sólo se llena de quejas sin corazón, y que tal vez hace una apagada oración para tranquilizar en el momento su conciencia, *sufrirá hambre*. El alma nunca podrá florecer, si no en sinceridad con Dios. Podrá ser despertada por un tiempo, pero sólo para ser arrojada *a un sueño más profundo* que el anterior. Ahora, mira al hijo de Dios despertado de su *profundo sueño*; dispuesto de buena gana para el reino; capacitado para luchar, sí, para conquistar. Pero el sueño le ha seguido; y, en lugar de aprovechar la ventaja, un repentino asalto del enemigo lo ha abatido.[61]

Acuérdate de tu trabajo y tu conflicto más que de tu tranquilidad y comodidad; de lo contrario, no serás un conquistador, sino un cautivo. En tiempos de tranquilidad, ¡cuán fácilmente, como halló el peregrino de Bunyan, nos adormece el aire de la llanura! Y entonces el alma, en lugar de estar "saciada como de meollo y grosura" (Sal. 63:5), *sufre de hambre*, y desfallece por falta de su alimento adecuado. Sólo la oración incesante y el ejercicio de un espíritu mortificado puede sacudir esta "enfermedad nefasta que se nos ha pegado".

¡Sé tú, Señor, nuestro Ayudador, nuestra Fuerza, nuestro Médico!

c. Educar al hijo para que muestre bondad con los necesitados (19:16-22)

16. El que guarda el mandamiento guarda su alma, pero el que desprecia sus caminos morirá.

---

[61] Invadunt urbem somno, vinoque sepultam. Virgilio (70-19 a.C.) Æn. ii. 265.

El temor al *mandamiento* es el camino del honor (Pr. 13:13). *Guardarlo* es nuestra seguridad. *Guarda la palabra*, y la palabra nos mantendrá seguros. Se identifican así nuestros deberes con nuestros privilegios (Sal. 19:11; 119:165, Is. 32:17). Este es el primer esfuerzo exitoso para sacudirnos del *sueño profundo de la pereza*; cuando nos "despertamos para apoderarnos de Dios, eligiendo las cosas que le agradan, y uniéndonos a él, para servirle y amar su nombre" (Is. 64:7; 56:4-6).

Sin embargo, el poder para *guardar el mandamiento* no está en el hombre (Jer. 10:23). ¿No es Dios trabajando en nosotros, a través de, por, y con nosotros? (Pr. 26:12, Fil. 2:12-13). Así, "todas nuestras obras son hechas en Él" (Jn. 3:21); y no queda nada más que el reconocimiento grato y humilde: "Pero no yo, sino la gracia de Dios que está en mí" (1 Co. 15:10). Sepa, pues, el mundo que no ejercitamos la obediencia en un pacto de obras, ni la rechazamos como un sistema de esclavitud y abatimiento; sino que *guardar el mandamiento* evangélicamente es *guardar nuestra propia alma* (Pr. 10:17; 16:17; 22:5); es el camino a la felicidad presente (Is. 64:5, Jn. 14:21–23, 1 Jn. 2:5; 3:24), el sello de la misericordia eterna (Sal. 103:17-18), el camino al cielo (Is. 35:8-10, Ap. 22:14).

Pero, por desgracia, la multitud, en lugar de *guardar el mandamiento*, "va a la ventura" (Lv. 26:21. Marg), sin cuidado de *sus caminos*, sin consideración de su fin. Para ellos, apenas vale la pena indagar si Dios está disgustado o no; o si andan por el camino estrecho o por el ancho; y cuál podría ser el fin de ese camino. A veces llegan al mundo con la reciente influencia de una educación religiosa. Por un tiempo, se rinden alternativamente a su conciencia, y a sus corrupciones. Se conmueven, por momentos, bajo la convicción de la palabra, o la corrección de la vara.

Sin embargo, la falta de estabilidad y consistencia pronto convierte todo en una dureza "peor" que la anterior (2 P. 2:20-22). Son "arrastrados a sus ídolos, de una manera u otra" (1 Co. 12:2); y, siendo esclavos de sus voluntades, sus lujurias, sus fantasías, no saben, no se preocupan por saber, que "por todas estas cosas Dios los llamará a juicio" (Ec. 11:9, cf. 2 R. 10:31, Jer. 44:17). *Desprecian sus caminos y mueren.*

Jóvenes: 'Consideren el camino de sus pies'. Miren bien a cada paso, que "sus caminos sean establecidos" (Pr. 4:26) en la gracia transformadora, la única seguridad de la firmeza cristiana (2 P. 3:17-18). Mantengan la conciencia sensible, la regla divina ante sus ojos, la promesa en el corazón. Abriguen un espíritu dócil a la guía de vuestro Padre. Cuán solemne es la advertencia: *El que desprecia sus caminos morirá*. ¡Pecador! ¡Ojalá meditaras en esta muerte! No es fruto de un capricho desequilibrado. Es la muerte que el pecado perfecciona (Stg. 1:14-15).

> **Santiago 1:14–15** Sino que cada uno es tentado cuando es llevado y seducido por su propia pasión. Después, cuando la pasión ha concebido, da a luz el pecado; y cuando el pecado es consumado, engendra la muerte.

Es la cosecha de esa semilla (Gá. 6:7-8). Es aquella muerte que sufre el alma, una realidad eterna de infinita e inmutable miseria; la extinción, no de tu ser, (¡eso sí que sería una bendición!) sino de tu felicidad.

¿Qué es esta muerte para estar inamoviblemente ligada a la ira de Dios? ¡Sí! es tener la ira de un Dios inmortal llenando la conciencia de tu alma inmortal, con todo su poder extendiéndose eternamente para dejar una huella plena y sempiterna. Y mientras "sigues rebelde el camino de tu corazón" (Is. 57:17), recuerda que "sólo hay un paso" –¿quién sabe cuán corto, o cuán pronto se dé?– "entre ti y la muerte" (1 S. 20:3). "¿Por qué morirás?" si el juramento de tu Dios testifica que "no se complace en tu muerte", si su voz de gracia te dice "conviértete y vive (Ez. 33:11; 18:32), considera tus caminos" (Hag. 1:5, 7).

¡Oh, escucha! Antes de que aprendas la sabiduría de los necios, y seas sabio demasiado tarde.

17. *El que se apiada del pobre presta al Señor, y Él lo recompensará por su buena obra.*

La ordenanza de Dios es que "nunca faltarán los pobres en la tierra" (Dt. 15:11). Por lo tanto, la obligación universal es *apiadarse de los pobres*. Esto es según la norma del Nuevo Testamento, la cual inculca el espíritu no menos que el acto (Lc. 6:30-36, Col. 3:12. Cf. Pr. 14:21). Debemos abrir nuestro corazón tanto como nuestras manos (Dt. 15:7, 10), "dar nuestra alma" así como nuestro pan, "al hambriento" (Is. 58:10); así doblaremos la limosna, dando una parte de nosotros mismos.

Es posible "dar todos nuestros bienes para alimentar a los pobres", sin tener un átomo de la verdadera caridad del corazón (1 Co. 13:3). Pero sea lo que fuere que demos, "si cerramos el corazón contra nuestro hermano, ¿cómo mora el amor de Dios en nosotros?" (1 Jn. 3:17). El buen samaritano mostró una verdadera y práctica *compasión*. Nunca olvidemos la aplicación de nuestro Señor: "Ve y haz tú lo mismo" (Lc. 10:33-37).

El nombramiento de Diáconos en la Iglesia Primitiva (Hch. 6:2-6), la preocupación de los Apóstoles al comisionar a sus hermanos (Gá. 2:9-10), el alto elogio a las Iglesias de Macedonia (2 Co. 8-9), el establecimiento de la regla semanal de caridad (no imponiendo una pauta fija, sino *"como Dios ha prosperado"*; 1 Co. 16:2); todo esto muestra la aceptabilidad de este servicio cristiano.

El filántropo mundano, sin embargo, no tiene idea del honor divino de este principio. Si nuestro hermano es objeto de *compasión*, en realidad está en juego la majestad del Cielo. Es *un préstamo al Señor*. El egoísmo evadirá la obligación bajo la apariencia de prudencia. Pero *lo que damos* es sólo un préstamo, que será pagado de *nuevo*, y *ello* con tal seguridad, que nunca podrá fallar. El Señor de los cielos se digna a ser el garante de *los pobres*. Él toma la deuda sobre sí mismo, y nos da su palabra en promesa de pago.

Aunque tiene derecho a todo y no es deudor de nadie (Sal. 16:2, Ro. 11:36), se convierte en deudor de los suyos. Muchos actos de bondad han sido enterrados y olvidados. El testimonio de nuestra conciencia es el único fruto. Pero éste es un depósito seguro en el mismo corazón de Dios. Nunca podrá ser perdido u olvidado (Mt. 10:42; 25:40, Heb. 6:10). Como escribe el Obispo Joseph Hall (1574-1656):

> Entonces, si realmente necesitamos guardarlo, ¿dónde más deberíamos depositarlo sino en la tesorería del cristiano? La mano del pobre es la tesorería de Cristo. Toda lo que tengo en demasía será guardado allí, donde sé que estará a salvo y que seguramente me devolverá.[62]

Es, en efecto, un acto de fe, a menudo de fe abierta, cuando parece no haber esperanza de retorno (Lc. 6:38. Cf. Pr. 28:27). Pero este es el principio que "el Rey se deleita en honrar". Los asilos para huérfanos de la Fundación Francke destacan ante nosotros. Sin duda, la experiencia del pueblo del Señor, si se sacara a la luz, declararía muchas manifestaciones similares de Su fidelidad a su palabra. El día de la resurrección sacará todo a la luz (Mt. 25:34-40, Lc. 14:12-14).

---

[62] Joseph Hall 'Works', viii. 32.

Lucas 14:12–14 Jesús dijo también al que lo había convidado: «Cuando ofrezcas una comida o una cena, no llames a tus amigos, ni a tus hermanos, ni a tus parientes, ni a tus vecinos ricos, no sea que ellos a su vez también te conviden y tengas ya tu recompensa. »Antes bien, cuando ofrezcas un banquete, llama a pobres, mancos, cojos, ciegos, y serás bienaventurado, ya que ellos no tienen para recompensarte; pues tú serás recompensado en la resurrección de los justos».

Mientras tanto, admiremos su maravillosa gracia. Pone el deseo en el corazón, dispone el corazón, abre la oportunidad, 'y después de todo acepta el acto', ¡como si hubiera sido obra del Creador, sin mancha ni contaminación!

18. *Disciplina a tu hijo mientras hay esperanza, pero no desee tu alma causarle la muerte.*[63]

¡Padres cristianos! Estudien cuidadosamente la palabra de Dios. Vean aquí la sabia y amorosa disciplina de nuestro Padre para con sus hijos. "Como el Padre se compadece de sus hijos". "Como aquel a quien su madre consuela, así los consolaré yo" (Sal. 103:13, Is. 66:13).

No obstante, cuando sus hijos necesitan *ser disciplinados*, aunque la carne clame se *le pase por alto*, aunque cada gemido entre en su corazón (Ex. 2:23-24, Jue. 10:16), él ama tan bien, que *su alma no pasa por alto el castigo debido a su llanto* (Sal. 89:30-32). Él usa la vara, sí, y si es necesario, con fuerza (Sal. 39:10, 1 P. 5:6). Hará marchitar sus más brillantes comodidades: hijos, propiedades, si los convierte en ídolos; y esto "no según le plazca, sino para beneficio de sus hijos" (Heb. 12:10. Cf. Lm. 3:33). Así, ¿cuál de sus hijos no lo ha bendecido porque no le privó de su disciplina hasta que hubo hecho "su obra perfecta"?

¿No es este entonces nuestro patrón, nuestro estándar; el que establece los sólidos principios de la educación cristiana? "Padres, no provoquéis a ira a vuestros hijos, para que no se desalienten" (Ef. 6:4). Pero no dejen que la regla: 'disciplina', 'no pases por alto', sea "un dicho difícil". ¿No se usa a veces la ternura por el niño para encubrir la permisividad de afectos débiles y necios?

---

[63] Nota del Traductor: La versión usada en el inglés original señala literalmente: "Disciplina a tu hijo mientras hay esperanza, y no dejes que tu alma lo pase por alto por su llanto"; de allí las referencias realizadas por el autor.

Hay mucha más misericordia en lo que parece ser dureza, que en la falsa ternura (Pr. 23:13-14).

Proverbios 23:13–14 No escatimes la disciplina del niño; aunque lo castigues con vara, no morirá. Lo castigarás con vara, y librarás su alma del Seol.

Que el niño vea que estamos resueltos; que no somos desviamos de nuestro deber por el *llanto* de la debilidad o la pasión. Es mucho mejor que el niño *llore* bajo una corrección saludable, a que los padres *lloren* después por el amargo fruto, para ellos mismos y para los hijos, de una disciplina descuidada.

Eli no pudo haber ideado una mejor manera de atormentarse, a sí mismo y a su casa, que su benevolencia hacia el pecado de sus hijos. Los padres no necesitan otro medio para hacerse a sí mismos miserables que el de evitar la vara.[64]

Con todo, se ahorrarían mucho si gobernaran como deben hacerlo, mediante la firme decisión de una palabra, un ceño fruncido, una mirada.

Pero la gran fuerza del mandato es su aplicación oportuna, *mientras haya esperanza*. El caso puede tornarse desesperanzador si se retrasa el remedio. "Desde temprano" (Pr. 13:24; 22:15) es el momento cuando puede efectuarse el bien con mayor facilidad, y con menos golpes. Un *castigo severo* puede posteriormente fallar en lograr lo que una leve reprimenda, en un momento temprano, podría haber conseguido. No obstante, ¿no hay, con demasiada frecuencia, una ceguera voluntaria, que prefiere no ver lo que es doloroso corregir? La falsa noción de que "los niños son niños" nos lleva, a menudo, a pasar por alto los verdaderos defectos, y a considerar su temperamento y su desobediencia demasiado insignificantes como para requerir una rápida corrección. Y así el pecado, consentido en sus comienzos, se endurece con toda la fuerza de la corrupción más arraigada. Mientras que, por otro lado, ¿quién descuidaría la más insignificante dolencia corporal en los niños, si pudiera convertirse en algo más grave? Si no es posible argumentar con ellos, debemos controlarlos.

Muchas veces hemos hallado en etapas posteriores de la vida el mal de los hábitos adquiridos, lo que una disciplina temprana podría haber sometido con mucho menos sufrimiento (1 R. 1:6; 2:24, 35). ¡Oh! cuánta gracia y sabiduría se

---

64 'Contemplations' del Obispo Joseph Hall (1574-1656), Book xi. vii.

necesita para disciplinar nuestras mentes, juicios y afectos hasta llegar a ese dominio propio que nos permita entrenar prácticamente a nuestros hijos para el servicio de Dios, y para su propia felicidad.

19. *El hombre de gran ira llevará el castigo, porque si tú lo rescatas, tendrás que hacerlo de nuevo.*

¡Cuántas veces un niño sin disciplina crece hasta convertirse en *un hombre de gran ira*, que se mete en problemas por sus tumultuosas e incontrolables pasiones! Adonías, a quien "su padre nunca había contrariado", se rebela contra su hermano y *sufre el castigo* (1 R. 1:50–53; 2:13–21. Cf. también 2 S. 16:7, 1 R. 2:46).

La desdichada víctima no ganó nada con la experiencia. *Rescatado* de un embrollo, se sumerge en otro. Verdaderamente, ¿quién sabe cuál será el fin de una pasión indisciplinada? Caín, un *hombre de gran ira*, asesino de su hermano; *llevó un castigo* "más grande de lo que podía soportar" (Gn. 4:5-8, 13). Los esfuerzos amistosos por contener esta ira deben repetirse una y otra vez (1 S. 19:1–11; 20:32-33), y, con demasiada frecuencia, son ineficaces. Mientras tanto, el hombre *lleva su propio castigo*, las miserias de un feroz conflicto interior, impulsado por la furia de su rabiosa lascivia. Verdaderamente "es discreción del hombre aplazar su ira" (v. 11), como primer, y a menudo exitoso, esfuerzo de controlar un desenfreno que lo degrada y lo deja indefenso (Pr. 25:28).

> **Proverbios 25:27–28** No es bueno comer mucha miel, ni el buscar la propia gloria es gloria. *Como* ciudad invadida *y* sin murallas es el hombre que no domina su espíritu.

A pesar de que el hombre se jacta de su auto gobierno, hay una agitación en su interior, que la moderación puede atar, pero no someter. Un orgullo herido y un resentimiento tenaz dejan al miserable criminal en un estado sombrío, *sufriendo* una intolerable carga de *castigo* autoinfligido. ¿Cuál es, entonces, la cura fundamental? "Aprended de mí, porque soy manso y humilde de corazón" (Mt. 11:29). La gloria y el estímulo del evangelio es que la religión, con todas sus dificultades, es algo practicable (2 Co. 12:9). "Bástate mi gracia" es la palabra de aliento de Aquél que ha sellado con su sangre la fidelidad de la promesa. No dudes, pues, de que "perfeccionará su propósito en nosotros" (Sal. 138:8), inclusive moldeando al *hombre de gran ira* a su propia imagen de mansedumbre, dulzura y amor.

20. *Escucha el consejo y acepta la corrección* (*o* instrucción), *para que seas sabio el resto de tus días* (*Lit.* en tus postrimerías).

Acabamos de tener una palabra dirigida a los padres, encaminando su disciplina cristiana. Aquí, los hijos son exhortados a la humildad. Una vez más se les llama a *que escuchen el consejo y la instrucción* (Pr. 4:1-2; 5:1-2; 7:1-2). Pues constantemente necesitan la palabra: "La adolescencia y la juventud son vanidad" (Ec. 11:10). La gratificación presente es el objetivo principal.

    ¡Oh! recuerda que la semilla, sembrada ahora, durante la estación de la juventud, producirá o bien frutos bendecidos o bien frutos amargos *en tus últimos días*. La temprana atención de Timoteo a la *instrucción* produjo una cosecha rica en verdad (2 Ti. 3:14-15).

> **2 Timoteo 3:14–15** Tú, sin embargo, persiste en las cosas que has aprendido y *de las cuales* te convenciste, sabiendo de quiénes *las* has aprendido. Desde la niñez has sabido las Sagradas Escrituras, las cuales te pueden dar la sabiduría que lleva a la salvación mediante la fe en Cristo Jesús.

Realmente terrible fue el juicio sobre los burladores (Pr. 1:25; 29:1); la atroz muerte del despilfarrador (Pr. 5:9-14), y la ruina de la nación santa (Mt. 23:37–39, Lc. 19:41-42); todo producto de despreciar la sabiduría y la instrucción oportunas. Roboam (1 R. 12:12–19) y Amasías (2 Cr. 25:15–20), ¿no habrían escapado de la ruina de su reino, si hubieran *escuchado el consejo* y obtenido de ese modo *sabiduría* para *sus postrimerías*? 'Voy a morir', dijo un Rey irreflexivo en su lecho de muerte, 'y sin embargo no he empezado a vivir'.

    ¡Cuánto depende la sabiduría en la madurez de la diligencia en *escuchar el consejo* y la instrucción, de "llevar el yugo desde la juventud", algo "bueno" en verdad, lleno de beneficios! (Lm. 3:27). Quién podría abstenerse, teniendo a la vista la gran masa de impiedad, de lamentarse llorosamente como el hombre de Dios: "¡Oh! ¡Que fueran sabios! ¡Que entendieran esto! ¡Que consideraran su postrer fin!" (Dt. 32:29).

21. *Muchos son los planes en el corazón del hombre, mas el consejo del Señor permanecerá.*

Cuando Dios y el hombre eran como uno, era "como los días de los cielos sobre la tierra". Pero desde la caída, *los planes del hombre y el consejo de Dios* son contrarios. Quién triunfará, ¿quién lo puede dudar? "No hay sabiduría, ni entendimiento, ni consejo contra el Señor. Lo que hago ¿quién lo estorbará? Mi consejo permanecerá y haré todo lo que me plazca" (Pr. 21:30, Is. 43:13; 46:10). Advertimos este conflicto en la vida cotidiana. El hombre busca progresar. Dios, en su misericordia, lo impide.

Los planes del hombre son hacerse rico. El sabio *consejo* de Dios lo mantiene pobre. El hombre dispone su corazón para disfrutar de sus bienes. Dios en un momento "requiere su alma" (Lc. 12:19-20). Así, el hombre propone, pero Dios dispone.

Los planes del corazón del piadoso Isaac resistieron, en vano, el declarado consejo del *Señor* (Gn. 27:1-7, cf. 25:23). Y qué otro paradigma hay en la historia sino la anulación de los *planes del hombre* para dar paso al cumplimiento del consejo del *Señor* (Sal. 33:10-11).

Salmo 33:10–11 El Señor hace nulo el consejo de las naciones; frustra los designios de los pueblos. El consejo del Señor permanece para siempre, los designios de Su corazón de generación en generación.

La malicia de los hermanos de José fue el medio para cumplir el *consejo divino* de la salvación de su Iglesia (Gn. 37:19; 45:5-6). El complot que buscaba la destrucción de Israel favoreció su prosperidad (Ex. 1:8-12, 17). Los vanos intentos de oposición a Cristo prestaron servicio al gran fin del "determinado *consejo* y el anticipado conocimiento de Dios" (Sal. 2:1-6, cf. Hch. 4:26-28; 2:23). El *plan humano* para impedir el viaje del Apóstol a Roma fue derrotado de manera significativa (Hch. 23:12-15, con 11).

¡Cuán vano es el intento impío de "luchar contra Dios"![65] "¡Ay del que contiende con su Creador!" (Is. 45:9). Todo es claro en lo alto, por muy nublado que esté abajo. Todo está en calma en el cielo, por muy tormentoso que esté en la tierra. No hay confusión allí. Sólo una voluntad reina. Cada propósito alcanza

---

[65] Ibid. versículo 39.

su fin: "Él determina una cosa, ¿quién lo hará cambiar? Y lo que desea su alma, eso hace" (Job 23:13).

22. *Lo que es deseable en un hombre es su bondad, y es mejor ser pobre que mentiroso.*

El privilegio de hacer el bien está al alcance de todos. Pues, cuando el pobre falla, *el deseo del hombre es su bondad*, tan aceptable como la más cara prueba de amor. "Si hay una voluntad dispuesta, será acepta según lo que uno tiene, no según lo que no tiene" (2 Co. 8:12). El trato de Dios con su pueblo se basa en este principio.

El *deseo* de David de construir el templo fue aceptado y honrado como el acto mismo designado para su hijo (2 Cr. 6:8; 7:12–17). Tal fue también la estimación de nuestro Salvador del valor de la ofrenda de la viuda (Mc 12:41-44), del frasco de ungüento derramado sobre sí mismo (Mc. 14:8-9), del "vaso de agua fría que se da a un discípulo" (Mt. 10:42).

La aspiración era la bondad, más rica y fructífera que las abundantes ofrendas de la auto complacencia (Lc. 21:4).

Con todo, *el deseo* debe ser activo, no un entusiasmo indolente, sino "una participación eficaz de la fe" según el poder que se nos ha dado (Flm. 6, 2 Co. 8:11). A los ojos de Dios, tal *deseo* en el corazón de un *pobre* de su pueblo es mucho *mejor* que un hombre con grandes oportunidades y profesiones vacías que demuestra ser *un mentiroso* (v. 1, Sal. 62:9).

Salmo 62:9–10 Los hombres de baja condición solo son vanidad, y los de alto rango son mentira; en la balanza suben, todos juntos *pesan menos* que un soplo. No confíen ustedes en la opresión, ni en el robo pongan su esperanza; si las riquezas aumentan, no pongan el corazón *en ellas*.

El pobre da fácilmente. El rico no se permite ese lujo. Niega que tenga la capacidad. Promete y no hace nada.

El pobre es mejor que el mentiroso. Basta con prestar atención a la motivación. Los hombres no conocen el corazón. "El Señor pesa los espíritus" (Pr. 16:2); y "el fuego probará la obra de cada uno, según cual sea su clase" (1 Co. 3:13).

7. El educador y el castigo a los necios (19:23-20:11)

a. Introducción (19:23)

23. El temor del Señor conduce a la vida, para poder dormir satisfecho, sin ser tocado (Lit. visitado) por el mal.

Es un privilegio el estar exento del *temor al Señor,* como principio legal (Lc. 1:74, Ro. 8:15, 2 Ti. 1:7). Pero, como una gracia del evangelio, cultívalo al máximo (Heb. 12:28, 1 P. 1:17). Aquí se expone un triple fruto ante nosotros: *vida, satisfacción, y seguridad.*

Conduce a la vida, no a la mera vida natural, común a los impíos (aunque esta bendición, en la medida en que es buena, está incluida; Pr. 9:11; 10:27) sino a una vida celestial, sí, a una vida eterna, bajo el favor y disfrute de Dios (Sal. 33:18-19; 34:11-12). En la medida en que estemos bajo su influencia, hablamos, oramos, pensamos y tratamos con el hombre, como si Dios estuviera a nuestro lado. Los afables rayos del "Sol de justicia" nutren este santo principio (Mal. 4:2); y pronto será perfeccionado en el servicio en lo alto (Ap. 15:3-4).

Mientras tanto, la *satisfacción* que imparte es un privilegio precioso. El corazón del mundano está desgarrado por 'un doloroso vacío'. Llega de una las fuentes de su felicidad, clamando: "¿quién me mostrará algo bueno?". Por otro lado, "¡Señor! Levanta la luz de tu rostro sobre mí", es el grito y la sólida *satisfacción* de un hijo de Dios que está por encima de lo mejor de la tierra (Sal 4:6-7). A quien le falte, sepa que "a los que temen *al Señor* no les falta nada bueno. Sus almas habitan tranquilas" (Sal. 34:9-10; 25:12-13).

Salmo 34:9–10 Teman al Señor, ustedes Sus santos, pues nada les falta a aquellos que le temen. Los leoncillos pasan necesidad y tienen hambre, pero los que buscan al Señor no carecerán de bien alguno.

Salmo 25:12–13 ¿Quién es el hombre que teme al Señor? Él le instruirá en el camino que debe escoger. En prosperidad habitará su alma, y su descendencia poseerá la tierra.

El que tenga ese temor del Señor, *habitará satisfecho*. ¿No es ésta el alma misma de la felicidad?

Aun así, un objeto de *temor* suele traer pavor. 'Pero agrega, ¿quién? *El que teme al Señor*; ese toque lo convierte en oro. El que teme de esa manera, no teme'.[66] Tiene su 'confianza y lugar de refugio' (Pr. 14:26). No nos acercamos para informarnos sobre el camino. "Dios *es conocido* en los palacios de Sión como un refugio seguro" (Sal. 48:3). Acudimos a Él como un Dios que conocemos y quien tiene un pacto con nosotros. Y ahora, tomando nuestro santuario en Dios, nos sentamos y cantamos bajo su sombra. En este refugio, ¿cómo puede cualquier *mal*, propiamente dicho, *visitarnos?* (Pr. 12:21). Lo que es *malo* en sí mismo se convierte en bueno (Ro. 8:28, Heb. 12:11). No nos puede separar de Dios. Sólo hará que nos unamos más a Él. Podremos caminar sobre escorpiones, y salir ilesos, si nuestra conciencia se mantiene sensible, y nuestro corazón fijo en sus caminos. No tememos su brazo levantado. Pero su ceño fruncido en reprensión "penetra hasta nuestra alma".

Su misericordia elimina el temor de espanto. Su santidad mantiene el temor de reverencia. Una seguridad consciente sólo tiende, más que nunca, a hacernos temer la partida y la separación de su amor.

b. Un catálogo de los necios y su castigo (19:24-20:1)

24. *El perezoso mete su mano en el plato,*[67] *y ni aun a su boca la llevará.*

¡Otra enérgica imagen de la parálisis de la pereza![68] Invade tanto a su víctima que no tiene corazón para hacer ni siquiera las cosas necesarias para sí mismo; como si no pudiera *sacar la mano de su seno*; y prefiriera sufrir las ansias de hambre que hacer el esfuerzo de llevar comida a su boca. Es un triste retrato de muchas buenas intenciones y promesas, y de aparentemente buenos inicios en la religión, que fueron detenidos por falta de esfuerzo para superar el menor obstáculo. Cada deber religioso es una carga. La lucha necesaria para la oración –el único medio de recibir nuestro alimento espiritual– es demasiado dura. Y

---

[66] Sermón de Robert Leighton (1611-84) sobre el Salmo 112:7.

[67] Nota del Traductor: La versión usada en el inglés original señala literalmente: "El perezoso esconde su mano en su seno..."; de allí las referencias realizadas por el autor.

[68] Vea figuras similares, Pr. 12:27; 26:15, Ec. 4:5.

así, el alma que parecía haber despertado, se hunde en su antiguo letargo; y el esfuerzo por despertarla se vuelve cada vez más débil y desesperanzado.

Algunos parecen sentir que poco o nada de esfuerzo es necesario, lo que es una clara prueba de que nunca han tomado realmente en serio este trascendental asunto. El conflicto no es imaginario. "Ay de aquellos", que echados en el regazo de la indulgencia, "reposan en Sión" (Am. 6:1). Una religión sin sacrificio, sin diligencia, nunca abrirá un camino al cielo; es atesorar arrepentimiento inútil para los últimos días. Si el trabajo del día, y más aún el trabajo de la eternidad, requiere de toda diligencia, si el emperador Tito podía llorar porque 'había perdido un día', ¡cuál será el punzante remordimiento por haber perdido una vida!

Pensar que, tras un buen comienzo, seguido de "una paciente perseverancia en hacer el bien" (Ro. 2:7), podríamos haber sido efectivos en "servir a la voluntad de Dios en nuestra generación" (Hch. 13:36), de tal modo que se nos extrañe en el mundo después de caer "dormidos"; pensar que podríamos haber sembrado semillas para la eternidad, de modo que nuestra "memoria" en lugar de "pudrirse", hubiera sido "bendita" (Pr. 10:7), pensar que todo esto fue deseado, contemplado, más aún, resuelto, pero que ni siquiera logramos un átomo de ello: ¿no será este un aguijón en el lecho de muerte, y tal vez el gusano atormentador en la eternidad?

¿Cómo, entonces, resistiremos a esta enfermedad mortal? La excusa de Thomson para descansar en su propio 'Castillo de la Indolencia' era que no tenía nada que hacer. La falta de un objetivo hace que un hombre de talento sea un holgazán. ¡Oh! entonces mantén este gran objetivo siempre a la vista. "Para mí, el vivir es Cristo" (Fil. 1:21). Empléate por Dios y por su Iglesia. Fórmate hábitos para tener una energía temprana. Cuídate del sentimentalismo soñador. Cultiva la actividad física. Trata las incursiones de la pereza como si fueran los efectos de aquellos venenos que, si bien causan sueño (a menos que sean contrarrestados por una resistencia constante), prueban ser fatales. Pese a que cuentes con todos estos medios, nunca olvides el único principio que los hace eficaces: la oración, incesante, de fe, hecha "mirando a Jesús", quien no sólo da la vida, sino también vitalidad (Heb. 12:1-2, Jn. 10:10).

Hebreos 12:1–2 Por tanto, puesto que tenemos en derredor nuestro tan gran nube de testigos, despojémonos también de todo peso y del pecado que tan fácilmente nos envuelve, y corramos con paciencia la carrera que tenemos por delante, puestos los ojos en Jesús, el autor y consumador de la fe, quien por el gozo puesto delante de Él soportó la cruz, despreciando la vergüenza, y se ha sentado a la diestra del trono de Dios.

Pero ¿nos encontramos luchando, entonces, en el conflicto? No olvides agradecer a Dios por cada victoria, sí, por la fuerza continua que nos permite perseverar en la lucha; también por la sabia dispensación que designa este santo conflicto como el medio para vigorizar nuestra fe, nuestra esperanza, nuestra aptitud para la corona, y nuestra alegre expectativa de ella. Si la paz con Dios es nuestra vida, "el gozo del Señor es nuestra fortaleza" (Neh. 8:10), nuestra salud, nuestra felicidad; la que, sin embargo, no se encuentra en un hábito desganado y enervado.

25. *Golpea al insolente y el ingenuo (Lit.* **simple)** *se volverá astuto, pero reprende al que tiene inteligencia y ganará (Lit.* **discernirá)** *en conocimiento.*

Hay una diferencia de opinión respecto al beneficio de los castigos. Algunos dirán que, si la voluntad no da lugar a la razón, la obediencia forzada servirá de poco. Y aunque la palabra y la ordenanza de Dios es nuestra norma, también existe gran sabiduría en la medida y la adaptación. Aquí se mencionan dos tipos; cada una adaptada según el carácter del infractor; pero ambos sanos en sus resultados.

El insolente es un pecador atrevido. *Golpéalo, para que los simples puedan tener cuidado* (Pr. 21:11, Hch. 13:6-12). Puede ser una advertencia oportuna para aquellos a quienes él dirige. Tomar al líder de un grupo malicioso puede poner fin a la asociación. Esta es la ventaja de las leyes. Muchas veces el ejemplo que se da, aunque el pecador en sí siga endurecido, resulta en el bien de todo el cuerpo. Así, 'Dios golpea a algunos para advertir a todos'.[69]

Sin embargo, *reprueba al hombre de inteligencia.* No es ocasión de *golpear.* "La represión penetra más en el entendido que cien azotes en el necio" (Pr. 17:10; 15:5). En el caso del *escarnecedor*, el beneficio es para los demás. En el caso del sabio, es para él mismo.

Él discernirá conocimiento (Pr. 9:8-9).

---

[69] Obispo Joseph Hall (1574-1656). Cf.. Ex. 18:10-11, Dt. 13:11; 19:20; 21:21, Hch. 5:1-11, Ap. 11:13.

Proverbios 9:8–9 No reprendas al insolente, para que no te aborrezca; reprende al sabio, y te amará. Da *instrucción* al sabio, y será aún más sabio, enseña al justo, y aumentará *su* saber.

Su sabiduría le permite sacar provecho, y estar agradecido por la oportuna intervención (Sal. 141:5). No olvidemos nunca la misericordia de ser guardados del pecado, o de ser restaurados de él, aunque sea por la represión aguda y llena de gracia de nuestro Maestro: "A todos los que amo, reprendo y castigo; sé, pues, celoso y arrepiéntete" (Ap. 3:19).

26. *El que asalta a su padre*[70] *y echa fuera a su madre es un hijo que trae vergüenza y desgracia.*

Esta no es, ¡ay!, la representación ideal de la imprudencia. "Carecer de afecto natural" (Ro. 1:30-31) es una marca horrible de depravación desenfrenada. El hombre es un esclavo degradado de su codicia egoísta. El despilfarrador puede desperdiciar las pertenencias de *su padre* por su extravagancia, así como su espíritu y salud por su mala conducta. Absalón *arruinó a su padre* con su desleal rebelión (2 S. 15:1–14). A menudo también la ternura de una madre ha sido recompensada con una crueldad aplastante: la insolencia de un hijo ingrato que prácticamente *la echa fuera* de su casa, ¡su ídolo se convierte así en su maldición! Tales monstruos en forma humana, que violentan todo principio de la humanidad, son hallados en todas las generaciones.

Sin embargo, rara vez escapan sin alguna huella de justicia retributiva, incluso en esta vida (Pr. 30:11, 17).

Proverbios 30:11, 17 *Hay* gente que maldice a su padre, y no bendice a su madre... Al ojo que se burla del padre y escarnece a la madre, lo sacarán los cuervos del valle, y lo comerán los aguiluchos.

Y aunque sean insensibles a la opinión pública mientras *traen vergüenza y desgracia* a sus nombres, sin embargo, la conciencia hablará (Is. 57:20), y, tarde o temprano, el golpe caerá terriblemente. ¡Hijos! Las penas de un padre generan graves consecuencias ante el tribunal de Dios. Si "el mandamiento es con

---

[70] Nota del Traductor: La versión usada en el inglés original señala literalmente: "El que arruina a su padre..."; de allí las referencias realizadas por el autor.

promesa" (Ef. 6:2-3), su infracción ¿no cortará la implicancia de la promesa, añadiendo un peso terrible y agravado a la condenación?

27. Cesa, hijo mío, de escuchar la instrucción, y te desviarás de las palabras de sabiduría.[71]

Escuchen la misma advertencia de los labios de nuestro Divino Maestro: "Guardaos de los falsos profetas. Tengan cuidado con lo que oís" (Mt. 7:15, Mr. 4:24). No toda *instrucción* es para vida. Los maestros del mal, "ministros de Satanás" (2 Co. 11:13–15), abundan; su *instrucción, que desvía de las palabras de sabiduría*, es más agradable a la perversidad del corazón, y más atractiva a la inexperiencia de los jóvenes que la sólida enseñanza de las Escrituras (Is. 30:10, Jer. 5:31).

El Apóstol reprendió a la Iglesia de Galacia por escuchar a maestros que los *hicieron desviarse* fatalmente *de las palabras de sabiduría* (Gá. 1:6-7; 3:1-4; 5:7-8).

> **Gálatas 1:6–7** Me maravillo de que tan pronto ustedes hayan abandonado a Aquel que los llamó por la gracia de Cristo, para *seguir* un evangelio diferente, que *en realidad* no es otro *evangelio,* sino que hay algunos que los perturban a ustedes y quieren pervertir el evangelio de Cristo.

Así, ¿no nos habría advertido contra la misma enseñanza, tan terriblemente predominante, de colocar ordenanzas en el lugar de Cristo, o a su mismo nivel; y la orgullosa obra del hombre de humildad voluntaria y servicio externo en lugar de la sencilla y pura confianza en la obra del Redentor? Cuando el alma ha "caído de la gracia" (Gá. 5:4), ¿cuál será la base de nuestra confianza delante de Dios? ¿Qué servicio le daremos, sino la esclavitud a ceremonias externas que lleva a un sombrío abatimiento?

Esta *instrucción* no es generalmente una directa y descarada desviación de la verdad. Pero, así como en la primera tentación (Gn. 3:1-6), *propicia el error* tan solapadamente que la desviación de la línea recta apenas resulta perceptible hasta que el daño ya se ha producido. Si Eva hubiera *dejado de escuchar*

---

[71] Nota del Traductor: La versión usada en el inglés original señala literalmente: "Cesa, hijo mío, de escuchar la instrucción que te desvía de las palabras de conocimiento"; de allí las referencias realizadas por el autor.

inmediatamente, no se habría *desviado de las palabras de sabiduría*. Pero el éxito del primer intento ha animado al seductor a repartir su veneno mortal entre sus debilitados hijos. Y así, ¿qué pastor fiel no siente "celos piadosos" por su rebaño, procurando evitar que, por el mismo engaño, "se corrompan de la sencillez que es en Cristo"? (2 Co. 11:2-3).

La voz de advertencia exclama a menudo: *"Cesa de escuchar"* (Ro. 16:17-18, 1 Ti. 6:3-5, 2 Ti. 2:16-17). Manipular innecesariamente el error es "entrar en tentación". Más aún, es muy peligroso tratar con él en absoluto, antes de que nuestras mentes estén completamente cimentadas en la verdad y hayamos obtenido "lo bueno de un corazón afirmado con la gracia" (Heb. 13:9). Con todo, tenemos sentidos que se nos ha dado para el discernimiento. El uso aumenta este discernimiento (Heb. 5:14). Poder crecer en lucidez debería ser un asunto de súplica diaria (Fil. 1:9-10).

Por lo tanto, estamos obligados a ejercitar nuestros sentidos por órdenes muy claras (1 Ts. 5:21, 1 Jn. 4:1). Nuestro divino Maestro reprende visiblemente la indolencia (Lc. 12:57). Cuando las palabras llegaban con el sello apostólico, la apelación a la norma infalible era muy elogiada (Hch. 17:11. Cf. Is. 8:20). Si renunciamos a nuestra capacidad de juicio para dárselo la Iglesia, recordemos que "cada uno de nosotros llevará su propia carga, y dará cuenta de sí mismo a Dios" (Ro. 14:12, Gá. 6:5). Sé el hijo, no el esclavo, de la Iglesia. Reverencia su justa autoridad. Pero mantén el derecho a un juicio propio, el cual constituye nuestra responsabilidad personal.

No obstante, esta independencia cristiana debe ejercerse con humildad y sencillez. La obstinación y la arrogancia deben ser cuidadosamente evitadas. No debemos asistir a las ordenanzas con el fin de juzgar al Ministro. Debemos escuchar como discípulos, no como jueces; buscando comida sana, no una excitación embriagadora; vigilando que un apetito sano no dé lugar a una lujuria espiritual (ver 2 Ti. 4:3). Mientras el derecho de juzgar es nuestro gran privilegio, su uso en libertinaje es un mal corruptor.

Pero ¿qué pasa si nuestra suerte está manifiestamente echada, y nuestra esfera de obligación cristiana abierta, allí donde no se encuentran *palabras de sabiduría*? Que la impiedad del ministro no sea una excusa para desatender las ordenanzas cristianas. La actividad en la Iglesia será un medio de gracia vigorizante. El uso constante de la piedra de toque propiciará la preservación del error. El alimento de la palabra será más precioso. Y, quién sabe si un ministro no iluminado pueda ser transformado por el poder de la oración con fe, y la viva influencia de la mansedumbre, paciencia y consistencia piadosas.[72]

28. El testigo perverso[73] **se burla de la justicia (O del derecho), y la boca de los impíos esparce (o traga) iniquidad. 29. Los juicios están preparados para los insolentes, y los azotes para la espalda de los necios.**

Tal hombre es llamado con justicia un *testigo de Belial*. El mismísimo Satanás lo ha sometido a sus propios propósitos maliciosos.[74] Al *burlarse*, en lugar de considerar, de *la justicia*, su testimonio no tiene valor. Es uno que ha "echado la ley tras sus espaldas".

Traga iniquidad con avidez, se alimenta de ella como si fuera propio alimento, y, al pecar sin remordimiento, está siempre dispuesto a comerciar su engaño, ya sea por ganancia, o por venganza.

Pero al *devorar* con avidez, ha tragado el anzuelo junto con el cebo. *Para tales insolentes,* hay *juicios* que *están preparados.* Para tales *necios*, que se burlan del pecado (Pr. 14:9), hay *azotes* listos *para sus espaldas*, a menudo infligidos por los hombres, instrumentos de Dios. Se advierte a estos *burladores* "no sea que sus ataduras sean apretadas" (Is. 28) para *el juicio*, que, por mucho que desprecien, no podrán resistir. "¿Aguantará tu corazón, o serán fuertes tus manos en el día en que Yo actúe contra ti? ¿Quién morará con el fuego consumidor? ¿Quién habitará con las llamas eternas? Horrenda cosa es caer en las manos del Dios vivo" (Ez. 22:14, Is. 33:15, Heb. 10:31).

Isaías 33:15 El que anda en justicia y habla con sinceridad, el que rehúsa la ganancia injusta, y se sacude las manos para que no retengan soborno; el que se tapa los oídos para no oír del derramamiento de sangre, y cierra los ojos para no ver el mal.

¡Oh! ¡Que los jóvenes irreflexivos y vanos tomen en serio estas palabras! Cuando se unen a la risa de sus compañeros más endurecidos, y aprenden de

---

[72] Vea un notable ejemplo en la vida del Sr. Walker de Truro.

[73] Nota del Traductor: La traducción de la biblia usada en el inglés original incluye una anotación al margen en el versículo 28, considerando "testigo de Belial" como posible traducción de esta frase, de allí las referencias realizadas por el autor.

[74] 1 R. 21:13. Tal fue la aguda descripción del sátiro romano, Tam facile et pronum est superos contemnere testes, &c. Juven. Sat. 13.

ellos a *burlarse de la justicia*, a pesar de las acusaciones de una conciencia aún no silenciada; que tiemblen, no sea que tras "estar en camino de pecadores"; continúen hasta "sentarse en la silla de los *escarnecedores*" (Sal. 1:1), y puedan, incluso, superar a sus compañeros en el desprecio de las amenazas de Dios.

Y, al estar bajo estos *juicios* despreciados, ¿quién tendrá la culpa de ellos? Dice el Obispo Joseph Hall (1574-1656):

> Nuestro pecado es nuestro, y "la paga del pecado es muerte". El que hace el trabajo, gana el salario. Así, el Dios justo está limpio tanto de nuestro pecado como de nuestra muerte. Su justicia sólo nos paga lo que nuestra voluntad merece. ¡Qué miserable es el obstinado pecador que quiere ser culpable de su propia muerte![75]

¡Bendito! Bendito el día en que se lamente así: "Me has castigado y castigado fui, como becerro indómito; conviérteme y seré convertido, porque tú eres el Señor mi Dios" (Jer. 31:18).

CAPÍTULO 20

1. *El vino es provocador, la bebida fuerte alborotadora, y cualquiera que con (Lit. yerra por) ellos se embriaga no es sabio.*

LA historia del mundo desde los días de Noé (Gn. 9:21) prueba que el amor por *el vino y las bebidas fuertes* es un vicio muy insidioso. Las desdichadas víctimas se convencen demasiado tarde de que han *sido ridiculizadas* y gravemente *engañadas*. No sólo los supera antes de que se den cuenta, sino que promete un placer que nunca podrá dar. Y, sin embargo, tan poderoso es el hechizo, que el atontado esclavo consiente *en ser burlado* una y otra vez, hasta que "al fin le muerde como serpiente, y le pica como víbora" (Pr. 23:31-32, 35).

> **Proverbios 23:31–32, 35** No mires al vino cuando rojea, cuando resplandece en la copa; entra suavemente, *pero* al final muerde como serpiente, y pica como víbora. *Y dirás:* «Me hirieron, *pero* no me dolió; me golpearon, *pero* no lo sentí. Cuando despierte, volveré a buscar más».

---

[75] Joseph Hall, 'Works', viii. 31.

Su poder *alborotador* degrada por debajo del nivel de las bestias. El dominio de la razón se rinde ante la lujuria, el apetito o la pasión (Pr. 23:29-30, 1 S. 25:36, Is. 56:12, Os. 7:5). Asuero, con su "corazón alegre", se mostró muy irracional (Est. 1:10–12). El conquistador de Oriente asesinó a su amigo. Todo es tumulto e imprudencia. El entendimiento se ve gradualmente afectado (Is. 28:7, Os. 4:11).[76] "El corazón habla cosas perversas" (Pr. 23:33). Otros pecados del mismo y oscuro tinte siguen su curso (Gn. 19:33, Is. 5:11-12, 22-23),[77] apresurándose a menudo hacia las mismas fauces de la destrucción (2 S. 13:28, 1 R. 16:8-10; 20:16, Jer. 51:39, 51, Dn. 5:1-4, Neh. 1:10). Seguramente entonces *cualquiera que es engañado por él no es sabio.*

Es realmente humillante para la naturaleza humana, ver, no sólo a la masa de los ignorantes, sino a espléndidos talentos, brutalizados 'por esta lascivia', lo que una vez fue "creado a imagen de Dios", ¡ahora está hundido en la escoria de la vergüenza! Aún más humillante es el espectáculo del propio pueblo de Dios "revolcándose en este fango". Los ejemplos de Noé y Lot están registrados (Gn. 9:21, 19:33, *et supra*), no como un hazmerreír para los impíos, sino como un faro para el santo. "El que piense que está firme, mire que no caiga" (1 Co. 10:12). Incluso un Apóstol había aprendido, en la práctica, que su seguridad no estaba en la fuerza innata de sus principios, sino en el incesante ejercicio de la vigilancia cristiana (1 Co. 9:27). "Mirad por vosotros mismos" –es la necesaria advertencia de nuestro divino Maestro– "no sea que vuestros corazones se carguen de glotonería y embriaguez, y ese día os llegue de improviso. No os embriaguéis con vino" –dijo el gran Apóstol– "en el cual hay disolución, sino sed llenos del Espíritu" (Lc. 21:34, Ef. 5:18).

c. El rey justo y los necios (20:2-11)

2. Como rugido de león es el furor del rey, el que lo provoca a ira pone en peligro su propia vida.[78]

---

[76] Platón determina que, no sólo los ancianos, sino también los borrachos, vuelven a la infancia. De Legibus I.

[77] Vea la fina descripción de 1 Esdras 3:13-24.

[78] Nota del Traductor: La versión usada en el inglés original señala literalmente: "Como rugido de león es el terror del rey, el que lo provoca a ira peca contra su propia alma"; de allí las referencias realizadas por el autor.

La ira del rey ha sido mencionada antes bajo esta figura (Pr. 19:12). Aquí se describe *su terror*, el efecto por la causa. Incluso Joab, con todo su valor, tembló ante el *rugido del león*, y huyó para refugiarse en los cuernos del altar (1 R. 2:28-34). Jonatán sintió la fuerte necesidad de apaciguarlo (1 S. 19:4–6. Cf. Ec. 10:4).

> **1° Samuel 19:4–6** Entonces Jonatán habló bien de David a Saúl su padre, y le dijo: «No peque el rey contra David su siervo, puesto que él no ha pecado contra usted, y puesto que sus hechos *han sido* de mucho beneficio para usted. »Porque puso su vida en peligro e hirió al filisteo, y el Señor trajo una gran liberación a todo Israel; usted *lo* vio y se regocijó. ¿Por qué, pues, pecará contra sangre inocente, dando muerte a David sin causa?». Y escuchó Saúl la voz de Jonatán, y juró: «Vive el Señor que no morirá».

Tal era el poder *del Rey* (desconocido en nuestra tierra feliz), el único árbitro incontrolado de la vida y la muerte (Pr. 16:14, Est. 7:8); que *quien le provocaba a ira, pecaba,* —como halló Adonías a costa suya (1 R. 2:23)– *contra su propia alma.* ¡Cuál debe ser entonces *el temor del* Gran Rey!

> Un ejército de terrores y dudas no son nada comparados con una mirada de su rostro enojado. "¡Oh Señor!", dice ese hombre santo, (considerando la fragilidad del pobre, y el poder de Dios) "¡Quien conoce el poder de tu ira! Según tu furor, así debe ser tu temor".[79]

Aún si "se inflamara un poco", traería una ruina más allá de toda imaginación, irremediable (Sal. 2:12). Más aún, su "mucha paciencia al soportar" aviva ferozmente el fuego para aquellos "vasos de ira" cuyas graves provocaciones los ha "preparado para destrucción" (Ro. 9:22). '¡Miserable pecador! Huye de su ira. Busca un mediador. Cuídate de seguir pecando'.[80]

3. *Es honra para el hombre evitar (Lit. cesar) las discusiones, pero cualquier necio se enredará en ellas.*

La contradicción de este precepto con las máximas del mundo prueba que es de Dios. Un mundo de pecado ha de ser siempre un mundo *de discusiones*, pues

---

[79] Sermón de Robert Leighton (1611-84) sobre Jer. 10:23, 24, Sal. 90:11.
[80] Martin Geier (1614-1680) *in loco*.

está gobernado por "la sabiduría que no desciende de lo alto", el padre de "*las contiendas*, la confusión y toda obra maligna" (Stg. 3:14–16). Pese a ello, un mundo malvado es un buen escenario para el despliegue de la gracia de Dios, y de los frutos de "la sabiduría que viene de lo alto", mansedumbre y amabilidad (Stg. 3:17-18).

> **Santiago 3:17–18** Pero la sabiduría de lo alto es primeramente pura, después pacífica, amable, condescendiente, llena de misericordia y de buenos frutos, sin vacilación, sin hipocresía. Y la semilla cuyo fruto es la justicia se siembra en paz por aquellos que hacen la paz.

Se nos ha recordado antes que "es gloria del hombre pasar por alto la ofensa" (Pr. 19:11); y aquí, el *cesar las discusiones*.

Muchos, por amor a la tranquilidad, si no por un mejor motivo, pasarían por alto un insulto. Sin embargo, si ya están envueltos en *una contienda*, sienten que su *honra* reside, no en *concluirla*, sino en continuarla, dando el último golpe. Es mucho más difícil volver a reunir las aguas una vez que han salido, que retenerlas dentro de sus límites. "Dejar la contienda",[81] especialmente cuando vemos que estamos equivocados –y aún si no lo estamos–, o que nada bueno saldrá de ello, esto es "un *alto honor para el hombre*, un noble triunfo sobre la carne" (Pr. 16:32, Ro. 12:21).

Abraham así *cesó las discusiones* por medio de una concesión desinteresada (Gn. 13:8-9). Isaac se mostró como un hombre de paz bajo la irritante molestia de los filisteos (Gn. 26:17–31). El profeta "siguió su camino" para evitar que se encendiera más su enojo (Jer. 28:11). No obstante ¡es mucho más común es que el *pleito* se alimente de la necedad del orgullo del hombre, a que se extinga por un espíritu pacífico y amoroso! (Jue. 8:1; 12:1).

El necio entrometido se precipita hacia las contiendas como hacia su elemento (Pr. 18:6, 2 S. 10:1–14, 2 R. 14:8); y es un tormento para sí mismo, y una plaga para los que le rodean. Dar una "blanda respuesta" a las "palabras ásperas" (Pr. 15:1); mantenerse fuera del camino de una persona airada (Pr. 22:24; 25:8), es el camino de la sabiduría. "Vestirse de mansedumbre, de

---

81 Pr. 17:14. De hecho —como observa Schultens— Salomón está dando aquí un significado pleno a este antiguo proverbio, el cual, sin embargo —agrega— 'considerado por sí mismo, expone con fuerza la vergonzosa y muy deshonrosa concupiscencia de las contiendas.'

paciencia; dejar que la paz de Dios gobierne en nuestros corazones"; son marcas de "los escogidos de Dios", y ejemplos de nuestro Divino Maestro (Col. 3:12-15).

4. *Desde el otoño, el perezoso no ara, así que pide durante la cosecha, pero no hay nada.*

Una vez más (Pr. 19:15, 24) se nos instruye por medio de una imagen vívida de un vicio muy nefasto.

> **Proverbios 19:15, 24** La pereza hace caer en profundo sueño, y el alma ociosa sufrirá hambre... El perezoso mete su mano en el plato, *y* ni aun a su boca la llevará.

El perezoso siempre tiene sus excusas listas para dejar de hacer cualquier trabajo que requiera esfuerzo.

No arará a causa del frío; aunque la estación (nuestro otoño) no ofrece ningún obstáculo si el corazón está enfocado en el trabajo. Así, ¿no es un obstáculo la más insignificante dificultad cuando el corazón es *frío* en el servicio a Dios? Que el profesante se pregunte: ¿Le ha costado las oraciones de toda su vida un esfuerzo similar a una hora de *arado*? ¿No le ha dado a Dios sino la sombra de sus deberes, cuando el mundo ha tenido todo su brillo y energía? La carne se estremece ante el sufrimiento; incluso ante una convicción temporal, el corazón se "entristece" por las exigencias del cristianismo, las que no puede admitir (Mt. 19:21-22). ¡Adiós al cielo para siempre si es que ha de obtenerse a tal precio! Cuán conmovedor es el contraste entre nuestro trabajo por Cristo y el suyo por nosotros: nosotros actuamos para él a regañadientes; mientras él está tan plenamente interesado en su obra por nosotros que exclama: "¡Cómo me angustio hasta que se cumpla!" (Lc. 12:50).

Sin embargo, *el perezoso* debe cosechar el fruto de su pecado. *Si no aró* al momento de la siembra, no puede recoger *durante la cosecha*. Cuando llegue ese feliz momento, y el obrero vea la recompensa por su trabajo, *pedirá* limosna *y no tendrá nada*. 'El corazón de los hombres se ha endurecido, con justicia, contra el hombre que, por su pereza y obstinación, ha provocado su propia necesidad'.[82] Por otro lado, ¿qué más puede esperar el *perezoso* espiritual? *El frío* lo mantiene insensiblemente alejado de la casa de Dios.

Por tanto, su alma perece por falta de alimento. Si el mero deseo asegurara el cielo, ¿quién se lo perdería? Pero los deseos sin corazón, y sin crucifixión de la carne, no alcanzarán el premio. Millones han perecido, pese a su seria religión, por falta de diligencia y devoción abnegada. ¡Cuán terrible será *pedir* en la gran *cosecha*, y pedir en vano (Mt. 25:3-9; Lc. 16:24); para luego tener toda perversa excusa silenciada, y la terrible condena pronunciada sobre el siervo inútil! (Mt. 25:26-30).

> ¡Profesantes cristianos! ¿Es momento de estar ociosos, cuando nos encontramos a las puertas de la eternidad? ¿de ser flojos, cuando está tan cerca nuestra gran salvación? (Ro. 13:11). Bienaventurados los que han sembrado mucho para Dios durante su vida. ¡Oh! ¡La gloriosa cosecha que tendrán aquellos! Los mismísimos ángeles les ayudarán a recoger su cosecha en el gran día. Y ¡Oh! ¡la alegría que habrá en esa cosecha! ¡Los ángeles se unirán en entonar esa canción de cosecha, que cantarán aquellos que han sido sembradores de justicia![83]

5. *Como aguas profundas es el consejo en el corazón del hombre, y el hombre de entendimiento lo sacará.*

Las profundidades del corazón del hombre no son fáciles de comprender. A menudo contienen la sutileza del mal (Jer. 17:9). David fue engañado por las

---

[82] *Anotaciones* de Matthew Poole (1624-1679).

[83] Jeremiah Burroughs (1599-1646) sobre Oseas 10:12. "Jeremiah Burroughs (1599 - 1646) fue un congregacionalista inglés y un conocido predicador puritano. Burroughs estudió en el Emmanuel College de Cambridge y se graduó en 1624,[1] pero abandonó la universidad por inconformismo. Fue asistente de Edmund Calamy en Bury St. Edmunds, y en 1631 se convirtió en rector de Tivetshall, Norfolk. Fue suspendido por inconformismo en 1636 y poco después destituido, fue a Rotterdam (1637) y se convirtió en "maestro" de la iglesia inglesa allí. Regresó a Inglaterra en 1641 y sirvió como predicador en Stepney y Cripplegate, Londres. Fue miembro de la Asamblea de Westminster y uno de que se opuso a la mayoría presbiteriana. Fue uno de los cinco hermanos disidentes que pusieron sus nombres en el manifiesto independiente *An Apologeticall Narration* a principios de 1644. Aunque fue uno de los más distinguidos de los Independientes ingleses, fue uno de los más moderados, actuando consecuentemente de acuerdo con el lema de la puerta de su estudio (en latín y griego) "Opinionum varietas et opinantium unitas non sunt ασυστατα" ("La diferencia de creencias y la unidad de los creyentes no son inconsistentes"). En 1646, Burroughs murió por complicaciones derivadas de una caída de su caballo cuando regresaba de la Asamblea de Westminster."

suaves promesas de Saúl (1 S. 18:17–26), y después por la hipocresía religiosa de su hijo impío (2 S. 15:7–9). El consejo de los enemigos de Daniel era demasiado *profundo* para que Darío viera el fondo del asunto (Dn. 6:4–9). El *consejo* de Herodes probablemente cegó a los sabios en cuanto a sus verdaderas intenciones (Mt. 2:8). Y, sin embargo, *el hombre de entendimiento* a menudo *sacará* el sutil *consejo*, y lo mostrará en su verdadera luz. David describió los *profundos consejos* de sus enemigos como alguien que había penetrado hasta el fondo (Sal. 64:5-6; 119:98).

> **Salmo 64:5–6** Se aferran en propósitos malignos; hablan de tender trampas en secreto, *Y* dicen: «¿Quién las verá?». Traman injusticias, *diciendo:* «Estamos listos con una trama bien concebida; pues los pensamientos del hombre y *su* corazón son profundos».

Job acertadamente descubrió el verdadero, pero indirecto, *consejo* de sus amigos equivocados (Job 22:27-28). Pablo *extrajo* el secreto consejo egoísta de los predicadores cismáticos del evangelio (Fil. 1:15).

Pero veamos el lado positivo. Observa al hombre de Dios, instruido por Dios. La sagacidad natural de su intelecto se profundiza y amplía con la luz espiritual. Su mente se enriquece con los frutos del estudio de las escrituras y la meditación, éstas son *las aguas profundas del consejo celestial* (Pr. 18:4. Cf. 26:7, 9). El profesante cristiano hablador, en su juicio superficial, no ve nada.

*Pero el **hombre de entendimiento*** discernirá y *extraerá* valiosa instrucción. De ese modo la Reina de Saba *extrajo aguas profundas* y sanas del amplio pozo del sabio (1 R. 10:1-7). No obstante, con frecuencia los hombres de mente entendida son poco dados a relacionarse en general. Podemos estar en contacto con ellos, sin estar conscientes de su valor.

Las aguas son profundas, pero no hay burbujeo. Sin embargo, un entusiasmo bien dirigido *sacará* agua que fluya de la fuente de la sabiduría. A menudo el trato –hasta ese momento perdido– con un ministro piadoso y experimentado, o con un cristiano sanamente instruido, se convierte en algo precioso: "El que camina con sabios será sabio" (Pr. 13:20). Pero, por encima de todo, ha de atesorarse la familiaridad con las *profundas aguas del consejo* de Dios. No digas: "No tengo con que sacar, y el pozo es profundo" (Jn. 4:11). El hábito de pensar, en un espíritu de oración, te permitirá "sacar con gozo agua de las fuentes de la salvación" (Is. 12:3). Mejor dicho, ¿no será a tu propia alma "una fuente de agua que brote para vida eterna"? (Jn. 4:14).

6. *Muchos hombres proclaman su propia lealtad* (*o* bondad), *pero un hombre digno de confianza, ¿quién lo hallará?*

El último proverbio mostró *la profundidad* del corazón, esto es, engaño y orgullo. Juzga a un hombre por su propia estima de sí mismo, y no serán necesarias más pruebas de su ignorancia de sí mismo (Pr. 16:2). Incluso el impío *proclama su propia bondad.* "Jehú no cuidó de andar en el camino del Señor". Sin embargo, dijo: "Venid, ved mi celo por el Señor" (2 R. 10:16, 19-31). Incluso mientras la traición actuaba en su interior, Absalón "robaba los corazones" del pueblo con sus grandes pretensiones de *bondad* (2 S. 15:1–6).

Aunque la nación entera se entregaba a toda clase de iniquidad, se jactaba de su integridad (Jer. 2:23, 35; 5:1. Cf. Ro. 2:17-23). El fariseo proclamaba *su bondad* en las esquinas de las calles (Mt. 6:1-2, 5, 16; 23:5. Cf. Pr. 27:2), y, además, incluso en presencia de su Dios (Lc. 18:11-12). ¡Tal es la ceguera de un corazón que se engaña a sí mismo! ¡Señor!, enséñame a recordar: "Aquello que es muy estimado por los hombres, es una abominación ante los ojos de Dios" (Lc. 16:15).

Después de todo, sin embargo –si somos honestos–, ¿no vemos aquí reflejados más de nuestros propios rasgos que lo que admitiríamos de buena gana? Todos condenamos la abierta jactancia farisaica. Pero, con demasiada frecuencia, recogemos ávidamente la buena opinión del mundo. ¡Se idean planes para ganar tal oscuro premio! Hay un *aparente* atraso y reclusión, pero sólo se busca que otros nos traigan adelante. Se procura que se sepa que *fuimos* los autores, o al menos que contribuimos considerablemente, en alguna obra que podría encumbrar nuestro nombre en la Iglesia. A veces estamos demasiado dispuestos a tomar, para nosotros mismos, un grado de crédito que honestamente no merecemos;[84] mientras que rehuimos de los verdaderos reproches y calumnias por causa del evangelio.

En oposición a esta bondad autocomplaciente, Salomón, un observador certero de la naturaleza humana, exclama casi con desánimo: *un hombre fiel* (Sal. 12:1. Cf. Mi. 7:1-2), como un padre, un amonestador, un consejero, alguien en quien "no haya engaño"; *¿quién lo hallará?* ¿Puedes encontrarlo en tu propia

---

[84] Pr. 25:14. Así, Lisias, el tribuno, manifestó al gobernador que él había intervenido en favor de Pablo en su celo por un ciudadano romano; cuando la simple verdad era que él era ignorante de dicho hecho en ese momento, y estuvo a punto de azotarlo como a un rebelde. Hch. 23:27, cf. 21:38, 22:24.

esfera? Mira más de cerca, mírate a ti mismo en el espejo de la palabra. Tu prójimo, tu amigo, ¿halla en ti a alguien *digno de confianza*? (Sal. 101:6). ¿Qué evidencia nuestro trato diario? ¿No hacemos a menudo el intento de decir lo que es agradable a expensas de la verdad? ¿No son a veces las muestras de respeto totalmente inconsistentes con nuestros verdaderos sentimientos?

En la vida común, donde se reprime toda trasgresión grave, se permiten mil pequeñas infracciones que derriban el muro entre el pecado y el deber, las que, tras el primer paso en tierra prohibida, traen consigo el peso de la culpa. No olvidemos nunca que la buena influencia de las virtudes de la sociedad sólo puede mantenerse con las gracias del evangelio. Nunca dejes que el profesante cristiano considere la integridad moral como un logro bajo.

El hombre de Dios estalla en alabanza ferviente por la gracia sustentadora de Dios (Sal. 41:11-12).

Salmo 41:11–12 En esto sabré que conmigo te complaces, que mi enemigo no cante victoria sobre mí. En cuanto a mí, me mantienes en mi integridad, y me afirmas en Tu presencia para siempre.

¿Y qué puede traer mayor honor a Dios, que la prueba –manifestada en la conducta de su pueblo– que sus transacciones diarias son animadas con el alma de la integridad, con el hecho de que su palabra sea inmutable? Nunca la piedad se muestra más brillante que cuando "mostramos fidelidad en todas las cosas" (Tit. 2:10).

7. *El justo anda en su integridad; ¡Cuán dichosos son sus hijos después de él!*

El hombre fiel es retratado aquí plenamente; lleno de la bendición de su Dios. Tomemos la historia del padre de los fieles: Abraham fue *el justo*; aceptado por Dios, quien "*andaba* delante de él" *en su integridad*. ¿No implicó el pacto de su Dios una *bendición* eterna *para sus hijos después de él*? (Gn. 17:1-2, 7).

Génesis 17:1–2 Cuando Abram tenía 99 años, el Señor se le apareció, y le dijo: «Yo soy el Dios Todopoderoso; anda delante de Mí, y sé perfecto. »Yo estableceré Mi pacto contigo, y te multiplicaré en gran manera».

Así, todo hijo de Abraham que *anda en la misma integridad*, asegura "una herencia para los hijos de sus hijos" (Pr. 13:22. Cf. Ex. 20:5-6; Sal. 25:12-13; 37:26; 112:2).

> No es que lo merezcan los padres por sus méritos, sino que tal es la misericordia de Dios para con la raíz y las ramas, que, por ser amados los padres, también los hijos son recibidos.[85]

No obstante, debemos mostrar nuestra *integridad*, como lo hizo nuestro padre Abraham, en el práctico habito de la fe; no sólo "apoderándonos del pacto" en nombre de nuestros hijos, sino poniéndolos bajo el yugo del pacto (Pr. 22:6, cf. Gn. 18:19).

¡Padres cristianos! Que *la integridad* como ante Dios sea el estándar de nuestra responsabilidad familiar. Ustedes mismos, no caminen según las máximas del mundo, ni las permitan en sus hijos. Hagamos de la palabra de Dios, de toda su palabra, nuestra regla universal; y de sus caminos, aunque otros los desprecien, nuestra porción diaria. "Busquemos *primero*", para nuestros hijos como para nosotros mismos, "el reino de Dios y su justicia" (Mt. 6:33).[86] Así, *andando en nuestra integridad*, busquemos la honrosa bendición de ser padres de un linaje piadoso. *Nuestros hijos serán dichosos después de nosotros.*

8. *El rey que se sienta sobre el trono del juicio, disipa con sus ojos todo mal.*

Este es el retrato de un rey piadoso, tal como el padre del sabio describió y ejemplificó: "justo, que gobierne en el temor de Dios" (2 S. 23:4, cf. 8:15, 1 R. 15:5), y que haga de la realización de la justicia, su principal preocupación y ocupación. En aquellos días él mismo *se sentó sobre el trono del juicio*, y decidió

---

[85] Peter Muffet (m. 1617) in loco. 'A las ramas les va mejor con la savia de la gracia en la raíz". 'Christian Man's Calling' de George Swinnock (1627-1673), i. 383, 'Cuando Dios dijo que sería un Dios para el piadoso y para sus hijos, creo que previó más, en esa promesa, para el consuelo de los padres piadosos, que lo que la mayoría de ellos piensa'. Hch. 2:39; Gn. 18:7. 'Los hijos de los creyentes son herederos forzosos del pacto de gracia según el derecho de sus padres'. Ibid. The True Christian, p. 193.

[86] Esta fue la gran regla de educación del Sr. Thomas Scott (1741-1821); así, es bien conocido el manifiesto honor que su Maestro concedió a su resolución e integridad al llevarla a cabo. 1 S. 2:30. Vea 'Life', pp. 611-614.

lo justo (1 R. 3:16-28, cf. 10:9).[87] Y puede decirse que, tal fue su influencia, que el malvado no se atrevió a venir y pecar en su presencia. "¿Hará también violencia a la reina *delante de mí?*" (Est. 7:8), fue la exclamación indignada de un soberano, al sentir que no sólo sus propios derechos, sino la reverencia por la realeza, eran groseramente ultrajados. David, como hombre de Dios y soberano de su pueblo, no podía soportar a los malvados en su presencia (Sal. 101:3–8).

En la proporción en que el gobernante sea consciente de su responsabilidad, *el mal se* verá obligado a huir, y se *disipará* ante él (v. 26; Pr. 25:4-5. Cf. 2 Cr. 15:16).[88]

Proverbios 25:4–5 Quita la escoria de la plata, y saldrá un vaso para el orfebre; quita al malo *de* delante del rey, y su trono se afianzará en la justicia.

Pero, ¿cómo será comparecer delante del Gran *Rey, que disipa todo mal con sus ojos?* "Muy puros son tus ojos para ver *el mal*, y no puedes contemplar la iniquidad. Los insensatos no estarán delante de tus ojos. Todas las cosas están desnudas y abiertas a los ojos de Aquel a quien tenemos que dar cuenta" (Hab. 1:13, Sal. 5:5, Heb. 4:13). ¡Que el Sumo Sacerdote permanezca siempre entre el pecador y el Dios Santo, para que, mientras caminemos en reverencia, "no temamos ninguna amenaza"!

9. ¿Quién puede decir: «Yo he limpiado mi corazón, limpio estoy de mi pecado»?

Contempla al gran *Rey, sentado sobre el trono del juicio*, desafiando a cada hijo de Adán diciendo: "Cíñete tus lomos como un hombre, porque te preguntaré y

---

[87] Un comentarista católico romano (Corn, a Lapidè) menciona la costumbre de San Luis de Francia de sentarse dos veces por semana *en el trono del juicio*; así como su último encargo a su sucesor, no sólo de nombrar a los jueces más rectos, sino de supervisarlos en el desempeño de su cargo. ¿No supone el Tribunal de *Justicia de la Reina* que la Soberana se siente allí para determinar el juicio?. "Cornelius à Lapide (1567-1637) nació en Bocholt, en Limburgo, Bélgica. Educado en filosofía y teología en la Universidad de Douai y en la Universidad Católica de Lovaina, Lapide fue ordenado en 1595. Lapide fue profesor de filosofía, hebreo y teología durante más de veinte años antes de dedicarse a tiempo completo a escribir y editar sus célebres comentarios." (n. ed.)

[88] Plutarco relata de Catón, que tal era la reverencia de su carácter, que las malas mujeres de Roma no podían soportar su mirada.

me responderás" (Job 38:3). Las preguntas son desconcertantes. Las respuestas nos humillan en el polvo.

¿Quién puede decir, verdaderamente decir, '*yo he limpiado mi corazón*'? Un pecador, engañándose a sí mismo, puede considerarse un santo. Pero que un santo alguna vez crea que se ha *hecho a sí mismo así*, es imposible. *¿Quién puede decir 'estoy limpio de pecado'*? ¿Qué? ¿No hay ningún pensamiento vano ni fantasía pecaminosa alojándose en su interior? ¿No se ha caído en ignorancia, orgullo, vagabundeo, frialdad, mundanalidad, ni incredulidad? Mientras más escudriñamos el corazón, más exponemos su impureza ante nosotros. "Vuélvete aún y verás mayores abominaciones" (Ez. 8:13), males hasta ahora insospechados. Hay vanos jactanciosos que proclaman su buen corazón.

Pero su jactancia demuestra, no su bondad, sino su ceguera; que el hombre es tan depravado que no puede entender su propia depravación (1 Jn. 1:8. Cf. 1 R. 8:46, Ec. 7:20, Jer. 2:35, Os. 12:8). Pero, ¿qué dicen aquellos que han entrado en la presencia del Rey, cuya santidad disipa *todo lo malo*? "¡He aquí! Yo soy vil", dijo uno. "Ahora mis ojos te ven. Por eso me aborrezco a mí mismo". Ay de mí, dijo otro, "porque siendo hombre de labios impuros, mis ojos han visto al Rey, el Señor de los ejércitos" (Job 40:4; 42:5-6, Is. 6:5). Un corazón limpio es un corazón que ha sido limpiado. Si bien nadie puede decir: "*He limpiado mi corazón*", miles pueden dar testimonio que la sangre del Hijo de Dios lo limpia de culpa (1 Jn. 1:7), y que el poder del Creador puede renovarlo para santidad (Sal. 51:10).

Por otro lado, ¿no hay muchos que en la casa de Dios confiesan ser miserables pecadores, y ante la santa mesa reconocen que 'la carga de su pecado es intolerable', pero que, sin embargo, vuelven al mundo y se jactan (o se consuelan a sí mismos) confiando en su propia bondad?, ¿que confiesan efectivamente que son pecadores, pero rechazan con firmeza toda acusación de pecado? ¡Ah! Los tales no son aquellos "cargados" a quienes Cristo ha prometido "descanso" (Mt. 11:28), no son "los perdidos, a quienes el Hijo del Hombre ha venido a buscar y a salvar" (Lc. 19:10). Están junto a la fuente purificadora, pero nunca se preocupan por "lavarse y limpiarse".

Pero, observa en este proverbio los fundamentos del evangelio; la corrupción general del hombre; su incapacidad para limpiar su corazón y su penosa tendencia al autoengaño. De ahí su necesidad, y de ahí –cuando sienta esa necesidad– el valor del remedio purificador. "Si no te lavo, no tienes parte en mí". Señor, si esto es así, entonces, "no sólo mis pies, sino también mis manos y mi cabeza" (Jn. 13:8-9). "Lávame más y más de mi transgresión, y seré más blanco que la nieve". "Crea en mí un corazón limpio, oh Dios, y renueva un espíritu recto dentro de mí" (Sal. 51:2, 7, 10).

10. *Pesas desiguales y medidas desiguales* (*Lit.* Una piedra y una piedra, un efa y un efa), *ambas cosas son abominables al Señor*.

Probablemente se hace referencia a la inicua costumbre de tener *diferentes pesos y medidas* para comprar y para vender, con una *piedra* demasiado ligera y la otra demasiado pesada. Tales prácticas parecen haber estado entre los pecados más graves de la nación, los cuales trajeron el juicio de Dios sobre ella (Os. 12:7, Am. 8:4-5, Mi. 6:10-11).

> **Miqueas 6:9–12** La voz del Señor clamará a la ciudad (Prudente es temer Tu nombre): «Escucha, oh tribu, ¿quién ha señalado su tiempo? »¿Hay todavía alguien en casa del impío *con* tesoros de impiedad y medida escasa *que es* maldita? »¿Puedo justificar balanzas falsas y bolsa de pesas engañosas? »Porque los ricos *de la ciudad* están llenos de violencia, sus habitantes hablan mentiras y su lengua es engañosa en su boca.

Tan opuestos son al carácter de "un Dios de verdad y sin iniquidad" (Dt. 32:40), que la misma *piedra y el efa eran una abominación para él* (v. 23, Pr. 11:1; Mi. 6:10. Cf. Sal. 5:6).

La caída en desuso del trueque, y un sistema de inspección más preciso han restringido, en alguna medida, esta burda forma de fraude. Pero los trucos en el fraude y el regateo, la evasión de los deberes legales, el aprovechamiento de la ignorancia de los incautos, todas estas desviaciones de la norma son *abominables al Señor*. ¡Qué terrible revelación dará el gran día, para "vergüenza y desprecio eterno" del comerciante impío! Todo hombre de integridad moral repudiará la flagrante violación de la regla de oro.

Cristiano; que sea una sana advertencia recordar que las Iglesias fructíferas en las gracias del evangelio necesitaban que se les recordara "que ningún hombre agravie o defraude a su hermano de ninguna manera" (Ef. 4:25, cf. 1:16, Col. 3:9, cf. 1:3-4, 1 Ts. 4:6, cf. 1:3), y que las formas más agravadas de engaño fueron detectadas en conexión con una elevada profesión de piedad. Que ésta, como cualquier otra tentación, sea una cuestión para ser vigilantes en oración (1

Co. 6:8, cf. 1:5). No te conformes con abstenerte de este odioso vicio; disipa sus
tinieblas a través del constante brillo de una profesión íntegra, llena de sencillez,
amor, abnegación y activa simpatía por las necesidades de tu prójimo.

**11. *Aun por sus hechos un muchacho se da a conocer*[89] *si su conducta es pura
y recta.***

Que los padres observen los hábitos tempranos de sus hijos, sus temperamentos,
sus *hechos*. Generalmente el ojo perspicaz notará en el brote del joven árbol
alguna característica por la cual posteriormente el árbol maduro *se dé a conocer*.
El niño indica lo que será el hombre. Ningún padre sabio pasará por alto los
pequeños defectos, como si sólo se tratara de un niño haciendo cosas infantiles.
Cada cosa debe ser vista como un indicador del principio secreto, y cada obra o
palabra debe ser juzgada según el principio.

Si un niño es mentiroso, pendenciero, obstinado, rebelde, egoísta, ¿cómo
no temblar ante su crecimiento? Pero si el niño es dócil, amante de la verdad,
obediente, generoso, ¡cuánto gozo trae el prospecto de la flor y el fruto de este
esperanzador brote! Desde la infancia de Samuel (1 S. 1:28; 2:26; 3:19-20), de
Timoteo (2 Ti. 3:14-15, cf. 1:5, Fil. 2:20-21), y mucho más del Salvador (Lc.
2:50-52), no es posible sino anticipar lo que sería su madurez.

> **2 Timoteo 3:14–15** Tú, sin embargo, persiste en las cosas que has aprendido y
> *de las cuales* te convenciste, sabiendo de quiénes *las* has aprendido. Desde la
> niñez has sabido las Sagradas Escrituras, las cuales te pueden dar la sabiduría
> que lleva a la salvación mediante la fe en Cristo Jesús.

Los tempranos principios de *pureza y rectitud* prometían abundantes y
bendecidos frutos.

No obstante, ¿nos lamentamos por la maldad de nuestro hijo, especialmente
cuando lo rastreamos hasta su fuente original? ¡Oh! que nos incentive a orar con
fervor y perseverancia, a fin de usar diligentemente los medios designados para
ese cambio completo de corazón y naturaleza que tan intensamente deseamos.
Lleva al niño al pacto de gracia. Pon tu dedo en la promesa paterna (Gn. 17:7),
y ruega: "Acuérdate de la palabra dada a tu siervo, en la cual me has hecho
esperar" (Sal. 119:49). La respuesta puede retrasarse.

---

[89] 'Un niño es conocido por su conversación'. Ob. Miles Coverdale (1487–1569).

Sin embargo, "aunque tardare, espérala. Porque al final vendrá, no se tardará". Mientras tanto "vive por fe" (Hab. 2:3-4), y obra en fe. No desesperes por la gracia de Dios. No dudes de su fidelidad. Mantén activa tu energía y paciente tu esperanza. El hijo pródigo aún regresará. "El fin del Señor" avergonzará a la incredulidad (Stg. 5:11).

8. Las palabras y el comercio (20:12-19)

a. Introducción y transición (20:12-13)

12. *El oído que oye y el ojo que ve, ambos los ha hecho el Señor.*

La vista y el oído son los dos sentidos por los cuales se transmite la instrucción a la mente. Son componentes de esa estructura divina, tan "formidable y maravillosamente hecha" (Sal. 139:14. Cf. Sal. 94:9, Ex. 4:11).[90] Los sentidos naturales son dones comunes a todos. Los sentidos espirituales son los dones especiales del poder y la gracia soberanos (Mt. 13:16, cf. Dt. 29:2-4). Le quedó al hombre hacer orejas que no pueden oír, y ojos que no pueden ver; y luego degradarse a sí mismo hasta carecer de sentidos, adorando la obra de sus propias manos (Sal. 115:4-8).

> **Salmo 115:4–8** Los ídolos de ellos son plata y oro, obra de manos de hombre. Tienen boca, y no hablan; tienen ojos, y no ven; tienen oídos, y no oyen; tienen nariz, y no huelen; tienen manos, y no tocan; tienen pies, y no caminan; no emiten sonido alguno con su garganta. Se volverán como ellos los que los hacen, *y* todos los que en ellos confían.

Pero *el oído que oye y el ojo que ve, a ambos los ha hecho el Señor.*

El hombre es sordo y ciego en cuanto a las cosas de Dios: "Teniendo oídos, no oyen; teniendo ojos, no ven" (Mt. 13:13-14). La voz de la misericordia es ignorada. Es tan insensible a su necesidad como a su remedio. Su oído está abierto a los consejos buenos, a la doctrina moral, a los dictados de la decencia externa. Pero en cuanto al evangelio, es una estatua perfecta, sin vida. Todos sus

---

[90] Se dice que el célebre Galeno se convirtió del ateísmo por una atenta observación de la estructura perfecta del ojo.

sentidos están cegados, adormecidos, encadenados (2 Co. 4:3-4). Sus discapacidades morales sólo pueden ser removidas por ese poder todopoderoso que en la tierra dio oídos a los sordos y vista a los ciegos (Mc. 7:34; 8:22-25, cf. Is. 35:5).

Nos sería igual de fácil crear nuestro ser natural como recrear nuestro ser espiritual. '*El oído que oye*, aquel al cual se refiere Salomón, es el que cree y obedece lo que oye. El *ojo que ve* es aquel que ve y sigue el bien que ve'.[91] Pero ¿quién de nosotros, cuyos *oídos* han sido despertados y cuyos *ojos* han sido abiertos, no se regocijará reconociendo en adoración que a *ambos los ha hecho el Señor*? ¿Habría Lidia atribuido "la apertura de su corazón", con atención e interés renovados, a su propio esfuerzo natural? (Hch. 16:14. Cf. Is. 50:4). ¡Oh Dios mío! ¡Que *los oídos y los ojos que has hecho* sean sólo para ti, para oír tu voz (1 S. 3:9, Sal. 85:8), para "contemplar tu hermosura"! (Sal. 27:4; 63:2.).

13. *No ames el sueño, no sea que te empobrezcas; abre tus ojos y te saciarás de pan.*

Usa el 'sueño, como el dulce restaurador de la naturaleza cansada'.[92] De ese modo lo requiere el hombre. Para ese fin Dios lo da con gracia (Sal 3:5; 4:8; 127:2). Sin él, "el hombre" no podría "salir a su trabajo y a su faena" (Sal. 104:23). Así, reclutado para la activa diligencia del día, *abre sus ojos*; y "con el sudor de su frente come *su pan* (Gn. 3:19), *y se sacia con él*". Empero, *no ames el sueño* por sí mismo. La complacencia es un hábito nefasto y ruinoso, por el cual el hombre de talento, que tiene mucha responsabilidad en su mano, pero no tiene corazón para actuar, *se empobrece*. Se dejan escapar valiosas oportunidades para progresar, y así, "el hombre armado" se apodera fácilmente de su presa (Pr. 6:9-11).

---

[91] Joseph Caryl (1602 - 1673) sobre Job 34:3. "Joseph Caryl (1602 - 1673) fue un ministro inglés expulsado. Nació en Londres, se educó en la Merchant Taylors' School, y se graduó en el Exeter College de Oxford, y se convirtió en predicador en Lincoln's Inn. Predicó con frecuencia ante el Parlamento Largo, y fue miembro de la Asamblea de Westminster en 1643. Por orden del parlamento asistió a Carlos I en Holmby House, y en 1650 fue enviado con John Owen a acompañar a Cromwell a Escocia. En 1662, tras la Restauración, fue expulsado de su iglesia de St Magnus-the-Martyr, cerca del Puente de Londres. Sin embargo, continuó ejerciendo su ministerio en una congregación independiente en Londres hasta su muerte en marzo de 1673, cuando John Owen le sucedió. Su piedad y erudición se muestran en su comentario sobre Job (12 vols., 1651-1666; 2ª ed., 2 vols., fol. 1676-1677)."

[92] Young.

Proverbios 6:9–11 ¿Hasta cuándo, perezoso, estarás acostado? ¿Cuándo te levantarás de tu sueño? «Un poco de dormir, un poco de dormitar, un poco de cruzar las manos para descansar», y vendrá tu pobreza como vagabundo, y tu necesidad como un hombre armado.

¡Extraña inconsistencia y engaño! El hombre desea una larga vida, y, sin embargo, acorta voluntariamente la vida que se le da, ¡dormitando y soñando! (Pr. 19:15).[93] El tiempo dado para la eternidad es desperdiciado. El talento confiado para ser negociado se esconde en una servilleta. No hace nada por Dios, por su alma, por sus semejantes, por el cielo. Con justicia se le echa como a un malvado, porque fue un siervo negligente (Mt. 25:14-30).

Aquellos de nosotros que tenemos rutinas corporales aletargadas ¿no deberíamos escuchar el llamado 'No ames el sueño'? Aquí quizás se encuentre el conflicto cristiano. ¿No podías velar una hora "en la casa de Dios"? "Velad y orad, para que no entréis en tentación" (Mt. 26:40-41). Cuando se le resiste, es una enfermedad; cuando se permite, o sólo se le opone débilmente, es un pecado. En todo caso, en el servicio de Dios es más seguro considerarlo, no como un cansancio que debe alentarse, sino como una indulgencia que debe mortificarse, y *ello* a través de una vigorosa y enérgica lucha. Si bien el cristiano abnegado *abrirá los ojos y se saciará de pan*, el poder de la carne puede empobrecer el espíritu al consentir hábitos inertes de oración, escucha y meditación.

b. El discurso imprudente en el comercio (20:14-17)

14. «Malo, malo», dice el comprador, pero cuando se marcha, entonces se jacta.[94]

La Biblia provee numerosas pruebas de que el hombre ha sido el mismo en cada generación desde la caída. ¿Existe algún mercado en donde no encontremos la contraparte de esta revelación de fraude y egoísmo ancestral? El comercio –la providencial dispensación del Señor para comprometer al hombre con el

---

[93] Aunque la vida del Dr. Philip Doddridge (1702-1751) estuvo lejos de alcanzar la longevidad señalada para el hombre (Sal. 90:10,) fue, sin embargo, por la resistencia a esta tentación acosadora, virtualmente extendida hasta los límites ordinarios. A través de esta exitosa práctica de redimir el tiempo de sueño, realizó su invaluable trabajo en medio de múltiples compromisos. Vea Family Expositor sobre Ro. 13:13.

[94] Los versículos 14-19 se omiten en LXX.

hombre– se ha deteriorado por la depravación del hombre. Salomón había detectado antes la iniquidad del vendedor (v. 10. Cf. Eclesiástico 27:2).

Aquí deja al descubierto *al comprador,* y para hacerlo más entendible, utiliza incluso el lenguaje del mercado: *'Malo, malo'*: 'Este artículo es de baja calidad. Puedo conseguirlo más barato en otro lugar. Si tanto vale, aunque no para mí, ahora no tengo ninguna necesidad de él, no me importa particularmente'. Y entonces, tras haber cerrado astutamente un negocio por medio de estas convenientes falsedades, *se marcha por su camino* y *se jacta,* riéndose de la simplicidad del vendedor, y es probablemente muy elogiado por su astucia (Stg. 4:16).

El mismo principio del fraude se aplica al vendedor. Si uno dice: *'Malo, malo'*, el otro grita con no menos entusiasmo: 'Es bueno, es bueno', 'pero ninguno de los dos dice lo que realmente piensa, o lo que es verdadero'.[95] Uno está empeñado en comprar barato, el otro en vender caro. Uno critica injustamente; el otro elogia sin razón. Uno pide un precio, cuando quiere tomar otro, y se aprovecha de la confianza de su cliente para imponerle un artículo sin valor (Am. 8:6).[96]

Amós 8:5–7 "¿Cuándo pasará la luna nueva para vender el grano, y el día de reposo para abrir el *mercado de* trigo, achicar el efa (una medida de 22 litros), aumentar el siclo (moneda hebrea, 11.4 gramos de plata) y engañar con balanzas falsas; para comprar por dinero a los desvalidos y a los pobres por un par de sandalias, y vender los desechos del trigo?". El Señor ha jurado por el orgullo de Jacob: «Ciertamente, nunca me olvidaré de ninguna de sus obras.

De hecho, 'ninguna experiencia ayudaría a comprender, ni el aliento de ningún hombre podría declarar la infinita variedad de falsedades secretas y sutiles que diariamente se inventan y ejecutan bajo el sol'.[97]

---

[95] Sermón del Ob. Robert Sanderson (1587-1663) sobre 1 S. 12:3.

[96] Vea el contraste de la transacción desinteresada, Gn. 23:3-18. Agustín menciona una historia un tanto ridícula, pero significativa. Un charlatán anunció, ante el teatro lleno, que en el siguiente espectáculo mostraría a cada uno de los presentes lo que había en su corazón. Una inmensa concurrencia asistió, y el hombre redimió su promesa a la vasta asamblea por medio de una sola frase—'Vili vultis emere, et caro vendere': 'Todos ustedes desean comprar barato y vender caro', una frase generalmente aplaudida; así, cada uno, incluso el más insignificante –según observa Agustín– encontró un testimonio que confirmaba aquello en su propia conciencia. *De Trin.* Lib. xiii. c. 3.

[97] Ob. Robert Sanderson (1587-1663), *ut supra.*

Todos nosotros empleamos transacciones pecuniarias. Para muchos, es la principal ocupación de su vida. Sin embargo, tales son las tentaciones (que emanan de nuestro propio interés o defensa propia, del egoísmo de otros, y del ejemplo general del mundo), que intentan desviarnos de la línea recta; por lo tanto, debemos estar muy agradecidos por este esclarecedor análisis del engaño.

El hombre de Dios permanece al borde de la línea fronteriza, y advierte contra el primer paso de irrupción. Pasar por encima de la línea es desafiar al Gran Rey. La ganancia puede ser insignificante. Pero el pecado es enorme. Hubo suficiente culpa contenida dentro de las dimensiones de un solo fruto como para 'traer muerte al mundo, y con ella desgracia' a las generaciones sucesivas. Y aquí se quebranta deliberadamente la ley de Dios (Cf. Lv. 19:18; 25:14), se viola la conciencia, se practica el engaño, "a lo malo se llama bueno, y a lo bueno, malo" (Is. 5:20), se transgrede nuestro deber hacia nuestro prójimo –y todo esto quizás sin un poco de remordimiento–con el único fin de saciar la codicia del hombre.

Pero, aquellos profesamos el cristianismo, ¿podemos siempre "demostrar ser inocentes en este asunto"? Con todo, ¿cómo podemos ser *realmente* cristianos, si no lo somos relativa y universalmente; si no lo somos durante la semana, así como en el Sabat; si no lo somos en nuestro trato con los hombres, así como en nuestra comunión con Dios? ¿Qué título tenemos para llamarnos discípulos de Cristo, si no nos rendimos a su autoridad, y nos regimos, en corazón, mano y lengua, según sus leyes?

Preguntémonos cada uno: ¿hemos temblado ante las solemnes advertencias del gran Legislador? (Col. 3:25, 1 Ts. 4:6). ¿Estamos preparados para ser juzgados por sus reglas de honesta sencillez (Mt. 5:37) y justicia recíproca? (Mt. 7:12). ¿Hemos actuado siempre como estando bajo el ojo de Dios? ¿No hay transacciones de dinero por las que debamos avergonzarnos de haberlas "anunciado desde las azoteas"? ¿Estamos preparados para acudir al tribunal de un Dios que escudriña el corazón, con "una conciencia libre de ofensas contra Dios como contra el hombre"? (Hch. 24:16). No olvidemos nunca el evangelio como el único principio que expulsa el egoísmo; en su activa práctica de un amor grato y devoto; y en su piadoso espíritu de "hacer todo para la gloria de Dios".

15. *Hay oro y abundancia de joyas, pero cosa más preciosa son los labios con conocimiento.*

Éste no es el estándar del mundo. Allí *el oro y las joyas* están muy por encima de *los labios con conocimiento*. Según ello el joven hizo su elección, y prefirió sus "muchas posesiones" a esas palabras llenas de gracia que despertaron la admiración de la multitud (Mt. 19:22, cf. Lc. 4:22). Pero cuando "el oro es nuestra esperanza y confianza", sin duda será también nuestra ruina (Job 31:24, cf. 1 Ti. 6:9-10).

> **1 Timoteo 6:9–10** Pero los que quieren enriquecerse caen en tentación y lazo y en muchos deseos necios y dañosos que hunden a los hombres en la ruina y en la perdición. Porque la raíz de todos los males es el amor al dinero, por el cual, codiciándolo algunos, se extraviaron de la fe y se torturaron con muchos dolores.

La apreciación de Salomón era la de uno al que "el Señor le había dado un corazón sabio y entendido" (1 R. 3:9). *El oro* y *las joyas* preciosas abundaban en sus días (1 R. 10:27). Sin embargo, todos estos tesoros terrenales no eran nada a sus ojos en comparación con la enseñanza celestial.

Los labios con conocimiento eran una joya mucho más preciosa (Pr. 3:15; 8:10-11, 19; 16:16).[98] No obstante, solo el *conocimiento divino* es el que se destaca en esta alta preeminencia. La sabiduría humana puede cautivar la imaginación y proporcionar una medida de información útil. Pero tales palabras, en su mayoría, se desvanecen en el oído. No alimentan el corazón. No proveen consuelo al afligido, ni esperanza al abatido, ni enseñanza al ignorante respecto a "aquellas cosas que son para su paz" eterna (Lc. 19:42). Por lo tanto, así sean "buenas perlas", no son "la perla de gran precio", esa *joya preciosa* que opaca el brillo de las más espléndidas vanidades de la tierra (Mt. 13:45-46).

Qué joya tan *preciosa son los labios con conocimiento*, cuando el mensajero del evangelio "trae buenas nuevas de gran gozo" a la conciencia agobiada, a aquél "que está pereciendo". El sonido de sus pies es realmente bienvenido a causa de su mensaje (Is. 52:7, Ro. 10:14-15).[99]

Preciosas también son las conversaciones del compañerismo cristiano. Aunque sean infinitamente menores en gracia comparada con la que habitó en nuestro divino Maestro, con todo, en la medida en que seamos enseñados por

---

[98] Job dio el mismo veredicto, Job 28:12-19.

[99] Tal era el placer al escuchar las palabras del elocuente Crisóstomo, que el proverbio común indicaba: 'Prefiero que el sol deje de brillar a que Crisóstomo no predique'.

Él, nuestras lenguas serán como "plata escogida" (Pr. 10:21), y nuestros "*labios* esparcirán *conocimiento*" (Pr. 15:7) *como una joya preciosa*, que enriquece y adorna con la gloria de nuestro Señor celestial.

16. *Tómale la ropa al que sale fiador del extraño; y tómale prenda por los extranjeros.*[100]

Una y otra vez se nos advierte a no salir *fiador del extraño* (Pr. 6:1–5; 11:15; 17:18), o de cualquier nuevo conocido cuya compañía pueda resultar atrayente; y, con mucha más razón *de la mujer extraña*,[101] cuyo carácter ha perdido todo crédito. Éste es un camino seguro hacia la mendicidad y la ruina. Si un hombre es tan débil como para caer en esta necedad, no es digno de confianza. No le prestes nada sin una buena garantía. Más aún, si es necesario, *toma su ropa* como prenda. La letra de la ley de Moisés prohibía este extremo (Ex. 22:26-27, Dt. 24:12-13. Cf. Job 22:6, Am. 2:8).

> **Éxodo 22:26–27** »Si tomas en prenda el manto de tu prójimo, se lo devolverás antes de ponerse el sol, porque es su único abrigo; es el vestido para su cuerpo. ¿En qué *otra cosa* dormirá? Y será que cuando él clame a Mí, Yo le oiré, porque soy clemente.

Pero el espíritu y la intención de la ley apuntaba a la protección de los pobres y desafortunados: quien se veían obligados a pedir prestado debido a su propia necesidad, y por lo tanto solicitaban compasión. El mandato involucra a los imprudentes, quienes merecen sufrir por su necedad, al hundirse voluntariamente en la ruina. Tampoco incurre, en ningún grado, en justa sospecha de codicia o tacañería. El amor al prójimo no implica el olvido de nosotros mismos.

El camino de la prudencia piadosa es el más seguro para todas las partes. Nunca resulta sabio ayudar allí donde la bondad sólo es ocasión de precipitarse a la ruina. El rechazo puede ser un ejercicio de abnegación. Está bien que así sea. Que se vea claramente que implica sacrificio, no indulgencia a uno mismo:

---

[100] Pr. 27:13.

[101] Nota del Traductor: Se hace referencia a la *mujer extraña* debido a que la versión usada en el inglés original señala literalmente en la segunda parte de este verso: "...y tómale prenda por la mujer extraña"; del mismo modo que el Cap. 27:13.

prudencia, no egoísmo. Esta gracia es una de las perfecciones combinadas de Emanuel (Pr. 8:12). Que no falte en la profesión de su pueblo. Es necesaria para que la profesión cristiana sea completa, y para evitar muchas ocasiones de ofensa al Evangelio.

17. *El pan obtenido con falsedad es dulce al hombre, pero después su boca se llenará de grava.*

'La santidad es dulce tanto en el camino como al final. La iniquidad es a veces dulce en el camino, pero siempre amarga al final'.[102] Así sucede con la *mentira*, como con cualquier otro pecado; Satanás siempre coloca un cebo, siempre promete ganancia o placer como pago por su servicio, para luego, sin duda alguna, decepcionar a las víctimas de su engaño (Pr. 9:17-18; 28:21-22. Job 20:12-16).

> **Proverbios 9:17–18** «Dulces son las aguas hurtadas, y el pan *comido* en secreto es sabroso». Pero él no sabe que allí están los muertos, *que* sus invitados están en las profundidades del Seol.
> **Proverbios 28:21–22** Hacer acepción de personas no es bueno, pues por un bocado de pan el hombre pecará. El hombre avaro corre tras la riqueza y no sabe que la miseria vendrá sobre él.

Si el maíz fuera trillado sobre un suelo de *grava*, la tierra raspada estropearía la *dulzura del pan*. ¡Oh! ¡Cuántos han sido los que este gran engañador ha seducido con la *dulzura de su pan*, cuyas bocas *después han sido llenas de grava*!

> *El pan* que *el hombre* consigue por medio del fraude y del engaño, parece *dulce* y agradable al primer bocado, pero tras masticarlo un poco, encontrará que no es más que *grava* dura que maltrata sus dientes, lesiona sus mandíbulas, hiere su lengua, y ofende su paladar.[103]
> Se incluye aquí todo lo que se obtiene injustamente.[104]

Mira a Giezi. ¿Qué beneficio obtuvo de sus talentos de plata y sus mudas de ropa? Le resultó realmente amargo el *pan obtenido con falsedad* (2 R. 5:20-27).

---

[102] Joseph Caryl (1602 - 1673) sobre Job 20:14.
[103] Obispo Joseph Hall (1574-1656). Cf. Lm. 3:16.
[104] Obispo Simon Patrick (1626-1707).

Mira incluso a Jacob, un verdadero siervo de Dios, y, sin embargo, castigado fuertemente casi hasta el final de sus días con el amargo fruto *de la falsedad* (Gn. 27; 42:36-38). Para la gran cantidad de pecadores cegados, es ruina eterna. Cualquiera que sea el beneficio ofrecido por el tentador, su precio es el alma, el cual deberá pagarse a la hora de la muerte.

¡Oh, trato de perdición! ¡Un tesoro eterno canjeado por una bagatela momentánea! Podemos estar fascinados con la *dulzura* presente, pero verdaderamente amargo será el fruto cuando el pobre pecador engañado clame: "Sólo probé un poco de miel, ahora debo morir" (1 S. 14:43-44). ¡Ciertamente la amargura que surge del pecado es la amargura de la muerte!

No se puede dar un solo paso en el camino de la piedad, sin renunciar totalmente a toda práctica maldita. Ni siquiera la más pequeña violación de la ley admite paliativos. Aventurarse en lo que nos parece son las sombras más pequeñas del pecado es un experimento muy peligroso. El pecado más pequeño rompe la valla; y, una vez sobrepasada ésta, el impulso está más allá de nuestro control. Una rectitud general es la marca del hijo de Dios. Que el hombre de doctrina muestre la santidad de la doctrina. Nunca dejes que nuestra religión sea una cosa y nuestras actividades sean otra. Al contrario, que la imagen y la gloria del Señor se manifiesten de manera abrumadora en toda nuestra trayectoria. Cada desviación del camino recto "contrista al Espíritu Santo de Dios", oscurece la luz de nuestra alma, bombardea la consistencia de nuestra profesión, y hiere a la iglesia de Dios.

c. Conclusión: Aceptar el consejo sabio (20:18-19)

18. *Los proyectos con consejo se preparan, y con dirección sabia se hace la guerra.*

Ésta es verdadera sabiduría: deliberar antes de actuar y *determinar un propósito* tras un *consejo* sólido y experimentado. Incluso el más sabio de los hombres valoraba este recurso fortalecedor (1 R. 12:6.). Dios nos ha colocado en una sociedad donde somos más o menos dependientes unos de otros. Y, por tanto, mientras que es muy importante poseer un juicio sereno y decidido, no lo es menos guardarse de una obstinada y exclusiva adherencia a nuestras propias opiniones (Pr. 15:22). Esta regla es de suprema importancia especialmente en los consejos nacionales.

Con buena dirección se hace la guerra (Pr. 11:14; 24:6; 25:8).

Proverbios 11:14 Donde no hay buen consejo, el pueblo cae, Pero en la abundancia de consejeros está la victoria.

Proverbios 24:6 Porque con dirección sabia harás la guerra, Y en la abundancia de consejeros está la victoria.

Proverbios 25:8 No te apresures a presentar pleito; Pues ¿qué harás al final, Cuando tu prójimo te avergüence?

Las guerras hechas por ambición o para engrandecer el territorio nunca pueden ser hechas sabiamente. El resultado de tomar medidas desconsideradas y obstinadas puede ser terrible. David tomó el consejo del Señor (2 S. 5:17–23); Nehemías, aunque afirmaba su coraje en la fe (Neh. 2:17-20; 3; 4:1), *estableció su propósito por medio del consejo*, y llamó a su consejo a deliberar en cada emergencia (Neh. 4:19-20). Acab, pidiendo consejo a sus falsos profetas (1 R. 22:6), y Amasías, despreciando el sano consejo que le fue dado (2 R. 14:8–12); ambos *hicieron guerra* para su propia ruina debido a los malos *consejos*. Incluso el piadoso Josías, tras olvidar que debía *preparar su proyecto* según *el consejo* de los profetas del Señor que vivían entonces entre el pueblo, fue castigado con una destrucción temporal (2 R. 23:29).

Ahora, medita sobre la descripción del Obispo Joseph Hall (1574-1656) de la *guerra* espiritual.

No admite ningún descanso. No conoce la noche, ni el invierno. No acata paz, ni tregua. No nos llama al cuartel, donde podríamos tener alivio y respiro, sino a andar en campos minados continuamente. Siempre tenemos a nuestros enemigos al frente, y siempre somos vistos y atacados; siempre estamos resistiendo, defendiendo; recibiendo y devolviendo ataques. Si nos descuidamos o cansamos, morimos. ¿Qué esperanza hay si uno lucha y el otro se queda quieto? Nunca podremos tener seguridad ni paz si no es en la victoria. Por tanto, nuestra resistencia debe ser valiente y constante, pues tanto rendirse como firmar cualquier tratado de paz es mortal.[105]

¿No produce este tipo de guerra la más grande necesidad de un *consejo* sensato, calculando cuidadosamente el costo (Lc. 14:31-33), y aferrándonos a nuestro

---

[105] 'Holy Observations', xxv.

sabio Consejero (Is. 9:6) y Todopoderoso ayudador? A pesar de todo, no temas –bajo la lúcida dirección de su *consejo*, y el apoyo de su gracia– entonar el canto de alabanza: "¡Bendito sea el Señor, mi fuerza, que adiestra mis manos para la guerra, y mis dedos para la batalla!" (Sal. 144:1).

19. *El que anda murmurando revela secretos, por tanto, no te asocies con el chismoso* (*Lit.* el que abre sus labios).

No olvidemos nunca que todo trato de la vida social debe basarse en el amor. Cualquier violación de este principio es hondamente desagradable para Dios. Observa al *chismoso*. Su nombre describe su trabajo,[106] pues complace su impertinente curiosidad, fabricando *un cuento* de cada cosa que ve u oye. Es la ocupación de su vida, por la cual sacrifica toda otra ocupación, como si el hombre consistiera en nada más que una lengua que, en su inquieto balbuceo, descubre el gran secreto del movimiento perpetuo. Con alguien así, *no te asocies*. No quisiéramos que mire por encima de nuestra cerca, ni mucho menos que entre en nuestras casas, y, mucho menos, que se asocie con nuestro círculo familiar, donde su único trabajo sería sacar o poner lo que "no conviene".[107]

La falta flagrante, sin embargo, en este personaje despreciable, pero peligroso, es su infidelidad *al andar revelando secretos* (Pr. 11:13). Esto es especialmente ofensivo para un Dios de verdad. Incluso cuando los asuntos le han sido confiados bajo un sello, su incansable irritación rompe con tal frágil obligación. Allí:

> Él desmantela y rasga la túnica que cubre la privacidad de las relaciones humanas. Quien confía un secreto a su amigo, acude a él como a un santuario; por lo que violar los ritos constituye un sacrilegio y una profanación de la amistad.[108]

---

[106] Nota del Traductor: Este comentario obedece a que el término usado en el inglés original (*talebearer*) equivale literalmente a 'portador de cuentos'.

[107] 'Hic niger est: hunc tu, Romane, caveto'- es la advertencia indignada del satírico romano. Horacio, Sat. lib. i. 4, 81-85.

[108] 'Sermon on the Good and Evil Tongue' del obispo Francis Taylor (1589-1656). "Francis Taylor (1589-1656) fue pastor en la iglesia de Chapham en el condado de Surrey, cerca de Londres. Taylor fue uno de los miembros de la Asamblea de Westminster, en la cual se distinguió eminentemente por su gran aprendizaje y mesura. Predicó algunas veces ante el Parlamento. Sus eminentes habilidades y su erudición se manifestaron con mayor riqueza en sus escritos. Escribió las *Anotaciones inglesas sobre el libro de los Proverbios*. Se distinguió especialmente por todo tipo de conocimientos hebreos y por el conocimiento de las

Nunca pensemos que esto es una nimiedad. Que nunca nos comprometamos en un asunto de confianza sin la más firme determinación de fidelidad cristiana.

Observa su otro nombre, *lisonjero de labios*.[109] Así se insinúa hasta llegar a *los secretos* de los incautos y obtener material para sus *chismes; halagando* a quien está presente, a expensas del ausente. Vela y ora fervientemente contra este mal mortal. Guarda tu propia viña con mucho cuidado.[110] De lo contrario, si tus ojos miran hacia afuera, cuando deberían estar en casa, será como "la viña del perezoso, llena de espinas y ortigas" (Pr. 24:30-31); como aquellos 'curiosos' a los que Agustín reprendió, quienes 'se metían en el corazón y la vida de los demás, pero eran perezosos para enmendar lo suyo'.[111] Sé diligente en tu propio llamado, sirviendo al Señor y a su iglesia. Estudia los deberes del carácter cristiano, según la norma dada por el Ejemplo Divino, donde cada palabra rebosaba con el flujo del amor.

¡Oh! ¡Cuántos son los que complaciéndose a sí mismos, olvidándose de sus propias obligaciones, y careciendo de una ocupación para sus manos, ponen a trabajar sus lenguas (1 Ti. 5:13), trayendo así una plaga de moscas con ellos (Ex. 8:24), las que zumban de casa en casa y de un vecino a otro, relatando todo mal oído o hecho! Una severa reprimenda es su justo desierto, y un medio eficaz para ahuyentarlos (Pr. 25:23).

Proverbios 24:30–34 He pasado junto al campo del perezoso y junto a la viña del hombre falto de entendimiento, y vi que todo estaba lleno de cardos, su superficie cubierta de ortigas, y su cerca de piedras, derribada. Cuando *lo* vi, reflexioné sobre ello; miré, *y* recibí instrucción. «Un poco de dormir, otro poco

---

antigüedades judías. Publicó varias obras muy eruditas y valiosas, y entre ellas una traducción del Targum de Jerusalén sobre el Pentateuco del caldeo al latín, que dedicó al erudito Sr. Gataker de Rotherhithe. Esta obra iba acompañada de una epístola prefatoria del eminentemente erudito Sr. Selden a nuestro autor. Más adelante se convirtió en predicador de la iglesia de Cristo en la ciudad de Canterbury, donde murió. Dejó tras de sí el carácter de un hábil crítico y de un divino muy célebre. Escribió una veintena de obras, entre las que destacan, *An exposition with pracitcall observations upon the 4, 5, 6, 7, 8, 9. chapters of the proverbs* (1657); *An exposition with practicall observations upon the three first chapters of proverbs* (1655); *Ekhah, sive, Jeremiae vatis lamentationes denuò è fontibus hebraicus translatae* (1651); *Gods covenant the churches plea (1645) Gods glory in mans happiness* (1654); *Grapes from Canaan* (1658) entre otras."

[109] Nota del Traductor: La versión usada en el inglés original señalaba literalmente en la última parte de este versículo: "...no te inmiscuyas con el que lisonjea con sus labios"; de allí la referencia realizada por el autor.

[110] Observa la queja en Cnt. 1:6. Compara el consejo de nuestro Señor, Mateo 7:3-5

[111] Agustín, Confess., book x. c. 3.

de dormitar, otro poco de cruzar las manos para descansar», y llegará tu pobreza *como* ladrón, y tu necesidad como hombre armado.

9. Confiar en que el Señor vengará las injusticias a través de su Rey Sabio (20:20-28)

a. Introducción: Honrar a los padres (20:20-21)

20. *Al que maldice a su padre o a su madre, se le apagará su lámpara en medio de las tinieblas.*

Si *las tinieblas* son el castigo, ¿no son también la causa de este atroz pecado? Pues, con toda seguridad, incluso la luz de la naturaleza ha de ser extinguida antes de que un hijo *maldiga* a aquellos que, de acuerdo a Dios, le han enseñado a hablar, los autores y preservadores de su existencia, sus mayores benefactores terrenales. Incluso una mirada insidiosa –mucho más una palabra– es una ofensa contra el mandamiento.

¡Cuál ha de ser entonces el peso de la culpa que implica *maldecirlos*! Se les debe la más profunda reverencia cuando han muerto (Jer. 35:1-10). ¡Cuán grande es entonces la provocación al pecar contra ellos, mientras aún viven para sus hijos, con toda la activa y abnegada energía del amor y el servicio! *Maldecirlos*, de acuerdo al estándar de nuestro Señor, incluye "tenerlos en poca estima" (Mt. 15:3-6), y desobedecerles deliberadamente, lo cual es una marca terrible y palpable de los últimos días (2 Ti. 3:2).[112] ¿Qué piensa Dios de ello? Dejemos que su propia maldición sobre el monte Ebal (Dt. 27:16) –su juicio de muerte temporal– (Ex. 21:15, 17, Lv. 20:9, Dt. 21:18–23. Cf. Pr. 30:17)[113] testifique.

La actual degradación de África atestigua, en las páginas confirmatorias de la historia, del disgusto por un hijo desleal (Gn. 9:22–25); con la *lámpara apagada en medio de las tinieblas* (Pr. 13:9; Job 18:5-6, 18; Jue. 13.).[114]

---

[112] Vea también la marca oscura, Ro. 1:30-31.

[113] El castigo romano por el parricidio consistía en ser cosido en un saco y arrojado al mar. Cicerón, pro Sext. Rose. Amorino. xi.

[114] 'Las pupilas de sus ojos verán la oscuridad'. LXX.

Proverbios 13:9 La luz de los justos brilla alegremente, pero la lámpara de los impíos se apaga.

Job 18:5–6 »Ciertamente la luz de los impíos se apaga, y no brillará la llama de su fuego. »La luz en su tienda se oscurece, y su lámpara sobre él se apaga.

Y si la sentencia temporal de muerte fuere revocada, aún permanece inmutable el juicio más terrible del estatuto divino: *las tinieblas,* "la oscuridad de las tinieblas", tinieblas sempiternas, sin ningún rayo de luz, de la cual la "oscuridad" es sólo la sombra que muestra lo que en realidad será.

21. *La herencia adquirida de prisa al principio, no será bendecida al final.*

El sabio obviamente limita su observación a *la herencia adquirida* de forma deshonesta. El ascenso de José a la gloria de Egipto (Gn. 41:14-45), de Mardoqueo en las cortes persas (Est. 6:11; 8:15; 10:3), de Daniel en Babilonia (Dn. 2:46, 48) fue *adquirido rápidamente,* en un momento; y, sin embargo, bajo la especial Providencia de Dios. La avaricia, *la prisa* por ser rico (Pr. 28:20, 22) o grande, puede *adquirir una herencia al principio; pero al final será destruida* (Pr. 10:2-3, 21:5; 28:8), no *bendecida.*

Absalón (2 S. 15:10; 18:9–17) y Adonías (1 R. 1:5–9, 2:25) procuraron alcanzar un reino para su propia ruina. Un rey de Israel sucedía a otro, pisoteándose *apresuradamente* uno al otro; pero cada uno se apuraba hacia su destrucción (1 R. 16:8–22). En nuestra propia historia, Ricardo III terminó su reinado, *adquirido precipitadamente,* en la vergüenza. En nuestros días, Napoleón ascendió con una rapidez inconcebible y adquirió una magnífica *herencia.* No obstante, terminó su carrera en un vergonzoso destierro. Las posesiones menos espléndidas terminan en la misma decepción. ¡Qué terrible maldición resultó la viña de Nabot, aquella *herencia adquirida de prisa,* para el insensato opresor! (1 R. 21:1–15, 19. Cf. Job 15:29; 20:18, Am. 8:4–8).

No dejes que la advertencia sea dada en vano: "Los que quieren enriquecerse", ¿cuál es su fruto? "Muchas codicias necias y dañosas, muchos dolores que traspasan". ¿Cuál es su fin? "Destrucción y perdición" (1 Ti. 6:9-10).

1 Timoteo 6:9–10 Pero los que quieren enriquecerse caen en tentación y lazo y en muchos deseos necios y dañosos que hunden a los hombres en la ruina y en la perdición. Porque la raíz de todos los males es el amor al dinero, por el cual, codiciándolo algunos, se extraviaron de la fe y se torturaron con muchos dolores.

Coloca la cruz y la corona de Jesús a la vista. El mundo se desvanece y el egoísmo muere en cada mirada. Solamente un objeto atrae y satisface. "¡Oh, alma mía! Dijiste al Señor: Tú eres mi Señor, la porción de *mi herencia*" (Sal. 16:2, 5). Aquí hay *bendición* más allá de la imaginación, la cual no tiene fin.

b. Cuerpo: Confiar en Dios, no en uno mismo, para vengar el mal (20:22-25)

22. No digas: «Yo pagaré mal por mal»; espera en el Señor, y Él te salvará.

"La venganza me pertenece" es la tremenda proclamación de Dios (Dt. 32:35, Ro. 12:19, Heb. 10:30). Su pueblo adora reverentemente esta alta prerrogativa (Sal. 94:1, Ap. 6:10). ¿Quién más está capacitado para ejercerla? Él es Omnisciente. Nosotros conocemos, pero de manera imperfecta. Él no está sujeto a pasiones. Nosotros estamos cegados por nuestros deseos egoístas. Él es justo "sin parcialidad". Nosotros tenemos nuestros prejuicios.

Por lo tanto ¡qué presunción, por no decir impiedad, muestra el furioso gusano que usurpa su prerrogativa! La venganza es, en efecto, un deseo muy apreciado por la carne.[115] Y, si no fuera por la restricción divina, este mundo sería una "Acéldama, un campo de sangre". Pero el Señor nunca la permitió en su pueblo (Pr. 24:29, Lv. 19:18).[116] Ni siquiera un edomita (su más amargo enemigo); ni un egipcio (su más cruel opresor) debía ser "aborrecido" (Dt. 23:7). La insensatez y pecaminosidad de esta pasión son igualmente manifiestas. 'El que piensa en la venganza, mantiene abiertas sus propias heridas';[117] su enemigo no podría hacerle un daño mayor. La lengua es el gran instrumento; "hablando como con golpes de espada" (Pr. 12:18; 25:18).

---

[115] Así, incluso los paganos lo reconocieron:
'Est vindicta bonum, et vitâ, jucundius ipsâ.'
Juven. Sat. 13.

[116] Obsérvese la equivalencia de esta norma con la del Nuevo Testamento: la enseñanza de nuestro Señor en Mt. 5:38-39; y la de sus apóstoles en Ro. 12:17, 19-21, 1 Ts. 5:15, 1 P. 3:9. Cf. Eclesiástico 28:1-8.

[117] Lord Bacon.

Proverbios 12:18 Hay quien habla sin tino como golpes de espada, Pero la lengua de los sabios sana.

Proverbios 25:18 *Como* mazo y espada y flecha aguda Es el hombre que levanta falso testimonio contra su prójimo.

Sin embargo, muchas veces, cuando el abierto propósito de venganza es contenido, la pasión se anida con más fiereza en el interior (Gn. 27:34, 2 S. 13:22–29); o al menos, se vuelve sólo una obediencia reacia, y no la gloriosa victoria exhibida en la historia de los hombres de Dios que "vencieron con el bien el mal" (Ro. 12:21).[118]

¿Cuál es entonces el remedio? Con humildad y fe, presentemos nuestros asuntos ante el Señor. Pongámoslos en sus manos, *esperemos en Él y Él nos salvará*. La venganza se levanta sólo porque no tenemos fe. Pues, ¿si creyéramos que Dios tomará nuestra causa, no deberíamos abandonarnos implícitamente en sus manos? ¿Cómo defendió la causa del "hombre más manso de la tierra"? (Nm. 12:1-10). ¡Con qué confianza se apoyó David en medio del oprobio (2 S. 16:12, Sal. 38:12-15), avalando así su regla de fe con su propia experiencia! (Sal. 37:5-6). Y así también, el Señor de David "se encomendó al que juzga rectamente" (1 P. 2:23).

Por lo tanto, siguiendo este bendito ejemplo, "los que sufren según la voluntad de Dios, encomienden sus almas a Él, como fiel Creador, haciendo el bien" (1 P. 4:19). Estén satisfechos con su manejo y dirección. Basta con su palabra de que "Él librará y salvará, por cuanto en Él confiaron" (Sal. 37:39-40). Como pueblo suyo que ora, mantengamos nuestras almas en la gran consumación: "¿No hará justicia Dios a sus elegidos, que claman a Él día y noche, aunque sea muy paciente en cuanto a ellos? Os digo que pronto les hará justicia" (Lc 18:7-8).

23. *Pesas desiguales son abominación al Señor, y no está bien usar una balanza falsa.*

Escudriñemos aquí la mente de Dios. Tres veces enfoca nuestra atención sobre este específico punto práctico (vv. 10, 14, 23). A pesar de ello, es indudable que ésta no es una "vana repetición" (Mt. 6:7). Si puede decirse que "hace falta". En lugar de "mandato sobre mandato, y línea sobre línea" (Is. 28:10), las infinitas

---

[118] Compare a José, Gn. 40:5; 50:20; y David, 1 S. 24:18–21.

"riquezas de la sabiduría y el conocimiento de Dios" podrían haber derramado una innumerable variedad de enseñanzas.

Sin embargo, no nos sorprende ver al ministerio apostólico enfatizar una y otra vez el tema de la justificación de un pecador ante Dios.[119] Y de tal repetición deducimos la importancia primordial y el carácter revolucionario de la doctrina (Ro. 10:2-3). Entonces, del mismo modo, ¿no nos enseña esta continua inculcación de la gran importancia del principio en cuestión y de la innata resistencia que hay contra su funcionamiento pleno? Si sentimos que nunca podríamos alegrarnos demasiado de la manifestación de la gracia de Dios, y, sin embargo, eludimos la aplicación frecuente y perspicaz de esta obligación práctica; si amamos que en cada Sabat se nos diga cuál es nuestro deber para con Dios, pero nos rebelamos por los detalles minuciosos dados para la semana, el mercado y las compras; no estamos recibiendo toda la revelación de Dios, y, por lo tanto, no estamos recibiendo salvíficamente ninguna parte de ella; entonces, aquella "sabiduría que viene de lo alto, sin incertidumbre y sin hipocresía" (Stg. 3:17), no es nuestra.

Verdaderamente palpable es la necesidad de que se nos repita esta palabra. El mal se extiende a través de nuestra esfera comercial. Aunque *las pesas desiguales* una y otra vez han sido declaradas abominables, sí, *una abominación* (Pr. 11:1, Mi. 6:10-11) para Dios, no obstante, ¡cuántas veces son atenuadas como si se debieran a la costumbre, o tal vez incluso a la necesidad!

Miqueas 6:10–12 »¿Hay todavía alguien en casa del impío *con* tesoros de impiedad Y medida escasa *que es* maldita? »¿Puedo justificar balanzas falsas y bolsa de pesas engañosas? »Porque los ricos *de la ciudad* están llenos de violencia, sus habitantes hablan mentiras y su lengua es engañosa en su boca.

Sin embargo 'la medida escasa llenará una medida completa de culpa, y las cargas ligeras traerán sobre el alma una pesada carga de juicio'.[120] Si Job se preocupó de que su "tierra y sus surcos no clamaran contra él" (Job 31:28), que el comerciante tenga cuidado, no sea que sus pesos y medidas den testimonio contra él. ¡Pues ciertamente debemos ser vigilantes! Esta costosa y engorrosa maquinaria administrativa, con todas sus verificaciones y controles, y su

---

[119] Vea las Epístolas a los Romanos y a los Gálatas.
[120] Sermón del Ob. Edward Reynolds (1599-1676) sobre Miq. 6:6–8.

espantosa cantidad de juramentos; ¿Qué supone sino la humillante declaración de que el hombre no puede confiar en su prójimo?

¡Oh! Que no me olvide que mi corazón es tierra natal de todo este engaño; que nada más que la cultura de los principios divinos mantiene a raya las hierbas venenosas y sustenta en su lugar aquellos "frutos de justicia para alabanza y gloria de mi Dios" (Fil. 1:11).

> El amor de Dios constriñe a su siervo. Dios es fiel con él; y él no será deshonesto con los demás. Dios es misericordioso con él; y él no será injusto con los demás.[121]

Ésta es la influencia práctica del Evangelio.

24. *Por el Señor son ordenados los pasos del hombre, ¿Cómo puede, pues, el hombre entender su camino?*

El incontenible poder y soberanía de Dios; y la absoluta dependencia e impotencia del hombre; ambos son principios fundamentales. No tenemos aquí una violación de la libertad, por un lado, ni una excusa para la pasiva indolencia por el otro. El hombre actúa a menudo como si fuera amo de sus propios propósitos; como si *sus pasos* dependieran de él mismo. O bien, ante la cruda noción de la predeterminación de cada evento, en lugar de trabajar diligentemente en los propósitos del Señor, encuentra que "su fortaleza es estar quieto" (Is. 30:7). Pero el cristiano humilde, enseñado por el cielo, actúa libremente en espíritu de dependencia.

La conciencia de que *sus pasos son ordenados por el Señor* da energía a su fe. Está escrito: "El camino del hombre no depende de sí mismo" (Jer. 10:23). También está escrito: "Este es el camino, andad por él" (Is. 30:21). Así es como las Escrituras resguardan las Escrituras. Tenemos aquí dependencia sin pasividad, diligencia sin presunción ni confianza en uno mismo; de este modo, principios antagónicos trabajan juntos en armoniosa conjunción.

La verdadera libertad de la voluntad es el poder de actuar según la propia elección, sin coerciones externas. La acción divina, lejos de obstaculizar su libertad, remueve el obstáculo de la inclinación corrupta y tiránica. Una vez eliminado tal obstáculo, la voluntad actúa más libremente, con más fuerza. El

---

[121] 'Speculum Theologiæ' de Polhill, p. 438.

hombre no es operado como una máquina, inconsciente de sus operaciones y resultados, sino que actúa según principios inteligentes.

No se le lleva por el camino, sino que se le permite caminar. Es "atraído", no manejado; "con cuerdas humanas", no de una bestia; y esas cuerdas son tan sabiamente usadas que se sienten como "lazos de amor" (Os. 11:4). Es iluminado, para que vea; ablandado, para que se vuelva; "atraído, para que corra" (Cnt. 1:4. Cf. Sal. 119:32). Es movido eficazmente, pero voluntariamente; invenciblemente, pero sin ser coaccionado. Nada se ha distorsionado. No hay violencia antinatural. Es "el día del poder del Señor", que "obra en él el querer y el hacer por su buena voluntad" (Sal. 110:3, Fil. 2:13).[122] *Sus pasos son ordenados por el Señor.*

El mundo de la Providencia evidencia el mismo señorío. El hombre determina y actúa libremente en las pequeñas circunstancias de la vida. Sin embargo, la penetrante y activa influencia que dispone cada paso en el momento y lugar precisos deja claro que *los pasos del hombre son ordenados por el Señor.* Rebeca llegó al pozo justo en el momento en que el siervo de Abraham estaba listo para conocerla. "Estando en el camino, el Señor lo guio" (Gn. 24:15, 27).

La hija del Faraón salió a bañarse precisamente durante la difícil hora en que el niño Moisés fue entregado al agua (Ex. 2:1-5). ¿Fue esto obra del azar o alguna afortunada coincidencia? ¿Quién puede dudar del dedo, o de la guía, de Dios? La maldición de la aniquilación fue pronunciada contra la casa de Eli; y la palabra se cumplió por una combinación de incidentes aparentemente casuales: David huyó a Abimelec en busca de ayuda.

Ese mismo día, Doeg estaba allí, no según su trayectoria habitual, sino "*detenido* delante del Señor". Éste dio aviso a su cruel amo, y en un momento de ira, la maldición se cumplió (1 S. 2:30-32, cf. 21:6-7; 22:9-18). ¿Quién puede dudar que el encuentro de *los pasos* de Doeg y de David no *fue ordenado por el Señor*? Todas las partes actuaron libremente. Lo que fue falso en Doeg era justo en Dios, a quien adoramos como un Dios que odia el pecado, incluso cuando –como en la crucifixión de Cristo (Hch. 2:23)– hace uso del pecado para el cumplimiento de sus propios propósitos.

Por lo tanto, al pertenecer *al Señor, los pasos del hombre* están, a menudo, envueltos en el misterio. *¿Cómo puede, pues, entender su propio camino?* Con frecuencia va en contra de sus designios. Los constructores de Babel erigieron

---

[122] Compare Daillè *in loco,* y 'Disputation between Eck and Carlstadt'. History of Reformation. D'Aubigne. Book v. ch. 4.

su orgullosa torre para evitar su dispersión (Gn. 11:4-9). El "sabio accionar" de Faraón para lograr el engrandecimiento de su reino resultó en su destrucción (Ex. 1:8-10, cf. 14:30).

El plan de Amán para su propia gloria fue el primer paso hacia su ruina (Est. 6:6–13). Muchas veces, también el camino, cuando no es contrarrestado, está mucho más allá de nuestro propio conocimiento. Poco *entendió* Israel la razón de su tortuoso *camino* hacia Canaán. Pese a todo, al final demostró ser "el camino correcto" (Ex. 13:17-18, cf. Sal. 107:7).

Éxodo 13:17–18 Cuando Faraón dejó ir al pueblo, Dios no los guió por el camino de la tierra de los filisteos, aunque estaba cerca, porque dijo Dios: «No sea que el pueblo se arrepienta cuando vea guerra y se vuelva a Egipto». Dios, pues, hizo que el pueblo diera un rodeo por el camino del desierto, hacia el Mar Rojo. En orden de batalla subieron los israelitas de la tierra de Egipto.

Poco también *comprendió* Asuero el profundo motivo por el cual "aquella noche no pudo dormir el rey"; aparentemente era un incidente minúsculo que apenas merecía ser registrado; pero finalmente fue un eslabón necesario en la cadena de los eternos propósitos de gracia que tiene el Señor para con su Iglesia (Est. 6:1).

Tan poco *entendía* Pablo *su propio camino*, o suponía que su "*próspero viaje*" sería para ver a su amado rebaño en Roma; que no comprendió que apenas escaparía del naufragio ni que sería conducido como un prisionero encadenado (Hch. 27; 28:20, 30, cf. Ro. 1:10). Poco sabemos por qué es lo que oramos. "Con terribles cosas nos responderás Tú en justicia, Oh Dios de nuestra salvación" (Sal. 65:5). Salimos por la mañana, *sin entender nuestro camino*, "sin saber lo que traerá una hora" (Pr. 27:1).

Algún giro que lleve a nuestra felicidad o miseria de por vida, sale a nuestro encuentro antes de la noche. José, al seguir su camino en busca de sus hermanos (Gn. 37:11-14), nunca anticipó una separación de más de veinte años de su padre. Así pues, ¿qué deben enseñarnos esos caminos cruzados u oscuros? No una continua y temblorosa ansiedad, sino una dependencia diaria. "Traeré a los ciegos por un camino que no sabían: Los guiaré por caminos que no han conocido". Pero, ¿se quedarán en la oscura perplejidad? "Cambiaré las tinieblas en luz delante de ellos, y lo escabroso en llanura. Estas cosas les haré, y no los abandonaré" (Is. 42:16).

A menudo miro hacia atrás, y me sorprendo por lo extraño de mi curso, tan diferente, tan contrario a mi camino. Pero me basta con que todo esté en tus manos, con que "mis pasos sean ordenados por ti" (Sal. 37:23. Cf. Pr. 16:9). Me atrevo a confiar en tu sabiduría, tu bondad, tu ternura, tu cuidado fiel. Guíame, sostenme, no me abandones. "Me guiarás con tu consejo y después me recibirás en gloria" (Sal. 73:24).

25. *Lazo es para el hombre decir a la ligera: «Es santo», y después de los votos investigar.*[123]

En todo camino ha puesto sus trampas el gran cazador. Sin embargo, tal vez las más sutiles están reservadas para el servicio de Dios. Las ofrendas hechas *santas* al Señor a menudo eran *devoradas* por los adoradores hipócritas, y sacrílegamente destinadas para su propio uso. De esa manera, tras robar el tesoro del Señor, Acán cayó en un *lazo* que lo llevó a su ruina (Jos. 6:19; 7:1). Éste fue el pecado de "la nación entera", y terrible, en efecto, fue el juicio: "Malditos sois con maldición" (Mal. 3:8–10). Comúnmente se hacían votos voluntarios (Lv. 27:9-10, 28-33), no obstante, a veces, *después* se hacían *preguntas* que deberían haberse hecho antes. Tenían plena libertad para abstenerse de hacer votos, pero al hacerlos, estaban obligados a pagar (Dt. 23:21-22, Ec. 5:4-6).

> **Eclesiastés 5:4–6** Cuando haces un voto a Dios, no tardes en cumplirlo, porque Él no se deleita en los necios. El voto que haces, cúmplelo. Es mejor que no hagas votos, a que hagas votos y no los cumplas. No permitas que tu boca te haga pecar, y no digas delante del mensajero *de Dios* que fue un error. ¿Por qué ha de enojarse Dios a causa de tu voz y destruir la obra de tus manos?

Como contrapartida de esta profesión vacía y a medias: 'el hombre, en su angustia, hace voto de dar algo a Dios; pero, habiendo obtenido su deseo', *devora lo que es santo, y después de los votos investiga* 'cómo puede ser librado de esta obligación'.[124] Muchas veces también sucede que, en un momento de entusiasmo –quizás bajo la luz de un encuentro religioso– se promete un sacrificio a Dios; y, tras haberse calmado tal impulso– se *investiga, después de*

---

[123] Nota del Traductor: La versión usada en el inglés original señala: "Lazo es al hombre devorar lo que es santo, y después de los votos investigar"; de allí las referencias realizadas por el autor.
[124] Obispo Simon Patrick (1626-1707).

los votos, cómo poder retractarse de la obligación contraída. Tales evasivas, ¡qué manifestación tan repugnante presentan de la falsedad del hombre!

> Enreda su alma en *lazo* de muerte aquel que vuelve a usar profanamente lo que una vez fue consagrado a Dios, así como aquel que, tras haber hecho un voto al Señor, se persuade a sí mismo en cómo alterar ese santo propósito, y en cómo privar a Dios de lo que le corresponde.[125]

La enajenación de la ofrenda demuestra la previa enajenación del corazón. Que Ananías y Safira atestigüen que Dios es un Dios celoso (Hch. 5:1-10, cf. Dt. 4:24). Ten cuidado de los compromisos apresurados, y sé fiel a los compromisos rectos. *Antes* de entrar en el servicio a Dios, *investiga* acerca de todos sus requerimientos. Cuídate de una religión de entusiasmo temporal; la que es muy diferente de un principio profundo, sólido y permanente. Y, cueste lo que cueste, sé fiel a tu propia consagración como "sacrificio vivo" (Ro. 12:1) en el altar de tu Dios.

c. Conclusión: El Rey juzga a los malvados y protege a los necesitados (20:26-28)

26. *El rey sabio avienta a los impíos, y hace pasar la rueda de trillar sobre ellos.*

Salomón, *un rey sabio*, estaba constantemente observando sus propias responsabilidades. Su norma era no cometer maldad él mismo (v. 8. Pr. 16:12),[126] ni permitirla en su pueblo; *dispersar*, no animar, *a los impíos*. Así como la *rueda* del labrador *pasaba sobre* el grano, cortaba la paja y separaba el tamo (Is. 28:28-29);[127] el tamiz de su administración de justicia pasaba la rueda de la venganza sobre *los impíos*, y los *dispersaba* como tamo sin valor (Sal. 1:4), o los reducía a la ruina (1 R. 2:25-46).

---

[125] Obispo Joseph Hall (1574-1656).

[126] Compare el contraste en 1 R. 14:16.

[127] Esta es una alusión obvia a la forma de trillar en el Oriente. Una manera ocurría por medio de una carreta con *ruedas* con dientes de hierro similares a los de una sierra. El eje contaba con *ruedas dentadas* en todas partes. Se movía sobre tres rodillos armados con dientes o ruedas de hierro, para cortar la paja. Vea la nota del obispo Robert Lowth (1710-1787) en Isaías 28:27. Compare Amós 1:3.

Con el mismo espíritu, su padre David los destruyó cuando solicitaron audazmente su favor (2 S. 1:2, 16; 4:5–12. Cf. Sal. 101:7, 3). El piadoso Asa removió la maldad del lugar alto que era más cercano a su propio trono y corazón (2 Cr. 15:16). Amasías la castigó justamente con la muerte (2 Cr. 24:25; 25:3-4). Nehemías, aquél verdadero reformador, la reprendió incluso en la familia del sumo sacerdote (Neh. 13:28-29). Nuestro propio Alfredo parecía mantener este estándar, como testigo de Dios en una época de oscuridad. Pero sólo el Rey de reyes puede hacer que la separación sea total. A menudo zarandea a su iglesia por medio de la prueba, para su mayor pureza y preservación completa (Am. 9:9).

> **Amós 9:9–10** «Porque Yo daré un mandato, y zarandearé a la casa de Israel entre todas las naciones, como se zarandea *el grano* en la criba, sin que caiga ni un grano en tierra.» A espada morirán todos los pecadores de Mi pueblo, los que dicen: "No nos alcanzará ni se nos acercará la desgracia".

Pero, ¿cómo será cuando venga "con su aventador en la mano, y limpie completamente su era"? (Mt. 3:12). ¡Cuánta paja será *aventada*! Sin embargo, ni un átomo entrará en el granero. Del mismo modo, ni un solo grano de trigo será desechado. ¡Oh, alma mía! ¿Cómo serás hallada en este gran día donde todo sea tamizado? "¿Quién podrá soportar el día de su venida? ¿Y quién estará de pie cuando se manifieste?" (Mal. 3:2).

27. *Lámpara del Señor es el espíritu del hombre, que escudriña lo más profundo de su ser* (*Lit.* todas las cámaras del cuerpo).

Dios no se ha dejado sin testigos en su propio mundo ignorante (Hch. 14:16-17). En la primera creación, *la lámpara del Señor* ciertamente brillaba en su pequeño mundo: el hombre (Gn. 1:26). Sin embargo, aunque cada facultad estuvo involucrada en la caída; aún queda lo suficiente en la mente y la conciencia interna para mostrar, incluso en la densa oscuridad del paganismo, la perfección divina (Ro. 1:19-20), el justo abandono por el pecado (Ro. 1:20-21, 32), e incluso algunos débiles vislumbres del estándar de lo bueno y lo malo (Ro. 2:14-15).

Pero *esta lámpara* es ciertamente tenue, a menos que sea avivada en la lámpara de Dios (Pr. 6:23, Sal. 119:105). Cuando la Palabra y el Espíritu de Dios la iluminan, desempeña eficazmente sus importantes oficios (como los define el Obispo Reynolds (1599-1676): 'dirección, convicción y consuelo';[128] exponiendo no sólo los actos externos, sino *escudriñando las partes más profundas de su ser*, todos los actos ocultos y la conducta del hombre interior (1 Co. 2:11. Cf. Job 32:8). Al hombre impío le encantaría apagar esta *lámpara*.

Es demasiado cobarde para aventurarse en su cámara secreta en oscuridad; y, sin embargo, odia la luz, la cual, a pesar de toda su oposición, manifiesta muchos males secretos y acechadores, sin escuchar nunca la excusa: "¿No es uno pequeño?" (Jn. 3:20).

Esta lámpara es verdaderamente valiosa, pues irradia la luz de Dios sobre el camino estrecho; para que:

No seamos escrupulosos y minuciosos en los asuntos pequeños, y negligentes en los principales; para que mantengamos el interés en los puntos sustanciales, y no nos descuidemos en las cosas de naturaleza inferior; para que no consideremos ningún deber tan pequeño como para ser desatendido, y ningún cuidado demasiado grande en cuanto a los deberes principales; para que no diezmemos la menta y el comino al punto de olvidar la justicia y el juicio; ni tampoco consideremos el juicio y la justicia de tal modo que despreciemos la menta y el comino.[129]

Ahora permíteme preguntar, cuando Dios hace que *su lámpara* arroje una luz más intensa, ¿la puedo soportar? ¿recibo bien los odiosos descubrimientos que emergen? ¿Valoro su luz como aquella que permite una comunión íntima entre un pecador y un Dios santo y celoso? ¿Me esfuerzo en resguardar la luz para

---

[128] Edward Reynolds (1599-1676), 'Treatise on the Passions', cap. 41. "Edward Reynolds (1599-1676), obispo de Norwich. Se educó en el Merton College de Oxford y en 1628 fue nombrado predicador en Lincoln's Inn. Tenía considerables simpatías por el movimiento puritano, pero, aunque fue miembro de la Asamblea de Westminster, no tomó el Pacto hasta 1644. Reynolds fue un miembro clave de la Asamblea de Westminster. En 1647 fue uno de los visitantes parlamentarios en Oxford, y en 1648-50 fue decano de Christ Church; volvió brevemente en 1660 como decano antes de verse obligado a mudarse a Merton. Fue profesor en Oxford antes y después de John Owen. Tomó parte destacada en los esfuerzos realizados en la Restauración para lograr la reconciliación entre episcopales y presbiterianos; al decidir su conformidad con la Iglesia Establecida, fue nombrado obispo de Norwich en 1661. Publicó muchos sermones y breves obras devocionales que mantuvieron una amplia popularidad hasta principios del siglo XIX." F. L. Cross and Elizabeth A. Livingstone, eds., *The Oxford Dictionary of the Christian Church* (Oxford; New York: Oxford University Press, 2005), 1404.

[129] 'Works' del Obispo Joseph Hall (1574-1656), viii. 112.

que no sea atenuada por una atmósfera de pecado; y en guardar su pureza como medio para cimentar mi confianza en Dios? (Hch. 24:16, 1 Jn. 3:20-21).

1 Juan 3:19–21 En esto sabremos que somos de la verdad, y aseguraremos nuestros corazones delante de Él en cualquier cosa en que nuestro corazón nos condene. Porque Dios es mayor que nuestro corazón y Él sabe todas las cosas. Amados, si nuestro corazón no nos condena, confianza tenemos delante de Dios.

¡Oh, que no haya en mi alma *profundidad alguna* a la que no esté dispuesto, con la mayor seriedad, a llevar *la lámpara del Señor*, para que todas las indulgencias secretas sean identificadas y mortificadas! "El que hace lo bueno viene a la luz, para que se manifieste que sus obras son hechas en Dios" (Jn. 3:21).

28. *Lealtad (o Bondad) y verdad guardan al rey, y por la justicia (o Bondad) sostiene su trono.*

El castigo es, en efecto, una necesaria salvaguarda contra la infracción de la ley (v. 26). Sin embargo, un *Rey* sabio seguirá el ejemplo del Gran Soberano, y "hará del juicio su extraña obra", y de *la misericordia* su "deleite" (Cf. Is. 28:21, Miq. 7:18). Así, mientras *la verdad* sea indefectiblemente su principio rector, no hay necesidad de temer un abuso de *misericordia*. Más aún, *la misericordia* es el pilar que *sostiene su trono* (Is. 16:5). Pues ¿quién no sabe que mientras *la verdad* demanda reverencia, es *la misericordia* la que gana el corazón? El propio Salomón tenía una escolta formidable a su alrededor, para mantener la seguridad de su persona (Cnt. 3:7). Con todo, ¿no eran *la misericordia y la verdad* de su gobierno no sólo las joyas más espléndidas de su corona, sino también 'la mejor guardia de su cuerpo y quienes sostenían *su trono*'?[130]

¡Qué encantadora es esta combinación en el régimen del Gran *Rey*! "Justicia y juicio son el fundamento de tu trono; *misericordia y verdad* van delante de tu rostro" (Sal. 89:14). Mucho más esplendorosa es la manifestación de estas gloriosas perfecciones en aquella gran obra en la que sacrificó incluso a su amado Hijo para que el hombre pudiera ser salvo sin arrojar ninguna mancha sobre su nombre infinitamente adorable (Sal. 85:10).

---

[130] John Trapp (1601-1669) *in loco*.

Salmo 85:9–11 Ciertamente cercana está Su salvación para los que le temen, para que more *Su* gloria en nuestra tierra. La misericordia y la verdad se han encontrado, la justicia y la paz se han besado. La verdad brota de la tierra, y la justicia mira desde los cielos.

10. Hacer rectitud y justicia (20:29-21:31)

a. Introducción doble (20:29-21:2)

29. *La gloria de los jóvenes es su fuerza, y la honra (o **el esplendor**) de los ancianos, sus canas.*

Cada etapa de la vida tiene su honor y privilegio peculiares.

> La juventud es la gloria de la naturaleza, y *la fuerza es la gloria de los jóvenes*. La vejez es la majestuosa belleza de la naturaleza, y *la cabeza cana* es el majestuoso *esplendor* que la naturaleza le ha dado a la vejez.[131]

No obstante, estas imágenes describen el uso, no el abuso. Muestran a la juventud que ha sido cultivada útilmente, especialmente consagrada a Dios y usada para su gloria. De lo contrario, ya sea como ocasión de desenfreno (2 S. 2:14–16), o de vana jactancia (Jer. 9:23); su *fuerza* es su vergüenza, y terminará en vanidad (Is. 40:30). La corona de plata trae honor, reverencia y autoridad, sólo "en el camino de la justicia".[132]

Con todo, es más probable que *el esplendor de las canas* se encuentre allí donde *la fuerza y la gloria de la juventud* han sido dedicadas a Dios. La planta joven, atrofiada y deformada en su juventud, generalmente seguirá creciendo torcida hasta el final. Pero, ¿quién puede contar los frutos que se producen cuando "el principio de nuestra fuerza", "el rocío de nuestra juventud" es entregado al Señor? (Sal. 92:13-15).

> **Salmo 92:12–15** El justo florecerá como la palma, crecerá *como* cedro en el Líbano. Plantados en la casa del Señor, florecerán en los atrios de nuestro Dios.

---

[131] Michael Jermin (1590-1659) in loco.
[132] Pr. 16:3 y referencias. Cf. Eclesiástico. 25:6-7.

Aun en la vejez darán fruto; estarán vigorosos y muy verdes, para anunciar cuán recto es el Señor; *Él es* mi Roca, y que en Él no hay injusticia.

Que la juventud y la vejez, sin embargo, cuiden cada una de no manchar su gloria. Cada una toma la preeminencia en algunas cosas, y da lugar en otras.

Por tanto, que no envidien ni desprecien las prerrogativas del otro. El mundo, el Estado, y la Iglesia los necesitan a ambos: la *fuerza de la juventud* por su energía y la madurez de la *ancianidad* por su sabiduría.

30. *Los azotes que hieren limpian del mal, y los golpes llegan a lo más profundo del cuerpo.*

El castigo es una ordenanza del Señor: infligir dolor en la carne a fin de someter el espíritu; a veces incluso "la destrucción de la carne, para que el espíritu sea salvo en el día del Señor Jesús" (1 Co. 5:5). No describe un golpe suave, sino la severidad de la disciplina paterna; no por placer o por capricho –mucho menos por la cólera– sino para su bien (Heb 12:10). El cuerpo enfermo necesita medicina no menos que comida, pues, de hecho, necesita nutrirse. La voluntad enferma necesita el castigo, no menos que el consuelo, y a aquél como principal preparación para el consuelo.

No obstante, si *los azotes que hieren* –indicando un castigo severo– *limpian del mal*, ¿no es este, el mal menor, el medio para someter a uno mayor? ¿No limpian los azotes del Señor las *partes más profundas*? La indómita terquedad de la obstinación trae miseria más allá de toda medida. Primero se aplica un golpe suave. Pero cuando este remedio es ineficaz, son necesarios *azotes que hieren*. Las cadenas babilónicas de Manasés impidieron, sin duda alguna, "cadenas eternas en oscuridad" (2 Cr. 33:12-13, cf. Jud. 6). De modo similar, la disciplina fue efectiva en la nación santa (2 Cr. 36:14-16, cf. Esd. 9:4), con el hijo pródigo (Lc. 15:16-20), y con el incestuoso corintio (2 Co. 2:6-8). Multitudes han dado testimonio del amor, la sabiduría y el poder de la disciplina de su Padre, siendo "castigados por el Señor, para no ser condenados con el mundo" (1 Co. 11:32).

El mal ha sido limpiado, y así, aquellos que gimieron bajo *los azotes*, tañerán sus arpas por toda la eternidad uniéndose al canto: "Sé, Señor, que tus juicios son justos, y que en tu fidelidad me has afligido" (Sal. 119:75).

¡Hijo de Dios! Piensa en el carácter de tu Padre. "Él conoce tu condición. No aflige por gusto" (Sal. 103:14, Lm. 3:33). No se dará nada, en peso o medida, más allá de lo necesario en cada caso (Is. 27:8, Jer. 10:24). Pero benditos en verdad son *los azotes* que humillan y quebrantan la soberbia voluntad (Jer. 31:18-20). Verdaderamente ricos son "los frutos de justicia" que se producen tras el conflicto y el sufrimiento de la carne (Job 34:31-32; 36:9-10, Is. 27:9, Heb. 12:11).

> **Job 34:31–32** Porque ¿ha dicho alguien a Dios: "He sufrido *castigo, ya* no ofenderé *más;* enséñame lo que no veo; si he obrado mal, no lo volveré *a hacer?".*
>
> **Job 36:9–10** Entonces les muestra su obra y sus transgresiones, porque ellos se han engrandecido. Él abre sus oídos para la instrucción, y ordena que se vuelvan del mal.

CAPÍTULO 21

1. *Como canales de agua es el corazón del rey en la mano del Señor; Él lo dirige donde le place.*

LA verdad general implícita en este verso ha sido expuesta anteriormente: el hombre es totalmente dependiente de Dios (Pr. 16:1; 20:24).

> **Proverbios 16:1** Los propósitos del corazón son del hombre, Pero la respuesta de la lengua es del Señor.
>
> **Proverbios 20:24** Por el Señor son ordenados los pasos del hombre, ¿Cómo puede, pues, el hombre entender su camino?

Aquí es enseñada usando una ilustración realmente intensa: Dios tiene una influencia incontrolable sobre *el corazón del rey,* aquella voluntad extremadamente absoluta y autónoma. Él dirige el gobierno más despótico, y todos sus proyectos políticos, para sus propios propósitos, con la misma facilidad con la que *las corrientes de agua* son encauzadas por cada inflexión del canal.[133] Mientras su curso es dirigido, *las aguas* fluyen, naturalmente y sin

---

[133] Se alude, evidentemente, a los canales hechos para la distribución de las aguas según se crea conveniente, ya sea para los jardines o para el riego de los campos. Vea

ser forzadas, en su propio nivel. Él dirige *el corazón del rey* como a un agente responsable, sin interferir con la libertad moral de su voluntad.

Nehemías reconoció plenamente esta prerrogativa, pues cuando tuvo que pedir un favor al rey, "oró al Dios de los cielos" (Neh. 2:4-5). De hecho, el testimonio de las Escrituras es abundante: El corazón de Abimelec *estuvo en la mano del Señor* para bien (Gn. 20:6, Sal. 105:14-15), el corazón de Faraón se inclinó hacia José (Gn. 41:37-45), los monarcas babilónicos se mostraron bondadoso con Daniel y sus hermanos cautivos (Dn. 1:19-21; 2:47-49; 3:30; 5:29; 6:1-3, 28, Sal. 106:46), los monarcas persas apoyaron y ayudaron en la construcción del templo (Esd. 1:1; 6:22; 7:27; 9:9, Neh. 1:11; 2:4-9).

Los corazones de los reyes impíos también están en *la mano del Señor* (Ap. 17:16-17); pero Él no tiene parte en su maldad (Ex. 1:8-22, Sal. 105:25). Tanto el odio de faraón, como la ambición de Senaquerib y Nabucodonosor (Is. 10:7, Jer. 25:9), le sirvieron de instrumentos para sus propios fines. El corazón asesino de Acab fue refrenado, e incluso usado para lograr la caída de Baal (1 R. 18:10, 40). Los consejos de los reyes de la tierra contra Cristo estuvieron bajo el control divino (Hch. 4:25-28. Cf. Jn. 19:10).

> **Hechos de los Apóstoles 4:25–28** Por el Espíritu Santo, *por* boca de nuestro padre David, Tu siervo, dijiste: "¿Por que se enfurecieron los gentiles, y los pueblos tramaron cosas vanas? "Se presentaron los reyes de la tierra, y los gobernantes se juntaron a una Contra el Señor y contra Su Cristo". »Porque en verdad, en esta ciudad se unieron tanto Herodes como Poncio Pilato, junto con los gentiles y los pueblos de Israel, contra Tu santo Siervo Jesús, a quien Tú ungiste, para hacer cuanto Tu mano y Tu propósito habían predestinado que sucediera.

Así "la ira del hombre lo alaba; y el resto Él reprime" (Sal. 76:10). La misma acción del Todopoderoso se hace visible, por sus efectos, en los asuntos más insignificantes. La noche del insomnio de Asuero (Est. 6:1-2), el uso de adivinación por parte Nabucodonosor (Ez. 21:21), la promulgación de un año de tributación general (Lc. 2:1–7); estos eventos aparentemente sin importancia fueron puntos de inflexión en la providencia de Dios, llenos de resultados inmensamente trascendentales.

'Illustrations' de George Paxton (1762 – 1837), 1. 173; y la anotación del obispo Robert Lowth (1710-1787) sobre Is. 1:30. Compare la bella figura de Eclesiástico 24:30, 31.

La historia de nuestra bendita, aunque ahora calumniada, Reforma evidencia el mismo control soberano del corazón real. Enrique VIII fue usado como un instrumento involuntario, y su piadoso hijo como un agente voluntario, para promover esta gran obra. Este recuerdo nos anima a referir toda preocupación y ansiedad por la Iglesia a su gran Cabeza; y a alegrarnos en que no son los reyes, sino el Rey de reyes quien reina (Is. 9:6).

Entonces, ¿no estaremos dispuestos a orar fervientemente por nuestra amada soberana (1 Ti. 2:1-3), para que su *corazón, estando en la mano del Señor como canales de agua*, esté dispuesto a gobernar para su gloria, como una nodriza de su Iglesia (Is. 49:23), y una bendición para su pueblo?

2. *Todo camino del hombre es recto ante sus ojos, pero el Señor sondea* (*Lit.* pesa) *los corazones.*

Permítanme agradecer la repetición (Pr. 16:2) de este importante proverbio; muy valioso para un sondeo minucioso de mi corazón, y para probar la espiritualidad vital de mi profesión de fe. Tan "engañoso es el corazón, más que todas las cosas" (Jer. 17:9), que engaña, no sólo a los demás, sino también a sí mismo, lo cual ni siquiera Satanás hace. Todo cristiano inteligente da un doloroso testimonio de este autoengaño. ¡Con cuánta desigualdad juzgamos la misma acción en los demás y en nosotros mismos! En lo que respecta a nosotros mismos, a menudo atenuamos –si es que no justificamos– los mismos hábitos que condenamos en otros. Por lo tanto, esta oración nunca está fuera de lugar: "Examíname, oh Dios; conóceme, pruébame; muéstrame a mí mismo" (Sal. 139:23-24).

Oculto como está el mismo el profesante autoengañado ante él mismo, su *camino es recto ante sus propios ojos*. Pero ¿es recto ante los ojos de Dios?

El Señor sondea el corazón. ¡Qué recuerdo más solemne y inspirador! Él lee a fondo cada corazón. ¡Y cuánta corrupción observa en los *caminos* que son más *rectos ante nuestros ojos*! Saúl pensaba que estaba sirviendo a Dios aceptablemente. Pero el ojo que todo lo escudriña descubrió orgullo, codicia, y un rechazo desobediente de su Dios (1 S. 15:13–26). ¿Qué era más autocomplaciente que el estricto ayuno y la humillación de Israel? Sin embargo, el motivo incorrecto estropeó el sacrificio. "¿Acaso ayunasteis *para mí, en verdad para mí*?" (Zac. 7:1-6. Cf. Is. 58:3-5, Jer. 2:35).

Poco sospechaba el joven autocomplaciente que su Dios, quien escudriña el corazón, pondría en evidencia su orgullo espiritual, su falsa confianza y su mundanalidad (Mt. 19:16-22). Asimismo, ¡cuánto metal de inferior calidad se esconde incluso en una profesión de buen corazón! Los discípulos ocultaron su propio espíritu bajo el pretexto de un vehemente celo por su Maestro (Lc. 9:54-56).

El Señor sondea los corazones, "pesa los espíritus" (Pr. 16:2), verificando exactamente lo que es suyo, y lo que es de una clase más baja; todo y cuánto es de Dios, y todo y cuánto es del hombre. Los principios del corazón son muy profundos. La obra puede ser buena en sí misma. Pero, ¿cuáles son los fines? La misma acción, de acuerdo con su finalidad, puede ser aceptada o desechada. Jonadab y Jehú se dedicaron a la misma tarea exterminadora. Con uno, el servicio era correcto, con el otro, vil hipocresía (2 R. 10:15, 23, 31).

La desconfianza en uno mismo es, por lo tanto, la sabiduría de la verdadera piedad (Pr. 28:26), temblando cada día –cada hora– por nosotros mismos; ¡pero dispuestos a cimentar nuestra confianza en Dios! Si no fuera por la cubierta del Sumo Sacerdote, ¿cómo podríamos permanecer, aunque sea un momento, bajo el ojo penetrante de nuestro Juez? Nuestro amigo terrenal más querido, ¿sabe lo que pasa por nuestros pensamientos en todo momento? ¿podría considerarnos dignos de confianza? ¿Se indignaría en su corazón a la vista de tales vilezas?

Sin embargo, nuestro bondadoso *Señor*, mientras *sondea nuestros corazones* y conoce sus corrupciones ocultas, perdona, acepta, y ¡sí!, se alegra en nosotros como pueblo suyo.

Salmo 139:23–24 Escudríñame, oh Dios, y conoce mi corazón; pruébame y conoce mis inquietudes. Y ve si hay en mí camino malo, y guíame en el camino eterno.

b. Cuerpo: Sobre hacer la rectitud y la justicia (21:3-29)

3. El hacer justicia y derecho es más deseado por el Señor que el sacrificio.

¿Intentaba Salomón subestimar *los sacrificios*? Nunca hombre alguno los ha honrado tanto (1 R. 3:4; 8:64–66). Tal vez el esplendor de su servicio sacrificial haya dado lugar a la pervertida confianza nacional en las formas externas. *Los sacrificios* fueron previstos como un tipo del Gran Sacrificio por el pecado (Heb.

10:1). Pero nunca se pretendió que reemplazaran a la obediencia moral universal que la ley de Dios había exigido de manera indispensable desde el principio. Con todo, ¡cuán pronto el hombre confundió la intención de la ordenanza! ¡Con qué facilidad sustituyó el servicio abnegado del corazón por la ofrenda de toros y cabras! (1 S. 15:22, Sal. 50:13-14).

Israel abundaba en la observancia de sus ceremonias externas, no obstante, se complacía en el pecado de Sodoma y Gomorra (Is. 1:11-17. Cf. Jer. 7:22-23, Os. 6:6, Am. 5:21-26, cf. Hch. 7:42-43, Miq. 6:6–8). El *sacrificio* de Corbán permanecía en lugar de la obligación filial (Mc. 7:9-15). Los servicios menores del "anís y el comino" eran escrupulosamente observados, descuidándose "los asuntos más importantes de la ley: el *juicio*, la misericordia y la fe" (Mt. 23:23). Merecidamente, por lo tanto, alabó nuestro Señor la "discreción" del escriba quien dio el lugar y proporción debidos al servicio ceremonial y moral (Mr. 12:32-34).

> **Marcos 12:32–34** Y el escriba le dijo: «Muy bien, Maestro; con verdad has dicho que Él es Uno, y no hay otro además de Él; y que amarle a Él con todo el corazón y con todo el entendimiento y con todas las fuerzas, y amar al prójimo como a uno mismo, es más que todos los holocaustos y los sacrificios». Viendo Jesús que él había respondido sabiamente, le dijo: «No estás lejos del reino de Dios». Y después de eso, nadie se aventuraba a hacer más preguntas.

Ambos son sus requerimientos, y una conciencia bien instruida apuntará a ambas. Sin embargo, es evidente que en algunos casos ha prescindido del primero (Mt. 12:1-7, Hch. 10:34-35), pero nunca del segundo (Mt 22:37-39). Ha aceptado la observancia en lo moral sin lo ceremonial; pero nunca lo ceremonial sin lo moral. ¿Qué sería del mundo sin esa *justicia* y ese *juicio*, que a la vez "afirman el trono" (Pr. 16:12), "engrandecen a la nación" (Pr. 14:34), y obtienen para sus discípulos una auténtica participación en la más rica de todas las posesiones: el amor de Dios? (Pr. 15:9. Cf. Is. 64:5).

Ciertamente no tenemos *sacrificios* que colocar en lugar de estos invaluables principios. Pero la misma preferencia y la misma exaltación del servicio exterior prevalece entre nosotros. Ya sea bajo la forma más burda del papado, o bajo la más plausible cubierta del engaño tractariano,[134] tal es la verdadera religión del corazón del hombre, algo para encomendarnos al favor de Dios, algo más fácil y menos humillante que ser un "sacrificio vivo" (Ro. 12:1) en su servicio.

¡Profesante cristiano! ¿Estás descansando en la cáscara y la superficie, o estás adorando con un servicio espiritual? ¿Oyes la voz que te llama de las formas muertas para buscar el poder vivo de la piedad? Esas formas externas, que ocupan el lugar de un corazón consagrado, son el engaño del gran embaucador. Deja que tu corazón esté con Dios, caminando con él en el sano ejercicio de la obligación cristiana.

4. *Los ojos altivos y el corazón arrogante, y la lámpara de los impíos son pecado.*[135]

¡Otra marca de abominación colocada sobre el orgullo! (Pr. 3:34; 8:17; 16:5).

> **Proverbios 3:34** Ciertamente Él se burla de los burladores, pero da gracia a los afligidos.
> **Proverbios 8:17** »Amo a los que me aman, y los que me buscan con diligencia me hallarán.
> **Proverbios 16:5** Abominación al Señor es todo el que es altivo de corazón; ciertamente no quedará sin castigo.

No podemos equivocarnos cuando la mente de Dios ha sido continuamente revelada. Pese a ello, este pecado asume tantas formas que, si el Espíritu de Dios no expone al hombre a sí mismo, éste rechaza la idea que tal pecado tiene algo que ver con él. Mas aún, se muestra orgulloso de su orgullo, orgulloso de tener un espíritu elevado; considerando mezquino y cobarde al cristiano que, en el verdadero espíritu del Evangelio, cede sus derechos a una mano más fuerte (Mt. 5:39–41, 1 Co. 6:7).

---

134 Nota del Traductor: Se hace referencia al Movimiento Tractariano o Movimiento de Oxford surgido en 1833 en Inglaterra, el cual produjo la conversión de muchas autoridades eclesiásticas al catolicismo.

135 Nota del Traductor: La versión usada en el inglés original señala: "Los ojos altivos y el corazón arrogante, y el arado *(Marg. la lámpara)* de los impíos, son pecado"; de allí las referencias realizadas por el autor.

Pero no sólo la altivez, sino también las acciones más comunes –*el arado de los impíos*– *son pecado.* "Dicho difícil es éste, ¿quién puede escucharlo?" (Jn. 6:60). ¿Cómo podría convertirse *el arado* de la tierra, en sí mismo un deber (Gn. 3:19), en un *pecado*? Es la motivación la que determina el acto. Las acciones más comunes son inculcadas con fines cristianos (1 Co. 10:31, Col. 3:17), por lo tanto, se convierten en acciones morales –buenas o malas– según sus motivos.

El hombre que *ara* la tierra, reconociendo a Dios en su trabajo y buscando su fuerza y bendición, "lo hace" aceptablemente "para la gloria de Dios". Es esencialmente una acción religiosa. Pero para *el impío,* que hace el mismo trabajo sin tener en cuenta a Dios, debido a la falta de un fin piadoso, su *arado es un pecado.*[136] Su ociosidad es un pecado contra un mandato claro (2 Ts. 3:10). Su trabajo es el pecado de la impiedad, de quien saca a Dios de su propio mundo. La sustancia de su acto es buena. Pero el principio corrupto contamina la mejor acción (Tit. 1:15). "Todo pensamiento, todo designio del corazón natural" es hacer solamente "el mal" (Gn. 6:5).

Si el manantial es amargo, ¿cómo podrán ser puras las aguas? El pecado realmente contamina todos los motivos del corazón del cristiano. Pero he aquí la sustancia del pecado: en el primer caso tenemos la debilidad al caminar por el camino recto; en el otro, estamos ante la caminata habitual por el camino torcido. Para *el impío*,

> Tanto su comer como su glotonería; su beber como su borrachera; su comercio, negocios e intercambios, así como su codicia y su amor desmedido por el mundo; todos son estimados y considerados por Dios como pecados, y como tales deberá rendir cuentas a Dios por ellos.[137]

Su condición es realmente terrible. ¡Ojalá pudiera verla! Ya sea que ore (v. 27. Pr. 15:8, Is. 1:13) o no ore (Sal. 10:4), le es abominación. No puede dejar de pecar, y, sin embargo, es totalmente responsable por su pecado. Morir sería

---

[136] 'Una intención santa es a las acciones de un hombre lo que el alma es al cuerpo, o la forma a su materia, o la raíz al árbol, o el sol al mundo, o la fuente al río, o la base a un pilar. Sin ellas, el cuerpo es un tronco muerto, la materia es lenta, el árbol es un bloque, el mundo es oscuridad, el río se seca rápidamente, el pilar se desploma hasta quedar en ruinas, y la acción es pecaminosa, o inútil y vana'. 'Holy Living' del obispo Francis Taylor (1589-1656), cap. 1. sec. iii.

[137] 'Works' del Obispo Hopkins, ii. 481.

hundirse en la ruina (Sal. 9:17, Mt. 25:41-46). Vivir sin ser regenerado es aún peor, pues diariamente estaría "acumulando ira para el día de la ira" (Ro. 2:5). ¿Debería entonces dejar inconclusos sus deberes? 'La impotencia del hombre no debe perjudicar la autoridad de Dios, ni disminuir su deber'.[138] Que descubra la absoluta necesidad de un cambio vital: "Debes nacer de nuevo" (Jn. 3:7).

El leproso contamina todo lo que toca, pero debe buscar al Gran Médico, cuya palabra sana soberanamente (Mt. 8:1-3), y cuya divina sangre limpia toda mancha (1 Jn. 1:7). Una vez que su naturaleza esté limpia, sus obras estarán limpias. Sus pensamientos y principios, todo será para la gloria de Dios; todo aceptable a Dios. (Tit. 1:15, primera cláusula). Muchos buenos comentaristas, siguiendo las versiones antiguas, adoptan la lectura marginal. (cf. Pr. 13:9; 24:20, Job 21:17) Pero como la palabra es usada en un sentido similar (Pr. 13:23,) y como nuestra versión tiene un buen sustento, y da un significado muy importante, nos hemos conformado con adherirnos a ella. El obispo Simon Patrick (1626-1707) explica la mención del arado en el sentido figurado de la concepción de una idea. Pero, como las dos primeras ilustraciones del versículo son literales, parece más ajustado a la unidad del todo el tomar la tercera en el mismo sentido:

¿Qué pueden (los impíos) pensar, decir o hacer; incluso al comer, jugar, ayunar u orar, si siempre están bajo la culpa del pecado, pues todo fluye de un corazón impuro, y un árbol malo no puede dar buen fruto? Mt. 7:18.[139]

5. *Los proyectos del diligente ciertamente son ventaja, pero todo el que se apresura, ciertamente llega a la pobreza.*

El diligente es contrastado usualmente con el perezoso (Pr. 10:4; 12:24, 27; 13:4): aquí con el *apresurado*.

Proverbios 10:4 Pobre es el que trabaja con mano negligente, pero la mano de los diligentes enriquece.

---

138 'Works' del Obispo Edward Reynolds (1599-1676), p. 94.

139 Thomas Cartwright (c. 1535-1603) in loco. 'El hombre impío tiene una mirada altiva y un corazón orgulloso. Pero no sólo tales disposiciones son pecaminosas, sino que aquellas acciones y esfuerzos que en otro hombre serían inofensivos, en él no son más que pecado'. Obispo Joseph Hall (1574-1656). Vea también a Thomas Scott (1741-1821) in loco.

Proverbios 12:24, 27 La mano de los diligentes gobernará, pero la indolencia será sujeta a trabajos forzados… El indolente no asa su presa, pero la posesión más preciosa del hombre es la diligencia.

Proverbios 13:4 El alma del perezoso desea mucho, pero nada *consigue,* sin embargo, el alma de los diligentes queda satisfecha.

Los proyectos de cada uno producen su propio fruto, ya sea *abundancia o escasez.* El paciente y laborioso hombre de industria persevera a pesar de todas las dificultades; y se contenta con aumentar su patrimonio gradualmente; sin relajarse, ni ceder nunca al desaliento. Este esmero *diligente* resulta provechoso bajo la bendición de Dios (Pr. 10:22). Dice un viejo escritor: 'Bien podrías esperar que lluevan riquezas del cielo en gotas de plata que si quieres mantener a tu familia sin esfuerzo en tu vocación'.[140]

La prisa tiene mucho de *diligencia* en su temperamento. Pero, así como la indolencia es su defecto, ésta es su exceso, su impulso indisciplinado. Muy a menudo las manos se adelantan al juicio y actúan sin él. El hombre *apresurado* es llevado por un impulso mundano hacia proyectos imprudentes; pero luego halla que aquellas engañosas y altas expectativas son el camino corto y seguro hacia la *pobreza* (Pr. 19:2; 23:5). ¿Necesitamos recordar que la rica cosecha de consonante la *diligencia* cristiana, de la paciente perseverancia en hacer el bien, es la "vida eterna"? (Ro. 2:7. Cf. Heb. 6:11-12). La carrera celestial no debe correrse en varias rondas, sino en un curso constante. "Corre", no con prisa o velocidad, sino "con paciencia, la carrera que tenemos por delante" (Heb. 12:1). La semilla que brotó *apresuradamente* se marchitó (Mt. 13:5-6, 20-21).

Tal entusiasmo es una ilusión, y termina en decepción. ¿Qué es más importante que cultivar una profunda obra de gracia que impregne a todo el hombre y que abunde en fruto para la gloria de Dios?

6. *Conseguir tesoros con lengua mentirosa es un vapor fugaz, es buscar (Lit. son buscadores de) la muerte. 7. La violencia de los impíos los arrastrará,[141] Porque se niegan a obrar con justicia.*

---

[140] 'Christian Man's Calling' de George Swinnock (1627-1673), Part. i. 345.

[141] Nota del Traductor: La versión usada en el inglés original señala literalmente: "Conseguir tesoros con lengua mentirosa es una vanidad, arrojada de un lado a otro, de los que buscan la muerte. El robo de los impíos los destruirá *(Marg. aserrará),* por cuanto se negaron a hacer juicio"; de allí las referencias realizadas por el autor.

Una gráfica descripción del *espíritu apresurado:* sus propios caminos torcidos *tienden a la pobreza.*

Se puede conseguir tesoros mintiendo. Pero los tales se convierten en *vanidad.* Son "guardados en bolsas rotas" (Hag. 1:6) y luego desaparecen. Son como una pelota *arrojada de un lado a otro* por una ráfaga abrasadora, o como polvo y paja en el viento (Pr. 10:2; 22:8, Jer. 17:11). Las ganancias injustas son un negocio muy caro. La ira de Dios añade hiel y amargura al salario de la iniquidad (Zac. 5:3, 4. Cf. Is. 1:23, 24, Jer. 7:9-11, 15, Ez. 22:13-14, Hab. 2:6-8). Judas deseó ansiosamente deshacerse de su tesoro mal obtenido como si fuera una maldición intolerable; sin embargo, no pudo escapar del tormento de su conciencia.

Buscó la muerte y la encontró (Mt. 27:3-5).

En efecto, así es para los impíos, como si *buscaran la muerte* como recompensa. ¡Aman muy afectuosamente el camino de la *muerte eterna*! Su propio pecado es la semilla de la destrucción.

Su robo prácticamente los *destruye* (Pr. 1:11, 18-19; 22:22-23, Hab. 2:10-13).

> **Proverbios 1:11, 18-19** Si dicen: «Ven con nosotros, pongámonos al acecho para *derramar* sangre, sin causa asechemos al inocente… Pero ellos a su propia sangre asechan, tienden lazo a sus propias vidas. Tales son los caminos de todo el que se beneficia por la violencia: Que quita la vida de sus poseedores.

Así pues, ¿a quién pueden culpar sino a sí mismos? No es la ignorancia, o la falta de consideración, sino la obstinación, lo que los *destruye, porque rehusaron obrar con justicia.* "¿No sabéis que los injustos no heredarán el reino de Dios?" (1 Co. 6:9); que "la paga del pecado" es invariable e inevitablemente "la *muerte*"? (Ro. 6:23). ¿Qué otra cosa les trajo *el robo* a Acán y Giezi? (Jos. 7:21-26, 2 R. 5:20-27).

Realmente corto fue el disfrute de Ananías y Safira de "la parte que retuvieron del precio", y ello a expensas *de una lengua mentirosa.* Una *destrucción* súbita y eterna fue su final, ¡qué advertencia para los profesantes mundanos e indiferentes que se engañan a sí mismos! (Pr. 12:19, Hch. 5:1-10).[142]

---

[142] La lectura marginal parece implicar una destrucción agravada, probablemente con vergüenza. Compare 2 Samuel 12:31, Hebreos 11:37, también Lucas 12:46. "Escudriñad

8. Torcido[143] es el camino del pecador, más el proceder del limpio es recto.

Observa el sorprendente contraste entre el hombre, según es por naturaleza, y el hombre, según la gracia. ¿Quién sostendrá que actualmente el hombre es tal como fue hecho inicialmente por las manos del Creador? (Ec. 7:29). ¿Cómo nace ahora? *Perverso*, "como el pollino del asno montés" (Job 11:12). ¡Cuán pronto desarrolla su naturaleza! "La necedad está ligada al corazón del muchacho, la adolescencia y la juventud son vanidad" (Pr. 22:15, Ec. 11:10). ¿Debemos añadir que su camino es *un camino extraño*? ¡Cuán *extraño* se ha hecho al Dios que lo creó y amó! Apartado de Dios, "se volvió a su propio camino" (Is. 53:6); sin otra ley sino su lujuria, ni otra norma sino su voluntad (Ef. 2:3, Tit. 3:3); amando su propia libertad, pero despreciando la libertad verdadera; hecho –por su propio engaño– "un esclavo de corrupción" (2 P. 2:19), ignorante, licencioso y lascivo; deseando ser la única fuente de su propia felicidad, el hacedor de su propia suficiencia.

Obsérvalo en su camino más noble: la búsqueda de sabiduría. Aquí también *su camino es perverso y extraño*. ¿No es la sabiduría prohibida su deleite? Busca la sabiduría, no por ser sabiduría, sino por ser prohibida; "entrometiéndose" en los consejos –y fisgoneando en el arca– de Dios (Col. 2:18). Tal fue su primer deseo *perverso*: no deseó conocer a Dios, quien "es la vida eterna" (Jn. 17:3); sino conocer *como Dios* (Gn. 3:5), lo cual tuvo al orgullo como principio, y muerte como resultado final.

Pero el hombre que por gracia ha sido *limpiado* y hecho nuevo, "creado a imagen de su Dios" (Ef. 4:24), ahora conforma su voluntad a Dios; y sus acciones son reguladas por su estándar perfecto. Por lo tanto, al ser su regla y sus objetivos rectos, *su proceder es recto* (Tit. 1:15). Ahora vive, como su divino Salvador, "para Dios" (Ro. 6:10-11).

---

vuestros pechos, escudriñad vuestros corazones, todos los que me oís hoy; si alguno de vosotros halla entre lo que ha acumulado algo de este oro adulterado, dejadlo ir. Si es que os amáis a vosotros mismos, dejadlo. Sabed también que, como ingeniosamente dice Crisóstomo: 'Habéis encerrado en vuestra contaduría a un ladrón que se llevará todo, y si no lo buscáis cuanto antes, también se llevará vuestra alma". 'Sermon on the Righteous Mammon' del Obispo Joseph Hall (1574-1656). Works, v. 109, 110.

[143] Nota del Traductor: La versión usada en el inglés original señala literalmente: "El camino del hombre es perverso y extraño, Mas en cuanto al limpio, su proceder es recto"; de allí las referencias realizadas por el autor.

Romanos 6:10–11 Porque en cuanto a que Él murió, murió al pecado de una vez para siempre; pero en cuanto Él vive, vive para Dios. Así también ustedes, considérense muertos para el pecado, pero vivos para Dios en Cristo Jesús.

¡Tal es la dignidad de su gran objetivo! ¡Tal su compañerismo con su gloriosa Cabeza! ¡Tal su fervor por el cielo y su creciente satisfacción por él! ¡Oh, que gran misericordia la de cambiar nuestro *camino perverso y extraño* por un servicio *puro* a nuestro Dios!

Sin embargo, aún hay tales restos de *perversidad*, tal complejidad en el autoengaño, tales acciones retorcidas y depravadas, que es necesario clamar: ¡Oh Dios mío, muéstrame lo que hay en mí, hasta donde mi vista pueda soportar, para que pueda mantenerme humilde, quebrantado, siempre cerca de mi Salvador, siempre aplicando su preciosa sangre, y siempre cubriéndome con su *pura* y perfecta justicia!

9. *Mejor es vivir en un rincón del terrado que en una casa con mujer rencillosa* (*Lit.* casa en común con mujer contenciosa).

En las casas espaciosas del Este varias familias vivían juntas en *común. Una mujer rencillosa* constituiría un grave disturbio para la pequeña comunidad; de tal modo que un hombre pacífico preferiría un *rincón del terrado* (Cf. Dt. 22:8, Jos. 2:6-8, 2 S. 11:2, Hch. 10:9), expuesto a todas las inclemencias del viento y el clima, al amplio alojamiento de *una casa espaciosa* sumida en una atmósfera *contenciosa* (v. 19; Pr. 25:24).

Una vida solitaria en el exterior sería mejor que una vida de pleitos en el interior. Afuera podría haber algunos intervalos de comodidad; pero ninguno en casa. Esta prueba resulta infinitamente mayor cuando proviene de la propia carne del hombre; cuando aquella que debía ser "una corona para su marido", se convierte en "podredumbre para sus huesos" (Pr. 12:4); cuando la que estaba destinada a ser su tesoro más preciado, se convierte en su flagelo más punzante.

Es un espectáculo sumamente miserable el hecho que, pese a que están obligados a vivir juntos por necesidad, sin embargo, no pueden estar juntos tranquilamente.[144]

---

[144] Homilía sobre el matrimonio.

La intención de la ordenanza divina ha sido contravenida aquí. Pues podría parecer "bueno que el hombre esté solo" en lugar de que su "ayuda idónea" (Gn. 2:18) se convierta en su obstáculo y su maldición. No obstante ¡cuántos han acarreado este amargo problema sobre sí mismos! Se sumergieron en una unión tan importante a la ventura; sin pensar en los deberes que deben cumplirse, las tentaciones que deben evitarse, ni las cruces que se deberán cargar. Nunca buscaron dirección en esta elección trascendental. Dado que no buscaron esposa del Señor, ella no vino de Él y no les trajo de su "favor" (Pr. 19:14; 18:22).

> **Proverbios 19:14** Casa y riqueza son herencia de los padres, pero la mujer prudente *viene* del Señor.
> **Proverbios 18:22** El que halla esposa halla algo bueno y alcanza el favor del Señor.

La lujuria, la avaricia o el mero capricho han traído tal calamidad, que ningún logro externo, ni ningún aumento en riqueza o estatus, podrá compensarla ni por un momento.

La única entrada segura a este 'estado honorable' ocurre cuando cada parte, como instruye Crisóstomo, se encomienda a Dios: 'Concédeme lo que quieras y a quien quieras'.[145] La única garantía de felicidad se da cuando, considerando debidamente la mutua idoneidad, el amor recíproco es basado reverentemente en la ordenanza que hace de "los dos una sola carne" (Gn. 2:24, cf. 24:67).

Las contiendas serán reprimidas por el hábito preventivo de la disciplina cristiana. Cada uno reflexionará en que la cólera no ayuda en nada, pero la paciencia en mucho, y que es mucho mejor "dar lugar" al otro que al "diablo" (Ef. 4:27). El marido recordará, al demandar sumisión, que no ha encontrado una sirvienta, sino una esposa. Ella, por su parte, no olvidará la belleza y la armonía de un sacrificio hecho en gracia y de una concesión de buena gana; y además, que su gloria se apartará de ella si pierde "el adorno de un espíritu afable y sereno" –hermoso a los ojos del hombre– y "de gran estima a los ojos de Dios" (1 P. 3:4). 'Si cada uno cumple solidaria y fielmente sus deberes, todo lo demás a su alrededor adquirirá firmeza y estabilidad'.[146]

---

[145] Homilía sobre Colosenses.

[146] Crisóstomo en su Homilía sobre Colosenses. 10. "Juan Crisóstomo (c. 347-407), obispo de Constantinopla, estudió con Diodoro de Tarso, el líder de la escuela antioquena. Fue reconocido por sus contemporáneos como un destacado predicador y orador, y de ahí que llevara el apodo de Chryso-stoma, "Boca de Oro". Sus escritos están disponibles en

10. *El alma del impío desea el mal; su prójimo no halla favor a sus ojos.*

¡Un vivo retrato del mismísimo Satanás! ¡No sólo hace, sino también *desea el mal!*

El mal es la naturaleza misma del *impío.* ¿Qué nos sorprende entonces si su propia alma lo *desea*? Su "corazón está completamente dispuesto a hacerlo" (Ec. 8:11). Lo anhela como su alimento y su principal deleite (Pr. 4:16; 12:12; 13:19).

> **Proverbios 4:16** Porque ellos no duermen a menos que hagan lo malo, y pierden el sueño si no han hecho caer *a alguien.*
> **Proverbios 12:12** El impío codicia el botín de los malos, pero la raíz de los justos da *fruto.*
> **Proverbios 13:19** Deseo cumplido es dulzura para el alma, pero es abominación para los necios el apartarse del mal.

¡Cuán "preparados para destrucción" deben estar estos vasos tan llenos de pecado, y, por lo tanto, tan llenos "de ira"! (Ro. 9:22). Y aquí yace la diferencia entre el piadoso y el *impío;* no en que uno esté limpio de todo mal, y el otro lo cometa; sino que uno lo hace contra su voluntad, y el otro por deleite.

Uno testifica: "Lo que aborrezco" –el otro 'Lo que *mi alma desea*'– "eso hago" (Ro. 7:15-21, cf. 6:12, 16-17). El núcleo de este innato y preciado principio es que, para el *impío,* él mismo es tanto su dios como su objetivo. Las intenciones que van contra su voluntad, no sólo las de su enemigo o de un extraño, sino también *las de su prójimo,* quién podría tener motivos para ello,

---

inglés en NPNF (Padres Nicenos y Post-Nicenos. Serie 1, editado por P. Schaff), ser. 1, vols. 10-14. Estos contienen *Homilías sobre San Mateo* (vol. 10); *Homilías sobre Hechos y Romanos* (vol. 11); *Homilías sobre Primera y Segunda de Corintios* (vol. 12); *Homilías sobre las epístolas de Gálatas a Filemón* (vol. 13); y *Homilías sobre Juan y Hebreos* (vol. 14). En el año 387 pronunció sermones "sobre las estatuas" tras un motín en Antioquía, y también predicó sobre el Génesis, los Salmos e Isaías. A menudo divide las secciones de sus homilías primero en una cuidadosa exégesis, atendiendo al contexto, y segundo en "aplicaciones" que pueden incluir un significado "espiritual". Sin embargo, en principio se opuso a la alegorización alejandrina. Cuando fue nombrado obispo en el año 398, reformó valientemente la corrupción en la ciudad, en la corte y entre el clero. La emperatriz Eudoxia trató de oponerse a él, y fue expulsado temporalmente de su diócesis, pero la corte lo restituyó poco después. En la época medieval se le llamó "Doctor de la Iglesia", junto a Gregorio de Roma, Ambrosio, Agustín y Jerónimo." Anthony C. Thiselton, "Chrysostom, John," *The Thiselton Companion to Christian Theology* (Grand Rapids, MI; Cambridge, U.K.: William B. Eerdmans Publishing Company, 2015), 246.

no hallan favor a sus ojos. Su caridad no se extiende más allá de su propia puerta (1 S. 25:4–11). Ninguno que se interponga en el camino de su propio interés es considerado. Tanto el amigo como el hermano deben dar lugar a su satisfacción egoísta.

Tal es el pecado en su carácter odioso y sus frutos nefastos. "¡Los hombres son amadores de sí mismos, aborrecibles, y se odian unos a otros!" (2 Ti. 3:2, Tit. 3:3). Pero, observa al hombre de Dios, su corazón se ensancha y se suaviza con la influencia dominante del Evangelio. ¿Hay acaso algún *prójimo* en apuros que no *halle favor en sus ojos*? (Lc. 10:31-35). "La caridad no busca lo suyo" (1 Co. 13:5); es su espíritu. "Lleven las cargas los unos de los otros" (Gá. 6:2); es su regla. "Los miembros del cuerpo se preocupan los unos de los otros" (1 Co. 12:25-26).

¡Oh! ¡Que tengamos en mayor medida este espíritu misericordioso, "como el rocío de Hermón que desciende sobre los montes de Israel" (Sal. 133:3), sobre la iglesia de Dios!

11. *Cuando el insolente es castigado, el simple se hace sabio; pero cuando se instruye al sabio, adquiere conocimiento.*

Este proverbio, en esencia, ha sido dado antes (Pr. 19:25) como una ilustración instructiva de la disciplina providencial del Señor. Ningún golpe de su vara queda sin efecto. La vara que golpea a uno, alcanza a dos: *al insolente para castigar; al simple* para perfeccionar. Si *el castigo* no produce fruto en *el insolente* (Is. 1:5, Jer. 5:3), da una lección de *sabiduría al simple* que ha estado o está en peligro de ser desviado por su mal ejemplo (Sal. 64:7-9).

> **Salmo 64:7–9** Pero Dios les disparará con flecha; repentinamente serán heridos. Vuelven su lengua tropezadero contra sí mismos; todos los que los vean moverán la cabeza. Entonces todos los hombres temerán, declararán la obra de Dios y considerarán sus hechos.

Más aún, incluso el hombre de Dios aprende una lección de amor, combinada con un saludable temblor, de esta horrible dispensación. "Tú quitas a todos los impíos de la tierra como escoria; por tanto, amo tus testimonios. Mi carne tiembla por temor a ti, y temo tus juicios" (Sal. 119:119-120. Cf. Heb. 10:26-31).

El sabio –aunque ya enseñado por Dios–, a través de su enseñanza diaria recibe agradecidamente un *conocimiento* creciente (Pr. 1:5). Entre sus lecciones más fructíferas está la *instrucción* de la vara; *instrucción* (nota la diferencia entre los términos), no *el castigo*. A menudo la vara de enseñanza sella la ley de enseñanza. Así, el niño bien disciplinado estará listo para reconocer: "Bienaventurado el hombre a quien *corriges*, oh Señor, y en tu ley *le instruyes*. Bendeciré al Señor que me aconseja; en la noche me corrige mi conciencia. Bueno es para mí haber sido afligido, para que pueda aprender tus estatutos" (Sal. 16:7; 119:71).

12. *El justo observa la casa del impío, llevando al impío a la ruina.*[147]

El castigo del *impío* ofrece una lección no sólo de amor y temblor, sino de *sabia consideración.* Sin embargo, muchos son los desconcertantes misterios de la Providencia.

El justo no siempre ve con los ojos correctos. La prosperidad del impío desconcierta su fe, alimenta su envidia, e induce pensamientos difíciles sobre Dios (Sal. 73:2-14). Pero cuando mira con el ojo de la fe, ve mucho más allá de la gloria deslumbrante de lo presente. Considera sabiamente *la casa del impío*, no su esplendor exterior ni sus dependencias, sino cómo terminará. Justifica a Dios y se avergüenza a sí mismo (Sal. 73:16-22). "El Juez de toda la tierra ¿no hará lo que es justo?" (Gn. 18:25). En esto descansamos, hasta que "se levante y defienda su propia causa", y "destruya, con el aliento de su boca y el resplandor de su venida" (Sal, 74:22; 82:8, 2 Ts. 2:8), la existencia misma del mal.

Mientras tanto, si el ojo superficial no ve más que confusión, que *el justo considere sabiamente* las lecciones con un provecho práctico y profundo. La brevedad de la prosperidad (Job 20:4-5, Sal. 37:35-36), y la certeza de la *ruina de los impíos* (Pr. 12:7; 13:3-6; 14:4; 15:25, 2 P. 2:4-9); la seguridad de un día de recompensa (Job 21:28-30, Sal. 58:10-11); el contraste entre las posesiones del piadoso en este mundo y en la eternidad (Job 22:15–20, Sal. 73:23–26), todas estas cosas se aprehenden mediante la fe. ¿No exhiben maravillosamente las perfecciones de Dios, y convocan a cada uno de sus hijos diciendo: "Hijo mío, da gloria a Dios"?

---

147 Nota del Traductor: La versión usada en el inglés original señala: "El justo considera sabiamente la casa del impío, más Dios destruirá al inicuo por su iniquidad"; de allí las referencias realizadas por el autor.

Proverbios 13:3–6 El que guarda su boca, preserva su vida; el que mucho abre sus labios, termina en ruina. El alma del perezoso desea mucho, pero nada *consigue*, sin embargo, el alma de los diligentes queda satisfecha. El justo aborrece la falsedad, pero el impío causa repugnancia y vergüenza. La justicia guarda al íntegro *en su* camino, pero la maldad destruye al pecador.

13. *El que cierra su oído al clamor del pobre, también él clamará y no recibirá respuesta.*

Si no hubiera pobres, gran parte de la palabra de Dios, aquella que dirige nuestras obligaciones buscando su alivio, se habría escrito en vano. La obligación implica no sólo una mano que ayude, sino también un corazón sensible; que *oiga el clamor de los pobres* con simpatía (Dt. 15:7-11, Is. 58:6–9), alegría (Ro. 12:8, 2 Co. 9:7), y abnegación (2 Co. 8:1-4).[148]

Cerrar los oídos implica crueldad (Cf. Hch. 7:37) o insensibilidad (Pr. 29:7. Cf. Neh. 5:1-8); apartarse de un sufrimiento real y conocido (Lc. 10:30-32); oprimir de cualquier manera; reducir el "jornal del obrero" (Stg. 5:4) al extremo que no tenga la capacidad de ganar lo necesario para la vida; y ser negligentes, en lo que concierne a nuestras posibilidades, en defenderlos contra la opresión (Lc. 18:2-4).

Efectivamente, hay veces en que puede ser nuestro deber *cerrar los oídos*. La ley de Dios desaprueba el hábito de la mendicidad, con todos sus patéticos gritos y súplicas (2 Ts. 3:10). Por tanto, mantener al pobre en ociosidad, por compasivo o autocomplaciente que sea el motivo, es animar –si no participar– en el pecado. Una prudencia reflexiva –y no el sentimiento– debe guiar nuestra caridad (Pr. 29:7).

A muchos de nosotros nos agobia, hasta el límite de nuestro poder, una honesta aflicción, cuando consideramos nuestra responsabilidad de emplear todo lo que tenemos –poco o mucho– en su uso más provechoso. Sin embargo, que la retención de la caridad sea una limitación a nuestro sentimentalismo, y no la indulgencia de nuestro egoísmo. Considera un privilegio, no menos que

---

[148] La regla de Howard, tan noblemente ejemplificada por su propia devoción abnegada, es un buen comentario sobre este ejemplo: 'Que nuestras superfluidades den paso a la comodidad de otros hombres; que nuestras comodidades den paso a las necesidades de otros hombres y que incluso nuestras necesidades den a veces paso a los aprietos de otros hombres'. Vea su 'Life'.

una obligación, ministrar *a los pobres*. Considéralo como un acto de conformidad con el espíritu y obra de nuestro Divino Maestro (Mt. 14:14-21).

Considera la mezquindad en el dar; los gastos inútiles que reducen nuestra capacidad de ayudar; la búsqueda de lujos mientras nuestros hermanos mueren de hambre a nuestro alrededor; el limitar la cantidad que debemos y podemos dar, todo esto como si prácticamente *cerráramos nuestros oídos ante su clamor*. La codicia y la sensualidad endurecen el corazón; y cuando el corazón está endurecido, el oído es sordo (1 S. 25:10-11, 36-37). Este pecado fue imputado injustamente a Job (Job 22:5-7, cf. 29:16; 31:6, 17-20). No obstante, dondequiera que se encuentre, el terrible sello del desagrado divino está sobre él (Pr. 11:24, 26; 28:27, Jer. 34:10-22, Mt. 18:30-34); y el gran día lo señalará claramente como el fundamento de la condenación (Mt. 25:41-45). Incluso ahora, si el egoísta se endurece y no muestra amor a Dios (1 Jn. 3:17), no encontrará amor de Dios. "Con la misma medida con la que miden, se les volverá a medir" (Lc. 6:38. Cf. Jud. 1:6-7, 1 S. 15:33).

¿Cerró los oídos al clamor de los pobres? Dios cerrará sus oídos a su clamor (Job 34:24-28, Zac. 7:9-13. Véase Eclesiástico. 4:4–6). Aquel que no quiso dar una migaja en la tierra, le fue negada una gota de agua en el infierno (Lc. 16:21, 24-25). "Juicio sin misericordia tendrá el que no ha mostrado misericordia" (Stg. 2:13).

> **Zacarías 7:9–11** «Así ha dicho el Señor de los ejércitos: "Juicio verdadero juzguen, y misericordia y compasión practiquen cada uno con su hermano. "No opriman a la viuda, al huérfano, al extranjero ni al pobre, ni tramen el mal en sus corazones unos contra otros" »Pero ellos rehusaron escuchar y volvieron la espalda rebelde y se taparon los oídos para no oír.

¡Profesante cristiano! Estudia el carácter de tu Dios, "compasivo y de tierna misericordia" (Stg. 5:11), y sé cómo él. Recuerda que "entrañable misericordia y bondad" son la señal y el adorno de los elegidos de Dios (Col. 3:12).

14. *Una dádiva en secreto aplaca la ira, y el soborno bajo el manto (Lit. en el seno), el furor violento.*

Hemos observado anteriormente casos de resentimiento, en los que una legítima y prudente distribución de *dádivas* puede sofocar la tormenta, y restaurar la calma. Pero *una dádiva en secreto* implica una perversión (Pr. 17:23); si no,

¿por qué se tendría temor de la luz? (Jn. 3:20). Ambas partes están inmersas en la culpa. El donante actúa como un tentador. El receptor rompe voluntariamente la ley de Dios (Ex. 23:8, Dt. 16:19).

> **Éxodo 23:8** »No aceptarás soborno, porque el soborno ciega *aun* al de vista clara y pervierte las palabras del justo.
> **Deuteronomio 16:19** »No torcerás la justicia; no harás acepción de personas, ni tomarás soborno, porque el soborno ciega los ojos del sabio y pervierte las palabras del justo.

Las pasiones de los hombres son fáciles de seducir. Rara vez un hombre codicioso estará tan enfadado con sus amigos como para no ser *apaciguado con una dádiva*, especialmente cuando, al ser *dada en secreto*, no deja testigos. Un soborno *en el seno de* tal hombre es mucho más fuerte que el *furor violento*; y luego que ha hecho claro su mensaje, la pacificación se logra rápidamente (Ec. 10:19).

¡Así es como un orgullo herido es expulsado por otra pasión avasalladora, la avaricia! Por lo tanto, ¿quién puede excusarse bajo el grito indolente: 'No puedo evitar mi pasión ni dominarla'? Una codicia secreta corrompe muchos plausibles ejercicios de paciencia. ¡Cuánto necesitamos vigilar y guardar nuestros propios corazones para poder caminar con Dios!

15. *El cumplimiento de la justicia es gozo para el justo, pero terror para los que obran iniquidad.*

No es que simplemente *el justo haga justicia*. La conciencia puede dictarlo, al menos externamente, mientras que la tendencia del corazón está del lado del pecado. Sino que *es gozo para el justo hacerlo*. Su descanso, sus propósitos, sus afectos, todo se centra en ello. Se deleita tanto en *hacer justicia* como "el alma del impío desea el mal" (v. 10); como su propia alma lo deseaba antes (Ef. 2:2-3, Tit. 3:3).

Es un gozo, pero sólo *para el justo* (Sal. 32:11; 97:11-12). Para el mero profesante de religión es una convicción de temor; el servicio de un esclavo. Conoce a Dios sólo como un amo, y lo considera como un capataz. Nunca lo ha conocido como Padre, y, por lo tanto, nunca le ha servido como un hijo. ¿No es un servicio propio del cristiano, el que se caracteriza por la santidad y la felicidad, y que trae consigo sus propias recompensas, tan naturalmente como el calor acompaña al fuego, y la luz al sol? Tal es su confort, sus sonrisas, sus alegres efectos, que "el camino del Señor es fortaleza al íntegro" (Pr. 10:29). ¿No fue así con nuestro amado Señor? Él podía decir: "Me agrada hacer tu voluntad, oh Dios mío. Mi alimento, que el mundo no conoce, es hacer la voluntad de mi Padre, y terminar su obra" (Sal. 40:8, Jn. 4:32-34). ¡Oh! ¡Que el siervo sea en espíritu como su Señor!

¿Por qué, entonces, se asocian la tristeza y la melancolía con la religión? Realmente los hijos de este mundo nunca han probado los racimos de Canaán, ¿cómo pueden, entonces, conocer su dulzura? ¡Cristiano! Mira hacia lo alto, y alégrate en el honor de tu Dios y su evangelio. No vivas como si alguna aflicción te hubiera acaecido, sino como si hubieras sido arrebatado de la destrucción; como un hijo de Dios, un heredero del cielo. Que el mundo vea en ti que "la obra de la justicia es paz" y que "el yugo de Cristo es fácil" (Is. 32:17, Mt. 11:30); más aún, que los más agudos sacrificios hechos por Él son dulces; que hay más placer en "arrancarse el ojo derecho" que en usarlo para el pecado o para Satanás. Y luego, piensa además en que, si tenemos esta felicidad en medio de todos los obstáculos del pecado, ¿cómo será cuando estos obstáculos sean removidos y le sirvamos sin pecado para siempre? (Ap. 7:15; 22:3). Si así es el desierto, ¡cómo será la tierra de Canaán!

No obstante, ¿qué saben los impíos de esta realidad? Para ellos, el pecado es una broma (Pr. 14:9), una diversión (Pr. 10:23; 26:18-19), incluso una alegría (Pr. 15:21). Pero nunca será su un *gozo sustancioso*. Es su cansancio, nunca su descanso (Is. 47:13; 57:10, 20, Jer. 9:5).

> **Proverbios 10:23** Como diversión es para el necio el hacer maldad, y la sabiduría *lo es* para el hombre de entendimiento.
> **Proverbios 26:18–19** Como el enloquecido que lanza teas encendidas, flechas y muerte, así es el hombre que engaña a su prójimo, y dice: «¿Acaso no estaba yo bromeando?».

A los que obran iniquidad les corresponde sólo la vanidad y la decepción, las cuales acaban en *destrucción* (Pr. 5:22, Mt. 7:23). Escucha el testimonio de Dios: "*Destrucción* y miseria hay en sus caminos, y no conocieron camino de paz. No hay paz, dice mi Dios, para los impíos" (Ro. 3:16-17, Is. 59:7-8; 57:21).

16. *El hombre que se aparta del camino del saber, reposará en la asamblea de los muertos.*

Esto parece describir la temible e irremediable ruina de los apóstatas (Sal. 125:5). Dios ha abierto *el camino del saber*.

Apartarse de él implica que *el hombre* estuvo una vez en él; al menos que fue instruido y profesó caminar en él. El fin para el que se aparta voluntariamente es la muerte eterna. Tal fue el carácter y el final del malvado hijo de Josafat (2 Cr. 21:1, 4-6, 18-19); y de los hijos rebeldes del piadoso Josías (2 Cr. 36:1-17, Jer. 22:17-19, 28-30), apóstatas de la religión "recibida por tradición de sus padres".

Sin embargo, no es necesario ir a los tiempos antiguos. No es raro ver hijos de padres piadosos que desechan los privilegios de su nacimiento, considerándolos despreciables a sus ojos. Pese a haber sido instruidos tempranamente en las "Sagradas Escrituras", en lugar de "persistir en lo que han aprendido y en lo que se persuadieron" (2 Ti. 3:14-15), se "deleitaron en *deambular*" (Jer. 14:10). Nunca demostraron una verdadera aprehensión de la esencia de la verdad, ni tampoco una justa apreciación de su valor.

El camino les ha sido demasiado estrecho, demasiado humillante. Han seguido las modas, consentido la confianza en sí mismos y atesorado ilusiones autocomplacientes; la ausencia de una piadosa sinceridad ha oscurecido su camino (Mt. 6:23); han sido prontos en permitirse errores de conciencia, barnizándolos con santidad externa; así, desprovistos de un estándar escritural sólido, *se apartan del camino del saber*.

Extraviarse es parte de la naturaleza caída del hombre (Is. 53:6). Pero los beneficios de la instrucción, la luz, y la convicción recibidas, agravan terriblemente la responsabilidad (Is. 28:12-13. Cf. Sof. 1:4-6).

Sofonías 1:4–6 «Extenderé mi mano contra Judá y contra todos los habitantes de Jerusalén. Exterminaré de este lugar al remanente de Baal *y* los nombres de los ministros idólatras junto con *sus* sacerdotes. »Exterminaré a los que se postran en las terrazas ante el ejército del cielo, a los que se postran *y* juran por el Señor y juran *también* por Milcom, A los que han dejado de seguir al Señor, y a los que no han buscado al Señor ni le han consultado».

Ten cuidado del primer paso *que se aparta*, ya sea en la doctrina o en la práctica. Puede dar lugar a un estado de apostasía; como los cegados *extraviados* de Bunyan fuera del camino recto, que eran encontrados entre las tumbas, *reposando en la asamblea de los muertos*.

Será gracias a una misericordia especial si el díscolo *extraviado* no encuentra su último y definitivo *reposo* entre 'la muchedumbre de muertos', "para quienes está reservada la oscuridad de las tinieblas para siempre" (Jud. 12-13). "Hubiera sido mejor para él no haber conocido el camino de la justicia, que después de haberlo conocido, apartarse del santo mandamiento que le fue dado" (2 P. 2:21-22). Que alguien así recuerde que el hecho de *reposar en la asamblea de los muertos* evidencia su carácter, su estado y su hogar; y que, aunque ellos, por nacimiento, sean hijos de Abraham, nacidos de padres piadosos, sin embargo, al *apartarse del camino del saber*, están fuera del camino de la vida.

Uno sólo puede ver a estos tristes apóstatas, como lo hicieron Fiel y Esperanzado, con lágrimas en los ojos, reflexionando en silencio. ¿No son una advertencia para nosotros, para que temblemos, y sí, "nos alegremos con temblor"? (Sal. 2:11). Mientras "permanecemos por la fe", ¿no debemos recordar la necesaria precaución 'No seas arrogante, sino teme'? (Ro. 11:20). Combinemos siempre una desconfianza en nosotros mismos con nuestra confianza cristiana; "Temamos, pues, no sea que permaneciendo aún la promesa de entrar en su reposo, alguno de nosotros parezca no haberlo alcanzado" (Heb. 4:1); agradecidos tanto por las advertencias que nos hacen temer como por las palabras de ánimo que nos preservan del desaliento.

Pero aquí también se describe a la gran mayoría de la gente. Nunca profesan; nunca han profesado. Saben que "la sabiduría clama en las calles", pero "no oyen la voz de los que encantan" (Pr. 1:18, Sal. 58:5). Muchos escuchan ocasionalmente, pero "siguen su camino, y enseguida olvidan qué clase de personas son" (Stg. 1:24). La enorme audiencia de Noé era de este carácter, y *reposó en la asamblea de los muertos* (1 P. 3:19-20, 2 P. 2:5). Por tanto, ¿no morirá eternamente todo aquel que, ante las oportunidades de obtener sabiduría, se niega, se va, y se aleja? ¿no se le hallará "muerto en sus delitos y pecados"? (Ef. 2:1).

17. *El que ama el placer será pobre; el que ama el vino y los ungüentos no se enriquecerá.*

¿Entonces qué? ¿No tendremos ningún *placer*? Esto, realmente, alejaría a los hombres de la religión. ¿Por qué? El placer es lo que caracteriza a los caminos de Dios (Pr. 3:17); un *placer* infinitamente más satisfactorio "que cuando abunda el maíz y el vino" (Sal. 4:6-7). ¿Hemos de regocijarnos nuevamente en nuestras comodidades terrenales? "El Dios vivo nos da abundantemente todas las cosas para que las disfrutemos" (1 Ti. 6:17. Cf. Ec. 2:26; 3:22; 9:7-9).

Eclesiastés 2:26 Porque a la persona que le agrada, Él le ha dado sabiduría, conocimiento y gozo; pero al pecador le ha dado la tarea de recoger y amontonar para dárselo al que agrada a Dios. Esto también es vanidad y correr tras el viento.

Eclesiastés 3:22 He visto que no hay nada mejor para el hombre que gozarse en sus obras, porque esa es su suerte. Porque ¿quién le hará ver lo que ha de suceder después de él?

Este gran flujo de felicidad se duplica con creces por la regla de la "acción de gracias" (1 Ti. 4:4-5).

Sin embargo, por extraño que parezca, la manera de disfrutar del *placer* no es *amarlo*; sino vivir por encima de él;[149] "alegrarse como si no nos alegráramos; aprovechar el mundo, como si no lo aprovecháramos" (1 Co. 7:30-31). El hombre empeñado en *el placer*, que entrega todo su corazón y su tiempo por *amor del mismo*, sacrificando por él toda su prudencia y precaución, ciertamente ha tomado el camino rápido hacia la *pobreza* (v. 20).[150] En el mismo camino está *el que ama el vino*, bajo el poder de un "engaño escarnecedor" (Pr. 20:1; 23:21).

---

[149] Un acertado comentario de Cipriano: 'El mayor placer es haber conquistado el placer; no hay mayor victoria que la que se obtiene sobre nuestros propios apetitos'. De bono Pudicitiæ. "Cipriano (c. 200-58), fue un padre de la Iglesia latina, y obispo de Cartago desde aproximadamente el año 249 hasta su muerte. Cipriano fue un pagano que se convirtió al cristianismo en la madurez y ascendió rápidamente al cargo de obispo. Tenía una buena educación y era un orador dotado, capaz de unir e inspirar a una iglesia que estaba sufriendo una severa persecución. El propio Cipriano huyó a un lugar seguro en el año 250, pero esto le dejó mal preparado para enfrentarse al elemento de rigor de la iglesia, que exigía que no se hicieran concesiones a los reincidentes. Cipriano no estaba de acuerdo, y comenzó a preocuparse por las cuestiones de orden eclesiástico que habían surgido durante la controversia. Sus escritos son menos voluminosos que los de Agustín y menos variados que los de Tertuliano, pero son una fuente importante para nuestro conocimiento de la época y sus problemas. La importancia duradera de Cipriano para la teología radica en su visión "elevada" de la Iglesia, que desarrolló para contrarrestar las tendencias esquismáticas que estaban latentes en el norte de África. Sostenía una teoría avanzada de la sucesión apostólica y exigía con insistencia que se respetaran sus derechos como obispo, sin ceder su autoridad a nadie, ni siquiera al obispo de Roma." G. L. Bray, "Cyprian (c. 200–58)," ed. Martin Davie et al., *New Dictionary of Theology: Historical and Systematic* (London; Downers Grove, IL: InterVarsity Press; InterVarsity Press, 2016), 240–241.

[150] El caso del despilfarrador, 5:10, 11; de Sansón, Jue. 16:1-21; del pródigo, Lc. 15:13-16.

El que ama el aceite, uno de los frutos más preciosos de Canaán (Dt. 8:8; 11:14, Jue. 9:9, Sal. 23:5, Mi. 6:15, Hab. 3:17), encontrará que "aquellos que no pueden vivir sin exquisiteces llegan a carecer de lo necesario".[151] No obstante, el espectáculo más triste del universo es el del hombre que sacrifica, por *amor al placer,* el cuidado de su alma inmortal. La salvación es desechada como algo sin importancia (Ec. 11:9, 1 Ti. 5:6, 2 Ti. 3:4, 1 P. 4:3–5). Verdaderamente terrible es *la pobreza,* la absoluta y eterna ruina causada por esta terca obsesión. "¡Ay de vosotros, ricos, porque habéis recibido vuestro consuelo! Hijo, recuerda que recibiste tus bienes en vida y Lázaro también males, pero ahora él es consolado y tú atormentado" (Lc. 6:24; 16:25. Cf.. Sal. 17:14).

¡Cristiano! No te sorprendas si los que no conocen el cielo toman su porción en este mundo. Pero ¿no deberían vivir los herederos del cielo por encima del amor al mundo, sin tener más simpatía por el fanático de lo sensual que por el placer de "la cerda que se revuelca en el fango"? No pierdas de vista el peligro y la tentación, la necesidad de velar incesantemente, para que mantengas el uso necesario dentro de lo apropiado, y el corazón se desprenda de lo terrenal y se aferre a lo celestial (Lc. 21:34). Pues si tu *amor al placer* terrenal crece*, serás* verdaderamente *pobre,* tornándote indiferente a la oración, e insensible y apagado para con Dios; imaginando que las sombras son la sustancia y despreciando la verdadera sustancia como una sombra.

Los placeres celestiales perderán su dulzura mientras disfrutas los *placeres* terrenales. Mantén siempre ante ti el testimonio de tu propia experiencia: el vacío (Ec. 2:11) y la amargura (Pr. 14:13) de los *placeres* del mundo; y la suficiencia absoluta de tu verdadera porción (Sal. 16:5-6; 17:15; 73:25-26). ¿Acaso el apetito y el gusto envenenado del hombre borrarán estos registros, este solemne juicio de la experiencia? ¡Dios no lo quiera!

18. *El impío es rescate para el justo, y el malvado está en lugar de los rectos.*

Aquí se habla del *rescate* sólo en un sentido popular, como algo equivalente a un sustituto (Sal. 49:7, Sal. 49:8). A veces Dios, por razones sabias, involucra al *justo* en el mismo juicio con el *impío.* A veces el castigo del *impío* es el medio ordenado para evitar la calamidad de una nación *justa* (Jos. 7:24-26).

---

[151] Hentry in loco. Cf. Is. 32:9-12; 47:8-9, Sof. 2:15, Ap. 18:7.

Josué 7:24–26 Entonces Josué, y todo Israel con él, tomaron a Acán, hijo de Zera, y la plata, el manto, la barra de oro, sus hijos, sus hijas, sus bueyes, sus asnos, sus ovejas, su tienda y todo lo que le pertenecía, y los llevaron al valle de Acor. Y Josué dijo: «¿Por qué nos has turbado? El Señor te turbará hoy». Todo Israel los apedreó y los quemaron después de haberlos apedreado. Levantaron sobre él un gran montón de piedras que permanece hasta hoy. El Señor se volvió del furor de su ira. Por eso se ha llamado aquel lugar el valle de Acor hasta el día de hoy.

A menudo, en la justicia retributiva del Señor, *los impíos* son llevados al mismo mal que habían concebido para *los justos*.[152]

Así, al sufrir en su lugar, son como un *rescate para ellos*. Puede parecer que Dios se encuentra en dificultades por "vender a su pueblo de balde" (Sal. 44:12; Cf. Jue. 1:14; 2:8; 3:2, etc); sin embargo, "son tan preciosos a sus ojos" que, si es necesario, una nación entera será llevada a la ruina para preservarlos. Así es como Egipto y Etiopía fueron *un rescate* por Jerusalén, cuando Dios volvió contra ellos la furia de Senaquerib, y alejó la amenaza de un ataque sobre la sagrada ciudad (Is. 43:3-4);[153] del mismo modo que un cebo, lanzado a un depredador, da una oportunidad de escape a la probable víctima.

Muchas veces Dios ciega a los enemigos de la iglesia para que luchen entre ellos, de modo que el azote destinado a su iglesia es dirigido hacia otro lado, como si la nación devastada fuera *un rescate*, una víctima en el lugar del inocente. Por muy adverso que sea el panorama para la iglesia, no hay motivo para que el arca de Dios se desaliente o tiemble. Las promesas de Dios a su iglesia no son sonidos vacíos, sino una "fortaleza de rocas". "Ninguna arma forjada contra ti prosperará. El que te toque, tocará la niña de mis ojos" (Is. 54:17 Zac. 2:8). La noche puede ser oscura, pero la mañana asomará gloriosamente.

19. *Mejor es habitar en tierra desierta que con mujer rencillosa y molesta.*

Tenemos aquí otro retrato (v. 9), tal vez incluso más fuerte, de la miseria originada por las disensiones domésticas. Es *mejor* estar totalmente desprovisto de la comunión de la vida social, si hemos de pagar por ella un precio tan alto

---

[152] Pr. 11:8, y referencias. Vea también al primogénito de Egipto dado para librar a Israel. Ex. 11:4-8; 12:29-36.

[153] Rescate, la misma palabra en el original. Cf. 2 R. 19:7-9.

como la compañía de alguien cuyas *rencillas* convertirán cualquier confort en amargura.

Es mejor habitar, no sólo "en el terrado" donde puede haber cierto alivio, sino también en *tierra desierta*; renunciando a toda satisfacción social por la desolación, la soledad e incluso el peligro (vea Mc. 1:13).[154] ¡Oh! tal es el veneno de 'la copa más dulce del gozo más grande de la tierra'; cuando "dos personas se unen y se hacen una sola carne" (Mt. 19:5); pero no "se unen al Señor", y así tampoco "son un espíritu con Él" (1 Co. 6:17). Sólo se menciona a *la mujer*.

Sin embargo, el trastorno es tan frecuente, que, por lo menos, es tan culpable un marido arrogante como una esposa regañona. A través de esto, ciertamente el Dios misericordioso enseña a sus hijos una lección descuidada muy a menudo para su mal: que deben colocar sus cuellos en este yugo sagrado, 'de una manera reverente, discreta, meditada, sobria, y en el temor de Dios'.[155] Que consideren cuidadosamente que una elección influenciada por la atracción a los modales o el temperamento, el intelecto o los logros, sin tener en cuenta la piedad, no puede prometer la bendición divina, ni la felicidad individual. Tal decisión ocasiona, a menudo, un estado de degradación en el que es muy doloroso habitar, y dentro del cual una o ambas partes se sumergen contentas, haciéndose a sí mismas odiosas para satisfacer sus *airadas* pasiones.

Esto no sólo se aplica al yugo matrimonial. Cualquier miembro del círculo familiar, unido por lazos naturales y viviendo junto a ellos por disposiciones providenciales, puede hacer mucho para amargar la felicidad de los demás. Quienes tengan un temperamento descontrolado deberán, sin embargo, recoger la espontánea cosecha de la semilla que sembraron, y sufrir bajo el mortificante conocimiento que otros huyen de su compañía, y preferirían de buena gana –y si fuera necesario– habitar en *tierra desierta*, como un bien recibido cambio de vivir en irritación perpetua.

Como observa justamente el Sr. Cecil:

---

154 "Prefiero" -dijo el sabio hijo de Sirac- "habitar con un león y un dragón, que vivir junto a una mujer malvada". Eclesiástico 25:16. Compare 26:7, 27.
155 Servicio Matrimonial.

La familia es a veces un fuego feroz. Nuestra familia abarca la mayor parte de nuestro mundo. Es para nosotros la parte más influyente, y por lo tanto es susceptible de convertirse en la parte más difícil.[156]

El hijo de Dios está obligado a reconocer la disciplina efectiva y paternal en las pruebas suscitadas por los temperamentos de los que le rodean. Pese a todo, no es menos extraño el hecho de que incluso entre los peregrinos a Canaán, a menudo se pronuncian palabras que ineludiblemente producen dolor; y así, estas espinas que nuestro Padre celestial no ha plantado, son esparcidas en la senda de nuestro hermano o hermana. Se puede rastrear efectos aún más lamentables de las marcas dejadas sobre quienes están en una edad temprana, o sobre quienes observan tales inconsistencias cuando podrían haber visto mejores ejemplos.

El "aguijón en la carne" matrimonial puede ser un castigo necesario, instituido para prevenir la confianza en uno mismo (2 Co. 12:7), y para ejercitar aquellas gracias cristianas que adornan. La mansa resistencia de Richard Hooker a la "gotera continua" (cap. 19:13) debe haberle dado a George Cranmer, y a otros que la presenciaron, una sorprendente lección sobre la influencia de la religión práctica. Buxtorf citó un dicho judío: '¿Cómo prueba un hombre su espíritu? Soportando una mala esposa'. Cuando se le preguntó a Sócrates '¿Por qué soportó a su esposa?' Respondió: 'De este modo tengo un maestro en casa, y un ejemplo de cómo debo comportarme fuera de ella. Pues así' -dijo- 'seré más sereno con los demás, siendo diariamente ejercitado y enseñado por el hecho de ser paciente con ella'.[157]

Sin embargo, se requieren mucha oración y paciencia para evitar ocasiones innecesarias y cuestiones irritantes, para mantenerse alejado del inmediato estallido de una pasión ingobernable; y para obtener un apoyo real, bajo esta pesada cruz, de la prosperidad asegurada y del intenso anhelo por el hogar de paz eterna.

¿No es una cuestión grave que -ya sean divorcios o separaciones convencionales- como los que oímos en la Iglesia de Dios, implican más bien huir antes que, soportar y honrar, la cruz? La suposición de que '*mejor es habitar en tierra desierta'* implica que la peor alternativa (habitar junto a *la mujer rencillosa y molesta*) puede ser designada. Este fue destino de Job. 'El Diablo'

---

[156] Vea su Sermón sobre Ana.
[157] Homilía sobre el matrimonio. Crisóstomo cuenta la historia, como los predicadores, con una sorprendente aplicación. Homilía sobre 1 Co. 11:16.

(como observó Matthew Henry (1622-1714)) 'perdonó a su esposa, no sólo para que fuera su tentadora, sino también su atormentadora'. Sin embargo, Job no apartó de sí su cruz matrimonial. Su aguante de la misma formó parte, sin duda, de aquella paciencia que se nos recomienda imitar, la cual fue honrada con un doble crecimiento de la bendición familiar. (Santiago 5:11; Job 42:12, 13). Nuestro Señor, al restaurar el rigor original de la ordenanza matrimonial, admitió sólo una excepción, excluyendo así todas las demás. (Mateo 5:32; 19:1-9.) De acuerdo con esta regla, una esposa infiel debe ser apartada como un pecado; pero una esposa *rencillosa* debe ser contenida, y soportada como una cruz.[158]

20. *Tesoro precioso y aceite hay en la casa del sabio, pero el necio todo lo disipa.*

Amar un *tesoro* terrenal es el camino hacia la pobreza (v. 17). Sin embargo, podemos disfrutar de una cosecha sensata como fruto de la bendición del Señor (Pr. 10:22), tal como *el aceite* de Canaán,[159] para refrigerio nuestro. Esta no es la prohibida "acumulación de tesoros en la tierra" (Mt. 6:19); la cual es un acaparamiento basado en egoísmo y en desconfianza en Dios (Lc. 12:16-22). Este *tesoro está en la casa del sabio.*

---

[158] El Apóstol, al discutir la casuística que le fue presentada (1 Cor. 7:2-5), determinó la ley general, y no admitió aversión de gusto o sentimiento -mucho menos pretensión de religión- para separar (salvo *por un tiempo*, por mutuo consentimiento, y a causa de un propósito espiritual, 5) lo que Dios había unido. Si en un extremo, se permitió que el incrédulo se apartara (15), no puede aplicarse ninguna analogía de un matrimonio pagano (a quienes la luz de la Revelación no había mostrado nunca sus obligaciones), al de los cristianos profesantes, donde su pleno vigor ha sido inteligentemente entendido, y voluntariamente reconocido. Las separaciones forzadas providencialmente, donde los corazones se encuentran en unidad, mantienen el principio del vínculo. Pero una separación establecida voluntariamente rechaza el distintivo fundamento en el que se apoya la ordenanza. La mujer (salvo en los casos en que la ley primaria natural de la autopreservación lo dicte) está evidentemente ligada por el mismo vínculo indisoluble. (1 Co. 7:10.) Si de uno u otro lado se busca evitar el escándalo público de la continua discordia; que la tarea de humillación y mortificación de los pecados que han producido este dolorosa extremo sea ejercida instantánea y habitualmente. Que la grave ofensa de haber infringido la ordenanza de Dios sea sopesada profundamente; como aquella que sacude el fundamento de un compromiso expresamente enmarcado para "hacer de dos una sola carne" (Gn. 2:24; Mt. 19:5); ordenado como un tipo de la relación inmutable entre Cristo y su iglesia (Ef. 5:32); y del cual "el Señor, Dios de Israel ha dicho que aborrece el repudio". (Mal. 2:16.)

[159] Vea nota en el verso 17.

Pues la prudencia no es mundanalidad (Pr. 6:6-8; 10:5. Vea Gn. 41:48); y la indiferencia ante la prueba venidera no es fe, sino una simplicidad insensata (Pr. 22:3).

Proverbios 6:6–8 Ve, *mira* la hormiga, perezoso, observa sus caminos, y sé sabio. La cual sin tener jefe, ni oficial ni señor, prepara en el verano su alimento *Y* recoge en la cosecha su sustento.

Proverbios 10:5 El que recoge en el verano es hijo sabio, el que se duerme durante la siega es hijo que avergüenza.

Incluso la casa de los pobres piadosos[160] usualmente contiene este *tesoro precioso;* la recompensa de la diligencia cristiana. Sin embargo, es realmente pobre el palacio donde éste es el principal tesoro. La Biblia, con su reserva de inescrutables riquezas, es el gran tesoro del hombre. *El aceite* de la alegría, que derrama abundantemente, es su mejor consuelo. Dondequiera que este tesoro sea el más apreciado, estamos ante *la casa de un sabio*, ya sea príncipe o mendigo.

Cualesquiera que sean los tesoros terrenales del *hombre necio*, o como quiera que hayan sido obtenidos, su imprevisión constituye un vasto abismo donde *gastarlos*. Todo va en una misma dirección. La embriaguez, el derroche, la ociosidad, el juego, lo devoran todo. El *necio* sirve a un amo que no le dejará nada al final del año; y que, además, como única recompensa por su arduo trabajo, lo llevará a la indigencia absoluta. Tal fue el recorrido del pródigo; sin embargo, en la misericordia de su Padre, también fue el medio para cambiar su necedad por un mejor juicio, y llevarlo así a *la casa del sabio,* poseedor de un *tesoro más precioso* que el que su apetito terrenal alguna vez había anhelado (Lc. 15:13-24).

Pero hay otros *necios*, además del borracho y el derrochador; y otro *tesoro* infinitamente más *precioso, que es disipado*. La admisión en *la casa de los sabios*, la oportunidad de enriquecerse así en conocimiento y santidad (Pr. 13:20), qué "recompensa sería, en manos del necio", si es que tuviera "corazón para ello". Pero la oportunidad de oro se ha perdido; *el tesoro se ha disipado*. El tiempo se pierde con temeraria frivolidad buscando innumerables maneras. La

---

[160] El original implica una vivienda pequeña (domicilium-no domus, cap. 3:33). Se mencionan *el tesoro y el aceite* –primero el término general–, luego uno de sus objetos de valor. Se puede encontrar una expresión similar en Pr. 22:7; Mc. 16:7.

ausencia de un objetivo sagrado en sus tareas diarios debilita todo sentido de responsabilidad. Solamente vive como una criatura del presente, sin ningún propósito digno de un ser inmortal, sin ningún propósito conectado con la eternidad.

¡Oh Dios mío! No me abandones a mi propia necedad, no sea que *gaste mi tesoro* en lugar de negociar con él, y así incrementarlo para un mejor bienestar.

21. *El que sigue la justicia y la lealtad (o bondad) halla vida, justicia y honor.*

Aquí el *precioso tesoro* no es *disipado*, sino que *es seguido* con un propósito definido que muestra la apreciación de su valor. Este es el estándar cristiano: "No que ya lo haya logrado, ni que ya sea perfecto. Sino que *prosigo*" (Fil. 3:12–14). El cielo, "el premio de nuestra elevada vocación", es el esplendoroso objetivo a consumar.

Pero *la justicia y la misericordia;* nuestras obligaciones para con Dios y el hombre, son el camino hacia él, la preparación para él (Sal. 15, Is. 33:15–17; 35:8). La santidad debe ser nuestro hábito diario, así como nuestro servicio religioso, "en toda nuestra manera de vivir" (1 P. 1:15). No debe haber nada en casa o fuera de ella, donde el hombre de Dios no se manifieste (1 Co. 10:31, Col. 3:17. Cf. Zac. 14:20). La verdadera evidencia de la Gracia Divina en el corazón es la influencia práctica en el temperamento y la conducta (Tit. 2:11-12).

> **Tito 2:11–13** Porque la gracia de Dios se ha manifestado, trayendo salvación a todos los hombres, enseñándonos, que negando la impiedad y los deseos mundanos, vivamos en este mundo sobria, justa y piadosamente, aguardando la esperanza bienaventurada y la manifestación de la gloria de nuestro gran Dios y Salvador Cristo Jesús.

Pero este *seguir* no es un afán en el trabajo diario, ni una ley obligatoria que encadena la conciencia contra las inclinaciones de la voluntad. Es deleite, libertad, ensanchamiento (ver Sal. 63:8); el fluir de un corazón lleno de amor audaz.

> La voluntad está enamorada de esas cadenas que nos atraen hacia Dios. Así como nadie se queja de que sus sienes están sujetas, y su cabeza está prisionera cuando está rodeada con una corona; así también, cuando "el Hijo de Dios nos

hace libres", y nos somete sólo al servicio y dominio del Espíritu; somos libres como príncipes dentro del círculo de su diadema, nuestras cadenas son brazaletes, la ley es una ley de libertad, y "el servicio a Dios es la libertad perfecta"; y así, mientras más nos sujetamos, más "reinamos como reyes"; mientras más corremos, más fácil es nuestra carga; el yugo de Cristo nos es como las plumas al pájaro, no una carga, sino una ayuda para movernos, sin ellas, el cuerpo cae.[161]

Este *seguir* tampoco tiene por motivo la recompensa. Sin embargo, encuentra recompensa en su ejercicio (Sal. 19:11, Is. 32:17), debe ser una recompensa de gracia, en efecto. Pues ¡es infinitamente superior a nuestros débiles y pecaminosos esfuerzos! *El que sigue, halla la vida* (Pr. 8:35; 12:28; 22:4); aquella que es la vida de la vida, el tesoro que consiste en la mejor felicidad: comunión con Dios, la luz de su rostro, el disfrute de su amor (Pr. 15:9, Is. 60:5, Jn. 14:21–23).

Halla justicia, una bendición retributiva de un Dios de gracia (Mt. 10:41-42, Lc. 6:38, Heb. 6:10). *Halla honor*; pues "si alguno me sirviere" –dice nuestro Divino Maestro– "mi Padre le honrará". "A aquellos que, perseverando en bien hacer, buscan gloria, *honra* e inmortalidad, les dará la vida eterna" (Jn. 12:26, Ro. 2:7-10). Y luego, al partir con el gozo de sabernos aceptados, "He acabado mi carrera. Por consiguiente, me está reservada la corona de justicia" (2 Ti. 4:7-8).

¡Tal es la piedad, con sus fieles y preciosas promesas para ambos mundos! (1 Ti. 4:8. Cf. Eclesiástico 4:11–14; 34:16-17). ¿No vale la pena *seguirlas*? Sin embargo, oh profesante cristiano, ¿dónde están este incesante y agotador esfuerzo, esta dedicación a la auténtica labor de tomar la cruz cada día, esta seriedad en lo relacionado a la religión? Observamos la situación de los hombres en el frente; ponen toda su energía, todo su empeño; sin nada que los desvíe de su objetivo; y usan todas sus fuerzas con una premura constante en tan importante servicio. Sólo este gran nivel de perseverancia nos llevará a la meta (1 P. 4:18).

El profesante cristiano temporal y tibio, la criatura que se mueve por impulso –a diferencia del hijo de fe–, aunque por un tiempo pueda "correr bien", finalmente tropezará y caerá.

---

[161] Ob. Francis Taylor (1589-1656), in loco.

22. *El sabio escala la ciudad de los poderosos y derriba la fortaleza en que confiaban* (*Lit.* **fortaleza de su confianza**).

El arte de la guerra ha mostrado siempre la preeminencia de la sabiduría sobre la fuerza (Pr. 24:5-6, Ec. 7:19). Una estrategia prudente, o una sabia aplicación del coraje, triunfan sobre la mera destreza personal. La estratagema de Josué al tomar a Hai fue una prueba de *sabiduría* militar (Jos. 8:3-22). Salomón parece haber sabido de un sabio que, individualmente, libró a su ciudad del poder de un rey poderoso; una prueba de *sabiduría* equivalente a la fuerza de un agresor que *escala los muros*, y, de ese modo, derriba *la confianza* puesta en ellos (Ec. 9:13-18). Con mucha más razón, por lo tanto, *la sabiduría* espiritual –aquel don directo de Dios–, superará dificultades tan formidables como *la escalada de la ciudad de los poderosos*.

Un *sabio* cálculo del costo es eminentemente útil para lograr las victorias más importantes (Lc. 14:31-32).

> **Lucas 14:31–32** »¿O qué rey, cuando sale al encuentro de otro rey para la batalla, no se sienta primero y delibera si con 10,000 *hombres* es *bastante* fuerte para enfrentarse al que viene contra él con 20,000? »Y si no, cuando el otro todavía está lejos, le envía una delegación y pide condiciones de paz.

Así pues, la conciencia de la propia debilidad, ¿no conduce a una dependencia única de Dios? ¿Qué dificultades son demasiado grandes para un brazo todopoderoso? "Contigo" –dijo un valiente soldado del ejército– "desbarataré ejércitos; y con mi Dios asaltaré muros" (Sal. 18:29. Cf. Sal. 144:1). "Las armas de carácter espiritual, no carnal, son poderosas en Dios para la destrucción de fortalezas" (2 Co. 10:4), inexpugnables para el poder humano. Todas las promesas le pertenecen "al que venciere".[162] Que el soldado vaya al conflicto "fuerte en el Señor", y "vestido de toda la armadura" (Ef. 6:10-12); así el triunfo será seguro.

La *ciudad* celestial *será escalada*. "El reino de los cielos sufre violencia, y los violentos la toman por la fuerza" (Mt. 11:12).

23. *El que guarda su boca y su lengua, guarda su alma de angustias.*

---

[162] Ap. 2:7, y a todas las iglesias apocalípticas.

¡Con cuánta frecuencia nos recuerda el sabio de la responsabilidad que implica el uso "del pequeño miembro"! (Pr. 10:14; 12:13; 13:3; 14:3; 17:20; 18:6-7, 21).

Proverbios 10:14 Los sabios atesoran conocimiento, pero la boca del necio es ruina cercana.

Proverbios 12:13 En la transgresión de sus labios se enreda el malvado, pero el justo escapará del apuro.

Proverbios 13:3 El que guarda su boca, preserva su vida; el que mucho abre sus labios, termina en ruina.

No obstante, como prueba de una sana o insana religión, ¿podemos tenerla muy seguido ante nuestros ojos? (Stg. 1:26). De todas las incesantes *angustias* que hay en este mundo ¡buena parte de ellas pueden ser rastreadas hasta esta prolífica fuente!

El caballo desenfrenado es el que expone a su jinete al terrible peligro (Stg. 3:2-3, 5). Se abre *la boca* precipitadamente, *la lengua* fluye sin vigilancia, y así, "¡qué gran bosque se incendia con tan pequeño fuego!" (Stg. 3:5).[163] Nuestro prójimo es herido, Dios deshonrado, y el fruto es una amarga *angustia* para el *alma*.

Entonces ¿cómo podemos prevenir esta inminente tentación? Cultiva una sensibilidad profunda y vigilante. Camina cerca de Dios. Atesora el tierno espíritu de sus obligaciones sobre ti. Guarda *la lengua* para su servicio; y pide su gracia de inmediato para controlarla y emplearla (Sal. 141:3; 51:15). Así, consagrada a Dios, se convierte en "la gloria del hombre" (Sal. 57:8); no sólo guardándolo de *angustias*, sino también elevándolo a la comunión de las incesantes alabanzas en el mundo celestial.

24. «*Altivo*», «*arrogante*» y «*escarnecedor*», son los nombres del que obra con orgullo insolente.

---

[163] 'La lengua' -dice el Ob. Francis Taylor (1589-1656), en su audaz descripción- 'es una fuente tanto de agua amarga como de agua dulce. Envía bendición y maldición. A veces "enciende un fuego", y luego pone en combustión ciudades enteras. Es rebelde, y no se sujeta más que el aliento de la tempestad. La razón debe ir antes que ella; y cuando no lo hace, el arrepentimiento viene después. Estaba destinada a ser un órgano de alabanza divina. Pero el Diablo a menudo toca en él, y así emite sonidos como el ulular del búho o el gemido de la muerte. Dolor y vergüenza, necedad y arrepentimiento, son las notas y los acentos forzados en esta discordancia. Sermon on the Good and Evil Tongue.

¿Quién le dio tales *nombres*? Aquél que "destruirá la lengua que habla jactanciosamente; y a los que ha dicho: 'Con nuestra lengua prevaleceremos, nuestros labios son nuestros, ¿quién es señor sobre nosotros'?" (Sal. 12:3-4). Observa cómo Dios lo llena de deshonra. Las reprimendas del hombre pueden ser "la maldición que no viene sin causa" (Pr. 26:2). Pero el sello de Dios es indeleble.

¡Altivo y arrogante escarnecedor! Tal es su *nombre*. Puede enorgullecerse de su *escarnio*. Pero, cuán diferente es del hombre a quien Dios mira, "aquel que es pobre y contrito de espíritu, y que tiembla ante su palabra" (Is. 66:2).

Contempla su vivo retrato en Faraón, ese *arrogante escarnecedor* que estallaba en *orgullosa ira:* "¿Quién es el Señor para que yo obedezca su voz?" (Ex. 5:2); en Senaquerib, que "injurió y blasfemó contra el Santo de Israel" (2 R. 18:35; 19:21, 22; 28. Cf. Pr. 3:34). Así también ocurre con Amán, tras verse afrentado. Su *orgullosa ira* se enciende. No le importa ni Dios ni el hombre. No le es suficiente la ruina de su único enemigo; sino que debe saciarse de la sangre inocente de una nación entera (Est. 3:5-6; 5:9).

Escarnecedor es su nombre. No es un *nombre* vacío. Nunca separemos *el nombre* que Dios ha dado del destino que ha anunciado. "El día del Señor de los Ejércitos será contra todo el que sea soberbio y *altivo*, y sobre todo el que se ha enaltecido, y será abatido. He aquí que viene el día ardiente como un horno, y *todos los soberbios* serán como rastrojo; y el día que viene los quemará, dice el Señor de los ejércitos, y no les dejará ni raíz ni rama" (Is. 2:12, Mal. 4:1). Ahora llamamos bienaventurados a *los soberbios*. "Pero, ¿cómo podrán soportar el día de su venida?" (Mal. 3:15). ¡Oh! con tal manifestación del parecer de Dios, nunca tomes a la ligera un pensamiento *altivo*, ni un sentimiento o expresión *desdeñosa*.

Pudiera ser que esta odiosa abominación (Pr. 6:16-17; 8:13; 16:5. Cf. Eclesiástico 10:12-13) sea consentida por los propios hijos de Dios.

> **Proverbios 6:16–17** Seis cosas hay que el *Señor* odia, y siete son abominación para Él: Ojos soberbios, lengua mentirosa, manos que derraman sangre inocente.
>
> **Proverbios 8:13** »El temor del Señor es aborrecer el mal. El orgullo, la arrogancia, el mal camino y la boca perversa, yo aborrezco.

Sin embargo, Él no aprobará este pecado, ni dejará de aplicar su vara; la gloria de su nombre sería ensombrecida. Su desaprobación se hará visible. "El corazón de Asa fue" en lo general "perfecto para con Dios en todos sus días", pese a ello, por el pecado de la *arrogancia y la ira orgullosa*, su sol se puso en medio de nubarrones (1 R. 15:14, 2 Cr. 16:10–13). "Aun nuestro Dios es fuego consumidor" (Heb. 12:28-29).

25. *El deseo del perezoso lo mata, porque sus manos rehúsan trabajar;* **26.** *todo el día codicia, mientras el justo da y nada retiene.*

Ante nosotros han sido expuestas muchas veces la vergüenza y la miseria que trae la *pereza*. Aquí tenemos el golpe final. *El deseo del perezoso lo mata.* No lleva a ningún esfuerzo, por lo tanto, no produce ningún fruto. "La esperanza que se demora enferma el corazón" (Pr. 13:12); y la vejación perpetua lo desespera hasta la muerte.[164] 'No mueve su mano para procurarse aquello que anhela, sino que prefiere quedarse sentado y morir de hambre'.[165] Piensa que podrá vivir deseando, no trabajando (Pr. 12:27; 13:4; 20:4, Stg. 4:2). Puede tener algunos *deseos* débiles de trabajar. Pero el esfuerzo de "sacar la mano de su seno" (Pr. 19:24) le resulta demasiado grande.

Por tanto, *sus manos*, como si le hubieran sido dadas sólo para mantenerse dobladas, se niegan *a trabajar*. No tiene necesidad de fuerza ni actividad física. Podría pasar todo su tiempo en una 'ocupada ociosidad' (1 Ti. 5:13). Pero para un *trabajo* útil no tiene corazón. Mientras tanto, debido a su inactividad, es presa, durante *todo el día*, de una avaricia *codiciosa*; y es tentado con deseos insaciables; mientras que la esperanza del disfrute, aunque no está fuera de su vista, si está empero, por falta de esfuerzo, fuera de su alcance. De esa manera, muere con su deseo en la boca; envidiando a aquellos cuya laboriosa diligencia les permite *dar, y nada retener* (Sal. 37:26; 112:9, Ef. 4:28).

Tal es el mal temporal de la pereza; una de las muchas formas de egoísmo moral, pues paraliza tanto nuestra energía como nuestra comodidad. Pero, resulta mucho más desastrosa según una cuestión más elevada y profunda. El sello de la muerte es amplio y palpable sobre el profesante sin corazón (Ap. 3:1). Nos preguntamos: ¿Cuál es su religión? Espera tener *un deseo*; y ha oído a menudo que 'el deseo de gracia es gracia'.

Ahora bien, esto es cierto sólo si *el deseo es predominante*. La fe, como puede ser en su primer despertar, "es el día de las cosas pequeñas, que no debe

---

[164] Virtutem exoptant, contabescuntque relictâ. Persius.
[165] Obispo Joseph Hall (1574-1656).

ser despreciado" (Zac. 4:10). Es aquel "pabilo que humea" que el Salvador "no apagará" (Mt. 12:20), sino que encenderá hasta que sea una llama. Pero si siempre es un *deseo*, y nada más; habitualmente superado por inclinaciones contrarias; en lugar de ser una gracia es una ilusión, una mera conmoción sentimental para adormecer la conciencia.

> ¿Cómo puede un objeto, que se encuentra a una distancia fija de la naturaleza que debe perfeccionar, ser alcanzado mediante afectos apagados y estancados? Esos afectos deben tener vida en ellos, para que traigan vida tras ellos. Los deseos muertos son deseos mortales.[166]

Ten cuidado, entonces, con la oración del perezoso. Sus *deseos*, en lugar de llevar vida en ellos, son cosas frías que hieren mortalmente el alma. Una búsqueda sincera es la prueba de un deseo piadoso (Sal. 27:4, Is. 26:8-9. Cf. Sal. 24:6). No dejaremos de buscar en ningún lugar en donde podamos hallar a nuestro Dios (Job 23:3, 8-9); ni dejaremos de aprovechar ningún medio de gracia en donde podamos disfrutar de su presencia (Is. 64:5).

Algunos llamarán legalismo a esta activa energía. Pero el mandato de nuestro Señor de "trabajar" (Jn. 6:27. Cf. Lc. 13:24) prueba que es bíblico. Quien no se esfuerza en acercarse a tal estándar, nunca lo ha aprehendido realmente. Quien sólo *desea* y *rehúsa trabajar* para ser un cristiano en crecimiento diario, provee una evidencia incierta acerca de si es un cristiano en absoluto. No es que el poder esté en nosotros mismos. No obstante, ¿cuándo ha fallado Dios en amparar el esfuerzo del pecador? "Lo que tú das, nosotros lo recogemos" (Sal. 104:28). La oración y la diligencia, la dependencia y la energía armonizan en la Biblia; sin embargo, pueden ser discordantes en los crudos sistemas de concepción humana. La acción divina se da, no para excusar el descuido de medios humanos, sino para fomentar su aprovechamiento (Fil. 2:12-13).

Filipenses 2:12–13 Así que, amados míos, tal como siempre han obedecido, no solo en mi presencia, sino ahora mucho más en mi ausencia, ocúpense en su salvación con temor y temblor. Porque Dios es quien obra en ustedes tanto el querer como el hacer, para *Su* buena intención.

---

[166] 'Treatise on the Passions' del Ob. Edward Reynolds (1599-1676), cap. 18.

¿Qué necesitamos entonces para un servicio activo sino un continuo ejercicio de fe? Esto nos dio poder al principio; y sólo esto sostendrá el poder. No hay momento en el que el Señor no dé; dado que se ha comprometido a dar por infinitas y amorosas obligaciones. Conságrense deliberadamente. Transformen su resolución en algo práctico, un hábito y lugar. Sacrifiquen todo por ella. Aprovechen todas las oportunidades para perfeccionarla. Nuestro trabajo será nuestra recompensa; y nuestra labor será nuestro salario. Y así, mientras el *perezoso codicia* sólo para sí mismo, *el justo*, en el fluir de un corazón dispuesto, vive para la Iglesia. Tiene para *dar, y no retiene nada;* es "una bendición en medio de la tierra". Las siguientes exhortaciones bien valen la pena nuestra reflexión:

Estando nuestro corazón naturalmente distanciado de Dios, no hay un paso *único* que nos acerque a Él. Tampoco bastarán unos minutos de fría oración para sostener nuestras almas. Cuidémonos de la indolencia. Muchas son las horas y los días que perdemos en nuestro camino al cielo. Estos días se convierten pronto en años; y al final llegamos demasiado tarde a la cena de bodas.

Deberíamos esforzarnos, de buena gana, en escalar una montaña para tener una buena vista, o aire puro. Usemos entonces todas nuestras fuerzas para escalar el monte de Sión, donde respiraremos una atmósfera verdaderamente vivificante, y desde cuyas alturas contemplaremos el verdadero Edén, el valle de la paz a través del cual fluyen aguas vivas, y donde florece el árbol de la vida. ¡Que el Señor nos conceda toda la voluntad y energía necesarias![167]

27. *El sacrificio de los impíos es abominación, cuánto más trayéndolo con mala intención.*

Esta es la repetición de un proverbio anterior (Pr. 15:8), con intensidad adicional. En ningún momento, bajo ninguna circunstancia, *el sacrificio de los impíos* puede ser aceptable. Se encuentran ausentes todos los verdaderos requisitos del culto sagrado.

No hay corazón. Por lo tanto, el servicio es sólo una formalidad o hipocresía (Mt. 15:7-9).

---

[167] Letters and Biography of Felix Neff – un suplemento muy interesante anexo al "Memorial" del Dr. Gilly de una corta vida llena de utilidad y coronada de gloria.

No hay un camino de acceso (Jn. 14:6)*,* ni tampoco un "altar para santificar la ofrenda" (Heb. 13:10, Mt. 23:19). En consecuencia, sólo hay presunción, justicia propia, y auto adoración (Gn. 4:3-5).

No hay "fe, sin la cual es imposible agradar a Dios" (Heb. 11:6). El acto material –considerado en sí mismo– puede ser bueno; pero el principio corrupto hace que el *sacrificio sea una abominación* (Cf. Mal. 1:7-8).

Cuánto más –el pecado es doble– cuando el sacrificio es *traído con una mala intención,* como cuando Balaam *trajo su sacrificio* para maldecir a Israel (Nm. 23:1-3, 13); o como Saúl, en desobediencia descarriada (1 S. 13:8–15; 15:21–23). ¡Del mismo modo actuaron Absalón y Jezabel, para encubrir su traición (2 S. 15:7-13, 1 R. 21:9-12. Cf. Is. 1:13-16); la adúltera, como un arrullo para su presa incauta (Pr. 7:14-15); los fariseos, como manija para su codicia (Mt. 23:14); y los profesantes antinomianos, para satisfacer sus lujurias! (Stg. 4:3). ¡Qué *abominación* ha de ser este servicio para Aquél que es "muy puro de ojos para contemplar el mal, y quien no puede mirar la iniquidad! (Hab. 1:13).

Y, sin embargo*,* a veces se concede una aceptación *aparente* al *sacrificio de los impíos.* Dios, como gobernador moral del mundo, recompensa externamente las acciones externamente buenas (1 R. 21:27-29, 2 R. 10:29-31). Pero nunca deja de castigar el principio de maldad en esas mismas acciones que son objeto de su recompensa. El amor de nuestro Señor a la amistosa víctima de autoengaño fue una muestra de compasión de su humanidad, y no complacencia divina; y fue totalmente consistente con el santo aborrecimiento de su soberbio rechazo del evangelio (Mc. 10:17-21).

¿Qué deben hacer entonces *los impíos,* rechazados como están en las circunstancias más favorables? ¿Se postrarán en desaliento, o se endurecerán en rebelión? (Jer. 2:25; 7:10). ¿O esperarán una mejor disposición y se prepararán para el evangelio? La puerta de la oración es su único refugio (Hch. 8:22). *Esta* puerta les abre el evangelio con una garantía gratuita de fe, con abundante aliento y con una aceptación segura (Is. 1:16-18; 55:6-7).

Isaías 1:16–18 »Lávense, límpiense, quiten la maldad de sus obras de delante de Mis ojos. Cesen de hacer el mal. »Aprendan a hacer el bien, busquen la justicia, reprendan al opresor, defiendan al huérfano, aboguen por la viuda. »Vengan ahora, y razonemos», Dice el Señor, «Aunque sus pecados sean como la grana, como la nieve serán emblanquecidos. Aunque sean rojos como el carmesí, como *blanca* lana quedarán.

28. *El testigo falso perecerá, pero el hombre que escucha la verdad, hablará siempre.*[168]

La última cláusula del proverbio parece fijar y restringir la primera. *El testigo falso* a menudo se vuelve así por el culpable hábito de repetir irreflexivamente, sin examen o conocimiento cierto. Así, el hombre puede dañar gravemente el carácter o la propiedad de su prójimo. Esto demuestra una conciencia muy relajada, y una absoluta falta de esa "caridad, que cubre", en lugar de exponer, "las faltas" (Pr. 10:12.). Es gozarse en la iniquidad, en vez de "gozarse en la verdad" (Cf. 1 Co. 13:6-7).

Este *testigo falso* será indudablemente castigado por Dios (Pr. 19:5, 9); e incluso 'será condenado y silenciado por el hombre. Nadie en el futuro considerará o dará crédito a su testimonio'.[169]

Proverbios 19:5, 9 El testigo falso no quedará sin castigo, y el que cuenta mentiras no escapará... El testigo falso no quedará sin castigo, y el que cuenta mentiras perecerá.

Pero el hombre que escucha, el verdadero testigo, que habla sólo aquello *que ha escuchado,* y con lo que está plenamente familiarizado, *habla constantemente,* hasta convencer. Retiene su testimonio y nunca se contradice.

---

[168] Nota del Traductor: La versión usada en el inglés original señala literalmente: "El testigo falso *(testigo de mentiras, Marg.)* perecerá, pero el hombre que escucha, hablará constantemente"; de allí las referencias realizadas por el autor.

[169] Matthew Poole (1624-1679) in loco. "Matthew Poole (1624-1679) fue un biblista presbiteriano. Nació en York, Inglaterra. Poole estudió en Emmanuel College de Cambridge. Adoptó los puntos de vista presbiterianos de la política eclesiástica, considerando que estaban ordenados por Dios. En 1649 se convirtió en rector de St. Michael-le-Querne en Londres y participó en la organización presbiteriana que temporalmente se hizo efectiva en la zona de Londres por orden del Parlamento 'puritano'. Se preocupó mucho por la educación de los jóvenes con miras al ministerio eclesiástico ordenado y presentó planes en 1658 para recaudar fondos para este proyecto. Con la restauración de la monarquía en 1660, este proyecto tuvo que ser abandonado, y tuvo que dejar su rectoría. Sin cargo pastoral se dedicó a la gran obra de su vida, una Sinopsis (en latín) de los escritos críticos de los comentaristas bíblicos. Se publicó entre 1669 y 1676 en cinco volúmenes en folio. También produjo unas Anotaciones sobre la Santa Biblia, más populares, en dos volúmenes. Cuando su nombre se relacionó con la 'Conspiración Populista' en 1678, temió ser asesinado, por lo que se fue a vivir a Holanda, donde permaneció hasta su muerte". Peter Toon, "Poole, Matthew," ed. J.D. Douglas and Philip W. Comfort, *Who's Who in Christian History* (Wheaton, IL: Tyndale House, 1992), 573.

Su palabra, aunque haya sido menospreciada al principio, ganará cada vez más crédito y autoridad cuando *el testigo falso haya perecido* (Pr. 12:19).

Así, "el testigo fiel y verdadero" declaró para sí mismo y para sus siervos: "Hablamos lo que sabemos y damos testimonio de lo que hemos visto" (Ap. 3:14, Jn. 3:11). Los apóstoles, a fin de dar esta consistencia a su testimonio, llenarían la vacante entre ellos solamente con alguno de aquellos hombres "que los había acompañado todo el tiempo que el Señor Jesús entraba y salía entre ellos" (Hch. 1:21-22), como si sólo aquellos que *habían escuchado, hablarían constantemente*.

Ellos alegaron tener autoridad para su comisión tras haber *escuchado* de la boca de Dios, y, por lo tanto, estuvieron seguros del mandato divino (1 Co. 11:23; 15:3-4, 2 P. 1:16-18, 1 Jn. 1:1-3). Y, en efecto, esto constituye el mayor poder en su testimonio. Un tono débil y vacilante resulta cobarde e ineficaz (Cf. 2 Co. 1:17). Una decidida y acreditada presentación de la verdad, que *habla constantemente*, demanda convicción. "Creemos, por lo tanto hablamos" (2 Co. 4:13).

29. *El hombre impío muestra audacia en su rostro, pero el recto asegura su camino.*[170]

Un rostro endurecido, que no se avergüenza o sonroja por el pecado, es una horrenda manifestación de un corazón endurecido. Caín, permaneciendo audazmente de pie ante su Dios, con las manos aun apestando por la sangre de su hermano (Gn. 4:8-9); Giezi con su intrépida mentira (2 R. 5:25); el traidor, tolerando el hecho de ser señalado por su Maestro, sin emoción visible (Jn. 13:21-30), y luego, con descarada insolencia, besando sus sagradas mejillas (Mt. 26:47–49), ¡cuán *endurecidos* deben haber estado *sus rostros* en determinada *impiedad*! Así también la adúltera, vistiendo sus seductoras fascinaciones con un rostro descarado, se destaca ante nosotros (Pr. 7:10-13).

A veces *el hombre impío*, empeñado en su camino, *endurece su rostro* contra las más claras advertencias e intimaciones de la voluntad de Dios. Nada disuadió a Balaam de seguir su propio "camino perverso". Incluso se anticipó al permiso condicional de su Dios para que no se interpusiera en su camino (Nm.

---

[170] Nota del Traductor: La versión usada en el inglés original señala literalmente: "El hombre impío endurece su rostro, mas el recto ordena su camino"; de allí las referencias realizadas por el autor.

22:20-22, 32). Acab *endureció* decididamente *su rostro* contra la clara voluntad prohibitiva de Dios (1 R. 22:3-6, 18-29). Joaquín, ante todo su consejo, desafió a su Dios (Jer. 36:23-24).

Jeremías 36:22–24 El rey estaba sentado en la casa de invierno (en el mes noveno), y había un brasero encendido delante de él. Y sucedía que después que Jehudí había leído tres o cuatro columnas, *el rey* lo cortaba con el cuchillo del escriba y *lo* echaba al fuego que *estaba* en el brasero, hasta consumir todo el rollo en el fuego que *estaba* en el brasero. Ni el rey ni ninguno de sus siervos que oyeron todas estas palabras tuvieron temor ni rasgaron sus vestiduras.

Su pueblo "corrió" con la valentía de los locos "sobre los gruesos cimientos de su escudo" (Jer. 44:16-17, cf. Job 15:25-26). Así pues, ¿no resalta el pecado ante nosotros con un rostro descarado? (Is. 3:9, Jer. 3:3; 6:15). El borracho se tambalea al mediodía. El blasfemo derrama su maldad en público. El sensual "se gloría en su vergüenza" (Fil. 3:19). Verdaderamente este es el espíritu de Satanás. ¡Cuán cerca está del infierno! ¡Cuán horrible es la simple marca del sello de la ira! (Ro. 2:5).

Es un motivo de alegría el contraste con el tierno espíritu del hijo de Dios. Esto ciertamente es reposo para nosotros: el ponernos bajo las manos del Señor, temerosos de dar un paso solos; el ordenar cuidadosamente nuestros pasos, no sea que, por inadvertencia, y mucho menos por voluntad, traigan vergüenza a nuestro *rostro* (Sal. 119:5-6, 80). Una piadosa simplicidad aclara enormemente la mirada del alma. Cuando el corazón está fijado en el deber, rara vez habrá grandes dificultades para descubrir el camino (Mt. 6:22). Una secreta dirección celestial ha sido prometida (Pr. 3:6). Una mente sin rumbo y sin resolución da una gran ventaja al asalto del enemigo.

He aquí el contraste: el *hombre impío endurece su rostro* contra las ordenanzas de Dios; el piadoso *ordena su camino* según las mismas; no espera, con indolente pasividad, por su dirección milagrosa, sino que aprovecha los medios ordinarios para obtener luz a cada paso. Tanto lo temporal como lo espiritual; las nimiedades como los asuntos importantes, son puestos bajo la mirada de nuestro misericordioso Dios. Tal confianza, como la de un niño, trae luz y aprobación.

c. Conclusión: La soberanía de Jehová sobre los pueblos y los reinos (21:30-31)

30. *No vale sabiduría, ni entendimiento, ni consejo, ante el Señor.* **31.** *Se prepara al caballo para el día de la batalla, pero la victoria (O salvación) es del Señor.*[171]

Estrictamente hablando, este proverbio no es cierto. Toda la *sabiduría* y la política de la tierra y el infierno están en funcionamiento. Pero todo es en vano *contra el Señor*. La historia de la Iglesia lo prueba abundantemente.

Los decretos y consejos de Dios son firmes como el acero; inconmovibles, a pesar de todas las maquinaciones humanas; tan difíciles de detener como el curso del sol.[172]

La sabiduría y el entendimiento –el *consejo* más elaborado– cuando *se oponen al Señor*, llegan a ser necedad (Sal. 33:10-11). "Él prende a los sabios", no en su ignorancia, sino "en su astucia" (Job 5:13, 1 Co. 3:19); no cuando su *sabiduría* se está desvaneciendo, sino cuando está en su máximo apogeo. El *consejo de* Ahitofel fue burlado en una época en que "era como si se consultara la palabra de Dios" (2 S. 16:23; 17:7, 14, 23, cf. 15:31).

El *consejo* de Faraón de debilitar a la nación elegida resultó en su crecimiento (Ex. 1:8-12). Su decreto asesino, como eslabón en la cadena de la Providencia, levantó al Líder y Legislador del pueblo (Ex. 1:15-22, cf. 2:1-10).

---

[171] Nota del Traductor: La versión usada en el inglés original señala literalmente: "No hay sabiduría, ni entendimiento, ni consejo contra el Señor. El caballo está preparado para el día de la batalla, pero la salvación *(victoria, Marg.)* es del Señor"; de allí las referencias realizadas por el autor.

[172] Ludwig Lavater (1527-1586) in loco. "Ludwig Lavater (1527-1586) fue un teólogo reformado suizo que trabajó en el círculo de su suegro, Heinrich Bullinger. Fue archidiácono en el Grossmünster de Zúrich y brevemente administrador de la iglesia de Zúrich como sucesor de Rudolf Gwalther. Lavater fue un autor prolífico, que compuso homilías, comentarios, un estudio de las prácticas litúrgicas de la iglesia de Zúrich, una historia de la controversia sobre la Cena del Señor, así como biografías de Bullinger y Konrad Pellikan. Su obra sobre los espíritus (*De spectris*) fue una de las obras demonológicas más impresas de la primera época moderna, con al menos diecinueve ediciones en alemán, latín, francés, inglés e italiano. Entre sus obras más conocidas se encuentran: *De ritibus et institutis ecclesiae Tigurinae* (1559), *Historia de origine et progressu controversiae Sacramentariae de Coena Domini, ab anno nativitatis Christi MDXXIIII* (1563), entre muchas otras."

El deseo de Balac de maldecir a Israel fue anulado para dar lugar a la bendición (Nm. 24:10). Incluso el sabio, en sus días más oscuros, en vano dirigió su propia *sabiduría* en contra del propósito declarado de Dios (1 R. 11:11, 40).

El proyecto de Acab para desviar la amenaza de un ataque contra su vida (1 R. 22:30–34); su determinación para evitar la extinción de su familia (1 R. 21:21, 2 R. 10:1-7); la intrincada conspiración de Atalía para exterminar la familia de David (2 R. 11:2), y así frustrar la promesa divina; la hostilidad contra los constructores del templo (Neh. 6); toda esta diversificada masa de *sabiduría, consejo, y entendimiento contra el Señor*; ¿qué resultado tuvo? Uno totalmente inútil (Is. 8:11; 14:27; 46:10). 'Todo ello no significa nada, si se oponen a los consejos y decretos del cielo'.[173]

Presta atención a la historia de nuestro Señor. Parecería que nada hubiera podido impedir el éxito de la *sabiduría* y el *consejo* de Herodes cuando atentaron contra su infancia (Mt. 2:8, 16). ¡Cuánta *sabiduría* combinada, de todas partes, se esforzó en vano por "enredarle en alguna palabra"! (Mt. 22:15-46). ¡Cuán fácilmente podían fracasar las profecías relacionadas con su muerte, entierro y resurrección!

La lapidación era la sentencia para la acusación levantada contra él (Lv. 24:16). Su entierro estaba designado entre los impíos (Is. 53:9). Su resurrección, en la medida en que el hombre podía hacerlo, fue prevenida eficazmente (Mt. 27:62-66). No obstante, Dios había ordenado la crucifixión como su forma de muerte (Gá. 3:13), su entierro entre los ricos (Is. 53:9),[174] y su resurrección como medio para confundir todos los consejos (Mt. 28:1-15). El evento demostró que *no había sabiduría, ni entendimiento, ni consejo contra el Señor*. 'El deseo de Dios se cumple por aquellos que tienen la menor intención de ello. La sabiduría del hombre, mientras se esfuerza por ser superior, es superada'.[175]

---

[173] Obispo Simon Patrick (1626-1707).

[174] Ob. Robert Lowth (1710-1787). Cf. Mt. 27:57-60.

[175] John Trapp (1601-1669). Cf. Hch. 2:23-24; 4:27-28. "John Trapp (1601-1669) fue un comentarista bíblico anglicano inglés. Su extenso comentario en cinco volúmenes se sigue leyendo hoy en día y es conocido por sus enunciados concisos y su prosa citable; sus volúmenes son citados con frecuencia por otros escritores religiosos. Hijo de Nicholas Trapp, de Kempsey, Worcestershire, Trapp estudió en la Escuela Libre de Worcester y luego en Christ Church, Oxford (licenciatura, 1622; maestría, 1624). Se convirtió en ujier de la escuela libre de Stratford-upon-Avon en 1622 y en su director en 1624, y fue nombrado predicador en Luddington, cerca de Stratford, antes de ser vicario de Weston-on-Avon en Gloucestershire. Se puso del lado del Parlamento en la Guerra Civil inglesa y fue arrestado durante un breve periodo. Se acogió al pacto de 1643 y actuó como capellán de los soldados parlamentarios en Stratford durante dos años. Según sus propias palabras, en el Comentario

Contemplemos este dominio de la Providencia, tan finamente representado por "las ruedas llenas de ojos a su alrededor" (Ez. 1:18). Negar que tiene un control directriz absoluto, es 'colocar un cetro indolente en las manos de Aquel que gobierna el universo'.[176] ¡Cuántos movimientos suyos desconciertan por igual el cálculo previo como la investigación posterior! efectos a los que no se puede encontrar una causa adecuada; anomalías manifiestamente destinadas a apartar nuestros ojos de segundas causas hacia la Primera Gran Fuente de acción, la cual se mueve sobre todo, y a pesar de toda oposición.

El furioso Diocleciano acuñó su moneda: 'El cristianismo se ha extinguido'. El Gran Autor extrajo, del mismo fuego, la prueba palpable de que 'la sangre de los mártires es la semilla de la iglesia'.

> ¡Oh, la insensatez y la ceguera de los hombres, que imaginan que pueden cargar todo en sus mentes, y caminan como dueños de sus propios designios, pero nunca tienen ningún pensamiento serio de Aquél en cuyas manos tanto ellos, como todos sus negocios, y todos los asuntos de los estados y reinos de este mundo, son como un pedazo de cera que puede ser moldeado según le plazca![177]

¿No recordamos algunos de nosotros, con vergüenza, cuando "pleiteábamos con nuestro Hacedor" (Is. 45:9), y por cuánto tiempo nos esforzamos en derrotar sus propósitos de amor, hasta que finalmente fuimos persuadidos a arrojar nuestras armas a sus pies, y a reconocer que no *hay sabiduría, ni entendimiento, ni consejo contra el Señor*?

Pero, dejando a un lado la rebelión, ten cuidado de la confianza vana, apenas menos desagradable para el Señor.

El caballo era una esperanza prohibida en *el día de la batalla* (Dt. 17:16). Los días de victoria más gloriosos tuvieron lugar cuando este veto fue observado (Jos. 11:6, 9, Jud. 4:3-15, 2 S. 8:4). La decadencia comenzó con la transgresión de la ley; y la derrota en el mismísimo cuartel de la confianza (1 R. 10:26-28, 2

---

a Job, Job 9:5, en 1657 estaba "aquí en Herefordshire". Fue rector de Welford-on-Avon, en Gloucestershire, entre 1646 y 1660, y de nuevo vicario de Weston desde 1660 hasta su muerte en 1669. Trapp se casó con Mary Gibbard en 1624; tuvieron once hijos. Su hijo Joseph (1638-1698), rector de Cherrington, Gloucestershire, fue el padre de Joseph Trapp, primer profesor de poesía de Oxford." (n. ed.)

[176] Interesante sermón del Arz. Magee sobre este texto. Works, ii. 354. Cf. Job 12:21-22, Is. 44:25.

[177] Sermón de Robert Leighton (1611-84) sobre Jer. 10:23-24.

Cr. 12:8-9. Cf. Is. 31:1–3). La renuncia posterior a esta confianza fue un momento de graciosa aceptación (Os. 14:3-4).

> **Oseas 14:3–4** »Asiria no nos salvará, no montaremos a caballo, y nunca más diremos: "Dios nuestro" A la obra de nuestras manos, pues en ti el huérfano halla misericordia». Yo sanaré su apostasía, los amaré generosamente, pues mi ira se ha apartado de ellos.

En realidad, *el caballo* puede ser legítimamente empleado como medio de defensa. Pero nunca dejes que un instrumento de guerra sea tu confianza. Usa los medios, pero no los idolatres. Aquellos que "confían en ellos caen". Pero aquellos que recuerdan que *la salvación es del Señor,* "se levantan y se mantienen en pie" (Sal. 20:7-8). "Vano para *salvarse* es el *caballo*" (Sal. 33:17, Job 39:19). "La remembranza del nombre del Señor" fue más poderosa para el joven guerrero que la fuerza del gigante (1 S. 17:45).

Con más razón, en la guerra espiritual, ejercitemos *activamente* nuestra dependencia. "La salvación es del Señor" (Sal. 3:8; 37:39-40; 68:20, Jon. 2:9): una victoria gratuita, completa, eterna y triunfante sobre todos los poderes del infierno.

11. Riqueza e instrucción moral (22:1-16)

a. La soberanía del Señor y la riqueza (22:1-9)

1. Más vale el buen nombre[178] que las muchas riquezas, y el favor que la plata y el oro.

PERO ¿cuál es este *buen nombre*, aquí alabado como una joya preciosa? No es el *nombre* que los constructores de Babel querían hacer "para sí mismos" (Gn. 11:1-4). No como Absalón, que levantó una columna para "conservar la memoria de su *nombre*", o más bien, para conmemorar su vergüenza (2 S. 18:18). No es la voz popular. El estandarte de Dios es tan diferente al del hombre, que, si "todos los hombres hablan bien de nosotros", ello sería un *mal nombre* (Lc. 6:26; 16:15). Los hombres son tan aptos para "tener las tinieblas

---

178 Un nombre, suponiendo una buena reputación.

por luz, y la luz por tinieblas" (Is. 5:20), que muy frecuentemente la reputación reemplaza a la realidad, el falso resplandor al principio genuino, la sombra a la sustancia, y el oropel al oro.

El *buen nombre* se gana por medio de una piadosa consistencia.[179] O bien el poseedor está inconsciente del don, o bien se siento humillado con la convicción de que este es totalmente inmerecido. El *amoroso favor* relacionado con él puede ser observado, a menudo, desde la primera infancia (1 S. 2:26, Lc. 2:52). Tal fue el sello celestial sobre los creyentes de Pentecostés (Hch. 2:47). Cada siervo de Dios lo valora como una muestra de confianza y un talento para el servicio y la gloria de su Maestro (Neh. 6:10-11, Fil. 2:15-16; 4:8-9).

Tal es su valor, que *es una mejor elección que las grandes riquezas, que la plata y el oro* (Cf. Eclesiástico 41:12). Un sobrenombre puede estar ligado a las *riquezas* (1 S. 25:3, 17, 25). Pero, agréguese a ello que estas "vuelan sobre alas de águilas" (Pr. 23:5, cf. Sal. 112:6. Cf. Eclesiástico 41:13; 44:13-14; 49:1).

Por otro lado, un *buen nombre* "será recordado eternamente" (Lc. 7:4-5, Hch. 9:36-39). Incluso ahora trae confianza y respeto (Gn. 39:4-21; 41:37, Est. 2:9, 15, 17, Dn. 2:48, 49; 6:1–3). Contribuye, en gran medida, a nuestra utilidad; da autoridad a la represión, al consejo y al ejemplo, de modo que, si el mundo no puede amarlo, tampoco puede despreciarlo. De ahí la obligación cristiana de ser "irreprochable, y sencillos, para resplandecer como luminares en el mundo" (Fil. 2:15). De ahí el honor de "tener un buen testimonio de todos los hombres, y aún de la verdad misma" (3 Jn. 12. Cf. Hch. 16:2, 2 Co. 8:18). De ahí la calificación de aptitud para el oficio sagrado: "irreprochables, teniendo buen testimonio de los que están fuera" (1 Ti. 3:2, 7; 4:16). Pese a ello, ¡cuántas veces las "moscas muertas" han estropeado "el precioso perfume"! (Ec. 7:1; 10:1). Satanás, cuando no puede entorpecer a los instrumentos, los mancha a fin de dar aceptación al error, y así hacer tropezar a los impíos e inestables (2 S. 12:14).

Este atavío es, a menudo, subestimado indiscretamente.

Mientras mi conciencia esté limpia, no me importa lo que el mundo piense o diga de mí. Otras conciencias no son mis jueces. Ahora, al resistir los esfuerzos del mundo para apartarnos del camino del deber, podemos oportunamente reconfortarnos en nuestra propia inocencia, escapar de los agravios verbales

---

[179] La inteligencia pagana parecería tener un vistazo de este medio. Cuando se le preguntó a Agesilaus cómo se obtenía un buen nombre, respondió: 'Hablando lo mejor y haciendo las cosas más correctas'. Sócrates respondió a la misma pregunta: 'Estudiando verdaderamente para llegar a ser lo que quieres que se te considere'.

buscando refugio en nuestra propia conciencia, como en un castillo, y allí reposar seguros, sin tener en cuenta los reproches de hombres malvados.[180]

Sin embargo, deberíamos tener mucho cuidado de tapar la boca de los opositores, y así, aunque consideremos "un asunto de poca importancia ser juzgados por los hombres", "procuremos" ansiosamente "lo que es honrado, no sólo a los ojos del Señor, sino también a los ojos de los hombres" (1 Co. 4:3, cf. 2 Co. 8:21. Cf. 1 Co. 9:15, 2 Co. 11:12, 1 P. 2:12).

> **1 Corintios 4:3** En cuanto a mí, es de poca importancia que yo sea juzgado por ustedes o por *cualquier* tribunal humano. De hecho, ni aun yo me juzgo a mí mismo.
> **2 Corintios 8:20–21** Teniendo cuidado de que nadie nos desacredite en esta generosa ofrenda administrada por nosotros. Pues nos preocupamos por lo que es honrado, no solo ante los ojos del Señor, sino también ante los ojos de los hombres.

Por muy valiosa que sea esta bendición, ten cuidado de que no sea adquirida a expensas de la conciencia. Es mucho mejor que otros manchen nuestro nombre a que vulneremos nuestras conciencias. San Agustín dijo:

> Hay dos cosas con las que cada hombre debe ser especialmente cuidadoso y tierno: su conciencia y su honor. No obstante, su conciencia debe ser su primera preocupación; su nombre y su honor deben contentarse en ocupar el segundo lugar. Que primero se asegure de que su conciencia está bien cuidada; y luego también podrá considerar el debido respeto a su nombre. Que su primer cuidado sea asegurar todo su interior haciendo las paces con Dios y en su propio ser. Una vez hecho eso, pero no antes, que mire al exterior, si desea, y que empiece, tan bien como pueda, a fortalecer su reputación con y ante el mundo.[181]

Pero que Dios registre *un buen nombre* en los anales de la iglesia (Mt. 26:6–13), en "el libro de memoria" (Mal. 3:16), en "el libro de la vida" (Fil. 4:3); ¿Oh! ¿no es esto infinitamente superior a toda la gloria de este mundo? (Lc. 10:20). ¡Con qué gusto poseerá estas joyas en el día de su venida! (Mal. 3:17). Cuán segura y gloriosa es su promesa dada a su fiel servidor: "No borraré su nombre

---

[180] Sermón del Ob. Robert Sanderson (1587-1663) sobre Ec. 7:1, § 30.
[181] Ob. Robert Sanderson (1587-1663), ut supra, § 23.

del libro de la vida, sino que confesaré su nombre ante mi Padre y ante sus ángeles" (Ap. 3:5).

2. El rico y el pobre tienen un lazo común (Lit. se encuentran): A ambos los hizo el Señor.

Hay una gran diversidad entre los diversos puestos y circunstancias de la humanidad. Sin embargo, la diferencia es básicamente superficial; pues la igualdad en todos los asuntos importantes es manifiesta.

El rico y el pobre, aparentemente muy distantes el uno del otro, *se encuentran*. Ambos tienen el mismo nacimiento (Job 31:15, Mal. 2:10, Hch. 17:26). Ambos llegan al mundo desnudos (Job 1:21, Ec. 5:15), indefensos e involuntariamente; ambos tienen la misma relación natural con su Dios; dependen de Él para nacer (Job 12:10, Hch. 17:25, 28); son hijos de su Providencia (Sal. 145:9, 15-16); y criaturas de su gobierno moral (Dn. 4:35).

> **Job 1:21** y dijo: «Desnudo salí del vientre de mi madre y desnudo volveré allá. El Señor dio y el Señor quitó; Bendito sea el nombre del Señor».
> **Eclesiastés 5:15** Como salió del vientre de su madre, desnudo, así volverá, yéndose tal como vino. Nada saca del fruto de su trabajo que pueda llevarse en la mano.

Ambos están sujetos a las mismas penas, enfermedades, dolencias y tentaciones (Heb. 13:3). "Ambos van a un solo lugar" (Job 3:19, Sal. 89:48, Ec. 2:16; 3:20; 6:6; 9:11, Heb. 9:27). "Todos, tanto grandes como pequeños, comparecerán ante Dios" (Ap. 20:12).

Nos *encontramos,* en el mismo nivel, como pecadores. Todos están contaminados con la misma corrupción original (Gn. 5:3, Job 25:4, Sal. 51:5). "Todos se han descarriado, como ovejas," de manera personal (Is. 53:6). Todos necesitan, por igual, el mismo nuevo nacimiento que les dé vida, la misma sangre preciosa que los limpie, el mismo manto de justicia que los cubra (Ro. 3:21-22). De hecho, es una necesidad común,[182] y una salvación común (Jud. 3). En todas estas cuestiones, *el rico y el pobre* son uno: "Dios no hace acepción de personas" (Hch. 10:34, Job 34:19). La diferencia se manifiesta sólo en la

---

[182] En la ordenanza de la redención todos debían dar lo mismo, como un reconocimiento de igual necesidad. Ex. 30:15.

vestimenta exterior (Lc. 16:19-20). ¡Pero qué distinción hace! ¡Uno apenas oye o conoce al otro!

Y cuando somos redimidos para la familia de Dios, ¿no es cada miembro de la familia nuestro hermano? (Gá. 3:28, Col. 3:11).[183] Aquí, pues, *ricos y pobres,* todos *nos encontramos* en pie de igualdad ante el mismo trono de gracia, en un mismo cuerpo y alma, en una misma y santa mesa (1 Co. 10:17; 12:13). Nos comunicamos los unos a los otros las mismas esperanzas benditas, sentimos las mismas simpatías, anticipamos el mismo hogar.

Esto no es producto de la casualidad, ni de un orden mecánico.

El Señor es hacedor de ambos. No sólo nos hace como hombres, sino que nos *hace ricos y pobres* (1 S. 2:7). Adorada sea esa infinita sabiduría, que ha unido *al rico y al pobre* tan estrechamente en una dependencia mutua, de modo que ninguno puede vivir sin el otro (Ec. 5:9), ni puede decir al otro: "No tengo necesidad de ti" (1 Co. 12:21).

Sin embargo, esta igualdad cristiana ante Dios no desaparece la gradación de rango ante los hombres. "Los que están bajo el yugo de servidumbre no deben despreciar a sus amos creyentes, porque son hermanos, sino que deben servirles, porque son fieles y amados" (1 Ti. 6:1-2). ¿Podrían los hombres permanecer, en igualdad de rango, por un solo día? Las diferencias de opinión, de talentos, trabajo, abnegación, y providencias sacudirían el equilibrio antes de que se acabara la mañana. Dios nunca quiso nivelar el mundo, más que la superficie de la tierra.

La distinción entre *ricos y pobres* permanece aún por mandato suyo, y todos los intentos por desaparecerla terminarán irremediablemente en confusión. A cada uno de nosotros se nos han encomendado diversos talentos, deberes y responsabilidades, tanto para con Dios como para el hombre. Por lo tanto, cada uno de nosotros debe dedicarse a su propio trabajo y "permanecer en nuestro llamado para con Dios" (1 Co. 7:24). "El hermano de humilde condición, regocíjese en su exaltación, pero el que es rico en su humillación" (Stg. 1:9-10). Pronto seremos todos una familia en la casa de nuestro Padre para "no salir de allí" (Ap. 3:12).

3. *El prudente ve el mal y se esconde, pero los simples siguen adelante y son castigados.*[184]

---

[183] Esto está implícito en la represión de Stg. 2:2–5.
[184] Pr. 27:12.

Dios no nos ha dado conocimiento del futuro. Esto sólo habría fomentado la presunción. Pero nos ha dado *la prudencia*, para *anticiparnos* naturalmente *el mal*, y prever los medios más eficaces de liberación. Así, David fue guiado a *esconderse* de Saúl (1 S. 20:19, 23:19–21; 26:1); y Elías de Jezabel (1 R. 17:3; 19:3). A los discípulos se les enseñó a *huir* del *mal* inminente (Mt. 10:23; 24:15-18). Pablo se *escondió* repetidamente de las amenazas de destrucción (Hch. 9:23-25; 17:14; 23:17). Incluso nuestro divino Maestro actuó según esta regla de *prudencia* (Mc. 3:6-7, Lc. 4:29-30, Jn. 8:59; 10:39), hasta que llegó su hora (Mt. 26:47-57).

Pero también se aplica esta regla a los *males* espirituales que se *prevén:* "Noé, movido por temor, preparó un arca para salvar su casa" (Heb. 11:7). Josías se esforzó por evitar el juicio amenazado humillándose ante Dios (2 Cr. 34:21, 26–28). Pablo "procuró" cubrirse siendo agradable al Señor; *previendo* el tremendo *mal* de "comparecer" sin protección "ante el tribunal de Cristo" (2 Co. 5:9-10).

No es que *el prudente* esté dotado de conocimientos sobrenaturales. Sólo usa el discernimiento que Dios le ha dado. Considera las señales de los tiempos; estudia la palabra de Dios en referencia al juicio venidero, y actúa en consecuencia. Caminar descuidadamente en medio del mal es una insensatez temeraria. No podemos "permanecer por la fe" solamente, sino "por una fe" equilibrada con temor (Ro. 11:20); pero no un temor a la esclavitud y a la escrupulosidad, sino de precaución, vigilancia y diligencia (Heb. 4:1, 11). En un camino como el nuestro; lleno de culpas, extravíos, tentaciones, aflicciones, y muerte, ¿no nos muestra la prudencia común, o por lo menos la *prudencia* cristiana, nuestra necesidad de un *refugio*? Si no buscamos uno a tiempo, estaremos perdidos por la eternidad.

¿Estamos al tanto de la enorme masa de culpa que pesa sobre nosotros, y de la infinita ira que, por esa culpa, se cierne sobre nosotros, como para descansar sin un lugar donde escondernos? ¿No deberíamos pasar por encima de todo lo que se encuentre en nuestro camino en dirección hacia un refugio? Puede que haya juicios por venir. Pero fijemos nuestro rostro hacia nuestro escondite. Dios se encargará de nuestros peligros. Más aún, ¿no es su voz más amorosa la que nos señala un refugio en sí mismo, en sus propias perfecciones? "Ven, pueblo mío, entra en tu aposento, cierra tu puerta y escóndete por un momento, hasta que pase la indignación" (Is. 26:20).

Muy diferente es el trayecto de *los simples* (Pr. 14:15-16).

Proverbios 14:15–16 El simple todo lo cree, pero el prudente mira bien sus pasos. El sabio teme y se aparta del mal, pero el necio es arrogante y descuidado.

Desprovistos de toda *prudencia, sin prever el mal*, sin temerlo, entregados a sus propios caminos y sin considerar las consecuencias, *siguen adelante y son castigados* por su propia insensatez (Pr. 7:7, 22-23; 9:17-18).

¡Oh! muchos son los que, "cuando la mano del Señor se levante, no verán" (Is. 26:11); ni oirán el trueno lejano presagiando la tormenta que se avecina; los mismos que, bajo una seguridad imaginaria, se ríen de aquellos que se preparan para el día malo; y se ríen incluso al borde de esa destrucción, que –a menos que la gracia soberana se interponga– los hará sabios demasiado tarde.

4. *La recompensa de la humildad y el temor del Señor son la riqueza, el honor y la vida.*

En este caso, ¿quién podrá decir "en vano es servir a Dios"? (Mal. 3:14). *Las riquezas, el honor y la vida* que se disfrutan – ¡tal acumulación y plenitud de felicidad! – pertenecen a su servicio. Pero observa las dos marcas de sus caminos, *la humildad y el temor del Señor.*

La humildad no es una mera modestia dócil (1 S. 10:22). Aunque esta es un temperamento encantador, no es una gracia cristiana. Tampoco lo es el servilismo del hipócrita que busca sus propios fines egoístas (2 S. 15:5); ni la convicción temporal que surge de una humillación externa (1 R. 21:27). Podemos distinguir fácilmente el principio genuino por su acompañante: *el temor del Señor*, esa bendita y santa reverencia que ninguno siente sino sus hijos, y que, aunque reprime la presunción, establece *la humildad.* Una correcta comprensión de Dios siempre nos colocará en el más bajo polvo delante de Él. El contraste entre su majestad y nuestra mezquindad, su santidad y nuestra corrupción, ocasionó el clamor de uno: "¡He aquí! Soy vil; me aborrezco a mí mismo" (Job 40:4; 42:5-6); y de otro: "Ay de mí, porque estoy perdido" (Is. 6:5).

La humildad es, entonces, la gloria más verdadera. El cristiano más triunfante es el más humilde. Puede que esté realmente abatido, pese a ello, está sumamente exaltado.

Las riquezas son suyas, tanto las de gracia como las de gloria. Nadie puede privarle de ellas (Pr. 8:18).

El honor es suyo, aquél fruto verdadero (Pr. 15:33; 18:12) y aquella graciosa recompensa (Lc. 18:13-14) de la *humildad*, sublime y gloriosa; el título y el privilegio presente de un hijo de Dios, de "un heredero de Dios y coheredero con Cristo" (Ro. 8:16-17).

Proverbios 15:33 El temor del Señor es instrucción de sabiduría, Y antes de la gloria está la humildad.
Proverbios 18:12 Antes de la destrucción el corazón del hombre es altivo, Pero a la gloria precede la humildad.

La vida es suya (Pr. 19:23, Sal. 22:27. Cf. Eclesiástico 1:11-12, 18; 2:8-9; 40:26-27), las vidas, toda forma de vida, no sólo la natural, sino también la espiritual y la eterna; aquella vida con el Padre y el Hijo que por ahora está "escondida con Cristo en Dios; pero cuando Cristo, nuestra vida, se manifieste", entonces será manifestada en toda su plenitud de gozo eterno (Col. 3:3-4). Miremos, entonces, más allá del estrecho límite del tiempo y examinemos el carácter de los herederos de la gloria: "Embellecerá a los mansos con la salvación. Bienaventurados los pobres de espíritu, porque de ellos es el reino de Dios" (Sal. 149:4, Mt. 5:3).

¡Así de glorioso es el final de este modesto camino de *humildad y temor piadoso*!

5. *Espinos y lazos hay en el camino del perverso; el que cuida su alma se alejará de ellos.*

Esta contundente imagen nos muestra que nada se interpone tanto en el camino del hombre, como el hecho de complacer su propia voluntad desenfrenada. El hombre que se empeña perversamente en sus propósitos, muy probablemente se verá frustrado por ellos. Piensa que puede llevar todo sobre él, mientras que su *perversidad* hace aparecer *espinos y lazos* en *su camino* (Jer. 23:12-13, Jue. 2:2-3).

Jeremías 23:12–13 «Por tanto, su camino será para ellos como sendas resbaladizas; serán empujados a las tinieblas y en ellas caerán; porque traeré sobre ellos calamidad en el año de su castigo», declara el Señor. «Además, entre los profetas de Samaria he visto algo ofensivo: Profetizaban en *nombre de* Baal y extraviaban a Mi pueblo Israel.

'Es como un hombre rodeado por todos lados de *espinos y lazos*. Su obstinación lo lleva a numerosas incertidumbres, a las que no encuentra salida alguna'.[185]

Sara (Gn. 12:10-20; 16:1-6; 20:2-14), Jacob (Gn. 27), Balaam (Nm. 22:22-32), hallaron *el camino del perverso* lleno de obstáculos y enredos. Estamos frente a una misericordia especial cuando *las espinas* amargan tanto el camino, que traen al *perverso* pecador como un hijo humillado, indagando y buscando por el camino hacia la casa de su padre (Lc. 15:12-20). Si hay dificultades en los caminos de Dios, ¿no habrá ninguna en los caminos del pecado? Un equilibrio justo probaría, cuál de los yugos, cuál de las cargas, es la más "fácil y ligera".

Las punzadas de la conciencia, los reproches de la Providencia, la decepción de los anhelos más preciados, el poder tiránico de la lujuria, todo ello tiende a hacer "duro el camino de los transgresores" (Pr. 13:15). Más aún, no sólo el mundo, sino también el santo Evangelio se convierte en *un lazo en el camino del perverso*. ¡Tales son "las profundidades de Satanás" (Ap. 2:24, 2 Co. 11:14) y sus maquinaciones, que "convierte la gracia de Dios en libertinaje" y en una ocasión o excusa para pecar!

Aquí radica, entonces, la seguridad de caminar cerca a Dios. Sometiéndonos humildemente al Señor; no deseando nada más que conformidad con su voluntad; no temiendo nada más que ser abandonados a nuestros propios caprichos; si *cuidamos* de esta manera *nuestras almas*, estaremos *lejos de los espinas y los lazos del perverso* (Ro. 3:8; 6:1, Jud. 4). "Haremos sendas derechas" y seguras –si es que no son llanas– "para nuestros pies" y "todos nuestros caminos serán establecidos" (Heb. 12:12. Pr. 4:26). "El que es engendrado por Dios *le guarda*, y el maligno no le toca" (1 Jn. 5:18).

6. Instruye[186] al niño en el camino que debe andar, y aun cuando sea viejo no se apartará de él.

---

[185] Obispo Joseph Hall (1574-1656).

[186] Hay una diferencia considerable en la traducción de la palabra original; pero todo llega al mismo punto. Todos los comentaristas lo señalan como un término muy significativo—*Imbuir*. Schultens. Martin Geier (1614-1680)—'darle el primer aderezo, tinte, condimento'. *Inicia*-'Emprender la primera instrucción—sentar las bases—la primera piedra'. *Instruir*. Este es sustancialmente el margen; —catequizar—como los sirvientes de Abraham— instruidos (catequizados, marg.) tanto en el arte de la guerra como en el temor de Dios. Gn. 14:14; 18:19. En otras partes la palabra transmite la idea de dedicación al servicio de Dios (Cf. Dt. 20:5, 1 R. 8:6, 2 Cr. 7:5; el título del Salmo 30) Desde este punto de vista, un expositor juicioso concibe que la ilustración puede ir así: "Tal como a una casa, a un altar o a un templo recién construido, y aún no profanado, se le adapta, con ciertos ritos y sacrificios, para su uso futuro; así *un niño*, como un edificio recién construido, es equipado,

Las esperanzas de al menos dos generaciones dependen de esta regla tan importante. ¿Cómo podríamos mirar a un niño sin una reflexiva ansiedad? Una existencia ha comenzado para la eternidad. Ningún poder en la tierra o el infierno puede aplastarla. El universo entero no ofrece un objeto que despierte un interés más profundo. Es una "saeta en la mano del hombre poderoso", un instrumento muy poderoso para el bien o el mal, según la dirección que se le dé (Sal. 127:4).

Todo depende de su *instrucción*. Ante él hay dos caminos: el camino por el que le *gustaría andar*, el cual se precipita a la ruina, y el camino en el que *debe andar*, el camino al cielo. El mandato de *instruir* implica cierta inclinación; de lo contrario no sería necesaria. Un árbol joven y sano brota derecho hacia arriba, y en lugar de producir ramas torcidas y deformadas, promete una madurez buena y fructífera.

Comienza a *instruir al niño*, como lo hizo Ana, con su dedicación a Dios (1 S. 1:28). Una vez hecho esto, instrúyelo como un hijo de Dios confiado a tu cuidado, pidiendo guía día tras día: "¿Cuál debe ser el modo de vivir del niño, y qué debemos hacer con él?" (Jue. 13:12). Fórmalo como a un niño bautizado, en los principios de sus compromisos bautismales. Ora por él. Enséñale a orar. Instrúyelo "desde la niñez en las Sagradas Escrituras" como la única regla de fe, y manual de conducta (2 Ti. 3:15).[187] Nunca un *adiestramiento* ha sido tan trascendental. Por una deficiencia en este punto, muchos jóvenes son sacudidos de un lado a otro por cada vacilación del error; y así, el vehemente intento de corregirlos resulta semejante a "construir, donde no hay cimientos, o, mejor dicho, donde no hay ni siquiera un suelo sobre el que construir".[188]

De hecho, la mente –la cual detesta el vacío– debe tener algunas nociones. Y la disyuntiva no está entre principios sólidos y ningún principio; sino entre la sana verdad y esos burdos o venenosos errores que el sutil enemigo siempre está dispuesto a introducir, así como el corazón corrupto está igualmente dispuesto a recibir. Tampoco hay que olvidar la formación de hábitos buenos y prácticos, como la diligencia, el trabajo y el autogobierno. Que *el niño sea instruido*, como el soldado que toma las armas, en perseverancia, orden y sumisión.

---

por un curso determinado, para el servicio y la iglesia, y su corazón es preparado para ser una habitación de Dios, y templo del Espíritu Santo". Martin Geier (1614-1680) in loco.

[187] Compare la propia instrucción del sabio, Pr. 4:3-4.

[188] Sermón sobre el texto, de South, vol. 5:1.

Salomón nos dirige sabiamente a que comencemos *en la boca* o entrada *del camino;*[189] en el primer inicio de la inteligencia. Cuanto más temprano ocurra la *instrucción*, más fácil será el trabajo y más alentadores serán los resultados. Es una cuestión de experiencia que lo que se aprende temprano, se retiene más tenazmente. Soporta la fricción del tiempo con el menor daño. Resulta mucho mejor, en lugar de esperar la madurez de la razón, trabajar sobre la flexibilidad de la infancia.[190]

El jardinero comienza a injertar a la primera subida de la savia. Si los brotes torcidos de la obstinación y la desobediencia no son cortados, su rápido crecimiento y su fuerza creciente aumentarán enormemente la futura dificultad para doblarlos. Si en el presente hay negligencia, después habrá riesgo y perplejidad. Puede que comencemos nuestro trabajo demasiado tarde, pero difícilmente podemos comenzarlo demasiado pronto (vea Ec. 11:6, Is. 28:9-10, Lm. 3:27).

Eclesiastés 11:6 De mañana siembra tu semilla y a la tarde no des reposo a tu mano, porque no sabes si esto o aquello prosperará, o si ambas cosas serán igualmente buenas.

Isaías 28:9-10 ¿A quién enseñará conocimiento, o a quién interpretará el mensaje? ¿A los *recién* destetados? ¿A los *recién* quitados de los pechos? Porque *dice:* «Mandato sobre mandato, mandato sobre mandato, línea sobre línea, línea sobre línea, un poco aquí, un poco allá».

Puede que el niño sea muy joven para que aprenda a leer, pero nunca será demasiado joven para que aprenda a obedecer. Mantente siempre atento, tanto para controlar los brotes del mal, como para apreciar el primer brote de un sentimiento correcto.

La actividad incesante del gran enemigo nos enseña el valor de la *instrucción temprana*. Adelántate a él. Llena de antemano el suelo con buena semilla, como el medio más eficaz para expulsar la cizaña maligna (Mt. 13:25-

---

[189] Heb. Vea a Schultens, y a la opinión general de los críticos.

[190] Los moralistas paganos parecen haber entendido bien el tema. Horacio, después de aludir a la temprana disciplina del potro y el sabueso, la aplica—

——'Nunc adbibe puro Pectore verba, puer: nunc tu melioribus offer. Quo semel est imbuta recens, servabit odorem Testa diu.'

Epis. l. i. ii. 64–69. ——'Adeo in teneris consuescere multum est.'

Virgilio (70-19 a.C.) Geor. ii. 272. 'Udum et molle lutum es; nunc, nunc properandus, et acri Fingendus sine line rotâ.' Persius. Sat. iii. 23.

28). Ve a *la entrada del camino* con comida sana, antes de que tenga oportunidad de dar diseminar su "pan de mentira"; antes de que la naturaleza se endurezca por el hábito de pecar, y se embrutezca por su familiaridad con el vicio.

Pero esta instrucción debe ser práctica. Una mera charla de religión con *el niño*, sin buscar que ésta influya en sus hábitos relajados y en su temperamento obstinado, es totalmente ineficaz. Aquí también se evidencia el trascendental valor de la consistencia cristiana. Si *el niño* oye hablar de piedad, pero no ve más que maldad, será como traerle pan con una mano y veneno con la otra, o como 'llamarlo con una mano al cielo, pero al mismo tiempo, tomarlo de la otra mano, y llevarlo por el camino de la destrucción'.[191]

¿Quién recibiría comida, incluso la más selecta, de una mano leprosa? La negligencia es mucho mejor que la inconsistencia; y el olvido que el desprecio por los principios. *El niño* es más influenciado por el ojo que por el oído. Está dispuesto a buscar excusas por sus propias faltas; y si las descubre en el ejemplo paterno, se endurecerá en infidelidad o impiedad.

Este trabajo requiere, en efecto, de una atenta preocupación, acompañada de un doloroso, y a menudo prolongado, ejercicio de fe y paciencia. Nadie podría sostenerse en él si no fuera por el apoyo divino de la promesa paternal: *'Cuando sea viejo, no se apartará de él'*. El hombre será tal como el niño ha sido instruido. La educación es completamente distinta de la gracia. Pero, *cuando se lleva a cabo en el espíritu, y en los principios de la Palabra de Dios,* es un medio para impartirla.

A veces el fruto es inmediato, uniforme y permanente hasta el final (1 S. 1:28; 2:2; 12:2-3. Cf. Sal. 92:13-15). Pero a menudo "el pan echado sobre las aguas del pacto no es hallado" sino "muchos días después" (Ec. 11:1), o tal vez, luego que el piadoso padre ha sido puesto en la tumba (2 Cr. 33:11–13).[192] Con todo, aunque el fruto sea tardío, no será menos seguro (Hab. 2:3).

El niño podrá apartarse cuando es joven. *Pero cuando sea viejo,* en años posteriores, las convicciones que fueron sofocadas traerán de vuelta el poder de las primeras impresiones. Las semillas de la instrucción germinarán.[193] Le resultará "dura cosa", en el recorrido del pecado, "dar coces contra el aguijón"

---

[191] 'Sermons on Education' del Arz. Tillotson.

[192] "No es poca misericordia", dijo el Sr. Flavel, aludiendo a este caso, "el tener miles de oraciones fervientes ante el Señor, archivadas en el cielo por nosotros". Fountain of Life, Sermon xx.

[193] Timoteo fue instruido de niño, pero no se convirtió sino hasta adulto. Cf. 2 Ti. 3:15, con 1 Ti. 1:2.

(Hch. 9:5). Las escrituras que fueron fijadas tempranamente en su memoria, se impondrán sobre él tras muchas luchas agudas y dolorosas. La conciencia estorbará sus placeres, y amargará la dulzura que había encontrado, o que imaginaba haber encontrado, en sus pecados. El recuerdo de la casa de su padre hace que el hijo pródigo vuelva "en sí" y regrese a casa con vergüenza en el rostro, lágrimas en sus ojos, y una tristeza piadosa en su corazón (Lc. 15:17-20).

Cultiven, entonces, el ejercicio de la fe paternal; confiando, no en lo que vemos, sino en lo que Dios ha prometido; como nuestro padre Abraham, quien "creyó en esperanza, contra esperanza" (Ro. 4:18-20). Esperen el cumplimiento de la promesa a los padres, tan confiadamente como cualquier otra gratuita promesa del evangelio.

Tal como en Juan 6:37 –redactado en los mismos términos gramaticales– donde una promesa se relaciona con un deber, como estímulo para tal deber: *"El que a mí viene - el que es instruido, de ningún modo le echaré fuera - no se apartará"*. No obstante, la última cláusula es considerada a menudo una promesa general, que admite diversas e indefinidas excepciones. La otra es "Sí y Amén". Pero podríamos preguntarnos: ¿Cómo podríamos debilitar la base de una promesa, sin sacudir los cimientos de todas las demás? Asimismo, ¿no dan las excepciones admitidas en la promesa educativa ocasión a muchos cristianos ejercitados a encontrar su propia excepción a la promesa del Evangelio? Reconocemos plenamente que aquí el terreno es más evidente para el ejercicio de la fe.

Tenemos la demostrable certeza de la obra del Hijo, la fidelidad del Padre y la acción del Espíritu, atrayendo a los que "han sido dados para que vengan" (vv. 37, 44, 65), el pacto de la Eterna Trinidad cumplido indefectiblemente. En cuanto a la promesa hecha hacia los padres, la formación manifiestamente imperfecta del padre y la caprichosa rebelión del hijo ocultan el fundamento de la fe a nuestra vista. Sin embargo, esto sólo afecta a la comprensión del fundamento, no al fundamento en sí mismo. Si el cumplimiento del deber por parte del padre en una de las promesas fuera tan cierto como la obra de Dios en la otra, ¿no sería la garantía de la promesa en ambos casos igualmente firme? No podemos, de hecho, anticipar un cumplimiento universal de la promesa.[194]

---

[194] Sin embargo, como creyentes en la inspiración de la Escritura, estamos obligados implícitamente a recibirla. ¿No es mucho más seguro y satisfactorio recibir todas las promesas de la Biblia sobre el mismo fundamento? Los casos que parecen contravenir la promesa educativa pueden ser explicados imparcialmente. No es que la promesa sea falsa, sino que el tiempo del cumplimiento del Señor aún no ha llegado. O, ¿no se habrá omitido

Ejerciten la fe con toda la energía de la diligencia cristiana, y en la paciencia de la esperanza cristiana. Dejen que Dios cumpla su propia y misericordiosa voluntad. Si su soberanía se reserva el tiempo y los medios para sí mismo, su fidelidad nos asegura la promesa, que es, y siempre debe ser: "Sí, y Amén". "Seré un Dios para ti, y para tu descendencia después de ti. Derramaré mi espíritu sobre tu simiente y mi bendición sobre tus descendientes" (2 Co. 1:20, Gn. 17:7, Is. 44:3–5).

Esta es la fe –la recompensa de la fe– de aquellos que hacen de la salvación del alma el principal objetivo de la educación. La humanidad trata a sus hijos como si hubiesen nacido sólo para el mundo: '¿No deben ser acaso como los demás, para abrirse camino por el mundo?' Así, sin temor alguno, los ponen al alcance del mal a su alrededor, dirigen sus pies hacia el "camino ancho de la perdición" y les ordenan seguir con el resto. En todo asunto importante, los educan consistentemente para el presente, no para la eternidad. Centran su mayor interés en asuntos con los que el alma no tiene nada que ver; en logros o erudición, no en la piedad; en refinamiento del gusto y los modales, no en el fortalecimiento de la fe.

¿Necesitamos decir que esta es una educación sin Dios, sin su promesa, sin descanso? Los padres de tales hijos, y los hijos de tales padres, son igualmente objetos de compasión. En la eternidad ambos deberán rendir cuentas solemnemente.

7. El rico domina a los pobres, y el deudor es esclavo del acreedor.

"El rico y el pobre se encuentran" (v. 2), en mutua simpatía y ayuda; pese a ello, Dios ha designado a uno para *gobernar* y al otro para someterse. Y esta gradación de rango en todas sus formas, implica distintas obligaciones que

---

algún elemento importante en la educación? ¿No habrá habido alguna desproporción de una u otra parte del sistema que haya obstaculizado la eficiencia del conjunto? ¿Han estado la instrucción y la disciplina siempre acompañadas de oración y fe? ¿Ha habido siempre una práctica constante que confirme la oración? ¿No ha sido marchitada la bendición por el hombre y su indolencia, autocomplacencia, incredulidad e infidelidad a las condiciones implícitas? Mientras que Abraham, quien instruyó a su familia para Dios, hallará "fiel al que ha prometido" (Gn. 18:19, con Heb. 10:23) los Elis y los David –buenos hombres, pero malos padres– (1 S. 3:13, 1 R. 1:6) conocerán "la enemistad del Señor". (Nm. 14:34.) Al hombre le es demasiado difícil reconciliar la elección absoluta de Dios con un cumplimiento débil, imperfecto e infiel del deber. En todo caso; "Sea Dios veraz y todo hombre mentiroso". (Ro. 3:4.)

deben ser cuidadosamente observadas y seguidas. Por un lado, la sumisión es alegremente reconocida como una ordenanza propia de Dios; mientras que, por el otro, el sentido de responsabilidad se ve aumentado.

El mando se aplica a todas las relaciones domésticas entre dependientes y superiores. Sin embargo, este debe ser *un gobierno* de orden, no uno de orgullo, capricho o egoísmo. Y, especialmente, cuando se ejerce sobre jóvenes de mente y educación refinadas; la dependencia ha de ser atenuada por "la mano de la bondad", reconociéndoles un rango superior, por encima de los criados de la casa. La regla de oro del amor propagará la felicidad cristiana en orden y sin comprometer las obligaciones.

No obstante, con demasiada frecuencia estamos ante *un dominio* donde predomina la dureza (Pr. 18:23, Am. 2:6; 4:1; 5:11, 12; 8:4-6, Stg. 2:6; 5:4. Cf. Eclesiástico 13:19).

Proverbios 18:23 El pobre habla suplicando, pero el rico responde con dureza.

Amós 2:6 Así dice el Señor: Por tres transgresiones de Israel, y por cuatro, no revocaré su *castigo*, porque venden al justo por dinero y al necesitado por un par de sandalias.

Amós 4:1 Oigan esta palabra, vacas de Basán, ustedes que están en el monte de Samaria, que oprimen a los pobres, quebrantan a los menesterosos, y dicen a sus maridos: «Traigan ahora, para que bebamos».

Y, de hecho, sin una sumisión práctica al gobierno de Dios sobre nosotros, difícilmente se nos puede confiar poder alguno sobre nuestros semejantes. Las obligaciones, como la del *deudor al acreedor*, a menudo atan a los dependientes a un yugo *esclavizante*. El hombre se convierte en un extraño para su hermano; en una víctima de su satisfacción, y no en objeto de su simpatía (2 R. 4:1, Neh 5:3-5, Mt. 18:25, 29).[195]

Es muy importante mantener una mente independiente, muy distinta de una orgullosa, que se eleve por encima de hacer o conspirar con el mal, a fin de complacer al patrón. Muchos han sido arrastrados hacia un gran conflicto de conciencia, y tal vez, incluso, a actuar en contra de su conciencia, para no perder la aprobación del superior. Este es un *dominio* tiránico *del rico sobre el pobre*, el que los convierte en esclavos de su propia voluntad.

---

[195] Compare la bendición en Dt. 15:6; 28:12.

Por lo tanto, evita esa orgullosa independencia que desprecia las amables ofertas de ayuda necesaria. Pero evita también todas las obligaciones innecesarias. 'No vendas tu libertad para satisfacer tu suntuosidad'.[196] Si es posible, "no debas nada a nadie sino amor".

Guárdate de aquella pobreza que es resultado del descuido o de la extravagancia. Ora encarecidamente, trabaja diligentemente. Si caes en la pobreza debido a tiempos de infortunio, sométete humildemente a tu suerte; sopórtala pacientemente; y aférrate con una dependencia infantil a tu Dios.[197]

8. El que siembra iniquidad segará vanidad, y la vara de su furor perecerá.[198]

El tiempo de la siembra y de la cosecha nos proporciona una llamativa ilustración bíblica, llena de uso práctico (Sal. 126:5-6, Os. 10:12, Mt. 13:3, 24-30). Están unidos en el mundo espiritual, no menos que en el natural. La cosecha se da en función de la semilla (Gá. 6:7-8).

Gálatas 6:7–8 No se dejen engañar, de Dios nadie se burla; pues todo lo que el hombre siembre, eso también segará. Porque el que siembra para su propia carne, de la carne segará corrupción, pero el que siembra para el Espíritu, del Espíritu segará vida eterna.

Tal es la dignidad y el valor trascendental del alma que la eternidad está estampada en todas sus acciones. Cada pensamiento, cada principio (¿no es este un recuerdo solemne?), es una semilla para la eternidad, produciendo una cosecha de gozo eterno o de "dolor desesperado". El sabio nos advierte publicidad respecto a esta última cosecha. Tanto la experiencia como la observación atestiguan el hecho de que la diligente persistencia del *sembrador* impío sólo puede terminar en *vanidad*, en una total y eterna decepción (Job 4:8, Ro. 6:21).

Sin embargo, la conexión de las dos frases de este proverbio podría sugerir que la *vara* de hierro *de los ricos que dominan sobre los pobres –siguiendo* los

---

[196] Matthew Henry (1622-1714) in loco.
[197] Martin Geier (1614-1680) in loco.
[198] Nota del Traductor: La versión usada en el inglés original señala literalmente: "El que siembra iniquidad, segará vanidad, y la vara de su furor fracasará, (*con la vara de su furor será consumido, Marg.*)"; de allí las referencias realizadas por el autor.

dictados del egoísmo– asegurará la decepción. Su abusivo poder pronto *fracasará*, y sólo cosecharán el fruto de su injusticia. Muchas veces los opresores pueden prosperar momentáneamente. Dios puede usarlos como su vara de castigo. Pero la temporada donde se *sembró iniquidad* terminará en la cosecha de *vanidad*, y cuando hayan culminado su tarea, *la vara de su furor fracasará*.

Así sucedió con Senaquerib en la antigüedad (Is. 10:5-12, 24-25; 30:31. Cf. Zac. 10:11). Así fue con Napoleón en nuestros días. El mundo nunca había visto un *sembrador de iniquidad* tan vasto, y nunca una cosecha de *vanidad* tan abundante. Fue una terrible *vara de furor* para las naciones de la tierra. ¡Pero cuán absoluto fue el *fracaso* de *la vara* luego que su propósito fuera cumplido! Despojado del imperio, destituido de grandeza, exiliado en cautiverio, ¡ese no es el fruto de la semilla de Dios! "Una recompensa firme" (Pr. 11:18), no de *vanidad*, sino de gozo sustancial y eterno (Sal. 126:5-6).

¡Aquí es donde podemos "sembrar abundantemente, para poder cosechar también abundantemente"! (2 Co. 9:6, 9).

9. *El generoso (Lit.* que tiene buen ojo) *será bendito, porque da de su pan al pobre*.

El corazón frecuentemente presta atención al ojo (Lc. 10:33-35).

El ojo generoso o bueno es contrastado con el "ojo maligno" (Pr. 23:6, Dt. 15:9; 28:54, 56, Mt. 20:15). Un hombre así puede mirar la angustia con indiferencia (1 S. 25:3, 10-11, Lc. 10:31-32; 16:19-21), complacerse a sí mismo con una expresión insensible de buena voluntad (Stg. 2:15-16), y encontrar muchas razones para suspender su caridad. Pero el hombre con un *buen ojo* se deleita concibiendo actos de bondad (Is. 32:8). No sólo alivia lo que se le presenta, sino que busca otros objetivos, y los mira con agrado. Nehemías fue un brillante ejemplo de esta *generosidad*.

En lugar de usar su amplio poder para engrandecerse a sí mismo, usó su patrimonio para alimentar a la gente en su propia mesa, *dando de su pan al pobre* (Neh. 5:16-18). Su gran trabajo requería un gran corazón. Y Dios le había dado ese corazón. Recuerda siempre, cristiano, que el sacrificio, y no la conveniencia, es el servicio que Dios acepta.

Dar de nuestro pan, compartirlo junto con los *pobres* (Cf. Job 31:17). Tampoco este debe ser arrancado de nosotros impertinentemente. "Dios ama al dador alegre" (2 Co. 9:6, cf. Dt. 15:10). Su "mandato es que seamos *dadivosos*, prontos a compartir" (1 Ti. 6:17-18).

1 Timoteo 6:17–18 A los ricos en este mundo, enséñales que no sean altaneros ni pongan su esperanza en la incertidumbre de las riquezas, sino en Dios, el cual nos da abundantemente todas las cosas para que las disfrutemos. *Enséñales* que hagan bien, que sean ricos en buenas obras, generosos y prontos a compartir.

Este es su propio modelo de *generosidad*. "Abre su mano y sacia el deseo de todo ser viviente. Da a todos con liberalidad, y sin reproche" (Sal. 145:16, Stg. 1:5). Nosotros sólo somos administradores de su generosidad.

Respecto a nuestras posesiones, ya sean pocas o abundantes, debemos estar *dispuestos* a decir: "No nos pertenecemos a nosotros mismos" (1 Co. 6:19-20). Pero, cuiden que su motivación sea más elevada que la mera gratificación de sentimientos bondadosos. Aprecien cuidadosamente una piadosa simplicidad. "Dejen que su luz brille ante los hombres para gloria de su Padre" (Mt. 5:16). "Cuídense de no dar sus limosnas ante los hombres *para ser vistos por ellos*, de otra manera no tendrán recompensa de su Padre que está en los cielos" (Mt. 6:1–3; 25:34–40).

Esta *generosidad* es un privilegio que la tierra posee por encima del cielo. Muchas ricas *bendiciones* están ligadas a ella (Dt. 15:10, Is. 58:10-11, Mt. 5:7. Cf. Eclesiástico 31:23-24); y el hombre que la muestra "tiene un continuo festín", porque sus propósitos están siempre ante él. El hombre la *bendecirá* según su capacidad (Job 29:11-13; 31:16-20); pero si ellos "no pueden recompensarte, serás recompensado en la resurrección de los justos" (Sal. 41:1-2, Lc. 14:14, 1 Ti. 6:19); cuando 'una buena obra hecha para Dios' –como dice Lutero– 'mostrará más gloria que todo el armazón del cielo y la tierra'. Ese es el poder de su gracia, la imitación de su ejemplo, el reflejo de su imagen, la "manifestación de sus virtudes" (1 P. 2:9 marg).

b. Riqueza e instrucción moral (22:10-16)

10. *Echa fuera al insolente y saldrá la discordia, y cesarán también los pleitos y la ignominia.*

Esta es una palabra para los gobernantes.

El insolente es un promotor de *discordia* en la iglesia. Debe ser controlado (2 Ti. 3:8-9). Si la restricción no surte efecto, debe ser, si es posible, *expulsado* (1 Ti. 1:20; Tit. 3:10-11). Si se le permite tomar "su lugar" en la familia (Sal. 1:1), el resultado serán *pleitos e ignominia*. Una burla o un dicho sarcástico son más provocadores que un golpe. Por lo tanto, si "la paz ha de venir sobre la casa" y "el amor a la paz ha de morar allí" (Lc. 10:5-6), *echa fuera al insolente y la discordia cesará* (Gn. 21:9-10. Cf. Pr. 15:18; 16:28). No se debe discutir con él (Pr. 26:4, 2 R. 18:36).

> **Proverbios 15:18** El hombre irascible provoca riñas, pero el lento para la ira apacigua pleitos.
>
> **Proverbios 16:28** El hombre perverso provoca pleitos, y el chismoso separa a los mejores amigos.

No debemos mantener ningún acuerdo con él. Debemos hacerle frente con una reprensión enérgica y pública, no sea que su influencia derribe la fe de los sencillos (2 Ti. 3:1–7). Si Dios "se burla de los burladores" (Pr. 3:34), ¿qué es lo mínimo que podemos hacer sino desterrarlos de nuestra compañía? "Apartaos de mí, malvados; yo guardaré los mandamientos de mi Dios" (Sal. 119:115. Cf. Neh. 13:28). Pese a ello, si los *echamos fuera*, no los desechemos. Oremos por ellos. Recuerden que "así eran algunos de ustedes" (1 Co. 6:11). Mientras aborrecemos el pecado, tengamos compasión del pecador.

Pero ¿qué sucede si no podemos *echarlo fuera*? Puede que sea un marido, un hijo. Por lo menos, haz saber tu objeción. Demuestra que no estás en el mismo terreno. Apártate de su insolencia, esto le mortificará si es que no lo silencia. Vuélvete de él, hacia tu Dios (Sal. 35:16-24; 69:11-13). Esto traerá paz. Habita con él suspirando, como David en Mesec (Sal. 120:5–7). Uno más grande que David nos enseña mediante su ejemplo. Honra a tu divino Maestro "soportando", como Él lo hizo, año tras año, "la hostilidad de los pecadores" (Heb. 12:3). Quién sabe, quizá esta mansa y silenciosa resistencia, junto a un corazón lleno de amor y compasión, pueda tener el poder de *echar fuera* la insolencia y modelar *al insolente* según la humildad de la cruz. En ese caso, ¿habría algún miembro que sea más bienvenido a la iglesia o a la familia?

Los pleitos y la ignominia cesarían en ambos, si el perseguidor de la fe se convirtiera en un monumento a la gracia (1 Ti. 1:13–16), un testigo brillante de la verdad (Gá. 1:23-24).

11. *El que ama la pureza de corazón tiene gracia en sus labios, y el rey es su amigo.*

La pureza de corazón no describe al hombre natural, sino al hombre renovado. No consiste en un barniz externo, ni en una afectación de santidad, sino en sinceridad, humildad, separación del pecado y conformidad a la imagen de Dios. Quien ha alcanzado plenamente esta *pureza* está ante el trono de Dios.

El que la ama es el hijo de Dios en la tierra. Su perfección consiste en el deseo, el constante progreso, en el proseguir hacia la meta (Fil. 3:12–15). Cuando la fuente es purificada, produce aguas dulces. Cuando "el árbol es hecho bueno, el fruto será bueno". "De la abundancia del corazón habla la boca" (Mt. 12:33-34).

La pureza del corazón cubre de tal refinamiento el carácter entero, y derrama tal *gracia sobre los labios*, que atrae la admiración de aquellos que no entienden su origen y no pueden apreciar su fundamento (Pr. 31:10, 26). Tal fue la *gracia en los labios* del santo Salvador que "la multitud estaba pendiente de ellas, maravillada por las palabras de gracia que salían de su boca" (Sal. 45:2, 7, Lc. 19:48; 4:22). La influencia moral de esta *pureza de* carácter también avergüenza la impureza.

Sin duda, Salomón se refirió a su propia determinación, de que *el rey debería ser amigo* del siervo piadoso. Esta había sido la resolución de su padre (Sal. 101:6; 119:63). Este carácter allanó el camino al favor real para José (Gn. 41:37-45), para Esdras (Esd. 7:6, 21-25), y para Daniel (Dn. 6:1–3, 28. Cf. 1:8-9). Mas aún, encontramos al piadoso Abdías dentro del círculo de confianza del malvado Acab (1 R. 18:3, 12. Cf. 2 R. 13:14). Tan poderosa es la voz de la conciencia, incluso cuando Dios y la santidad son odiados.

Sin embargo, esta predilección por los labios llenos de gracia es, a menudo, algo que debería presentarse, en lugar de algo que se da (Pr. 16:12-13).

Proverbios 16:12–13 Es abominación para los reyes cometer iniquidad, porque el trono se afianza en la justicia. El agrado de los reyes son los labios justos, y amado será el que hable lo recto.

Es un beneficio para el reino cuando la elección del soberano se ajusta a esta regla (Pr. 28:2; 25:5). A este tipo de siervos, y solamente a ellos, el gran *Rey* señala como *sus amigos.* A los tales abraza con su amor paternal (Pr. 15:9). A los tales acoge en su reino celestial (Sal. 15:1-2; 24:3-4). "Bienaventurados los puros de corazón, porque ellos verán a Dios" (Mt. 5:8).

12. *Los ojos del Señor guardan el conocimiento, pero Él confunde las palabras del engañador.*

Los ojos del Señor frecuentemente describen su escrutadora Omnipotencia (Pr. 5:21; 15:3, Sal. 11:4), pero aquí, su cuidado paternal (2 Cr. 16:9 Sal. 34:15, Zac. 4:10). Tantas son las puertas que el sutil enemigo abre a los falsos principios, y tan engañosas las apariencias que usa para torcer el juicio, así como tan fuerte es nuestra tendencia natural en la misma dirección; que, si no fuera por la graciosa cobertura del Señor para *guardar el conocimiento* en nuestros corazones, *las palabras del transgresor* podrían "trastornar nuestra fe" (2 Ti. 2:17-19).

> **2 Timoteo 2:16–19** Evita las palabrerías vacías *y* profanas, porque *los dados a ellas,* conducirán más y más a la impiedad, y su palabra se extenderá como gangrena. Entre ellos están Himeneo y Fileto, que se han desviado de la verdad diciendo que la resurrección ya tuvo lugar, trastornando así la fe de algunos. No obstante, el sólido fundamento de Dios permanece firme, teniendo este sello: «El Señor conoce a los que son Suyos», y: «Que se aparte de la iniquidad todo aquel que menciona el nombre del Señor».

¡Oh! busquemos nuestra consolidación cristiana en una estrecha comunión con Él, para que nos *guarde* continuamente de aquella nube que se cierne sobre nuestras facultades intelectuales y aprensiones espirituales.

Pero el proverbio ilustra, en una escala más amplia, su fiel cuidado de la verdad en el mundo. De hecho, puede ser considerado como una profecía en proceso de cumplimiento hasta el final de los tiempos.[199] Pues ¡cuán

---

[199] Thomas Scott (1741-1821) in loco. "Thomas Scott (1747-1821) fue un comentarista bíblico. Hijo de John Scott (fallecido en 1777), un ganadero, Thomas fue aprendiz de un cirujano en Afford, Lincs, pero después de ser despedido rápidamente por alguna mala conducta, fue empleado durante unos nueve años en trabajos menores en la tierra. Finalmente fue ordenado diácono en 1772 por el obispo de Lincoln y ocupó una sucesión de

maravillosamente se ha *conservado* el *conocimiento* de Dios de una época a otra de modo que todos los planes viables y malignos para borrarlo han sido *confundidos*!

Las Escrituras, como palabras de *conocimiento*, han *sido guardadas* de una manera mucho más exacta que cualquier otro libro de antigüedad semejante; aunque a la sabiduría del hombre nunca le ha faltado ingenio para corromperlas. Cuando *el conocimiento* parecía estar al borde de la destrucción, un solo ejemplar de las Escrituras, encontrado como por casualidad, *lo preservaba* de la extinción total (2 Cr. 34:14–18).

A lo largo de generaciones sucesivas, el Libro estuvo bajo la custodia de fieles bibliotecarios, siendo transmitido con sustancial integridad (Ro. 3:2). Cuando la propia Iglesia se puso del lado de la herejía arriana, los mismos *ojos* vigilantes levantaron un campeón[200] para *guardar* el testimonio. En las edades oscuras que siguieron, hubo testigos que profetizaron, como desde los primeros años de la Revelación;[201] algunos incluso anduvieron durante mucho tiempo en cilicio (Ap. 11:3-11; 12:14-17), hasta el amanecer de un día más resplandeciente. Esto no ocurrió en medio de paz y tranquilidad. A menudo el *transgresor* infiel ha empleado todo el poder del hombre para destruirlo (Jer. 36:23).[202]

Muchas veces la Iglesia de Roma lo ha suprimido parcialmente, lo ha entregado a las llamas, o ha hecho circular copias distorsionadas e interpretaciones falsas. Sin embargo, todas estas *palabras* y acciones de *los transgresores han sido confundidas*. Y, a pesar de todas las perversiones heréticas, *los ojos del Señor han guardado el conocimiento*. Su Palabra continúa

---

puestos de párroco, sucediendo en 1781 a John Newton, a quien había conocido antes, en Olney. Desde 1801 hasta su muerte fue rector de Aston Sandford, Bucks. En su Force of Truth (1779) expuso las etapas en las que sus creencias teológicas se desarrollaron desde un racionalismo unitario hasta un ferviente calvinismo trinitario. Su principal obra, sin embargo, fue su Comentario a la Biblia, publicado en números semanales entre 1788 y 1792. Destacaba por su esfuerzo por descubrir el mensaje de cada sección de la Biblia para su propia alma y por su persistente negativa a eludir las dificultades recurriendo a disquisiciones históricas o pietistas. Aunque tuvo una enorme distribución, aunque Scott, que no compartió más que unos pocos beneficios financieros, siguió siendo un hombre pobre. J. Henry Newman en la *Apología* atestigua que Scott es la influencia "a la que (humanamente hablando) casi debo mi alma"." F. L. Cross and Elizabeth A. Livingstone, eds., *The Oxford Dictionary of the Christian Church* (Oxford; New York: Oxford University Press, 2005), 1484–1485.

[200] Atanasio.

[201] Enoc, Jud. 14, 15. Noé, 2 P. 2:5.

[202] Los esfuerzos de Voltaire y de sus socios.

entre nosotros, con sus credenciales divinas intactas y su inescrutable tesoro inalterable; un milagro constante de la fidelidad de su Todopoderoso Guardador. Así, la confesión del creyente rebosa de gozo y confianza: "Respecto a tus testimonios, he sabido desde hace tiempo que para siempre los has establecido" (Sal. 119:152).

13. El perezoso dice: «Hay un león afuera; seré muerto en las calles».[203]

Las verdaderas dificultades en el camino al cielo ejercitan la fe. Y las hay, demasiado grandes para aquellos que nunca "consideraron el costo", o que "fueron a la guerra a sus propias expensas" (Mt. 8:19-20, cf. 11:12, Lc. 14:28-30). Pero las dificultades imaginarias consienten la pereza.

El perezoso es un cobarde. No ama su trabajo, y, por lo tanto, siempre está dispuesto a engañar a su alma, 'inventando alguna excusa inútil, pues no quiere cumplir con su deber'.[204] Rehúye todo trabajo que pueda implicar esfuerzo (Pr. 15:19; 19:24). Peligros imaginarios le espantan de sus deberes reales y presentes.

Hay un león afuera; seré muerto en las calles: ¡qué absurda excusa! (1 R. 13:24; 20:36, 2 R. 2:24), como si las calles, salvo en casos muy especiales, fueran el hábitat de bestias salvajes (Sal. 104:20-22).

> **Salmo 104:20–22** Tú ordenas la oscuridad y se hace de noche, en ella andan todas las bestias del bosque. Rugen los leoncillos tras su presa, y buscan de Dios su comida. *Al* salir el sol se esconden, y se echan en sus guaridas.

Tiene miedo de ser *asesinado afuera*, pero se rinde voluntariamente para ser *asesinado* dentro (Pr. 21:25). De ese modo, los espías incrédulos, luego que volvieron de ver los exuberantes frutos de Canaán, añadieron: "*No podremos subir contra ese pueblo. Las ciudades están amuralladas hasta los cielos y los gigantes habitan allí*" (Nm. 13:27-33). ¡Como si la promesa de Dios no fuera un motivo más fuerte para creer que los gigantes para temer! (Nm. 14:6-8, cf. Gn. 12:7). Con todo, mucho más triste es ver a Moisés eludir (Ex. 4:10–14), o más aún, a Jonás huir, de la obra del Señor (Jon. 1:1-3). Todas las excusas para no hacerla toman parte de este espíritu cobarde. ¿Quién no ha sentido la tentación,

---

[203] Pr. 26:13.
[204] Reformer's Notes.

cuando se le ha llamado a un deber simple pero abnegado, de encontrar una dolorosa oposición al evangelio, o una fiel reprimenda del pecado?

Hay un león afuera. Cierto. Pero ¿has olvidado la promesa de los caminos de Dios? "Sobre *el león* y la víbora pisarás; hollarás al *cachorro de león y al dragón*" (Sal. 91:11-13). ¿No nos llama la palabra de nuestro Maestro, "Sígueme" (Mt. 4:19; 8:22; 9:9), a ir tras sus pasos, a seguirle en una vida totalmente entregada a la lucha y al esfuerzo? Reflexiona en los términos del discipulado. "Si alguno quiere venir en pos de mí, niéguese a sí mismo, tome su cruz cada día *y sígame*" (Lc. 9:23). Un coraje piadoso, la capacidad para "sufrir penalidades", "firmeza en *toda* la armadura de Dios" (2 Ti. 2:3, Ef. 6:12-13);[205] todo esto es necesario, todo esto debe ser buscado, cada día y cada hora, no sólo por los que están al frente de la batalla, sino también por el más pequeño soldado de la cruz; de lo contrario, aunque esté "armado con arcos, se volverá atrás" vergonzosamente "en el día de la batalla" (Sal. 78:9).

14. *Fosa profunda es la boca de las mujeres extrañas; el que es maldito del Señor caerá en ella.*

Esta terrible tentación ya ha sido expuesta con frecuencia (Pr. 2:16-19; 5:3; 6:24-29; 7:5, 9:16-18).

> **Proverbios 2:16–19** *La discreción* te librará de la mujer extraña, de la desconocida que lisonjea con sus palabras, la cual deja al compañero de su juventud, y olvida el pacto de su Dios; porque su casa se inclina hacia la muerte, y sus senderos hacia los muertos. Todos los que van a ella, no vuelven, ni alcanzan las sendas de la vida.
>
> **Proverbios 5:3** Porque los labios de la extraña destilan miel, y su lengua es más suave que el aceite.

Pero en un libro dirigido especialmente a los jóvenes, ¿quién de los que conoce el poder de las "pasiones juveniles" (2 Ti. 2:22) y el seductor encanto del pecado (Pr. 5:3; 7:21) considerará innecesaria una nueva advertencia? ¿No es la voz de la misericordia? Porque ¿por qué otra razón sino por compasión ilimitada alguien podría pararse, por decirlo así, al borde del *foso* y revelar a los incautos

---

[205] 'Invictus ad labor; fortis ad periculum; durus adversus illecebras". Ambrosio, una fina exhibición de energía cristiana.

su terrible peligro? En efecto, es *una fosa profunda* (Pr. 23:27), a donde es fácil caer; pero difícil, casi imposible, salir (Pr. 2:19. Cf. Ec. 7:26).

Este pecado es muy embrutecedor para la carne, para la mente, ¡y para la conciencia! (Jue. 16:20-21, Neh. 13:26, Os. 4:11). Es *la boca de una fosa mucho más profunda.* "Porque sus pies descienden a la muerte; sus pasos conducen al infierno" (Pr. 5:5; 2:18, 7:27; 9:18; 2 P. 2:10-12, Ap. 21:8). No podría haber otra prueba más humillante de la depravación total de nuestra naturaleza, que el hecho de que esos afectos, originalmente dados como los más puros disfrutes de la vida, se conviertan en la corrupta fuente de tal profanación.

El pecado y el lazo parecerían ser la pena judicial para aquellos, cuyo rechazo voluntario de Dios les ha convertido en *malditos del Señor* (Ro. 1:28. Cf. Sal. 81:11-12). Se han apartado de la instrucción, han odiado la represión, han resistido a la convicción; y, entregados así a su abominación, dan una prueba demasiado clara de que han sido abandonados por Dios (Pr. 5:7–13), y son ¡*malditos del Señor*! ¿Es el abrazo de *la mujer extraña* suficiente compensación por tal juicio? Cada maldición –la desaprobación y la expulsión eternas, el peso de una ira pura e infinita– está incluida en este horrible título. No es que Él desee la muerte del más vil pecador (Ez. 18:32; 33:11).

No obstante, ¿no deben su justicia y su santidad oponerse a quienes, por su propia voluntad, escogen el mal y rechazan por igual las advertencias de su ira y las invitaciones de su amor?

15. *La necedad está ligada al corazón del niño, pero la vara de la disciplina lo alejará de ella.*

¿Qué padre, o, qué educador de niños no dará un triste, pero decisivo testimonio de la *necedad del niño*? 'Pequeño inocente' resulta ser un título erróneo de cariño y afición. Solo hay Uno de la raza de Adán, quien, ¡adorado sea su nombre!, preservado por su santa concepción (Lc. 1:35), es digno de reclamarlo. A excepción de Él, *la necedad* es patrimonio de todos los demás. El desarrollo temprano de la rebeldía y la pasión, incluso antes que el niño aprenda a hablar,[206]

---

[206] Agustín menciona que le sorprendió ver a un niño, que aún no podía hablar, dirigiendo una evidente mirada de envidia y pasión hacia otro que estaba a punto de compartir su alimento. Y añade, refiriéndose a sí mismo: '¿Cuándo, te suplico me digas, oh Dios mío, en qué momento -cuándo o dónde- fui *inocente*?' Confess. lib. i. c. 7.

y antes que sea capaz de observar e imitar a los que le rodean, es una evidencia conmovedora, pero innegable, de tal principio innato.

Observe, se trata de *necedad*, y no de una mera niñería. Aquello podría ser propio de un niño no caído. No hay culpa moral vinculada con el recuerdo: "Cuando era niño, hablaba como niño, pensaba como niño, razonaba como niño" (1 Co. 13:11). 'El niño debe ser castigado', observaba sabiamente el Sr. Thomas Scott (1741-1821), 'no por ser un *niño*, sino por ser *un niño malvado*'.[207] La ignorancia (comparativamente hablando), el inicio imperfecto y gradual de las facultades, constituyen la naturaleza, no la pecaminosidad, del niño. El santo "niño crecía en sabiduría" (Lc. 2:52).

Sin embargo, *la necedad* es aquella poderosa propensión a la maldad; la cual absorbe principios erróneos, forma malos hábitos, y toma un rumbo impío. Contiene todos los pecados de los que es capaz un niño: Mentira, engaño (Sal. 58:3), obstinación, perversidad, falta de sumisión a la autoridad (Job 11:12), todas ellas semillas de una futura maldad que llegan a multiplicarse en fructífera cosecha.

Nos deleitamos con los inofensivos juegos de nuestros hijos. Nos uniríamos a ellos en el entretenimiento. Pero que *esta necedad*, manifiesta en todo momento a nuestros ojos, no sea nunca un objeto de diversión, sino de profunda y constante tristeza. Tampoco apelemos a la infancia para justificarla. Aunque no se pueda imputar a los pecados de los niños la culpa de una responsabilidad adulta, sin embargo, Dios ha manifestado terriblemente que son pecados contra Él. El juicio sobre los "*muchachitos*" de Betel es suficiente para hacer "retumbar ambos oídos" (2 R. 2:23-24, cf. 1 S. 3:11) de los padres desconsiderados.

Pero ¿cuál es el origen de esta *necedad*? "Miren la roca de la que hemos sido tallados. Miren a" Adán, "nuestro padre, y a" Eva "que nos dio a luz" (Is. 51:1-2). Tal como es la raíz, así son las ramas. Tal como es la fuente, así son las aguas. Nuestra naturaleza fue envenenada desde el manantial. Nuestro pecaminoso padre, habiendo perdido la imagen de Dios, sólo podía "engendrar un hijo a su imagen" (Gn. 5:3); un pecador engendrando a otro pecador. "Lo que es nacido de la carne, carne es" (Jn. 3:6), y no puede ser otra cosa. Pues "¿quién sacará algo limpio de lo inmundo?" (Job 14:4; 25:4).

La criatura, por tanto, viene a existir con una radical enemistad contra Dios, y es consecuentemente "por naturaleza, un hijo de ira" (Ef. 2:3). El vínculo se

---

[207] Life, p. 622.

originó desde "nuestro primer padre", y nunca podrá ser cortado. No hay un fraccionamiento de esta triste herencia. Cada uno de sus hijos tiene el todo. El Creador da testimonio de él como "un transgresor desde el vientre, cuyo corazón es malo desde su juventud" (Is. 48:8, Gn. 8:21). La criatura, avergonzada, reconoce el testimonio: "He aquí en iniquidad he sido formado, y en pecado me concibió mi madre" (Sal. 51:5). Si el gozo por el nacimiento de un niño borra el recuerdo de su dolor y pena (Jn. 16:21), no obstante, ¿no debe ser purificado este gozo con el humilde recuerdo de lo que trae un niño al mundo, *necedad*?

Observa además el carácter arraigado de este mal. No yace en la superficie, como algunos de los hábitos infantiles que son fácilmente corregidos. *Está ligado al corazón*, sujetado firmemente por cadenas muy superiores al poder humano.[208] Está tejido e incorporado a su propia naturaleza. Tan variadas son las formas que adopta, y tan sutil su funcionamiento, que el padre más sabio muchas veces no sabe cómo detectar y tratar con este mal.

Sin embargo, la regla general –el remedio prescrito– es evidente. Es inútil pretender que *la necedad* se vaya. Igualmente vano resulta persuadir al propio niño a que *la aleje de sí*.

La vara de la disciplina es claramente nombrada, y reiteradamente inculcada, como el propio medio de Dios para lograr este importante fin (Pr. 19:18; 23:13-14; 29:17).

> **Proverbios 19:18** Disciplina a tu hijo mientras hay esperanza, pero no desee tu alma causarle la muerte.
> **Proverbios 23:13–14** No escatimes la disciplina del niño; aunque lo castigues con vara, no morirá. Lo castigarás con vara, y librarás su alma del Seol.
> **Proverbios 29:17** Disciplina a tu hijo y te dará descanso, y dará alegría a tu alma.

Ciertamente la idea de haber sido un instrumento para engendrar una naturaleza envenenada contra un Dios de amor constreñirá al padre a usar los medios divinamente designados para destruir tal veneno mortal.

Es importante que el niño vea que, tal como ocurre con nuestro Padre celestial, el amor es el principio rector (Pr. 13:24, cf. 3:11-12); que vea que seguimos el ejemplo del mejor y más sabio de los padres; que usamos su vara para *alejar la necedad* (ver 2 Cr. 33:12-13); que, como Él, "castigamos, no por

---

[208] Thomas Cartwright (c. 1535-1603) in loco. Cf. Gn. 44:30, 1 S. 18:1.

gusto, sino para provecho de nuestro hijo" (Heb. 12:6, 10); no por capricho o pasión, sino por ternura a su alma. Usemos los medios del Señor, y entonces podremos –lo que no podríamos *de otro modo*– esperar con fe la bendición prometida. Muchas de las inclinaciones de la carne pueden ser restringidas. La vergüenza por el pecado se convertirá en aversión por él; y, tras la tristeza y la humillación, el camino de la sabiduría será elegido, amado y seguido (Pr. 29:15).

16. *El que oprime al pobre para engrandecerse, o da al rico, solo llegará a la pobreza.*

Estos dos hombres parecen estar en lados opuestos. Sin embargo, coinciden en el centro del camino. Ambos están igualmente desprovistos de amor a Dios y a su hermano. Ambos buscan por igual su propio engrandecimiento. Uno *oprime al pobre* para incrementar sus riquezas. El otro *da al rico*, "esperando algo a cambio". Ambos caminos, por paradójico que parezca, conducen a la pobreza. "*Por la opresión de los pobres*, ahora me levantaré –dice el Señor– su Alma aborrece al que ama la violencia" (Sal. 12:5, 11:5).

> El pecado compensa a sus siervos con un muy mal salario, pues da lo contrario de lo que promete. Así, mientras el pecado de la opresión promete montañas de oro, solo trae pobreza y ruina (Jer. 22:13-15). Los perjuicios causados a los pobres ofenden gravemente al Dios de misericordia, quien es amigo del pobre, y quien hará pedazos a su opresor.[209]

Pero si *la opresión* es el camino hacia la pobreza, ¿no es la liberalidad el camino hacia la riqueza? Sin duda lo es, si es para con Dios (Pr. 3:9-10).

> **Proverbios 3:9–10** Honra al Señor con tus bienes y con las primicias de todos tus frutos; entonces tus graneros se llenarán con abundancia y tus lagares rebosarán de vino nuevo.

Pero aquí, el hombre está dando una falsa muestra de generosidad a fin de asegurarse otros dones a cambio, que valgan diez veces más; mientras que, al mismo tiempo, complace su egoísmo agobiando a los pobres impunemente. Nuestro Señor, en ese sentido, prohíbe a su anfitrión "dar un banquete para los

---

[209] Lawson in loco. Cf. vv. 22-23.

ricos, buscando ser recompensado" (Lc. 14:12). "Si hacéis bien" –dijo a sus discípulos– "a los que os hacen bien, si prestáis a aquellos de los que esperáis recibir, ¿qué merito tenéis?" (Lc. 6:33-35).

Dar a los ricos es pervertir nuestra mayordomía al servicio de los pobres. Pero la justicia retributiva destruirá las ganancias mal habidas del egoísmo (Job 20:19-22, Is. 5:8, 9, Mi. 2:2-5, Zac. 7:9-14, Stg. 2:6, 13, 5:1-4); y la hipocresía encontrará su justa recompensa de vergüenza y decepción (Lc. 12:1-2). ¡Oh! que el cristiano escuche siempre la voz de su Padre: "Yo soy el Dios Todopoderoso; anda delante de mí y sé perfecto" (Gn. 17:1).

TERCERA PARTE: TREINTA DICHOS DE LOS SABIOS (22:17-24:22)

A. PRÓLOGO: DICHO 1 (22:17-21)

a. Motivación del hijo para escuchar (22:17-18)

17. Inclina tu oído y oye las palabras de los sabios, y aplica tu corazón a mi conocimiento; 18. Porque te será agradable si las guardas dentro de ti, para que estén listas en tus labios.

Salomón parece cambiar su manera de dirigirse. Desde el décimo capítulo había dado principalmente aforismos aislados y moralizadores en forma antitética; contrastando los principios correctos e incorrectos con sus respectivos resultados. Ahora, sus observaciones están más conectadas y son más personales; como un sabio ministro que predica a su pueblo, no *ante* el pueblo; y como quien predica, no sólo a las masas, sino dirigiéndose a cada una de sus conciencias.

Comienza con un serio llamado de atención. No está hablando de asuntos ordinarios, sino *las palabras de los sabios: Inclina tu oído; aplica tu corazón a mi conocimiento* (Pr. 2:2; 23:12) como a un mensaje de parte de Dios. ¡Señor! "Despierta mi oído para oír como los sabios" (Is. 50:4).

Observa el atractivo de la sabiduría. Es *algo agradable*, y no menos provechosa. Así pues ¡quién no está vivo para el llamado del placer! Sin embargo, para el mundo es incomprensible relacionar la religión con el placer. Arruina todo su placer. ¿Qué puede hacer para enmendarlo? En su opinión, ella contiene muchas cosas para hacer, pero nada para disfrutar; es algo muy serio, quizás importante en su lugar, pero grave y sombrío: un deber y no un privilegio. Y pese a ello, qué poco nos ha aportado nuestra profesión si no la hemos percibido como algo *agradable*, adornada, por así decirlo, con una sonrisa angelical.

Desgraciadamente, no siempre nos reconforta y fortalece, es un cuerpo, efectivamente, de verdad, pero "un cuerpo sin espíritu", frío y sin vida. Solo *nos será agradable* si la *guardamos dentro de nosotros* (Pr. 6:21, 7:1, cf. 2:10). Una religión sincera transmite una felicidad vital. El fruto proviene del "árbol de la vida" (Pr. 3:18); su sabor es "más dulce que la miel o que el destilar del panal"

(Pr. 24:13-14, Sal. 19:10, 119:103). "Tus palabras fueron halladas y yo las comí, y tu palabra era para mí el gozo y la alegría de mi corazón" (Jer. 15:16).

Observa también la conexión entre la religión del corazón y la de los labios. *Guárdala dentro de ti.* "Que esta palabra more en tu corazón"; ¡y cuánta gracia tendrá lo que provenga de tus labios, *listos* para hablar con simplicidad natural y una aplicación adecuada! (Sal. 119:171, Mt. 12:34, Col. 3:16). Cuando "el corazón está meditando un tema bueno, la lengua es como pluma de escribiente ligero" (Sal. 45:1). Se convierte en "plata escogida". Las palabras *encajan* 'como un collar de ricas y preciosas perlas' (Pr. 10:20. Diodati). "Los labios de los justos apacientan a muchos" (Pr. 10:21. Cf. Pr. 15:23; 16:21; 25:11).

> **Proverbios 10:21** Los labios del justo apacientan a muchos, Pero los necios mueren por falta de entendimiento.
>
> **Proverbios 15:23** El hombre se alegra con la respuesta adecuada, Y una palabra a tiempo, ¡cuán agradable es!
>
> **Proverbios 16:21** El sabio de corazón será llamado prudente, Y la dulzura de palabras aumenta la persuasión.
>
> **Proverbios 25:11** *Como* manzanas de oro en engastes de plata Es la palabra dicha a su tiempo.

No obstante, *las palabras* no estarán *listas en los labios* (Pr. 26:7, 9) si no hay un tesoro en el corazón. Nunca dejes que la boca intente "hablar sabiduría", hasta que "la meditación del corazón haya sido de entendimiento" (Sal. 49:3).

¡Pero cuán impotentes son incluso las palabras de sabiduría sin una aplicación personal! Que cada uno se aísle por un tiempo de sus semejantes, y esté a solas con Dios, bajo la clara y escrutadora luz de su palabra. Si la oración es fría, las gracias se encuentran lánguidas, los privilegios nublados y la profesión resulta infructuosa, ¿no es así porque la religión ha sido tomada *en bruto*, sin haber tenido un contacto personal e inmediato con la verdad de Dios? Oh, alma mía, el mensaje de Dios es *para ti, también para ti,*[1] el día de *hoy.* "Entretanto que se llama hoy" (Heb. 3:13; 4:7, cf. Sal. 95:7), acoge su voz con gozo reverente. "Aférrate a su instrucción, porque es tu vida" (Pr. 4:13).

---

[1] Vea la misma enfática repetición en Pr. 23:15.

b. *Línea central: Motivación teológica (22:19)*

19. *Para que tu confianza esté en el Señor, te he instruido* (Lit. dado a conocer) *hoy a ti también.*

Para que tu confianza esté en el Señor, para que puedas afirmar tu interés en él, para que selles su verdad en tu corazón, Él te la *ha dado a conocer también a ti.* Cree, ama, obedece, sé feliz aquí y para la eternidad. *¿Quién podrá dudar de la excelencia de las cosas que están escritas, tan ricas en consejo y conocimiento,* 'palabras adecuadas para el discurso de un príncipe y para que las escuche el mejor hombre del mundo'?[2]

¡Cuán libres y cuán insistentes son sus invitaciones! (Pr. 1, 8, 9). ¡Qué manifestación tan profunda de los consejos divinos! (Pr. 8). ¡Cuán sabias, sinceras y paternales advertencias contra el pecado! (Pr. 5, 7). ¡Qué alentadoras muestras del servicio de Dios! (Pr. 3). ¡Qué estándar tan minucioso y práctico para la vida cotidiana y las obligaciones sociales! (Pr. 10-22).

c. *El propósito del padre (22:20-21)*

20. *¿No te he escrito cosas excelentes de consejo y conocimiento,* 21. *Para hacerte saber la certeza de las palabras de verdad a fin de que respondas correctamente* (Lit. vuelvas palabras de verdad) *al que te ha enviado?*

Pero no olvidemos el gran propósito de esta Revelación: que *podamos saber la certeza de las cosas,* que *podamos dar razón* de nuestra confianza. El propio Evangelio fue escrito con una referencia especial a este importante fin (Lc. 1:1-4, 2 P. 1:15-16).

> **2 Pedro 1:15–16** Además, yo procuraré con diligencia, que en todo tiempo, después de mi partida, ustedes puedan recordar estas cosas. Porque cuando les dimos a conocer el poder y la venida de nuestro Señor Jesucristo, no seguimos fábulas ingeniosamente inventadas, sino que fuimos testigos oculares de Su majestad.

---

[2] Pr. 8:6. Thomas Scott (1741-1821) in loco.

Sin embargo, esta confianza no es un logro natural, sino uno divino. "La palabra debe venir en poder y en el Espíritu Santo", para que venga "con plena certidumbre" (1 Ts. 1:5). No puede ser una fe sólida la que no se extiende a todo el testimonio. Incluso una admisión general de la autoridad del conjunto, sin una aplicación individual, probaría ser –si se analizara cuidadosamente– una falta de recepción cordial de cualquier parte de la Revelación. Solo su morada en el corazón puede traer esa convicción plena que nos permite decir: "Ahora creemos no solamente por tus palabras, sino porque nosotros mismos lo hemos oído" (Jn. 4:42).

Pueden surgir dudas sobre la integridad del fundamento. Pero un estudio sincero e inteligente de la evidencia externa satisfará toda mente razonable.[3] Y un juicio justo de nuestra parte confirmaría el cúmulo de pruebas con todo el peso de la evidencia interna. Es mucho mejor hacer el juicio cuanto antes, que paralizar la escasa fuerza restante con dudas irrazonables. La Biblia presenta un remedio divinamente designado, proporcional a la infinita angustia del hombre, y aceptado por Dios en su poder y predominio. Que esto al menos provoque el esfuerzo de adecuar nuestro caso al remedio, y de aplicar el remedio a nuestro caso. Si hay alguna conmoción, será en el ejercicio, no en el fundamento, de nuestra confianza.

---

[3] Vea 'Canon of the Old and New Testament Scriptures ascertained' del Dr. Alexander, un valioso volumen proveniente de América, reimpreso en Londres. "Archibald Alexander, (1772-1851) fue el profesor fundador del Seminario Teológico de Princeton y "fundador" de la Teología de Princeton. Alexander tuvo como tutor a William Graham, alumno de John Witherspoon, de quien se empapó de la filosofía de sentido común del realismo escocés. Sus intereses teológicos se despertaron y, tras exponerse al avivamiento de la región de Blue Ridge en Virginia, profesó su fe cristiana (1789). Leyó a importantes teólogos reformados y asumió la presidencia del Hampden-Sydney College antes de ser pastor de la Tercera Iglesia Presbiteriana de Filadelfia (Pine Street). Predicó ante la Asamblea General Presbiteriana (1808) instando a la creación de un seminario teológico y se convirtió en el primer profesor de Princeton (1812). Sus estudios se centraron en las obras de Francis Turretin y la filosofía del sentido común. Para contrarrestar el deísmo, Alexander enseñó que el verdadero conocimiento provenía tanto de la razón como de la experiencia religiosa. Escribió *Evidencias de la religión cristiana* (1825) y *Pensamientos sobre la experiencia religiosa* (1841). La doctrina de Alexander sobre las Escrituras fue desarrollada por sus seguidores, pero enseñó tres tipos de inspiración (superintendencia, sugerencia, elevación) y buscó gradualmente criterios externos más objetivos para probar la autoridad de las Escrituras. Sin embargo, se mantuvo el énfasis en la experiencia religiosa y el testimonio del Espíritu Santo." Donald K. McKim, "Alexander, Archibald (1772–1851)," *Encyclopedia of the Reformed Faith* (Louisville, KY; Edinburgh: Westminster/John Knox Press; Saint Andrew Press, 1992), 5.

No puede esperarse alguna otra prueba. De hecho, no podría darse ninguna, excepto una voz del cielo, que el agitado enemigo, trabajando en la imaginación, convertiría fácilmente en un vehículo de duda. Una demostración efectiva no dejaría espacio para la fe, que es claramente la disciplina del hombre en la presente dispensación; humillándolo en la conciencia de su ignorancia como de su dependencia de Dios.

Por lo tanto, sólo debemos recibir con gratitud y aprovechar con diligencia la suficiente evidencia que se nos ha concedido. Paley ha contribuido con una máxima de oro a la filosofía cristiana, indicando que 'la verdadera fortaleza de entendimiento consiste en no permitir que lo que sabemos sea perturbado y sacudido por lo que no sabemos'.[4] En consecuencia, retrasar "la obediencia a la fe" (Ro. 16:26) hasta que hayamos resuelto cada una de las diez mil objeciones de la orgullosa infidelidad, es desperdiciar las urgentes responsabilidades del presente en una injustificada expectativa de luz que nunca fue prometida y nunca pretendió ser dada.

Sin embargo, no se puede sobrestimar la importancia de una confianza sólida, pues constituye el peso y la eficacia del oficio sagrado. "Los labios del sacerdote guardan la ciencia, y de su boca los hombres buscarán la ley, como mensajero del Señor de los ejércitos" (Mal. 2:7). Pero si no *conoce él mismo la certeza de las palabras de verdad*, ¿cómo podrá responder *las palabras de verdad a los que le enviaron*? Apenas menos necesario, y de acuerdo al mismo fundamento, es necesario que el cristiano pueda "estar siempre listo para dar una respuesta a todo aquel que le demande razón de la esperanza que hay en él" (1 P. 3:15).

El escepticismo temporal puede ser el castigo por un espíritu conflictivo. Pero la oración y la humildad, junto a todas las gracias que las acompañan, producirán finalmente la consolidación cristiana. De esta manera seremos preservados del terrible, pero por desgracia demasiado frecuente, peligro de recibir las tradiciones de los hombres en lugar, y con la autoridad, del testimonio de Dios. Nuestra fe no será como la fe romana, una fe ciega en el sacerdote o en la Iglesia, sino *sólo* "en la ley y el testimonio" (Is. 8, 20. Cf. Hch. 17:11), la cual se sostiene, no en la sabiduría de los hombres, sino en el poder de Dios (1 Co. 2:5); marcada por el sello del Espíritu, como un "testimonio en nosotros mismos" (1 Jn. 5:10; 2:20, 27).

---

[4] Vea su 'Natural Theology', cap. 5.

Ningún poder de Satanás o de sus emisarios nos alejará permanentemente de esta fortaleza. "Sabemos a quién" y "en qué hemos creído" (2 Ti. 1:12), y confiadamente "testificamos", para sostener a nuestros hermanos más débiles, "que esta es la verdadera gracia de Dios, en la cual permanecemos" (1 P. 5:12).

B. UN DECÁLOGO DE DICHOS SOBRE LA RIQUEZA (22:22-23:11)

1. Dichos 2-4 (22:22-27)

a. Dicho 2: No robes al pobre (22:22-23)

22. *No robes al pobre, porque es pobre, ni aplastes al afligido en la puerta;* 23. *Porque el Señor defenderá su causa y quitará la vida (Lit. robará el alma) de los que los despojan.*

Después de una exhortación tan solemne, quizá podríamos haber esperado algo más importante. No obstante, ¿qué puede ser más importante que la ley del amor, y que reprender las infracciones de esa ley?

El robo y la opresión, bajo cualquier circunstancia, son una violación del mandamiento (Ex. 20:15). Pero, *robar al pobre porque es pobre* y no tiene manera de protegerse, es una cobarde agravante del pecado (2 S. 12:1–6). Mucho más vil es *oprimir al afligido en la puerta*; el lugar del juicio (Rut 4:1-2 S. 15:2; 19:8, Job. 5:4; Am. 5:15): convirtiendo su único refugio en un mercado para el soborno (Ex. 23:6, Am. 5:12), y pervirtiendo la sagrada autoridad de Dios dada para su protección (Sal. 82:4. Cf. 72:1–4).

> Las amenazas de Dios contra *los que roban al pobre* a veces son ridiculizadas por los ricos y los grandes. Sin embargo, a su debido tiempo se darán cuenta de que son horribles realidades.[5]
> Aunque son débiles, tienen a un fuerte que está junto a ellos.[6]

---

[5] Lawson sobre el versículo 16.
[6] Sermón del Ob. Robert Sanderson (1587-1663) sobre 1 S. 12:3.

Él *defenderá su causa*. Ay del hombre de quien los defiende. "¿Qué piensan ustedes" –reclama el defensor de los pobres– "al aplastar a mi pueblo hasta hacerlo pedazos, y moler la cara de los pobres?" (Is. 3:15. Cf. Pr. 23:10-11, Jer. 50:33-34).

> **Proverbios 23:10–11** No muevas el lindero antiguo, ni entres en la heredad de los huérfanos, porque su Redentor es fuerte; Él defenderá su causa contra ti.
> **Jeremías 50:33–34** Así dice el Señor de los ejércitos: «Oprimidos están los israelitas y los hijos de Judá también; todos los que los tomaron cautivos los han retenido, se han negado a soltarlos. *Pero* su Redentor es fuerte, el Señor de los ejércitos es Su nombre; defenderá su causa con energía para traer reposo a la tierra y turbación a los habitantes de Babilonia.

La venganza divina se acumula sobre este pecado (Sal. 109:6, 16). El juicio de Acab dio testimonio del terrible *despojo* que sufren *los que despojan a los pobres* (1 R. 21:18-24. Cf. Is. 33:1, Hab. 2:8). El cautiverio en Babilonia fue el látigo que castigó esta maldad. Cuando los actos secretos salgan a la luz, ¡cuán tenebroso será el catálogo de los pecados de la *opresión*! ¡Cuán tremendo será el juicio del *opresor*! (Mal. 3:5). Mientras tanto, que el pobre se encomiende a su Dios (Sal. 10:14); y, entone cánticos de alabanza (Sal. 109:30-31), en la confianza de que el divino *abogado defensor* "sostendrá su causa" (Sal. 140:12), y la llevará a cabo triunfalmente, culminando en la eterna confusión de aquellos pecadores que *los despojaban*.

b. Dicho 3: No te asocies con el iracundo (22:24-25)

24. *No te asocies con el hombre iracundo, ni andes con el hombre violento,* 25. *No sea que aprendas sus maneras y tiendas (Lit. tomes) lazo para ti mismo.*[7]

El pecado es contagioso. Desgraciadamente, nuestra corrupta constitución nos predispone a recibirlo en cualquier forma en la que se nos presente. Las

---

[7] Nota del Traductor: La versión usada en el inglés original señala literalmente: "No hagas amistad con el hombre iracundo, Ni andes con el hombre furioso, no sea que aprendas sus caminos y tiendas lazo a tu alma"; de allí las referencias realizadas por el autor.

desagradables pasiones del *hombre violento* antes repelen que atraen (Pr. 21:25; 25:28; 27:4).

> **Proverbios 21:25** El deseo del perezoso lo mata, porque sus manos rehúsan trabajar.
> **Proverbios 25:28** *Como* ciudad invadida *y* sin murallas es el hombre que no domina su espíritu.
> **Proverbios 27:4** Cruel es el furor e inundación la ira; pero ¿quién se mantendrá ante los celos?

Pese a ello, el pecado nunca pierde su carácter contagioso.

La amistad ciega los ojos; y así, donde no hay luz en la mente, ni verdadera sensibilidad en la conciencia, podemos ver cosas detestables hechas por los que amamos con obtusa sensibilidad. El trato habitual *con el hombre violento* está lleno de peligros. Su conducta irrazonable agita nuestro propio temperamento. Un fuego enciende otro, y así, los ocasionales arrebatos de pasión pronto se hacen un hábito. Luego, el hábito se convierte en naturaleza. Así, *aprendemos sus maneras, y tendemos un lazo a nuestra alma* (Sal. 106:35-36).

¡Cuán pronto el joven que vive con un hombre orgulloso se adapta al molde de su compañía y se vuelve altanero y prepotente! (Eclesiástico 13:1). Los malos caminos, especialmente cuando encajan con nuestro temperamento natural, son aprendidos mucho antes que los buenos; y son mucho más poderosos para "corromper las buenas costumbres" (1 Co. 15:33) que estas buenas costumbres para enmendar el mal. Asimilamos la ira más fácilmente que la mansedumbre. Transmitimos enfermedad, no salud. Por lo tanto, la regla para guardarse a sí mismo, no menos que la regla de Dios, es: '*No hagas amistad con un hombre iracundo*'.

c. Dicho 4: No des préstamos (22:26-27)

26. No estés entre los que dan fianzas (Lit. dan la palma), entre los que salen de fiadores de préstamos. 27. Si no tienes con qué pagar, ¿Por qué han de quitarte la cama de debajo de ti?

Evita asociarte, no sólo con aquellos compañeros *iracundos*, sino también con los imprudentes, quienes quizás carecen de principios.

No estreches la mano (Pr. 6:1) *como fiador* sin tomar precauciones o contraviniendo el principio de rectitud. Se nos ha advertido repetidamente acerca de este peligro (Pr. 6:1-2; 11:15; 17:18). Extender la mano a una cuenta puede equipararse a firmar nuestra propia sentencia de muerte. En todo caso, resulta un fraude dar fianza por más de lo que se posee, prometiendo aquello que no se puede hacer.

En tales casos, el acreedor podía proceder con toda justicia a tomar medidas extremas (Pr. 20); no contra el deudor (de quien se sabe no posee nada, y a quien, de hecho, la ley de Dios protegía; Ex. 22:26-27, Dt. 24:12-13), sino contra el fiador.

> **Deuteronomio 24:10–13** »Cuando prestes cualquier cosa a tu prójimo, no entrarás en su casa para tomar su prenda. »Tú te quedarás afuera, y el hombre a quien hiciste el préstamo te traerá la prenda. »Si él es un hombre pobre, no te acostarás *reteniendo aún* su prenda. »Al ponerse el sol, sin falta le devolverás la prenda para que se acueste con su ropa, y te bendiga; y te será justicia delante del Señor tu Dios.

Así pues, ¿*por qué* –pregunta el sabio– te precipitas a la miseria y la ruina, de tal modo que lleguen *a quitarte la cama de debajo de ti*?

No obstante, es tan peligroso caer en una cautela excesiva, o complacer el egoísmo aparentando prudencia, que estas saludables precauciones deben aplicarse con ponderación. A pesar de todo, al "concebir planes generosos" (Is. 32:8), debemos incluir un escrupuloso respeto a la justicia y a la verdad (Fil. 4:8). Si no, nuestra propia generosidad traerá escándalo, en lugar de gloria, a nuestra profesión (Ro. 14:16, 1 Ti. 5:22, Heb. 12:13).

> Podemos "aceptar *con gozo* el despojo de nuestros bienes", como testimonio de una buena conciencia. Pero como fruto de nuestra propia precipitación e insensatez, no podemos dejar de *tomarlo en serio*" (Heb. 10:34.).[8]

¡Oh! que nuestro Divino Maestro sea honrado con nuestra profesión; que al hacer bien "hagamos callar la ignorancia de los hombres insensatos" (1 P. 2:14-16; 3:16).

---

[8] Matthew Henry (1622-1714) in loco.

2. Dichos 5-7 (22:28-23:3)

a. Dicho 5: No muevas el lindero antiguo (22:28)

28. *No muevas el lindero antiguo que pusieron tus padres.*

Cada persona tiene un incuestionable derecho a lo suyo. Por lo tanto, cada uno debe tener los medios para conocer y asegurar su derecho. Incluso los paganos admitieron el carácter sagrado de *los linderos*. La piedra o el pozo fueron honrados como un dios, sin cuya amable influencia cada uno de los campos sería objeto de disputa.[9]

Un lindero estaba protegido por las sabias leyes de Israel. Dios mismo fijó los términos de cada parte del mundo que Él creó, confinando a cada una de ellas dentro de sus propios límites (Gn. 1:6-10, Job 38:10-11). Así también repartió las diferentes naciones (Dt. 32:8), y estableció la misma protección para los diversos territorios de su propio pueblo (Nm. 34).

El lindero antiguo se erigía como testigo y memorial de los derechos de cada hombre, pues habían sido *puestos por los padres*. Por lo tanto, su *remoción* estaba prohibida, al constituir una invasión egoísta e injusta de la propiedad (Dt. 19:14. Cf. Pr. 23:10, Job 24:2), estaba incluida dentro de las maldiciones del monte Ebal (Dt. 27:17), y era señalada, en épocas posteriores, como la cabeza y el rostro de la provocación nacional (Os. 5:10).

Todos los buenos expositores[10] nos aconsejan, a partir de este proverbio, reverenciar aquellos principios probados y bien establecidos, y no pretender innovarlos precipitadamente. Algunos desprecian *los linderos antiguos* como reliquias de un pasado oscuro. Impacientes por las restricciones, desean un mayor espacio donde extraviarse, a fin de complacer su propio y lascivo apetito por novedades, o los morbosos anhelos de otros por esta malsana excitación (2 Ti. 3:7; 4:3-4).

2 Timoteo 3:7 que siempre están aprendiendo, pero nunca pueden llegar al pleno conocimiento de la verdad.

---

[9] Vea Ovidio. Fast. ii. 639-648. También i. 50.

[10] Ob. Simon Patrick (1626-1707), Thomas Scott (1741-1821), Martin Geier (1614-1680), & c. Los expositores romanos lo aplican, naturalmente, a sus propias tradiciones. Estè cita a Beda el venerable. Vea también Corn, en Lapidè.

2 Timoteo 4:3–4 Porque vendrá tiempo cuando no soportarán la sana doctrina, sino que teniendo comezón de oídos, conforme a sus propios deseos, acumularán para sí maestros, y apartarán sus oídos de la verdad, y se volverán a los mitos.

Este mal mortal ha traído interminables divisiones y disensiones como fruto. El derecho a un juicio individual sobrepasa sus legítimos límites, y, en su ejercicio licencioso, "todo hombre" se siente justificado a "hacer" y pensar "lo que bien le parece" (Jue. 21:25).

Roma, por otro lado, nos acusa de *remover el lindero antiguo* de la Tradición oral *que pusieron nuestros padres.* Nos preguntamos, ¿qué derecho tenían ellos para *establecerlo?* No reverenciamos las tradiciones no escritas en base a "la ley y el testimonio" (Is. 8:20.). Rebatimos tal acusación, y, al contrario, la dirigimos contra Roma, afirmando, en base al abundante testimonio histórico, que es ella quien *ha removido los linderos antiguos,* sustituyéndolos con linderos de su invención; y que el protestantismo (no en nombre, sino en principio) es la religión antigua, mientras que el papado no es sino una novedad a su lado.[11]

Si volvemos la vista a nuestra propia amada y venerada Iglesia, observaremos que los últimos siglos han sido testigos de un grosero –pero, por misericordia divina, infructuoso– esfuerzo por erradicar sus *linderos.*[12] Hemos visto un sutil e insidioso intento por *removerlos* del lugar en donde *nuestros* bien instruidos *padres los habían puesto*, y así establecerlos más cerca de Roma; no dejando nada más que un estrecho límite divisorio entre Cristo y el Anticristo. Ciertamente este es el desarraigo de los cimientos de la gracia de Dios, que debe, si es necesario, "resistirse hasta la sangre" (Heb. 12:4). ¡Que el Señor nos "fortalezca para la verdad" y nos haga testigos consecuentes de su poder!

---

[11] Los principios distintivos del papado, acreditados como artículos de fe, se remontan históricamente a muchos siglos posteriores a la era primitiva. Vea un valioso tratado del Rev. Thomas Lathbury: 'Protestantism the Old Religion, Popery the New.' Vea también 'Our Protestant Forefathers,' por el Rev. Dr. Gilly. En cuanto a nuestra propia iglesia, vea el interesante y detallado trabajo del Sr. Soames sobre la Iglesia Anglosajona.

[12] La Asociación Sociniana, en la Feathers Tavern, apoyada por hombres de influencia y dignidad, con el objetivo declarado de barrer todos los Credos, Artículos y Suscripciones.

b. Dicho 6: Se diestro en tu trabajo (22:29)

29. ¿Has visto un hombre diestro en su trabajo? Estará delante de los reyes; No estará delante de hombres sin importancia.[13]

¿Has visto un hombre? Se le ha señalado para que le prestemos especial atención (Pr. 26:12; 29:20).

> **Proverbios 26:12** ¿Has visto a un hombre que se tiene por sabio? Más esperanza hay para el necio que para él.
>
> **Proverbios 29:20** ¿Ves a un hombre precipitado en sus palabras? Más esperanza hay para el necio que para él.

¿Y quién es? *Un hombre diligente en su trabajo*; rápido, listo, que aprovecha activamente su tiempo, sus talentos, y las oportunidades para lograr su tarea, como Henry Martyn, que era conocido en su universidad como "el hombre que no había perdido ni una hora".[14] Un entorno *ruin* es demasiado bajo para un hombre así.

Estará, como lo estuvieron José (Gn. 39:3-6; 41:42), Nehemías (Neh. 1:11; 2:1, Dn. 6:1–3; 7:27), Daniel (Dn. 6:1–3; 8:27), –todos *diligentes en su trabajo– delante de los reyes.* Si la letra de la promesa no siempre se cumpliera, *"el hombre diligente* tomará autoridad" en su propia esfera (Pr. 12:24. Cf. Eclesiástico 10:25). Tal fue el honor que se concedió al cuidado, previsión y actuación de Eliezer en interés de su amo (Gn. 24).

> La nobleza como condición social no es esencial para cultivar la nobleza de carácter. Es agradable pensar que una vida humilde puede ser tan rica en gracia y grandeza moral como la vida más elevada en la sociedad; que la verdadera dignidad puede ser ganada por aquel que en la faena más hogareña realiza concienzudamente su tarea, como por aquel a quien se le confían las fortunas de un imperio.[15]

---

[13] Nota del Traductor: La versión usada en el inglés original señala literalmente: "¿Has visto un hombre diligente en su trabajo? Estará delante de los reyes; No estará delante de hombres ruines"; de allí las referencias realizadas por el autor.

[14] Life, cap. 2.

[15] 'Commercial Discourses' de Thomas Chalmers (1780-1847), p. 107.

La diligencia, incluso sin la piedad, muchas veces es el camino hacia el progreso mundano. Faraón eligió a los hermanos de José, como "hombres capaces", para que estén a cargo de su ganado (Gn. 47:6). Jeroboam debía su ascenso en la casa de Salomón a sus hábitos "industriosos" (1 R. 11:28). Pero cuando un hombre "sirve al Señor con fervor de espíritu" (Ro. 12:11), empleando fielmente su propio talento para el día del juicio final (Lc. 19:13), el *hombre ruin* del mundo será demasiado bajo para él.

Comparecerá delante del Rey de Reyes con un honor indescriptible y bajo una indiscutible aceptación: "¡Bien hecho! Siervo bueno y fiel; entra en el gozo de tu Señor" (Mt. 25:21-23).

Y si los siervos del sabio rey eran dichosos, pues *estaban continuamente delante de él* y escuchaban su sabiduría, ¡cuál será el gozo al *estar delante del gran Rey,* viendo su rostro, y sirviéndole para siempre! (1 R. 10:8, cf. Ap. 7:15; 22:3-4). "Este honor tienen todos sus santos" (Sal. 149:9). "Si alguno me sirve, dice nuestro bondadoso Maestro, "donde yo estuviere, allí también estará mi siervo; si alguno me sirviere, mi Padre le honrará" (Jn. 12:26).

c. Dicho 7: Pon cuchillo a tu garganta (23:1-3)

1. *Cuando te sientes a comer con un gobernante, considera bien lo que está delante de ti, 2. Y pon cuchillo a tu garganta si eres hombre de mucho apetito. 3. No desees sus manjares, porque es alimento engañoso.*

EL libro de Dios es nuestra regla de práctica, no menos que de fe. Hace valer la religión no sólo en nuestras acciones religiosas, sino también en las comunes (1 Co. 10:31). Gobierna los detalles diarios de la vida común. Supongamos que somos invitados, en el rumbo de la Providencia, a la mesa de un hombre de cierta jerarquía; cuán sabia es la advertencia: *¡Considera diligentemente lo que está delante de ti!* Piensa dónde estás, cuál es la tentación que suele acecharte, qué impresión podría causar tu conducta. El apetito desenfrenado, o la ligereza en los modales, son una causa razonable de prejuicio para los impíos, o de "tropiezo a los débiles" (1 Co. 8:9, Ro. 14:21).

Pero, después de todo, nosotros mismos somos los principales afectados. La suntuosa mesa que tenemos ante nosotros, ¿no es capaz de provocar una desproporcionada complacencia? La regla es simple y urgente. *Si* eres consciente de que *eres hombre de mucho apetito,* y que éste se ha convertido en tu principal propósito y deleite, ponle freno como por medio de la fuerza y la violencia (Mt. 18:8-9). Actúa como si *un cuchillo estuviera en tu garganta*. Sé severo y resuelto contigo mismo (v. 31, Sal. 141:4). No des cuartel a tal sensualidad. Resiste toda complacencia renovada. Los *manjares son* un *alimento engañoso*, a veces por la insinceridad del anfitrión (vv. 6-8), y siempre por la decepción que causa un placer anticipado (Ec. 2:10-11).

Eclesiastés 2:10–11 Y de todo cuanto mis ojos deseaban, nada les negué, ni privé a mi corazón de ningún placer, porque mi corazón gozaba de todo mi trabajo. Esta fue la recompensa de toda mi labor. Consideré luego todas las obras que mis manos habían hecho y el trabajo en que me había empeñado, y resultó que todo era vanidad y correr tras el viento, y sin provecho bajo el sol.

Consumirlas puede ser lícito, pero *desearlas* es terriblemente peligroso.

¿Quién, entre los que conocen su propia debilidad, considerará esta precaución como algo innecesario? ¡Ay! ¿No fueron "los deseos de la carne" los que abrieron paso al pecado que nos ha abrumado a todos? (1 Jn. 2:16, Gn. 3:6). ¡Cómo empaña el placer sensual nuestra profesión cristiana (1 Co. 11:21. Fil. 3:18-19, Jud. 12-13), y cómo ahoga la vitalidad de la comprensión y disfrute espiritual! (Gn. 25:28; 27:4, cf. 26-29). Si los discípulos de Cristo – familiarizados solo *con comidas humildes y hogareñas*– necesitaron una advertencia para "estar alertas" (Lc. 21:34); con mucha más razón esta debe aplicarse a la mesa de *un gobernante*, donde todo sirve a la tentación.

Es una elevada prerrogativa del hombre "ejercer dominio sobre las criaturas" (Gn. 1:26, 28; 9:2). Es su vergüenza, por lo tanto, que la criatura, en cualquier forma, tenga dominio sobre él. Dios nos da un cuerpo para alimentarlo, no para mimarlo; para que sea un siervo, no el amo, del alma. Él provee pan para nuestras necesidades (Mt. 6:11, 25–33), pero el hombre anhela "comida a su gusto" (Sal. 78:18). Debemos "hacer provisión" para las necesidades, no "para los deseos de la carne" (Ro. 13:14). Así pues, seguramente un alma que "se viste del Señor Jesucristo", nunca podrá degradarse a sí misma convirtiéndose en una proveedora de la carne. Si un pagano puede decir: 'Soy más grande y he nacido para cosas más grandes que para ser un siervo de mi cuerpo',[16] ¿no es una vergüenza para el cristiano –nacido como lo es, para ser heredero de una corona eterna– ser un esclavo de sus pasiones carnales?

---

[16] Séneca.

Acercarse lo máximo posible a los límites de la intemperancia es exponerse al inminente peligro del exceso. 'El que se toma *toda* la libertad en lo que puede, se arrepentirá'.[17] La tentación presiona fuertemente. Por tanto, pon tu guardia más fuerte en este punto débil. 'Contén tus deseos, aunque sean un tanto importunos, y con el tiempo tendrás un beneficio increíble por ello'.[18] Has tuya la oración de nuestra Iglesia: 'Concédenos que vivamos con tal abstinencia, que, estando nuestra carne sujeta al Espíritu, obedezcamos siempre tus divinas inspiraciones'.[19] Únela con la resolución de un apóstol: "Golpeo mi cuerpo y lo pongo en servidumbre" (1 Co. 9:27), y con la regla de otro: "Añade a tu fe templanza" (2 P. 1:5-6). Esta lucha práctica romperá el poder de muchas poderosas tentaciones, y triunfará gloriosamente sobre la carne (Dn. 1:8.).[20]

3. Dichos 8-11 (23:4-23:11)

a. Dicho 8: No pienses en riquezas (23:4-5)

4. *No te fatigues en adquirir riquezas, deja de pensar en ellas. 5. Cuando pones tus ojos en ella, ya no está* (*Lit. ¿Volarán tus ojos sobre ella y no existe?*). *Porque la riqueza ciertamente se hace alas como águila que vuela hacia los cielos.*

---

[17] 'Works' del Obispo Joseph Hall (1574-1656), viii. 101.

[18] Sermón del Ob. Robert Sanderson (1587-1663) sobre el Salmo 19:13. "Robert Sanderson (1587-1663) fue obispo de Lincoln. Educado en la Rotherham Grammar School y en el Lincoln College de Oxford, del que se hizo miembro en 1606, fue ordenado en 1611 y ocupó varias vocalías, así como puestos de prebendado en Southwell y Lincoln. Ganando el favor de William Laud, fue nombrado capellán real en 1631 y profesor Regius de divinidad en Oxford en 1642. Durante la Guerra Civil fue privado de su cátedra y encarcelado durante un tiempo. En 1660 fue restituido y poco después consagrado a la sede de Lincoln. Tomó parte destacada en la Conferencia de Saboya de 1661 y redactó el prefacio del nuevo *Libro de Oración* (1662). Su obra más conocida es su *Nine Cases of Conscience Occasionally Determined* (1678), una de las contribuciones más notables a la teología moral de su época. Sus otros escritos incluyen: *Logicae Artis Compendium* (1615); *De Juramenti Promissorii Obligatione* (1647); y *De Obligatione Conscientiae* (conferencias en 1647; pub. 1660)." F. L. Cross and Elizabeth A. Livingstone, eds., *The Oxford Dictionary of the Christian Church* (Oxford; New York: Oxford University Press, 2005), 1463.

[19] Colecta para el primer Domingo en Cuaresma.

[20] Compara las ingenuas e instructivas Confesiones de Agustín, libro x. c. 31.

Tenemos ahora una advertencia contra la codicia. Si las riquezas vienen por bendición de Dios, recíbelas con gratitud (Pr. 10:22, Gn. 31:9), y conságralas sabia y libremente a Él. Pero *fatigarse para adquirir riquezas* es un dictado de *nuestra propia sabiduría*, no de aquella "que viene de lo alto". 'Consigámoslas si es posible, y como sea posible', sin escrúpulos innecesarios (Pr. 28:20, 22, Lc. 16:4-8).

> **Proverbios 28:20–22** El hombre fiel abundará en bendiciones, pero el que se apresura a enriquecerse no quedará sin castigo. Hacer acepción de personas no es bueno, pues por un bocado de pan el hombre pecará. El hombre avaro corre tras la riqueza y no sabe que la miseria vendrá sobre él.

Salomón, sin embargo, describe, por medio de una bella ilustración, su verdadera naturaleza: son una mera insignificancia, una ilusión, algo *que no existe*. Debe ser entonces una insensatez *poner los ojos* (hacerlos *volar*, cual ave voraz sobre su presa; Cf. Jer. 22:17, Os. 9:11) en esta nulidad, la cual continuamente elude que se la atrape. En un momento, parece estar al alcance de la mano, pero al siguiente, ha *volado como un águila hacia los cielos*.

A pesar de todo, reconocer en la práctica la marca de la vanidad sobre este idolatrado tesoro es una lección que no se aprende en un día, y sólo se aprende en la escuela de la disciplina. El afán por lo terrenal y el abandono de lo celestial, muestran, o bien que la eternidad es un engaño, o que el mundo está loco. Pues si *realmente* se creyera lo referente a la eternidad, ¿no estarían fijados los pensamientos y lleno el corazón de ella, con poco tiempo o espacio para las absorbentes vanidades de la vida? En cuanto a su valor intrínseco, Lutero declaró, tanto con verdad como con audacia, que 'la totalidad del imperio turco, en toda su inmensidad, era sólo una corteza de pan que el gran padre de familia echó a los perros'. Así pues, las cosas que permanecen no tienen necesidad de hacerse *alas*.

Las riquezas se las hacen a sí mismas. El hombre que concentra toda su sabiduría, talentos y energía, que sacrifica toda su paz, "levantándose de madrugada y reposando tarde" (Sal. 127:2), *fatigándose por adquirir riquezas*, puede ser, y a menudo ha sido, privado de todo de un solo golpe, justo cuando él mismo suponía que tenía todo asegurado. El castigo divino (Gn. 13:5–11; 14:14), la indolencia (Pr. 6:9–11), la extravagancia (Lc. 15:12–16), la injusticia (Pr. 20:21; 21:6; Stg. 5:2-3), o el robo pueden ser la causa de la más baja pobreza

(Job 1:14-17, Sal. 119:61). La estancia más larga dura sólo un momento. La eternidad está a la puerta (Lc. 12:20); desnudos vinimos al mundo, y desnudos saldremos de él (Job 1:21, Sal. 49:17, 1 Ti. 6:7). Pero ni siquiera esta palpable conciencia puede enseñar a los hombres las lecciones importantes: a *dejar de lado su propia sabiduría*, la cual busca su verdadera heredad en la tierra (Pr. 8:18-21); y a acumular, en la sabiduría de Dios, "tesoros" duraderos "en el cielo" (Mt. 6:20).

Aquí radica el contraste. El mundo aprehende realidades sólo en los objetos que tiene delante; el cristiano sólo en las cosas invisibles. Por lo tanto, si nuestro juicio considera a uno como una sombra, y al otro como algo substancioso, procuremos que nuestros afectos se repartan proporcionalmente, dando la sombra de nuestro amor a las cosas terrenales, y la médula y sustancia de nuestro corazón a las cosas eternas. Agradezcamos a nuestro Dios por la presente posesión de "una mejor y más duradera herencia" (Heb. 10:34). Pero ¿acaso no hay momentos de descanso y complacencia, en los que las "riquezas inciertas" se convierten en nuestra esperanza (1 Ti. 6:17), y necesitamos una aguda lección que nos recuerde cuán *ciertamente se hacen alas y vuelan*?

¡Oh cristiano!, piensa en tu nacimiento celestial, en tus expectativas eternas; en qué clase de hombre serás en un abrir y cerrar de ojos, cuando este falso espectáculo haya dado paso a la verdadera manifestación del Hijo de Dios, y estés en el trono con Él para siempre (Fil. 4:5, Col. 3:1-4). Con esta gloria en perspectiva, ¡cuán degradante es *poner los ojos* en una "moda que pasa"! (1 Co. 7: 29–31). He aquí una excelente observación de un filósofo pagano:

No puede llamarse grande a nada que resulte grandioso despreciar. Así, las riquezas, los honores, las dignidades, la autoridad, y todo lo que pueda gozar de pompa externa en el escenario de este mundo, no pueden ser –para un sabio– bendiciones preeminentes, ya que ser capaz de despreciarlas es una bendición nada insignificante. De hecho, aquellos que las disfrutan no tienen tanto derecho a ser admirados como aquellos que pueden menospreciarlas con una noble superioridad mental. [21]

---

[21] Longin. *de Sublimit.* sect. vii. El satírico romano señala la advertencia de Solón a Crœsus, cuando este se negó a admirar sus inmensas riquezas (una advertencia que despreció en ese momento, pero que luego fue recordada cuando se encontraba atado a la hoguera). 'Crœsum, quem vox justi facunda Solonis Respicere ad longæ jussit spatia ultima vitæ.'—Juv. x. 274.

b. Dicho 9: No envidies al egoísta (23:6-8)

6. *No comas el pan del egoísta* (*Lit.* hombre de ojo maligno), *ni desees sus manjares; 7. Pues como piensa dentro de sí* (*Lit.* considera en su alma), *así es él. Él te dice: «Come y bebe», pero su corazón no está contigo. 8. Vomitarás el bocado que has comido, y malgastarás tus cumplidos* (*Lit.* palabras agradables).

Un trato amable con nuestros vecinos es parte de las cortesías de la vida (1 Co. 5:10-11; 10:27).

> **1 Corintios 5:10–11** No *me refería a* la gente inmoral de este mundo, o a los codiciosos y estafadores, o a los idólatras, porque entonces tendrían ustedes que salirse del mundo. Sino que en efecto les escribí que no anduvieran en compañía de ninguno que, llamándose hermano, es una persona inmoral, o avaro, o idólatra, o difamador, o borracho, o estafador. Con esa persona, ni siquiera coman.

Sin embargo, no debemos aceptar la invitación del mezquino, que resiente la propia comida que comemos, o del mentiroso, cuya amistad es un engaño con fines egoístas.

El ojo maligno se asomará a través de las cubiertas de sus *manjares*, y lo traicionará, a pesar de su esfuerzo por ocultarse. No lo juzgamos por sus palabras, *pues como piensa en su corazón, así es él*. Y aunque nos dice *"Come y bebe"*, es demasiado claro que *su corazón no está con nosotros* (Lc. 11:37). "Mejor es un plato de legumbres donde hay amor", que sus *manjares*. "Mucho mejor es el pobre que el mentiroso" (Pr. 15:17, 19:22). Cada *bocado* de su mesa resulta repugnante; con gusto nos retiraríamos y *desperdiciaríamos las palabras agradables* con las que inmerecidamente hemos felicitado (2 S. 11:13; 13:26–28) a nuestro anfitrión.

No existe tal peligro en las invitaciones del Evangelio. No hay un *ojo maligno* (Mt. 20:15), no hay resentimiento; "Oh, todos los sedientos, venid a las aguas" (Is. 55:1).

Mientras nos dice: "Comed, oh amigos; *bebed abundantemente,* oh amados" (Cnt. 5:1), su *corazón* entero *está con nosotros*. No hay remordimientos ni decepciones aquí. Cada bocado estimula el apetito por más.

Y la esperanza está muy cerca, cuando "seamos completamente" y eternamente "saciados con la grosura de su casa" (Sal. 36:8; 16:11).

c. Dicho 10: No hables a oídos del necio (23:9)

9. *No hables a oídos del necio, porque despreciará la sabiduría de tus palabras.*

La regla de nuestro Señor tiene el mismo propósito: "No deis lo santo a los perros, ni echéis vuestras perlas a los cerdos, no sea que las pisoteen y se vuelvan y os destrocen" (Mt. 7:6). No extiendas tus buenos consejos a pecadores incorregibles. Mientras haya alguna esperanza de rescatar *al necio*, haz todo lo posible por su preciosa alma. En el verdadero espíritu de nuestro Maestro, lleva el Evangelio a los peores y a los más reacios de entre los hombres; y nunca hagas de la regla de la prudencia una excusa para la indolencia.

Sin embargo, "hay un tiempo para guardar silencio, así como un tiempo para hablar" (Ec. 3:7. Pr. 26:4-5).

> **Proverbios 26:4–5** No respondas al necio de acuerdo con su necedad, para que no seas tú también como él. Responde al necio según su necedad *se merece,* para que no sea sabio ante sus propios ojos.

Comprenderemos que ha llegado cada momento poniendo a prueba nuestro propio espíritu. Anhelamos hablar en compasión. Pero la abnegación, no la autocomplacencia, nos limita (Sal. 39:1-2). Ya hemos sido advertidos anteriormente respecto a las reprimendas inoportunas (Pr. 9:8). Esta advertencia se extiende más allá.

No hables a oídos del necio. Tal fue el silencio de nuestro Maestro ante Herodes (Lc. 23:9). Si el necio escuchara, habría esperanza. Pero, en lugar de agradecer la instrucción, *despreciará la sabiduría de tus palabras* (Pr. 1:7), y sólo aprovechará la ocasión para burlarse y blasfemar aún más. Existen muchos casos dudosos, sin embargo, que requieren de mucha sabiduría. La regla segura será nunca hablar sin haber orado por guía, sencillez y amor divinos.

d. Dicho 11: No entres en la heredad de los huérfanos (23:10-11)

10. *No muevas el lindero antiguo, ni entres en la heredad* (*O* los campos) *de los huérfanos,* 11. *Porque su Redentor es fuerte; Él defenderá su causa contra ti.*

La prohibición general de remover *los linderos antiguos* ya ha sido dada anteriormente (Pr. 22:28). Aquí se añaden una advertencia especial, y una poderosa razón para ello. Muchos no se atreverían a tocar a los ricos, mientras oprimen a los pobres según su voluntad. Pero *el campo de los huérfanos* está bajo la protección del Todopoderoso. Guárdate de levantar contra ti la venganza divina entrando *en él*. Pueden parecer indefensos. No obstante ¿no tienen acaso un abogado que defiende su causa?

Su Redentor es poderoso; él defenderá su causa contra ti (Pr. 22:22-23, Jer. 50:33-34. Cf. Esd. 22:22-24, Job 22:9-10; 31:21-23; 34:28, Is. 10:1-3).

> **Jeremías 50:33–34** Así dice el Señor de los ejércitos: «Oprimidos están los israelitas y los hijos de Judá también; Todos los que los tomaron cautivos los han retenido, se han negado a soltarlos. »*Pero* su Redentor es fuerte, el Señor de los ejércitos es Su nombre; defenderá su causa con energía para traer reposo a la tierra y turbación a los habitantes de Babilonia.

¿No estaba el pariente más cercano obligado a ser el Goel, el *Redentor* de los males de su familiar? (Lv. 25:25, Nm. 35:12, Rut 3:12). ¡Adorada sea la inescrutable piedad, gracia y benevolencia de Emanuel! Cuando no pudo redimirnos como Dios, se convirtió en nuestro pariente, ¡para ser nuestro Redentor! (Heb. 2:14-16). Y ahora lleva el entrañable título de "Padre de los huérfanos" (Sal. 68:6, cf. 18).

Su gobierno moral demuestra que "en Él hallan" no sólo "misericordia" (Os. 14:3, Sal. 146:9) sino también justicia (Sal. 103:6). ¿No tienen ellos en Él su esperanza más segura, cuando la ayuda humana se ha ido? "A ti se acoge el pobre; tú eres amparo de *los huérfanos*" (Sal. 10:14, 17-18). "La religión pura y sin mácula" –la cual debe seguir su ejemplo celestial– es "visitar a *los huérfanos* y a las viudas en sus aflicciones" (Stg. 1:27). De ahí que se dispuso una provisión especial para el servicio apostólico de estos destinatarios de ayuda cristiana carentes de amigos (Hch. 6:1, 1 Ti. 5:3–5, 9-10). El Evangelio refleja la imagen de Cristo cuando el egoísmo natural se funde bajo la influencia del amor compasivo.

C. UN HIJO OBEDIENTE (23:12-24:2)

1. Dichos 12-15 (23:12-18)

a. Dicho 12: Aplica tu corazón a la instrucción (23:12)

12. Aplica tu corazón a la instrucción y tus oídos a las palabras del conocimiento.

La frecuente repetición de estos consejos (Pr. 2, 3, 4, 7, 19:20) implica una verdad humillante, conocida en la experiencia de cada día: la repugnancia natural del hombre a la *instrucción* divina, y su falta de atención *a las palabras del conocimiento*. Es bueno que estos consejos sean renovados de vez en cuando. Todos necesitamos "precepto tras precepto, renglón tras renglón" (Is. 28:13) y *eso* hasta el final de nuestro recorrido.

El cristiano mejor enseñado y más avanzado buscará con más ahínco más *instrucción,* y se sentará con gusto a los pies de los ministros del Señor para escuchar *las palabras del conocimiento*. Aquí reside el valor de la Biblia, como nuestra única fuente de *instrucción*, y único depósito de las *palabras del conocimiento*. La simple referencia a esta norma mantiene el alma alejada de los errores romanistas, ya sea en suelo romano o protestante.

Observa la conexión entre *la aplicación del corazón y la de los oídos* (Pr. 2:2).

El corazón, abierto a buenos consejos o a preceptos morales, aún está cerrado a Cristo y a su doctrina. Se ha cerrado en incredulidad, prejuicios, indiferencia y en amor al placer. Un *corazón* apático produce, por tanto, un oído descuidado. Pero cuando el corazón se abre, ablanda e ilumina con gracia, la atención del oído se fija instantáneamente (Hch. 16:14). Esto es, en efecto, una obra soberana de creación del Señor (Pr. 20:12, Ap. 3:7); pero llevada a cabo por un Dios de orden en el uso de sus propios medios. El deseo que ha sido así despertado lleva a la oración (Sal. 119:18; 19:10). La oración trae favor y bendición (Pr. 2:3-6). Y entonces, cuán preciosa resulta *cada palabra de conocimiento*, más que "millares de oro y plata" (Sal. 119:14, 72, 127).

> **Salmo 119:14, 72, 127** Me he gozado en el camino de tus testimonios, más que en todas las riquezas... Mejor es para mí la ley de tu boca que millares *de monedas* de oro y de plata. Por tanto, amo tus mandamientos más que el oro, sí, más que el oro fino.

b. Dicho 13: Disciplina al niño (23:13-14)

13. *No escatimes la disciplina del niño; aunque lo castigues con vara, no morirá.* **14.** *Lo castigarás con vara, y librarás su alma del Seol.*

Los padres cristianos no siempre reconocen el estándar de disciplina de las Escrituras. "La necedad está ligada al corazón" del padre, no menos que "del niño". ¿Se domesticará a sí mismo el "pollino de asno montés"? (Job 11:12). Sin duda, siempre necesitará su dosis de *disciplina*.

Por lo tanto, la regla consiste en –pese a todas las súplicas de piedad y cariño– *no escatimarla*. Haz el trabajo sabia, firme, y amorosamente. Persevera a pesar de los resultados aparentemente infructuosos. Únelo con la oración, la fe, y la instrucción cuidadosa. Úsalo como un medio de Dios, unido a su bendición.

Pero ¿no son acaso más eficaces los métodos blandos? Si este hubiera sido el criterio de Dios, no nos habría proporcionado, como Dios de la misericordia, un régimen diferente. Eli los probó, y el triste resultado ha sido dejado por escrito para nuestra instrucción (1 S. 2:23–25; 3:13). '¿Debo entonces mostrarme cruel con un niño? Mas bien, Dios te acusará de crueldad si *no lo corriges*. Él "continuará en su propia necedad" (Pr. 22:15, Ec. 11:10). A menos que sea refrenado, morirá en su pecado. Dios ha ordenado la vara para purgar sus pecados, y así *librar su alma del infierno*. ¿Qué padre entonces, que tiembla por el destino eterno de su hijo, podría *escatimar la corrección*? ¿No es un amor cruel el que rehúye su doloroso deber? Permitir el pecado en un niño, no menos que en un hermano, equivale a "odiarlo en nuestro corazón" (Lv. 19:18, cf. Pr. 13:24).

Levítico 19:18 No te vengarás, ni guardarás rencor a los hijos de tu pueblo, sino que amarás a tu prójimo como a ti mismo. Yo soy el Señor.

Proverbios 13:24 El que evita la vara odia a su hijo, pero el que lo ama lo disciplina con diligencia.

¿No es mejor que la carne sienta el escozor, a que *el alma muera*? ¿No es un pecado omitir un medio de gracia tan divinamente designado como la palabra y los sacramentos? ¿No existe el peligro de fomentar la maldad innata y convertirse así en cómplice de la destrucción eterna del niño? ¿No te reprocharía, durante toda la eternidad, haber descuidado esa oportuna *disciplina*, que podría haber librado *su alma del infierno*? O incluso si "con dificultad se salvara", ¿no podría atribuirte gran parte de esa dificultad en los caminos de Dios –influencia de los hábitos de maldad profundamente arraigados– que una disciplina temprana podría haber restringido o subyugado?

Pese a todo, no ha de ser usada en todo momento. Pon a prueba primero la reprimenda; como nuestro Padre Celestial, quien nunca levantará la vara sobre sus hijos si todavía prevalece su "susurro apacible y delicado" de instrucción. Si tomamos las nimiedades como ofensas graves; regañando cada desliz de infantilismo o de olvido problemático, arrojaremos una nefasta penumbra sobre el hogar. Será "una gotera constante en un día de lluvia" (Pr. 27:15).

Esta *corrección* indiscriminada pronto producirá una moribunda insensibilidad en todo sentimiento de vergüenza. Que la *disciplina* sea reservada, al menos sus formas más graves, para la obstinación. Es medicina, no comida. Es el remedio para enfermedades congénitas, no el régimen diario de vida y alimentación. Así pues, convertir la medicina en comida destruye gradualmente sus cualidades curativas.

Algunos padres, de hecho, no usan nada más que *la disciplina*. Complacen sus propias pasiones a expensas de sus hijos menos culpables. A diferencia de nuestro Padre Celestial, "afligen y apenan a sus hijos *por gusto*" (Cf. Lm. 3:33, Heb. 12:10), para descargar su propia ira, y no para someter los pecados de sus hijos. Este uso intemperante de la ordenanza bíblica desacredita su eficacia y siembra una semilla que luego produce muchos frutos amargos; generando en los niños un espíritu de esclavitud y encubrimiento, a veces de fastidio, e incluso de odio, hacia sus irrazonables padres. 'Si los padres' –dijo un padre sabio y piadoso– 'solamente corrigieran a sus hijos tras un momento de oración, cuando son capaces de "levantar sus manos sin ira", no provocarían a Dios ni sus hijos.[22]

Otros padres amenazan fácilmente con *la vara*, pero luego *la escatiman*. Sólo la usan con la intención de asustar. Así, pronto se convierte en un sonido vacío, impotente y endurecedor. Esto también contraviene nuestro Gran Ejemplo. *Sus* amenazas no son palabrería vana. Si sus hijos no se vuelven a Él, éstas los hallarán fieles y leales a su costo. Estas amenazas de teatro constituyen una solemne jugarreta con la verdad, pues enseña a los niños mediante el ejemplo, lo que han aprendido desde el vientre (Sal. 58:3); a "decir mentiras". Que nuestras palabras sean consideradas, pero ciertas. Que nuestros hijos sepan que no deben juguetear con nuestras palabras ni con nosotros. La verdadera disciplina puede ser una influencia beneficiosa.

Después de todo, los padres tenemos mucho que aprender. No debemos esperar demasiado de nuestros hijos, ni deprimirnos demasiado por sus travesuras. No obstante, no debemos guiñar el ojo en aprobación de sus pecaminosas necedades. Debemos amarlos no menos, sino mejor. Y porque los amamos, *no* debemos *escatimar la disciplina* cuando sea necesario. Esta tarea es más dolorosa para nosotros que para ellos. Es muy humillante también. Dado que la raíz corrupta produce la savia envenenada en el brote, ¿qué es *la disciplina* sino la *corrección* de nuestro propio pecado? Aunque "ningún castigo al presente sea causa de gozo, sino de tristeza" (Heb. 12:11), cuando se aplica en oración, con sabiduría y en fe, está ordenado para aflicción de la carne, de modo que *el alma sea librada del infierno* (Cf. 1 Co. 5:5; 11:32).[23] 'Señor, te complace herir con cada golpe, para que así la vara de la corrección sea una vara de instrucción'.[24] El buen Obispo Joseph Hall (1574-1656) dijo:

Es un alma poco común la que puede mantenerse en un orden constante sin remedios dolorosos. Confieso que la mía no puede. ¡Cuán salvajemente hubiera corrido si la vara no hubiera caído sobre mí! Todo hombre puede decir que agradece a Dios por su comodidad. Pero yo, bendigo a Dios por mis dificultades.[25]

---

[22] 'Life' de Matthew Henry, cap. 13.

[23] El filósofo pagano advierte la cuestión de los castigos como instrumentos de curación producidos por medios aparentemente contrarios. Aristóteles, *Etica,* ii. 3.

[24] 'Christian Man's Calling' de George Swinnock (1627-1673), ii. 35.

[25] Joseph Hall, *Silent thoughts*, xxi.

c. Dicho 14: Adquiere sabiduría (23:15-16)

15. Hijo mío, si tu corazón es sabio, mi corazón también se me alegrará; 16. Y se regocijarán mis entrañas cuando tus labios hablen lo que es recto.

El sabio ahora se aparta de los padres, y él mismo se dirige tiernamente a los niños (Pr. 1:8, 10, 15, etc), tal vez a su propio hijo. ¿Qué padre cristiano no hace sino asentir? ¿Podríamos ser felices viendo que nuestro hijo es honrado en el mundo, admirado, talentoso, próspero, pero carece de piedad?

Si tu corazón es sabio: ésta es la fuente de la alegría paterna, *mi corazón también se me alegrará*. Su salud, su comodidad, su bienestar nos son extremadamente queridos. Pero mientras cuidamos el cofre, es la joya la que especialmente valoramos. El amor del alma de nuestro hijo es la vida y alma del amor paternal.[26] Nadie más que un padre conoce el corazón de un padre. Nadie excepto un padre cristiano conoce la anhelante inquietud, las abundantes lágrimas, oraciones y "dolores de parto" experimentadas por el alma de un hijo amado; o el estallido de gozo y alabanza que trae el primer brote visible de *sabiduría* celestial (vv. 24-25; Pr. 10:1; 15:20; 29:3).[27]

> **Proverbios 10:1** Los proverbios de Salomón. El hijo sabio alegra al padre, pero el hijo necio es tristeza para su madre.
> **Proverbios 15:20** El hijo sabio alegra al padre, pero el hombre necio desprecia a su madre.
> **Proverbios 29:3** El que ama la sabiduría alegra a su padre, pero el que anda con rameras malgasta *su* fortuna.

Tal visión trae alegría a las profundidades más íntimas del ser.[28] Los padres que no se identifican con estas sensaciones, y para quienes el lenguaje de Salomón

---

[26] Vea la propia educación de Salomón, Pr. 4:3-4.

[27] 'Señor, que tu bendición acompañe mi esfuerzo (era la súplica de un padre piadoso) de modo que todos mis hijos sean Benaías (*edificio del Señor*); y entonces todos serán Abners (*luz de su Padre*); y que todas mis hijas sean Bitias (*hijas del Señor*); y entonces serán todas Abigails (*gozo de su Padre*)'. 'Christian Man's Calling' de George Swinnock (1627-1673), 2:29, 30.

[28] *Las entrañas* (*lit.* riñones), al estar profundamente asentadas en el cuerpo, son una ilustración escritural frecuente de los pensamientos y afectos más internos. Sal. 16:7; 26:2; Jer. 12:2; Lm. 3:13.

les resulta extraño y poco interesante, no se dan cuenta ni de sus responsabilidades ni de sus privilegios.

Grande es el gozo de un padre al oír que *los labios de su hijo hablan lo que es recto*; al verlo –en una época de apostasía y profesión vacilante– abiertamente del lado del Señor; "preguntando por las sendas antiguas donde hay descanso", ahora que los "caminos quedan", con mucha frecuencia, "abandonados, y los viajeros andan por sendas torcidas" (Jue. 5:6, Jer. 6:16).

Pero seguramente este niño, que ahora es una alegría para su padre, es uno de aquellos con *los que no se escatimó la disciplina* (vv. 13-14). La "necedad ligada a su corazón ha sido echada de él" (Pr. 22:15. Cf. Pr. 29:15), y su lugar ha sido bondadosamente ocupado por un *corazón sabio*; un testimonio de la regla y la promesa dadas posteriormente: "Corrige a tu hijo, y te dará descanso" (Pr. 29:17).

¿No son partícipes de esta alegría paternal también los ministros? "Pablo el anciano" se llenó de una devota alegría en su "amado hijo en la fe" (2 Ti. 1:2–5). Las iglesias prósperas eran "su gloria y su gozo" (1 Ts. 2:19, 20; 3:8-9). Otro apóstol "no tenía mayor gozo que oír que sus hijos caminaban en la verdad" (2 Jn. 4, 3 Jn. 4). ¿No nos levantaremos y adoraremos la manifestación de este gozo en el cielo? (Lc. 15:7, 10). ¡sí! Será un gozo en el mismísimo seno de Dios por el regreso de su *hijo corregido* con un *corazón sabio*: "¡Este, mi hijo, estaba muerto y ha vuelto a la vida, estaba perdido y ha sido hallado!" (Lc. 15:13-24).

d. Dicho 15: No envidies a los pecadores (23:17-18)

17. *No envidie tu corazón a los pecadores, antes vive siempre (**Lit.** todo el día) en el temor del Señor. **18.** Porque ciertamente hay un futuro (**Lit.** final), y tu esperanza no será cortada.*

El consejo de David es extremadamente similar. Él describe *el final*, y muestra cuán poca razón tenemos para *envidiar a los pecadores*, y cuál es el verdadero camino del deber y la tranquilidad (Sal. 37:1-9, 35, 36. Cf. Pr. 24:1-2, 19-20).

> **Proverbios 24:1–2** No tengas envidia de los malvados, ni desees estar con ellos; porque su corazón trama violencia, y sus labios hablan de *hacer* mal.

Proverbios 24:19–20 No te impacientes a causa de los malhechores ni tengas envidia de los impíos; porque no habrá futuro para el malo. La lámpara de los impíos será apagada.

Pese a ello, él mismo estuvo momentáneamente perplejo y fue sacudido por esta tentación. Y aunque no *envidiaba a los pecadores* como para codiciar su mundana prosperidad, sin embargo, comparar su condición con su propio 'castigo', "le fue demasiado doloroso, hasta que entró en el santuario de Dios. Entonces comprendió su *fin*" (Sal. 73:3–17),[29] y aprendió a descansar en esta seguridad: *tu esperanza no será cortada.*

¿Cuál es entonces la salvaguardia propuesta contra esta tentación? Precisamente lo que el salmista había hallado tan eficaz: un caminar cercano a Dios, "estar continuamente con Él" (Sal. 73:23); siendo el espíritu mismo de la regla *vivir en el temor de Dios todo el día.* En esto reunió confianza para ambos mundos: "Me guiarás con tu consejo, y después me recibirás en gloria" (Sal. 73:24). Con tal porción tanto para el tiempo como para la eternidad, ¿podría su corazón *envidiar a los pecadores*? "Al Señor he puesto siempre delante de mí. Me mostrarás el camino de la vida, la plenitud del gozo eterno" (Sal. 16:8–11). ¿Qué más podría desear?

Su corazón, en lugar de *envidiar a los pecadores*, se derramaría en compasiva súplica por ellos, los que no tienen ninguna porción sino un mundo moribundo (Sal. 17:14, Lc. 16:25), ninguna *esperanza*, sino una que será rápidamente *cortada* (Pr. 24:20. Cf. Eclesiástico 9:11).

Pero este continuo *temor al Señor* no está separado en lo absoluto de la vida común. Le da un carácter sagrado. Hace que todos sus pequeños detalles sean, no sólo consistentes con la piedad, sino también componentes de ella. Los actos de bondad se hacen "según sea digno de Dios" (3 Jn. 5-6). En lugar de que un deber se imponga a otro, todos son hechos "de corazón, como para el Señor y no para los hombres" (Ef. 6:6, Col. 3:23). Algunos confesantes limitan su religión a las ocasiones extraordinarias.

Por otro lado, Elías parece haberse contentado con esperar su partida mientras desarrollaba su rutina ordinaria de trabajo (2 R. 2:1-12); un ejemplo que puede enseñarnos a poner un mayor énfasis en el servicio diario y habitual,

---

[29] Incluso un pagano descubrió el poder de esta tentación. Sócrates, cuando le preguntaron qué era lo más problemático para los hombres buenos, respondió: 'La prosperidad de los malvados'.

y no en el extraordinario. Otros se contentan con una religión periódica; como si se tratara más bien de un arrebato o de un impulso ocasional, antes que de un hábito. Pero si vamos a participar de una devoción matutina y vespertina, también debemos "esperar en el Señor *todo el día*" (Sal. 25:5, cf. Nm. 28:4). Si vamos a disfrutar de nuestros privilegios del Sabat, también debemos "permanecer en nuestro llamado semanal con Dios" (Sal. 84 cf. 1 Co. 7:20, 24). Así se mantiene el carácter de un siervo de Dios, "dedicado a su temor" (Sal. 119:38).

En este caminar cristiano con Dios, todo está asegurado por la eternidad. La esperanza de los impíos (Pr. 11:7), los hipócritas (Job 8:13-14), los mundanos (Lc. 12:19-20), perecerá. Sin embargo, *tu esperanza no será cortada* (Pr. 24:14, Sal. 9:18, Ec. 8:12, Fil. 1:20); pues es "una esperanza que no avergüenza" (Ro. 5:5). Está basada en "la inmutabilidad del consejo de Dios" y "penetra hasta dentro del velo" (Heb. 6:17-19).

Ciertamente hay un final para esto. Si la cruz es pesada, recuerda que sólo la soportarás un poco más. Si el camino es fatigoso para la carne, *el final* que se aproxima lo compensará abundantemente.[30] Si la luz no es visible, "ha sido sembrada" para ti. Y en espera de la gloriosa cosecha, "aquí está la paciencia y la fe de los santos" (Ap. 13:10). Mientras tanto, no juzgues al Señor precipitadamente, llevado por los sentidos y sentimientos. Aférrate a la palabra de Dios. Dale tiempo a su providencia para que se explique a sí misma. No declares nada sobre una obra inacabada. Espera, y "ve *el fin* del Señor". "Yo se los pensamientos que tengo acerca de vosotros, dice el Señor, pensamientos de paz, y no de mal, para daros el fin esperado. Lo que yo hago no lo entiendes ahora, pero lo entenderás", y no sólo lo sabrás, sino que lo aprobarás "después" (Stg. 5:11, Jer. 29:11, Jn. 13:7).

2. Dichos 16-18 (23:19-28)

a. Dicho 16: *No seas amigo con los bebedores de vino (23:19-21)*

---

[30] "O passi graviora, dabit Deus his quoque finem!"-Virgilio (70-19 a.C.) Æn. 1:199.

19. Escucha, hijo mío, y sé sabio, y dirige tu corazón por el buen camino. 20. No estés con los bebedores de vino, ni con los comilones de carne, 21. Porque el borracho y el glotón se empobrecerán, y la vagancia se vestirá de harapos.

Estas repetidas exhortaciones a *escuchar* nos recuerdan los sinceros y afectuosos llamados de nuestro Señor: "El que tenga oídos para oír, que oiga" (Mt. 11:15, 13:7). Muestran la gran importancia de *escuchar*, como primer paso para *ser sabio*. Para la sabiduría, nada menos que "la fe viene por el oír" (Ro. 10:16, cf. Pr. 1:5). *"Dirige tu corazón por el camino"*. La promesa para hacer efectivo este llamado es: "Yo guío por el camino de la justicia, por en medio de sendas de juicio" (Pr. 8:20).

Pero la llamada advierte especialmente contra una acosadora tentación. Las criaturas de Dios abusan de sus dones (Is. 5:11-12, 22; 22:13, Hab. 2:5, cf. Sal. 104:14-15, 1 Ti. 4:3–5).

El vino se convierte en una ocasión para el exceso. *Los que desenfrenadamente comen carne* degradan su alma como esclava del cuerpo. No sólo no seas uno de ellos, tampoco *estés entre ellos* (Pr. 28:7).

¿Podemos estar entre los leprosos sin contagiarnos? ¿No se nos adheriría una mancha que no pueda ser borrada fácilmente? ¿No recibimos indiferentemente al mundo para que nos haga compañía? (Sal. 106:35. Cf. Mt. 24:49). ¿No adquirió Lot su terrible maldad probablemente por el contacto con los impíos? (Gn. 19:30-32, cf. Ez. 16:49-50). El amor adecuado no consiste en sentarse con ellos, sino en trabajar por su conversión; y –si esto es ineficaz– en evitarlos. ¡Jóvenes! Recuerden: 'Así como no es apropiado que el material inflamable esté cerca al fuego, la cera al sello, o el papel a la tinta, no es apropiado que la juventud reciba la impronta de la maldad'.[31] No piensen que el

---

[31] William Greenhill sobre Ez. 19:4. "William Greenhill (1591-1671) fue un clérigo no conformista inglés, ministro independiente y miembro de la Asamblea de Westminster. Nació probablemente en Oxfordshire. A la edad de trece años se matriculó en la Universidad de Oxford el 8 de junio de 1604 y fue elegido miembro del Magdalen College, Oxford, el 8 de enero de 1605. Se graduó como B.A. el 25 de enero de 1609 y como M.A. el 9 de julio de 1612, año en el que renunció a su cargo. De 1615 a 1633 William Greenhill ocupó la vida del Magdalen College de New Shoreham, Sussex. Parece que ejerció algún cargo ministerial en la diócesis de Norwich. Luego se trasladó a Londres, y fue elegido predicador vespertino de la congregación de Stepney, mientras Jeremiah Burroughes ministraba por la mañana. Fue miembro de la Asamblea de Doctores de Westminster, convocada en 1643, y fue uno de los independientes. Ese mismo año, el 26 de abril, predicó ante la Cámara de los Comunes de Inglaterra con motivo de un ayuno público, y su sermón fue publicado por orden de la cámara, con el título *The Axe at the Root*. En 1644 estuvo presente en la formación de Stepney

enemigo, a través de esta trampa, pretende siquiera su felicidad presente. Su malicia contiene un cebo envenenado.

La pobreza y la vergüenza son sus frutos temporales (Pr. 6:11; 20:13; 21:17, Is, 28:1-3, Joel 1:5, Lc. 15:13-16).

> **Proverbios 6:11** Y vendrá tu pobreza como vagabundo, y tu necesidad como un hombre armado.
> **Proverbios 20:13** No ames el sueño, no sea que te empobrezcas; abre tus ojos *y* te saciarás de pan.
> **Proverbios 21:17** El que ama el placer será pobre; el que ama el vino y los ungüentos no se enriquecerá.

Pero su propósito más mortífero es la ruina eterna de sus ilusas víctimas.

Noé, como uno de los *bebedores de vino* (Gn. 9:20-21), y los conversos de Corinto –que profanaban el banquete sagrado con su *borrachera y gula* (1 Co. 11:21)– sirven como advertencia para el hombre de Dios: "Velad y orad para que no entren en tentación" (Mt. 25:41). Pese a todo, siempre cubran estas advertencias paternales con los principios que impulsan el Evangelio. "No andéis en *glotonerías y borracheras, sino vestíos del Señor Jesucristo"*, quien es la única protección eficaz de la perversidad de la carne; *"Teniendo estas promesas*, amados, limpiémonos de toda inmundicia de la carne y el espíritu" (Ro. 13:13-14; 2 Co. 7:1).

b. Dicho 17: Escucha a tu padre y a tu madre (23:22-25)

22. Escucha a tu padre, que te engendró, y no desprecies a tu madre cuando envejezca.

Meeting House, la iglesia congregacional de Stepney, y fue nombrado primer pastor. En 1649, tras la muerte de Charles, fue nombrado por el parlamento capellán de tres de los hijos del difunto rey Charles: James, duque de York (después James II); Henry, duque de Gloucester; y Lady Henrietta Anne. En 1654 fue nombrado por Oliver Cromwell uno de los "comisionados para la aprobación de predicadores públicos", conocidos como "triers". En 1658 formó parte del comité que redactó la Declaración de Saboya[1]. Probablemente también fue por Cromwell que fue nombrado vicario de San Dunstan y Todos los Santos, la antigua iglesia parroquial de Stepney, mientras seguía siendo párroco de la iglesia independiente. Este cargo lo ocupó durante unos siete años, hasta que fue expulsado inmediatamente después de la Restauración en 1660, pero conservó el pastorado de la iglesia independiente hasta su muerte el 27 de septiembre de 1671." (n. ed.)

"Tuvimos padres según nuestra carne, y los venerábamos" (Heb. 12:9). Tal es la regla de la naturaleza. Tal es la ley de Dios (Ex. 20:12, Lv. 19:3, Ef. 6:1-2. Cf. Pr. 1:8; 6:20). El sabio aquí defiende su aplicación especial a los padres ancianos: *tu madre cuando envejezca*. Entonces, con toda seguridad, les corresponderá una doble porción de amor y reverencia. Afirma el Obispo Joseph Hall (1574-1656): 'Es algo bello y agradable de ver, y digno del reconocimiento del observador, cuando el hijo comprende la visión de su padre'.[32] Esta práctica filial resulta aún más encantadora cuando la edad del hijo ha aflojado naturalmente las restricciones de la autoridad. El respeto es entonces consecuencia de los principios y la gratitud. El hijo no se siente más libre para *despreciar* los deseos de sus padres que si estuviera sujeto a su temprana disciplina.

Los ejemplos de las Escrituras son hermosos patrones para ser imitados. Isaac con Abraham (Gn. 22:9); Jacob con sus dos padres (Gn. 28:1–5); la deferencia de José para con su anciano padre y su deseo de bendecir a sus propios hijos (Gn. 48:9-14); Moisés con su suegro (Ex. 18:13-24); Rut con su suegra (Rut 2:22-23); Salomón, en la grandeza de la realeza, rindiendo respeto a su madre (1 R. 2:19); los recabitas atendiendo el mandato de su difunto padre (Jer. 35:6); y sobre todo lo demás: el tierno cuidado del Salvador por su madre durante su propia agonía (Jn. 19:26-27).[33]

La conducta contraria está marcada por la más horrible censura (Pr. 20:20; 30:11, 17, Dt. 21:18-21, 27:16, Is. 3:5).

Deuteronomio 21:18–21 »Si un hombre tiene un hijo terco y rebelde que no obedece a su padre ni a su madre, y aunque lo castiguen, ni aun así les hace caso, el padre y la madre lo tomarán y lo llevarán fuera a los ancianos de su ciudad, a la puerta de su ciudad natal. »Y dirán a los ancianos de la ciudad: "Este hijo nuestro es terco y rebelde, no nos obedece, es glotón y borracho". »Entonces todos los hombres de la ciudad lo apedrearán hasta que muera. Así quitarás el mal de en medio de ti, y todo Israel oirá *esto* y temerá.

---

[32] Holy Observations, v.

[33] La 'piadosa exhortación a su hijo' del Dr. Francis Taylor (1589-1656), como comenta Foxe en su exquisita biografía, 'es digna de ser notada'. 'Cuando tu madre envejezca, no la abandones, sino que provéela según tu capacidad y procura que no le falte nada, pues así te bendecirá Dios, te dará larga vida sobre la tierra y prosperidad; los cuales ruego a Dios que te conceda'. Vol. vi. 692. Cf. Eclesiastés 3:8–14; 7:27, 28.

Forma parte de la oscura masa de depravación pagana (Ro. 1:30), y es uno de las señales de "los tiempos peligrosos" que se nos advierte vendrán "en los últimos días" (2 Ti. 3:1-2). Tal espectáculo siempre producirá una mancha sobre el nombre y el carácter del hijo (Pr. 19:26).

Pero ¿no es esta prueba de negligencia el castigo del Señor por un afecto necio a nuestros hijos cuando eran jóvenes, o por el trato imprudente o la conducta inconsistente? Al final, una pecaminosa condescendencia siempre nos hará *despreciables* a sus ojos, y echará nuestra autoridad por el polvo para que ellos la pisoteen.

Por otra parte, la dignidad y la consistencia cristiana demandan un admirable influjo de respeto, incluso cuando no logran producir todos los resultados prácticos (Pr. 31:28). ¡Oh! ¡Cuánta necesidad tenemos de la gracia y la sabiduría divina para mantener honorablemente la responsabilidad paterna!

23. *Compra la verdad y no la vendas, adquiere sabiduría, instrucción e inteligencia.* 24. *El padre del justo se regocijará en gran manera, y el que engendra un sabio se alegrará en él.* 25. *Alégrense tu padre y tu madre, y regocíjese la que te dio a luz.*

Este es aquel mercader que compró la "perla de gran precio a costa de todo lo que tenía" (Mt. 13:45-46). La bendición sólo puede ser "*comprada* sin *precio*" (Is. 55:1). Es gratuita, así como es preciosa. Pero la figura establece la importancia de obtenerla a cualquier costo.

Sin embargo, estemos primero satisfechos con el hecho que el vendedor no es un engañador, sino que es perfectamente recto en sus tratos. "*Compra de mi*" (Ap. 3:18), dice el Salvador. Esto pone fin al asunto. Si no queremos realmente el artículo, no prestaremos mucha atención al mandato: "Compra lo que *necesitas*" (Jn. 13:29) es la regla. Considera también su inestimable valor. Se trata de *la verdad*, el único medio de salvación (1 Ti. 2:4), la única liberación del pecado (Jn. 8:32, 2 Ti. 2:25-26), el único principio de santidad (Jn. 17:17), la "única cosa necesaria" (Lc. 10:42).

Coloca la bendición completamente ante tu vista: "La excelencia del conocimiento de Cristo Jesús nuestro Señor. Ganar a Cristo, y ser hallado en Él. Llegar a la resurrección de entre los muertos" (Fil. 3:8–11). No podemos salir defraudados en la compra. Resulta una compra barata a cualquier precio (Pr. 3:15). Respecto a las baratijas de la Feria de la Vanidad, ninguno de sus costos era demasiado caro. Pese a ello, Bunyan describe magníficamente la respuesta de sus peregrinos al reproche burlón: '¿Qué van a comprar?' Levantaron los ojos y dijeron: '*Compraremos la verdad*'.

Pero, así como lo hace el mercader experimentado, debemos asegurarnos de adquirir el artículo genuino. Existen muchas falsificaciones actualmente (2 Co. 11:3, 14, Gá. 1:6-7). Prueba entonces todo "según el estándar de Dios" (1 Ts. 5:24, 1 Jn. 4:1, Is. 8:20). Aquello que trae *sabiduría, instrucción e inteligencia*, es *verdad* de Dios.

Luego de ello, habiendo comprobado su riqueza y pureza, no sólo la desees, la admires, o la recomiendes, sino que *compra la verdad*. No hagas solo el intento, haciendo una oferta, sino que llega a un acuerdo. Hazla tuya. Aquel hombre no solo *deseó* el campo que tenía el "tesoro escondido", sino que "vendió todo lo que tenía y lo *compró*" (Mt. 13:44). Y que tu compra incluya toda la verdad. Cada partícula, las mismas limaduras del oro, son invaluables. "Pon tu corazón *a todo* lo que te mostraré" (Ez. 40:4). Muchos se contentan con algunos esfuerzos, pero no alcanzan el premio final (2 Ti. 3:7). Herodes retrocedió ante el precio total (Mc. 6:17-20).

Así también lo hicieron el joven rico (Lc. 18:23), y Agripa (Hch. 26:28), y, por tanto, no la *compraron*. Moisés renunció por él a "los tesoros de Egipto" (Heb. 11:24-26), Pablo a sus privilegios judíos y a su gran reputación (Fil. 3:4–8). Los hebreos "aceptaron con gozo el despojo de sus bienes" (Heb. 10:34). Los mártires "menospreciaron sus vidas hasta la muerte" (Ap. 12:11, Hch. 20:23-24). ¿Se arrepintió alguno de ellos de tan costosa compra?

Habiendo efectuado la compra, ¿nos alejaremos de ella? Si no la encontramos tal como la esperábamos; o si, después de todo, descubrimos que no la queríamos, sin duda nos desharemos gustosamente de ella. Muchas propiedades han sido compradas y vendidas de nuevo por expectativas decepcionadas. No obstante, aunque normalmente somos libres de *vender* lo que hemos *comprado*; aquí hay un mandato de *compra*, pero una prohibición de *venta*. ¡Y es una prohibición misericordiosa! Pues aquellos que *venden la verdad*, venden sus propias almas con ella. Y "¡De qué le aprovechará al hombre si gana el mundo entero, pero pierde su propia alma!" (Mt. 16:26). ¿No vemos a Esaú (Heb. 12:16-17), Judas (Mt. 27:3–5), y Demas (2 Ti. 4:10), *vendiendo* sus tesoros por nada, y luego temblando en aflicción? Sin embargo, su apostasía demostró claramente que nunca habían "recibido la verdad por amor a ella" (2

Ts. 2:10. Cf. 1 Jn. 2:19); sino que fue un brillante espejismo, meramente teórico y especulativo, que nunca se grabó en sus corazones.

Por lo tanto, al no haber sentido nunca el poder de la verdad, ni conocido su precio, pudieron *venderla* por la lascivia o el placer de este mundo, o por los delirios más halagadores de sus propios corazones. Lector: ¿has conocido alguna vez esa aprehensión de la Verdad Divina, que ha hecho que, a tus ojos, valga la pena cualquier sacrificio para *comprarla*? Ten la seguridad que ninguno de los que la han *comprado* realmente, estará dispuesto a *venderla*.

Es un panorama alegre ver a los hijos cumplir con las esperanzas más preciadas de sus padres; demostrando tener "un corazón sabio" (vv. 15-16) al indagar diligentemente por esta única y provechosa compra: no contentos con recibirla solo por educación, sino haciendo el contrato por sí mismos; descubriendo que la religión debe ser una preocupación personal, una transacción individual entre Dios y sus propias almas.

Pues realmente es un motivo de *gran regocijo* ver a sus hijos justos enriquecerse de ese modo para la eternidad, en posesión de un tesoro que nunca podrán gastar, y que ninguna dificultad, ningún cambio, ni ninguna malicia del infierno podrá tocar. Si los padres piadosos han dedicado un tiempo para sembrar con lágrimas, las preciosas gavillas de gozo les serán una recompensa abundante (Sal. 126:6. Cf. Pr. 10:1; 15:20. Cf. Pr. 17:25).

> **Proverbios 10:1** Los proverbios de Salomón. El hijo sabio alegra al padre, pero el hijo necio es tristeza para su madre.
>
> **Proverbios 15:20** El hijo sabio alegra al padre, pero el hombre necio desprecia a su madre.
>
> **Proverbios 17:25** El hijo necio es pesadumbre de su padre y amargura para la que lo dio a luz.

El severo sistema exclusivo, que reconoce poco, excepto el propósito y soberanía divinos, anula, o al menos, enerva la responsabilidad de los medios, y de ese modo, hace que se pierda el privilegio tanto de confiar en la promesa como de ser testigo de su cumplimiento. ¿No sentirá el hijo la apremiante obligación de lograr el *regocijo* de sus padres, tan vívidamente retratado? Ha de haber algo antinatural en él si su corazón no brilla con el deseo de retribuir el ansioso amor de *su padre y* la anhelante ternura de la mujer *que le dio a luz*. Ellos no piden otra recompensa que la *alegría y el gozo* de ver a *un hijo justo y sabio*. El propio egoísmo podría ser un motivo, ya que *la alegría* de los padres es la propia felicidad del hijo, que anda por "los caminos de alegría y paz de *la sabiduría*".

c. Dicho 18: Dame tu corazón hijo mío (23:26-28)

26. Dame, hijo mío, tu corazón, y que tus ojos se deleiten en (U observen) mis caminos. 27. Porque fosa profunda es la ramera y pozo angosto es la mujer desconocida (O extranjera). 28. Ciertamente ella acecha como ladrón, y multiplica los infieles (Lit. pérfidos) entre los hombres.

Es evidente que aquí Salomón se eleva por encima de sí mismo, y habla en el nombre y la persona de la Sabiduría Divina (Pr. 1:20; 8:1). Pues ¿quién más podría reclamar la *dádiva del corazón,* obra de sus propias manos, comprado con su propia sangre? *Hijo mío.* Tal es la relación que Dios reconoce; la cual incluye toda bendición que Él pueda dar como toda la obediencia que pueda exigir. No puede darse ninguna obediencia sin el reconocimiento piadoso y práctico de esta relación.

Hijo mío –no un extraño, no un enemigo, no un esclavo– sino *un hijo*; invitado a volver. Una amnistía por el pasado y un perpetuo jubileo de alegría te esperan en la casa de tu Padre.

Muchos son los que reclaman el *corazón.* El cielo y el infierno luchan por él. El mundo con sus riquezas, honores y placeres; y la ciencia, con sus encantos más plausibles, ambos claman: *"Dame tu corazón".* Más aún, incluso Satanás se atreve a lanzar una súplica urgente y estridente: "Si me adoras, todo será tuyo" (Lc. 4:7). El Padre amoroso llama: *"Dame, hijo mío, tu corazón".* La respuesta frecuentemente es: 'No tengo un corazón para Dios. Está comprometido con el mundo. No puedo decidirme a ser religioso, al menos no todavía'. Y así, lo "querido es dado al león", *el corazón* al asesino. Pero a Él, quien es el único que lo merece, pocos lo escuchan y muchos de ellos incluso, lo hacen sólo luego que han probado, pagando el costo, la falsedad y la decepción en todos los otros reclamantes.

En efecto, es un honor otorgado a sus criaturas que consienta en recibir como una *dádiva* lo que es su acreencia más legítima, y lo que en cualquier momento podría requerir para sí mismo. Pero su llamado despierta a su hijo al recuerdo y a la dependencia consciente. Es el empeño del Padre con la voluntad de su hijo. Es la prueba de la obediencia de su hijo. Es una saeta de convicción dirigida a su conciencia por su deliberada resistencia a su llamado; siendo el único obstáculo para *entregar su corazón* el hecho que ya lo ha dado a otros pretendientes, infinitamente indignos de él. 'Mi culpa es condenable' –exclamó un humilde santo– 'al retener mi corazón; porque conozco y creo en su amor, y en lo que Cristo ha hecho para ganar mi consentimiento, ¿a qué? a mi propia felicidad'.[34]

En efecto, la felicidad está ligada a este gracioso mandato. Pues qué otra cosa puede 'llenar el doloroso vacío' interior, sino "el amor de Dios derramado en el corazón por el Espíritu Santo" (Ro. 5:5). Los objetos creados sólo parecen agrandar el abismo. Si nuestro apetito se satisface, es sólo por un momento; mientras que cada agitación aumenta la insatisfacción general. El corazón que, de manera voluntaria, permanece moralmente distante de Dios, sólo puede encontrar su hogar en una tierra de sombras. No logra asir nada con firmeza; mientras que su incesante conflicto con la conciencia constituye aquel "mar agitado, que no puede estar quieto" (Is. 57:20-21).

Dios nunca reducirá un átomo de todos sus requerimientos. No pide templos magníficos, sacrificios costosos, ceremonias pomposas, sino la adoración espiritual del corazón (Is. 66:1, 2, cf. Jn. 4:23-24). No pide las manos, los pies, la lengua, los oídos, sino el que es el principio rector de todos los miembros: el *corazón*.[35] Dáselo. Es todo lo que desea. Retenlo, y nada será dado. Lo que el corazón no hace en gran medida no lo hace en absoluto. La fría conformidad de una fe inerte constituye un "sacrificio" muerto, no uno "vivo", y por lo tanto no es un sacrificio agradable (Ro. 12:1), y tampoco "un culto racional". "¿Cómo puedes decir, te amo, cuando *tu corazón* no está conmigo?" (Jue. 16:15).

Dios nunca dejará de exigir el amor de *todo nuestro corazón* (Mt. 22:37). No debemos tratarle como la esposa de Lot, quien avanzaba lentamente mientras su corazón se quedaba atrás (Gn. 19:26); o como Orfa, deteniéndose en el preciso momento en que debía llevar la cruz (Rut 1:14). No pienses que puedes dividir tu corazón entre Dios y el mundo (Mt. 6:24). Él ama un corazón quebrantado y desprecia un trono dividido.

Satanás parecerá contentarse con una parte del corazón; pues como sabe que Dios no aceptará nada menos que el todo, el corazón completo le corresponderá

---

[34] 'Private Thoughts' de Adams.
[35] 'Non caput, non manum, non pedem, non cætera membra; sed omnium membrorum principium, radicem, et vitæ humanæ fontem, qui cor est, dari sibi Deus postulat'. Glass. Philolog. Sacr. Lib. ii. Pars i. Tract ii. sect. iii.

a él. Está muy por debajo de la Majestad del cielo poseer cualquier cosa que no sea el trono (Mt. 10:37), el cual incluso es un trono mezquino, en el mejor de los casos, para el Soberano Todopoderoso del universo. No obstante, sus demandas son primordiales. Nunca somos verdaderamente nuestros, hasta que nos reconocemos sin reservas como suyos. De hecho, todas las falsas religiones del mundo no son más que vanos sustitutos de este simple y feliz deber. Por muy verosímil que sea la apariencia, si no lleva el corazón a Dios, es una terrible ilusión. Cualquier principio, práctica o compañía que aleja nuestros corazones de Dios es un camino a la ruina.

Y, aun así, ¿le pide *el corazón,* a su hijo? ¿se negará este a *dárselo?* ¿No abre su corazón inmediatamente a Satanás y al mundo, incluso antes de que estos llamen a la puerta? ¿Excluirá al Padre suplicante? ¿No hay "lazos de amor que lo atraigan"? (Os. 11:4). ¿De qué roca ha sido tallado, para que pueda ser resistente a las súplicas del amor paternal divino? ¿No se lo darás tú? Si tuvieras la voluntad, también tendrías el poder. Si tuvieras la más mínima voluntad, al menos mostrarías el más débil esfuerzo. Ofrece tu corazón, aunque sea con una mano temblorosa. Su mano se encontrará con la tuya y lo tomará de ti. Así, el día más feliz de tu vida habrá llegado, un día cuyo recuerdo nunca estará teñido con una sombra de arrepentimiento.

Si no lo has hecho, hazlo ahora. Si lo hiciste, hazlo a diario. No podemos hacerlo demasiado pronto o demasiado a menudo. Este mandato no nos arrastra (como Saulo lo hizo con sus víctimas; Hch. 8:3) al servicio de Dios. La ciudadela no es tomada por asalto, pero abre sus puertas. Un principio de energía inmortal constriñe el corazón; pero sólo "haciendo que se ofrezca voluntariamente" (Sal. 110:3). La renuencia es derretida, y, por el poder del amor, el corazón se ve "obligado a venir" (2 Co. 5:14; Lc. 14:23). ¿Qué es tan libre como un regalo?

La voluntad nunca es tan libre como cuando se mueve hacia Dios. A pesar que sea débil, el hijo puede testificar que *dar su corazón* es su primer deseo; que no planea o pretende nada menos; que anhela que toda corrupción que impida la entrega total sea consumida. Oh, Dios mío, sólo tu gracia puede hacerme capaz, me avergüenzo del don. Nada podría ser más indigno. Pero, dado que tú lo pides, es tuyo. Tómalo como es. Haz de él lo que no es. Mantenlo contigo. Átalo tan cerca de ti con tales cuerdas de amor que no mire con deseo nada que esté fuera de ti. Si tuviera mil corazones, todos serían tuyos. El que tengo, solamente Tú lo puedes llenar. Sólo Tú eres digno de él. Establece tu propio trono en él para siempre.

Ahora que el primer mandamiento ha sido debidamente considerado, pronto le sigue el segundo.

Una vez que el corazón ha sido entregado a Dios, los ojos observarán sus caminos (Pr. 4:23-25).

Proverbios 4:23–25 Con toda diligencia guarda tu corazón, porque de él brotan los manantiales de la vida. Aparta de ti la boca perversa y aleja de ti los labios falsos. Miren tus ojos hacia adelante, y que tu mirada se fije en lo que está frente a ti.

A nuestro corazón, le sigue todo el resto. Esto hace que los ojos, los oídos, la lengua, las manos, y todo nuestro ser sea santo, como pueblo adquirido por Dios.[36]

Su palabra es ahora nuestra regla (Pr. 6:23; Sal. 119:9-11, 105); Su Providencia, nuestro intérprete (Sal. 107:43). El *corazón,* al ya no estar dividido, ahora tiene plena libertad para servir a Dios.

Los ojos, que ya no vagan como "los ojos del necio, hasta los extremos de la tierra" (Pr. 17:24), ahora están fijos sobre un objeto sumamente digno y abundantemente satisfactorio.

Aquí también reside nuestro poder para resistir las burdas seducciones del enemigo (Pr. 2:10-11, 16): "He dado mi palabra al Señor, y no puedo" –no voy a– "retractarme" (Jue. 11:35. Cf. Gn. 39:9). Él tiene *mi corazón,* y lo seguirá teniendo. Es cierto que mientras llevamos un cuerpo de pecado y muerte, necesitamos un continuo suministro del "Espíritu para mortificar las obras de la carne" (Ro. 8:13; Gá. 5:16). Pero nuestra nueva atmósfera, llena de luz celestial, ha despojado a los atractivos del pecado de sus máscaras.

La mujer desconocida luce espantosa como *una fosa profunda,* o lo que es peor, como *un pozo angosto,* sin espacio para escapar de la ruina (Pr. 22:14; 2:19). Hombres poderosos y fuertes han caído en ella (1 R. 11:1-8, cf. Neh. 13:26; Jue. 16:4–20).[37] El tentador esconde el peligro, mientras *ella asecha a su presa;* logrando de ese modo *multiplicar los pérfidos entre los hombres* (Pr. 7:4, etc.; 9:13-18). Bendito sea Dios, pues si bien los deseos carnales "han destruido

---

[36] Robert Leighton (1611-84) sobre 1 P. 2:4-5.

[37] 'Él (Sansón) rompió las ataduras de sus enemigos, pero no pudo romper las ataduras de sus propias concupiscencias. Estranguló al león, pero no pudo estrangular su propio amor lascivo. Ambrosio: citado por Michael Jermin (1590-1659) in loco.

sus miles y sus diez miles" (Pr. 7:26), nosotros, al *entregar nuestro corazón* a su Divino Señor, hemos sido capacitados para aborrecer la tentación, así como para atribuir a nuestro fiel Dios la gloria de nuestra liberación.

3. Apéndice: Dichos 19-20 (23:29-24:2)

a. Dicho 19: No te embriagues con vino (23:29-35)

29. ¿De quién son los ayes? ¿De quién las tristezas? ¿De quién las luchas? ¿De quién las quejas? ¿De quién las heridas sin causa? ¿De quién los ojos enrojecidos? 30. De los que se demoran mucho con el vino, de los que van en busca de vinos mezclados. 31. No mires al vino cuando rojea, cuando resplandece en la copa; entra suavemente, 32. Pero al final muerde como serpiente, y pica como víbora. 33. Tus ojos verán cosas extrañas,[38] y tu corazón proferirá perversidades. 34. Y serás como el que se acuesta en medio del mar, o como el que se acuesta en lo alto de un mástil. 35. Y dirás: «Me hirieron, pero no me dolió; me golpearon, pero no lo sentí. Cuando despierte, volveré a buscar más».

Se nos ha advertido recientemente contra la compañía de los sensualistas (vv. 20-21). Tal advertencia es reforzada aquí a través de un retrato extremadamente gráfico del pecado, en toda su miseria, vergüenza y ruina. Se trata del espejo del borracho. Que él pueda ver su propio rostro. Que el cuadro esté colgado en su casa y en la taberna. ¿Podría seguir yendo para allá? El cuadro está pintado con un colorido demasiado vivo. 'Ninguna traducción o paráfrasis podría hacer justicia al estilo conciso, abrupto y enérgico del original'.[39]

La embriaguez trae momentos de regocijo. Sin embargo, cuánta ha de ser la estupefaciente insensibilidad que puede salir al encuentro de un instante de alegría con tal acumulación de *dolor*.[40] Cada pecado trae sus propias secuelas.

---

[38] Nota del Traductor: La versión usada en el inglés original señala literalmente en este versículo: "Tus ojos verán mujeres extrañas y tu corazón proferirá perversidades"; de allí las referencias realizadas por el autor.

[39] Thomas Scott (1741-1821) in loco. Compare Obispo Joseph Hall (1574-1656).

[40] '*Agmen malorum colligit, quæ ebrietas secum trahit. Ludwig Lavater (1527-1586).* "Nemini certius ingentia imminere pericula, tam quoad facultates ac famam, quam ipsam

Pero tal dolor –tales *tristezas*– las múltiples formas de la miseria, *¿de quién son?* Las riñas y *las luchas* por la copa (Pr. 20:1; 1 Ti. 3:2);[41] las palabras *balbuceantes* y contaminadas (Dn. 5:4); *las heridas sin causa* –y a menudo de muerte (2 S. 13:28, 1 R. 16:9-10, 20:16–20)–; el *enrojecimiento de los ojos*, que evidencia el efecto del licor en el rostro; los apetitos impuros que se encienden; el encaprichamiento casi increíble: esta es la sensualidad en toda su miseria.

¿De dónde procede este mundo de *ayes y dolor*? Es la maldición por una voluntad consentida. No satisfechos con un refrigerio saludable, muchos "añaden embriaguez a la sed" (Dt. 29:19). Pasan *mucho* tiempo, "desde la mañana hasta la noche, hasta que el vino los enciende" (Is. 5:11). Van *en busca de vino mezclado*, de una bebida más fuerte y embriagadora.[42]

Por tanto, la sabiduría nos dice "Evita la seducción del pecado". Muchas veces *una mirada* –inofensiva en sí mismo– ha probado ser una terrible tentación (Gn. 3:6; 39:7, Jos. 7:21, 2 S. 11:2). Por tanto, *no mires al vino cuando rojea*. Su propio color, su chispeante transparencia *en la copa*, el agrado con el que *entra suavemente*, 'o baja placenteramente',[43] todo tiende a excitar un apetito irregular. Aplástalo en sus inicios y demuestra que has aprendido la primera lección de la escuela cristiana: "Niégate a ti mismo" (Mt. 16:24).[44] Sea cual sea su gusto actual, *al final muerde como serpiente y pica como víbora* (Cf. Pr. 20:17). Si *mordiera* primero, ¿quién lo tocaría? Si Satanás, bajo su verdadera apariencia, ofreciera la copa ¿quién se atrevería a tomarla? No obstante, la copa viene de su mano tan realmente como si él fuera visible a los ojos. Si pudiera distinguirse algún veneno en la copa, ¿quién se arriesgaría a tomarla?

Sin embargo, ¿es menos peligroso el veneno solamente porque no puede verse? *El aguijón de la víbora* está oculto, pero es fatal. Una copa de vino espumoso se convierte en "una copa de terrible aturdimiento en las manos del Señor" (Cf. Joel 1:5).

El deleite sensual rara vez viene solo. Un deseo prepara el camino para los demás; el primer paso, con toda seguridad, conduce hacia adelante. La pobre y engañada víctima no podrá detenerse cuando así lo desee. La embriaguez abre

---

quoque valetudinem, vitam, ac animæ salutem, quam hominem temulentum.' Martin Geier (1614-1680).

[41] Cf. Horacio, Od. iii. 21:

[42] Nota en Pr. 9:2. Homero describe a su célebre Helena como una mezcla de ingredientes estimulantes en el tazón que revive a los espíritus. Odisea. Δ. 219–229.

[43] Holden, cf. Cnt. 7:9.

[44] Agustín ofrece el instructivo ejemplo de la enfermera de su madre. Confess, ix. 8. Vea también el excelente consejo de George Herbert en su conocido poema: "The Temple".

la puerta a la impureza (Gn. 19:32. Cf. Jer. 5:8, Ez. 16:49-50, Os. 4:18, Ro. 13:13, 1 P. 4:3).

Ezequiel 16:49–50 »Pues esta fue la iniquidad de tu hermana Sodoma: arrogancia, abundancia de pan y completa ociosidad tuvieron ella y sus hijas; pero no ayudaron al pobre ni al necesitado, y se enorgullecieron y cometieron abominaciones delante de Mí. Y cuando *lo* vi, las hice desaparecer.
Oseas 4:18 Acabada su bebida, se entregaron a la prostitución; sus príncipes aman mucho la ignominia.

El ojo enardecido pronto se enciende en llamas con *la mujer extraña*; y ¿quién sabe cuál será su final? Verdaderamente repugnante es el *corazón* del impío al descubierto. La bebida lo muestra hasta donde las palabras pueden hacerlo; y, por medio del órgano de la lengua, efectivamente *profiere perversidades* (Sal. 69:12, Os. 7:5).[45] "La blasfemia es ingenio, y la obscenidad elocuencia para el hombre que se ha convertido en un bruto".[46]

Con todo, el delirio es la característica más horrible de este asunto. La infeliz víctima, habiendo perdido toda voluntad y poder para escapar, duerme plácidamente en medio de peligros tan inminentes, como si estuviera *acostada en medio del mar, o en lo alto de un mástil* (Is. 28:7-8, Os. 4:11. Cf. Pr. 31:4-5). Más aún, incluso sus sentidos parecen estar entumecidos. Puede que le hayan *herido y golpeado;* pero "su corazón es como una piedra" (1 S. 25:36-37), y agradece a su borrachera *no haberlo sentido.* Por lo tanto, "como el perro que vuelve a su vómito, el necio repite su necedad" (Pr. 26:11, Is. 56:12), anhelando complacerse nuevamente.

Cuando despierte, volveré a buscar más. Más insensato que la bestia que satisface su naturaleza, y no la lujuria; tan extraviado en la vergüenza; con la razón tan dominada por su apetito, que anhela ser atado de nuevo, y solamente busca alivio de su *despertar* temporal a un sentido de su miseria, rindiéndose de nuevo a su ruinoso pecado (Jer. 2:25).

¡Oh! ¡Cuán conmovedor es pensar en las numerosas víctimas de este vicio mortal, en todas las épocas y temporadas, y en medio de toda condición social! Tal vez no haya pecado que no esté vinculado con él, aunque la inconsciencia

---

[45] El poeta libertino ensalza la inspiradora agitación del vino, comparándola al genio de la poesía. -Horacio, Ep. i. 19.
[46] Lawson in loco.

en el acto pecaminoso sirva, no para atenuar la culpa, sino para aumentar la responsabilidad.

Mientras vemos la naturaleza entera tan depravada en su gusto, tan empapada de contaminación, nos preguntamos: "¿Habrá algo demasiado difícil para el Señor?" Alabado sea su nombre por su completa liberación del cautiverio del pecado, de todos y de cada uno de los pecados, ¡incluso de las cadenas de este pecado gigantesco! (Jn. 8:34-36, 1 Co. 6:10-11). El poderoso, aunque despreciado, instrumento es "Cristo crucificado, poder de Dios y sabiduría de Dios" (1 Co. 1:23-25). Cuando los votos, las promesas, las resoluciones, y todo ello falla; Él es quien trabaja en secreto, y sin embargo más eficazmente, impartiendo nuevos principios, afectos y apetitos.

El borracho se vuelve sobrio; el impuro, santo; el glotón, moderado. El amor de Cristo se sobrepone al amor al pecado. Los placeres se disfrutan ahora sin un *aguijón*, (pues no hay *serpiente* ni víbora alguna) y el principio recién implantado transforma al hombre entero a la semejanza original de Dios: "Todo aquel que es nacido de Dios no practica el pecado, porque su simiente permanece en él; y no puede pecar, porque es nacido de Dios. El que fue engendrado por Dios le guarda y el maligno no le toca" (1 Jn. 3:9; 5:18).[47]

b. Dicho 20: No te asocies con los malvados (24:1-2)

1. *No tengas envidia de los malvados, ni desees estar con ellos; 2. Porque su corazón trama violencia, y sus labios hablan de hacer mal.*

ESTE consejo se nos ha dado recientemente (Pr. 23:17). No obstante, en medio del falso resplandor de la gloria de este mundo, es muy difícil "caminar por fe", como teniendo convicción de lo que no se ve (2 Co. 5:7, Heb. 11:1). En una atmósfera confinada de impaciencia e incredulidad, "el espíritu que está dentro anhela hasta *la envidia*" (Stg. 4:5).

Este espíritu maligno, si bien no genera el escándalo de un pecado público, maldice nuestras bendiciones, marchita nuestras gracias, corrompe nuestra paz, nubla nuestra confianza y mancha nuestra profesión cristiana. Una copa llena en casa de los malvados despierta el *deseo de estar con ellos* (Sal. 73:10-14). Pero

---

[47] Vea el conmovedor relato evangélico al respecto en aquel valioso manual: 'Jowett's Christian Visitor.'

si su terrible final no nos disuade de ello, su horrible carácter es una advertencia suficiente (Pr. 23:18. Cf. vv.19-20, infra). Se trata de la malignidad del mismísimo Satanás, *tramando destrucción en su corazón y maldad en sus labios* (Pr. 1:11-14; 4:16; 6:18, 1 S. 23:9, Job 15:35, Sal. 7:14; 64:2-6, Mi. 7:3).

Pero si el velo ilusorio es retirado; ¿quién les envidiará? Cuando Amán *tramaba la destrucción* de la nación santa, la flecha de púas del descontento ya corroía sus partes vitales (Est. 3:8, 9; 5:13). ¿Quién *envidiaría* a Judas, *tramando la destrucción de su maestro*? En la agonía del remordimiento, su "alma prefirió el estrangulamiento antes que su vida" (Mt. 26:16; 27:3-5, Job 7:15). "No juntes mi alma con los pecadores" –es la oración del hijo de Dios– "ni mi vida con hombres sangrientos, en cuyas manos hay *maldad*" (Sal. 26:9; 28:3).

> **Salmo 26:9–10** No juntes mi alma con pecadores, ni mi vida con hombres sanguinarios, en cuyas manos hay intrigas, y cuya diestra está llena de sobornos.
> **Salmo 28:3** No me arrastres con los impíos ni con los que obran iniquidad, que hablan de paz con su prójimo, mientras hay maldad en su corazón.

Permíteme, en lugar de *tramar destrucción; inquirir* en la salvación de otros pecadores como yo, ¿qué puedo hacer para ganarlos para Cristo? Que yo *desee estar con* el hombre de Dios, ocupado en esta obra divina. El cristiano es la única persona *envidiable* del mundo.

> Las supuestas bendiciones de los *malvados* son pesadas maldiciones de Dios; y el escozor de los azotes es una gracia demasiada buena como para que la disfruten. A fin de evaluar sabiamente nuestra condición, debemos considerar, no tanto cómo nos va, sino bajo qué condiciones. Si estamos a cuentas con el cielo, cada cruz es una bendición; y cada bendición una promesa de felicidad futura. Si Dios está en contra nuestra, cada uno de sus beneficios es un juicio; y cada juicio da paso a la perdición.[48]

Por lo tanto, en lugar de *envidiar a los pecadores* por su próspera maldad, son su carácter e influencia los que hay que temer, ¡no menos que su fin!

---

[48] Obras del Obispo Joseph Hall (1574-1656), viii. 206.

D. FUERZA EN LA ANGUSTIA (24:3-12)

1. Dichos 21-23 (24:3-7)

a. Dicho 21: Se sabio y prudente (24:3-4)

3. Con sabiduría se edifica una casa, y con prudencia se afianza; 4. Con conocimiento se llenan las cámaras de todo bien preciado y deseable.

¿Por qué deberíamos envidiar la prosperidad de los malvados? Incluso si su *casa es edificada* (Miq. 3:10), no puede ser *afianzada* (Pr. 12:3, Jer. 22:13-18, Am. 5:11) mediante la iniquidad. 'Es sólo un palacio de nieve, construido en invierno, que se derrite bajo el poder del sol veraniego'.[49] "La mujer sabia *edifica su casa*" (Pr. 14:1) sobre la piedad y la prudencia, un *fundamento* mucho más sólido. Que cada *cámara* de la mente *este llena de estos preciados y deseables* dones.

Sin ellos el hombre es débil para motivar sus acciones; carece de fortaleza de carácter; es una criatura llevada por accidentes, circunstancias o por la sociedad, pensando y viviendo según la opinión de los demás. Una indecisión general marca su insignificante rumbo. Si el alma es *una casa* consagrada como morada de Dios (2 Co. 6:16), será *edificada sobre* un *entendimiento* iluminado de la Verdad Divina; y cada *cámara* estará *llena de las preciadas y deseables riquezas* de los frutos piadosos. La herejía se contiene concediendo una autoridad suprema a la Biblia. El burdo profesante actúa bajo un impulso febril, un enfermizo sentimentalismo por la religión.

En lugar de perseverar en una firme sujeción a la verdad, bebe fácilmente de las opiniones más monstruosas. Es "llevado por doctrinas diversas y extrañas", en lugar de exhibir "lo bueno de un corazón afirmado con la gracia" (Heb. 13:9). El "crecimiento" en lo espiritual, a diferencia del "conocimiento" especulativo, siempre estará acompañado de un "crecimiento en la gracia" (2 P. 3:18; 1:5).

---

[49] Martin Geier (1614-1680) in loco.

2 Pedro 1:5–7 Por esta razón también, obrando con toda diligencia, añadan a su fe, virtud, y a la virtud, conocimiento; al conocimiento, dominio propio, al dominio propio, perseverancia, y a la perseverancia, piedad, a la piedad, fraternidad y a la fraternidad, amor.

Al extender esta perspectiva a la *edificación* de la *casa* espiritual, ¿no observamos cómo Dios ha colocado sus cimientos, ha moldeado y enmarcado los materiales con su propia y divina *sabiduría*, y ha *llenado todas las cámaras con sus preciadas y deseables riquezas*? Contemplar tal edificación resulta encantador, tanto mientras se está levantando, como cuando se encuentre terminada. '¡Oh, la gloria trascendente' –exclamó el celestial Martyn– 'de este templo de almas, piedras vivas, perfectas en todas sus partes, comprado y realizado por Dios!"[50]

b. Dicho 22: En la abundancia de consejeros esta la victoria (24:5-6)

5. *El hombre sabio es fuerte, y el hombre de conocimiento aumenta su poder.* 6. *Porque con dirección sabia harás la guerra, y en la abundancia de consejeros está la victoria* (*Lit.* salvación).

Pero *el hombre sabio es fuerte* (Pr. 21:22, Ec. 7:19; 9:16).

> **Proverbios 21:22** El sabio escala la ciudad de los poderosos y derriba la fortaleza en que confiaban.
> **Eclesiastés 7:19** La sabiduría hace más fuerte al sabio que diez gobernantes que haya en una ciudad.
> **Eclesiastés 9:16** Y yo *me* dije: «Mejor es la sabiduría que la fuerza». Pero la sabiduría del pobre se desprecia y no se presta atención a sus palabras.

Todos los puntos de vista confirman el famoso aforismo de Lord Bacon: 'El conocimiento es poder'. El descubrimiento de las fuerzas mecánicas, y del poder del vapor, *ha aumentado el poder* de la fuerza física en una proporción cien veces mayor. El conocimiento intelectual sabiamente aplicado tiene una

---

[50] Life, cap. 3.

inmensa ascendencia moral. Disuade al Rey de emprender *guerras* no aconsejables (Pr. 20:18); y si este se ve obligado a ir al campo de batalla, en lugar de recorrer su peligroso camino solo, asegura la *salvación* de su reino por medio de una *abundancia de consejeros* (Pr. 11:14; 15:22).

El hombre de conocimiento espiritual es un gigante en poder. Combina la fuerza para tensar el arco, con una mano y un ojo firmes para apuntar a la meta. Una ignorancia consciente de sí es el primer principio de su conocimiento. "No soy más que un pequeño muchacho", fue lo que dijo el más sabio de los hombres; y el poder moral de esta humilde *sabiduría* trajo *el afianzamiento* de su reino (1 R. 3:7; 5:12; 10:23-29. Cf. 2 Cr. 27:6). El cristiano, que está "lleno de toda *sabiduría y entendimiento espiritual*", también se encuentra *"fortalecido"* en su guerra "con todo poder según la potencia de la gloria de su Dios" (Col. 1:9, 11). Porque el pueblo que conoce a su Dios será fuerte, y hará proezas (Dn. 11:32).

c. Dicho 23: El necio no habla con los sabios (24:7)

7. Muy alta está la sabiduría[51] para el necio, en la puerta de la ciudad no abre su boca.

El elogio de la sabiduría continúa aquí. El hombre ricamente dotado de ella emerge con autoridad, y *habla en la puerta* entre los sabios.

El necio, destituido de sabiduría, queda excluido de este honor. Los humildes (Pr. 8:9; 14:6, Mt. 11:25) y diligentes (Pr. 2:1–6, Jn. 7:17) prueban que tal tesoro no está realmente fuera del alcance.

Pero *está demasiado alta para el necio.* Su mente arrastrada nunca podrá llegar a un asunto tan elevado. No tiene ninguna comprensión de ella (Sal. 10:5; 92:5, 6, 1 Co. 2:14), no tiene corazón para desearla (Pr. 17:16, 24), no tiene energía para apoderarse de ella (Pr. 13:4; 21:25). Y, por lo tanto, aunque en el Evangelio "está cerca de él, en su boca y en su corazón" (Ro. 10:6-8), le es inaccesible. Su santa espiritualidad es *tan alta* que está fuera de su alcance. Por lo tanto, no impone ningún respeto en su propia posición social (Cf. Job 29:7-

---

[51] "Sabidurías". Heb. todo tipo de sabidurías. Compare Sal. 49:4. Schultens-Martin Geier (1614-1680).

10). Su consejo no es buscado. Su opinión, si es que es expresada, no tiene importancia.

Aunque tenga una lengua que balbucea en la calle, *no abre su boca en la puerta de la ciudad*; pues es totalmente incapaz de emitir un juicio en presencia de hombres sabios y juiciosos. No es un defecto natural, sino una perversidad deliberada. Su Señor le había confiado al menos un talento. Pero lo ha desperdiciado, no ha negociado con él (Mt. 25:24-30). ¡Oh! que *la sabiduría* sea buscada mientras esté al alcance, mientras se promete tan libremente (Stg. 1:5).

> **Santiago 1:5–6** Y si a alguno de ustedes le falta sabiduría, que se *la* pida a Dios, quien da a todos abundantemente y sin reproche, y le será dada. Pero que pida con fe, sin dudar. Porque el que duda es semejante a la ola del mar, impulsada por el viento y echada de una parte a otra.

Cuando sea hallada, que sea aprovechada diligentemente para los grandes propósitos de la vida.

¡Oh que no muramos sin ella, con la terrible responsabilidad de no haber hecho nada por Dios o por nuestros semejantes, de haber descuidado el camino de vida, y "habiéndonos desviado, en la inmenso de nuestra insensatez, a la ruina eterna"! (Pr. 5:23).

2. Dichos 24-25 (24:8-12)

a. Dicho 24: Tramar necedad es pecado (24:8-9)

8. *Al que planea hacer el mal, lo llamarán intrigante.* 9. *El tramar necedad es pecado, y el insolente es abominación a los hombres.*

¡Qué ilustración tenemos aquí de la depravación humana, en su funcionamiento activo, su fuente corrupta y su temible final! Vemos el talento, la imaginación, la mente activa, tan degradados, como para concentrarse en el mismísimo trabajo de Satanás, *planeando hacer el mal* (v. 2, Sal. 36:3-4).

Salmo 36:3–4 Las palabras de su boca son iniquidad y engaño; ha dejado de ser sabio *y* de hacer el bien. Planea la iniquidad en su cama; se obstina en un camino que no es bueno; no aborrece el mal.

Él fue el primer *maquinador* (Gn. 3:1), y ejercita a sus hijos hasta hacerlos como él, maestros de la maldad; ideando nuevos modos de pecar, y nuevas formas de astucia y de engaño, como los paganos degradados, "inventores de males" (Ro. 1:30). Hacer el mal constituye el principio; *planear hacer el mal es* la energía de su servicio.

Por este artificio de maldad, Balaam podría ser calificado justamente como *una persona intrigante* (Nm. 31:16, Ap. 2:14). Abimelec se ha ganado para sí la misma reputación (Jue. 9). La sutil *maldad* de Jeroboam ha sellado su nombre con la oscura marca de la reprobación: "el que hizo pecar a Israel" (1 R. 12:26-33; 15:30). Jezabel (1 R. 21:27, Ap. 2:20) y otros de menor importancia, aunque igualmente industriosos en hacer el mal, aparecerán en las mismas filas en el gran día.

Incluso cuando no se lleva a cabo, *el tramar necedad* –darle alojamiento (vea Jer. 4:14), en lugar de echarlo como algo repugnante– *es pecado.* ¿Pero qué culpa, se pregunta, puede haber en *un pensamiento?* 'No es más que una noción ligera, casi nada. No puede causar ninguna impresión. Un pensamiento malicioso no puede infligir daño. Un pensamiento codicioso no puede robar. ¿Qué culpa o peligro puede corresponder a una existencia tan diminuta?' Tal vez si tratáramos con el hombre, estos podrían ser males insignificantes. Pero como *el pensamiento* es la fuente del acto, Dios lo cuenta como el acto mismo, y nos hace responsables de él (Cf. Pr. 15:26, Sal. 94:11, Mt. 9:3-4, 15:19, Hch. 8:22, Ro. 2:15).[52] El pecado más pequeño nos envuelve en la violación de toda la ley (Stg. 2:10-11).

Santiago 2:10–11 Porque cualquiera que guarda toda la ley, pero falla en un *punto,* se ha hecho culpable de todos. Pues el que dijo: «No cometas adulterio», también dijo: «No mates». Ahora bien, si tú no cometes adulterio, pero matas, te has convertido en transgresor de la ley.

---

[52] Incluso un moralista pagano podía escribir:
Nam scelus intra se tacitum qui cogitat ullum,
Facti crimen habet.' -Juvenal, xii. 209, 210.

Esta es su decisión, ¿quién puede responder contra ella?

El pecador despertado admite su depravación total por la misma demostración que admite su propia existencia: *conciencia*. Un pecado da a luz a otro. Incontables multitudes siguen su rápida y continua sucesión. "*Todo designio de los pensamientos del corazón* es de continuo solamente el mal" (Gn. 6:5). Si comprendiéramos totalmente esto, los momentos del día en que divagamos –cada uno de los cuales trae consigo un aumento de culpa– no deberían alejarse tan agradablemente de nosotros; no al menos sin vergüenza y humillación; sin la aplicación habitual del remedio divino. La conciencia sensible de Job llevaba continuamente a sus hijos al sacrificio expiatorio (Job 1:5).

John Bunyan (a diferencia de muchos profesantes libertinos, que nunca se preocupan por sus pensamientos) se afligía profundamente por el recuerdo de un pensamiento pecaminoso. Tampoco era éste un temperamento morboso, o debilidad de fe; sino la tierna sensibilidad de un corazón humillado ante la vista de la gran ofrenda por el pecado que tenía ante sus ojos. Poder comprender este lamento es una clara señal de la enseñanza y la gracia divina.

Pero sigamos el rumbo que sigue el *tramar necedad* sin restricción. Cobra fuerza en cada acción, hasta que su plena influencia se desarrolla en la "silla del escarnecedor" (Sal. 1:1), *una abominación*, no sólo para Dios, sino para el *hombre* (Pr. 21:24, Mal. 2:8-9). Porque por mucho que el ingenio y el talento mal utilizados puedan ganar para el necio una inoportuna preeminencia; no le aseguran ningún respeto, y por lo general, termina siendo evitado o temido (2 R. 18:37), y, en última instancia, avergonzado (Jer. 36:23, cf. 22:19).

b. Dicho 25: Se fuerte en el día de la angustia (24:10-12)

10. *Si eres débil en día de angustia, tu fuerza es limitada.*

Que esta sea una palabra de aliento fortalecedora. Lo maravilloso es que, aquellos que no saben a dónde ir en busca de refugio cuando la tormenta se desata sobre sus cabezas, no siempre *son débiles*. Así, el coraje y optimismo naturales, o una inmersión más profunda en el mundo, como una distracción del dolor, los eleva por encima de sus problemas por un tiempo; alejándolos aún más de Dios.

Pero, ¿por qué el hijo de Dios, en contra del mandato de su Padre (Pr. 3:11), se muestra *débil*? *Tu privilegio* es: "El Dios eterno es tu refugio, y debajo están los brazos eternos" (Dt. 33:27); *tu deber*: "Invócame en el día de la angustia: Yo te libraré y tú me honrarás" (Sal. 50:15, 91:15); *tu seguridad:* "No te dejaré ni te desampararé. Por un breve momento te abandoné, pero con grandes misericordias te recogeré" (Heb. 13:5; Is. 54:7). La prueba, en efecto, puede barrer con nuestras comodidades terrenales. Pero no puede "separarnos del amor de Cristo" (Ro. 8:35–39).

Sin embargo, "no hablamos parábolas". El corazón de cada cristiano responde a esta confesión; es propenso a *debilitarse*. 'El santo más fuerte y santo de la tierra está sujeto a algunos recelos y temores',[53] no por la grandeza del peligro, sino por la debilidad de su fe (Mt. 14:30). Cuando busca su fuerza en sus propios recursos (Is. 40:30); cuando la fe cede a la desconfianza (Sal. 78:19-20); la alabanza a la murmuración (Ex. 15:1, 23; 17:3); la esperanza al desaliento (Nm. 14:3); cuando los placeres a los que ha renunciado regresan vívidamente a la mente (Ex. 16:3, Nm. 11:4-6), y el esfuerzo prolongado presiona fuertemente (Job 7:1–4); entonces él se *debilita en el día de angustia*.

Para este *día* debemos prepararnos. "El hombre nace para la aflicción" (Job. 5:7) como una porción heredada de su primer padre. Puede ser llamado a beber un trago profundo de la copa amarga, requiriendo mucha *fuerza*, para que "la paciencia tenga su obra perfecta" (Stg. 1:4).

El día es necesario para probar nuestros principios. ¿Qué parecía más prometedor que la confianza de los oyentes sembrados en pedregales, o que la gran resistencia de los compañeros del Apóstol? Sin embargo, el *día de angustia* expuso su profesión vacía (Mt. 13:20-21, 2 Ti. 4:16; 1:15). A menudo también, incluso cuando "la raíz del asunto es hallada", una dolorosa exhibición de *debilidad*,[54] incapaz de soportar un mal día, demuestra los *límites* –no el vigor– de la *fuerza*.

Pero ¿por qué, preguntamos una vez más, se *debilitaría* el hijo de Dios? Si "la aflicción sale del polvo y brota de la tierra" (Job 5:6), bien podría desanimarse por su mala fortuna. Pero si cada pequeña circunstancia ha sido fruto del consejo eterno, si "los cabellos de su cabeza están todos contados" (Mt.

---

[53] 'Contemplations' del Obispo Joseph Hall (1574-1656), B. xviii. Cont. 8.

[54] Moisés, Ex. 4:10-13, Nm. 11:11, Josué 7:6-10. David, 1 S. 27:1, Sal. 31:22; 116:11. Elías, 1 R. 19:3-4, Jeremías 20:7-18; Jonás, 4:8-9. Pedro, Mt. 26:35, 69-74: los discípulos, Mt. 26:35-36.

10:30), bien puede "apoyarse en su Dios". Si su alma, como la del antiguo Israel, "se desanima mucho por el camino" (Nm. 21:4-5), esto le lleva a la casa de su Padre. Si se cansa de su carga, pronto descansará eternamente en el seno de su Salvador. Nunca será llamado a una prueba de mártir, sin la fe de un mártir.[55]

La vara de la disciplina es el sello de amor eterno (Pr. 3:12, Is. 48:10).

> **Proverbios 3:12** Porque el Señor ama a quien reprende, como un padre al hijo en quien se deleita.
>
> **Isaías 48:9–10** »Por amor a Mi nombre contengo Mi ira, y *para* Mi alabanza *la* reprimo contra ti a fin de no destruirte. »Pues te he purificado, pero no como a plata; te he probado en el crisol de la aflicción.

La cruz provisional viene de la misma mano que su corona eterna. Si *tu fuerza*, cristiano, *es limitada,* ve al fuerte por fortaleza. "Él da fuerzas *al cansado*, y *aumenta las fuerzas* a los que no tienen ningunas" (Is. 40:29). Encomiéndate a él por aquella "gracia suficiente para ti". Así que, sigue adelante, enfrentándote a tus verdaderas pruebas con verdadera fe; débil y fuerte a la vez; débil para ser fuerte; fuerte en tu debilidad, con "su fuerza perfeccionándose en ella"; y así, al final "te glories en tus" deprimentes "debilidades, para que el poder de Cristo repose sobre ti" (2 Co. 12:7-9); no sólo sostenido, sino "fortalecido con gozo" (Col. 1:11).

¡Oh¡, que pronto llegue el momento en que el día oscuro y nublado de paso a un sol en cielo despejado; la corona de espinas a la corona de gloria; "el espíritu abatido" al "manto de" eterna "alabanza" (Is. 61:3).

11. *Libra a los que son llevados a la muerte,*[56] *y retén a los que van con pasos vacilantes a la matanza.*[57] **12.** *Si dices: «Mira, no sabíamos esto». ¿No lo tiene*

---

[55] 'Ten buen corazón' -dijo Ridley a su hermano Latimer, dirigiéndole una maravillosa y alegre mirada, y abrazándolo y besándolo- 'porque Dios calmará la furia de las llamas, o nos fortalecerá para soportarlas'. Foxe, 7:548.

[56] Nota del Traductor: La versión usada en el inglés original señala literalmente: "Si dejas de librar a los que son llevados a la muerte y a los que están a punto ser asesinados; Si dices: He aquí, lo sabíamos; ¿No lo considerará el que sondea el corazón? y el que guarda tu alma, ¿no lo sabe? ¿No pagará a cada uno según sus obras?"; de allí las referencias realizadas por el autor.

[57] "Libra a aquellos que están a punto de ser asesinados, ¡ay si dejas de hacerlo! Primero, establece el deber. Luego agrega la advertencia, armado con un rayo de juicio retributivo sobre la *abstención.* Schultens.

*en cuenta el que sondea (Lit. pesa) los corazones? ¿No lo sabe el que guarda
tu alma? ¿No dará (Lit. No devolverá) a cada hombre según su obra?*

Supongamos que un prójimo se encuentra en peligro inminente, como si
estuviera siendo *llevado a la muerte,* y *a punto de ser asesinado,* injustamente
(1 S. 24:11; 26:18-20, 1 R. 21:8-13), o por maldad (Lc. 10:30). Si el magistrado,
de pie en el lugar, e investido con el poder de Dios (Sal. 82: 3-6),[58] *deja de
librarlo* bajo la falsa pretensión de que *no lo sabía,* el Señor se lo demandará.
Esta obligación, con toda la responsabilidad que involucra su negligencia, es la
ley universal del Evangelio (Lc. 10:29-36).

   Si alguno conoce del peligro de su hermano, y *deja de librarlo, ¿no lo
tendrá en cuenta el que sondea los corazones? ¿No lo recompensará?* Las
parteras hebreas (Ex. 1:13-17), y Ester en épocas posteriores (Est. 3:6–13; 4:13,
14; 8:4–6), libraron de ese modo a su propio *pueblo llevado a la muerte.* Rubén
libró a José de la muerte y el pozo (Gn. 37:22-24). Job fue el *libertador* de los
pobres en el momento más extremo (Job 29:12-13, 16-17). Jonatán salvó la vida
de su amigo corriendo un inminente riesgo él mismo (1 S. 19:4; 20:26–33).
Abdías escondió a los profetas del Señor (1 R. 18:4). Ahicam y Ebed-melec
salvaron a Jeremías (Jer. 26:24; 38:11-13). Johanán intentó *librar* al
desprevenido Gedalías (Jer. 40:13–16).

   Daniel preservó a los sabios de Babilonia (Dn. 2:12–15). El samaritano
rescató a su prójimo de la muerte (Lc. 10:33-37). El sobrino de Pablo *libró* al
gran Apóstol informando del complot asesino (Hch. 23:12-22). La regla incluye
todo tipo de opresión que tenga, más o menos, el carácter de asesinato (Cf.
Eclesiástico 34:21-22).

Las excusas siempre están a la mano.

   Escaseamos en caridad, pero abundamos en amor propio. Nuestro defecto se
   manifiesta en nuestra poca disposición para cumplir nuestros deberes para con
   nuestros hermanos; y, nuestro exceso, en nuestra rapidez para poner excusas
   por nosotros mismos.[59]

---

[58] Compare Baruc 6: 35–38: donde se demuestra que los ídolos no son dioses, porque
no pueden hacer la obra de Dios, aquí delegada a los magistrados como representantes
suyos.
   [59] Sermón a los magistrados del Ob. Robert Sanderson (1587-1663) sobre este texto.

Pero *El que pesa los corazones* nos examinará íntegramente; su Omnisciencia *sabrá perfectamente;* y su justicia retributiva *pagará*. La bondad desinteresada será *tenida en consideración* (Ex. 1:18, Jer. 38:7-13, 39:16-18). Pero, *abstenerse de librar*, ya sea por crueldad (1 S. 22:9–18), por egoísmo (1 S. 25:10-11, Lc. 10:30-32), o por miedo a las consecuencias personales (Jn. 19:4–13) implica una horrible rendición de cuentas ante el gran Juez.

No obstante, ¡mucha más culpa hay al *dejar de librar* a las almas inmortales, en ignorancia, impiedad o incredulidad, *llevadas a la muerte y listas para la matanza!* ¿No deberían ser objeto de nuestra más profunda y ansiosa preocupación? ¿Qué diremos entonces a esa impasible apatía, que *se abstiene de librar*? 'No tenemos derecho a juzgar, *no lo sabíamos*. "¿Soy yo el guardián de mi hermano?" (Gn. 4:9). No es asunto mío'. Y, sin embargo, ¿no podría haberse librado al menos un alma del borde de la ruina si se le hubiera mostrado su peligro antes de que fuera demasiado tarde?

Con todo, la única palabra que pudo haberla salvado, fue *dejada de lado*. No tenemos un hermano, hijo o prójimo que sea capaz de traspasar nuestra conciencia por la eternidad con esta reprimenda: 'Si hubieras tratado fielmente con mi alma, no estaría en este lugar de tormento' (Stg. 5:19-20).

> **Santiago 5:19–20** Hermanos míos, si alguien de entre ustedes se extravía de la verdad y alguien le hace volver, sepa que el que hace volver a un pecador del error de su camino salvará su alma de muerte, y cubrirá multitud de pecados.

Si otros nos responsabilizan de los cuerpos de nuestros semejantes, Dios confía sus almas a nuestro cuidado. ¡El Señor nos preserve de ser acusados en la corte del cielo por el asesinato del alma de nuestro hermano, por habernos *abstenido de librarlo!*

¿No constituye esto una solemne advertencia para aquellos cuyo especial oficio es *librar a los que son llevados a la muerte*? De nada servirá la excusa: *¡No lo sabíamos!* ¿No deberíamos haber estado "velando por las almas, como aquellos que han de rendir cuentas"? (Heb. 13:17). ¡Cuán tremenda será la rendición de cuentas por las almas que perecen debido al descuido de sus juramentados y divinamente designados guardianes! "Mientras tu siervo estaba ocupado aquí y allá", en su propio placer, ¡el alma "desapareció"! "Pero su sangre será requerida de la mano de su guardián" (1 R. 20:39-40, Ez. 33:8).[60]

E. PROHIBICIONES EN CONTRA DE ENTABLAR UNA RELACIÓN CON LOS MALVADOS (24:13-22)

1. Dichos 26-27 (24:13-16)

a. Dicho 26: Come miel de tu panal (24:13-14)

13. Come miel, hijo mío, porque es buena; sí, la miel del panal es dulce a tu paladar. 14. Debes saber que así es la sabiduría para tu alma; si la hallas, entonces habrá un futuro, y tu esperanza no será cortada.[61]

---

[60] Vea el impactante sermón de Philip Doddridge (1702-1751) sobre este texto, tomado de sus obras en 'Christian Preacher' de Williams. "Philip Doddridge (1702-1751) fue un líder no conformista inglés. Fue pastor de una capilla independiente/congregacional en Northampton (1729-51) y participó activamente en una academia para estudiantes ministeriales. Doddridge encarnó muchas de las influencias que afectaron al inconformismo evangélico. Mantuvo una teología puritana ortodoxa pero moderada (afín a la de Richard Baxter). En la tradición puritana, valoraba la vida de la mente y era famoso por intentar enseñar a sus alumnos a pensar. Interactuando con el pensamiento de una figura de la primera Ilustración como Jean LeClerc, Doddridge ayudó a la inspiración que se transmitiría a la mayoría de los evangélicos de habla inglesa durante un siglo o más. Doddridge fue uno de los primeros inconformistas en acoger el Despertar Evangélico. Valoró la obra espiritual y teológica de Jonathan Edwards, rompió con el rígido separatismo del último puritanismo para entrar en la confraternidad interdenominacional que el Despertar hizo posible, y animó a otros a compartir la nueva vida. Produjo un clásico de la espiritualidad evangélica, *The Rise and Progress of Religion in the Human Soul* [El Avance y progreso de la religión en el alma humana] (1745), y, después de Isaac Watts, fue el segundo mayor escritor de himnos del inconformismo inglés del siglo XVIII. 'Oh, Dios de Betel, por cuya mano' es expresivo de la adoración pura; '¡Escuchad, el alegre sonido! El Salvador viene', una exhortación a la adoración; y 'Oh, feliz día, que fijó mi elección' es un testimonio reformado de la realidad de la conversión". Ian S. Rennie, "Doddridge, Philip (1702–1751)", *Encyclopedia of the Reformed faith* (Louisville, KY; Edinburgh: Westminster/John Knox Press; Saint Andrew Press, 1992), 107–108.

[61] Nota del Traductor: La versión usada en el inglés original señala literalmente: "(...) Así será el conocimiento de la sabiduría para tu alma. Cuando la hayas hallado, tendrás recompensa, y tu esperanza no será cortada"; de allí las referencias realizadas por el autor.

La miel era un producto selecto de Canaán (Ex. 3:6, Ez. 20:6), la comida de sus habitantes (Jue. 14:9, 1 S. 14:27, Mt. 3:4, Lc. 24:41-42. Cf. Eclesiástico. 39:26), incluso de los niños (Is. 7:15), *buena y dulce al paladar*. Así también, cuando "los sentidos espirituales son ejercitados" (Heb. 5:14), el *conocimiento* de la sabiduría será 'indeciblemente delicioso'[62] *para tu alma*; ese conocimiento de Cristo sin el cual estamos deshechos, y en el cual somos supremamente felices.[63]

Solamente el comer puede transmitir lo que la descripción más exacta no puede dar; una justa percepción de la *dulzura de la miel del panal* (Jue. 14:18). Sólo el *conocimiento* experimental da el discernimiento espiritual, y confirma que el evangelio no es un sueño dorado, sino una realidad divina. ¿Quién confunde *la miel* con cualquier otra sustancia? ¿Quién no detectaría inmediatamente la falsificación?, ¿qué cristiano inteligente confundiría la apariencia de la *sabiduría celestial* con su sustancia? El alma hambrienta de pan, que se alimenta de una comprensión experimental de la doctrina cristiana, conoce sólidamente lo que ningún formalista jamás sabrá. Este sólo posee una sombra creíble: emoción, impulso, convicción, reforma externa (Heb. 6:4-5).

> **Hebreos 6:4–6** Porque en el caso de los que fueron una vez iluminados, que probaron del don celestial y fueron hechos partícipes del Espíritu Santo, que gustaron la buena palabra de Dios y los poderes del siglo venidero, pero *después* cayeron, es imposible renovarlos otra vez para arrepentimiento, puesto que de nuevo crucifican para sí mismos al Hijo de Dios y lo exponen a la ignominia pública.

Pero una fe viva lleva consigo su propio testimonio. 'Todo es verdadero: "Creí, por tanto, hablé" (2 Co. 4:13). El tesoro es *hallado* con el mismo éxtasis de Arquímedes: trayendo su propia recompensa.[64]

Tu esperanza, lejos de ser *cortada*, será infinitamente excedida. "El amor" que se manifiesta "sobrepasa el conocimiento" (Ef. 3:19). "La paz" que es sellada "sobrepasa todo entendimiento" (Fil. 4:7). "El gozo" que se siente es "inefable y glorioso" (1 P. 1:8). ¿Debemos entonces exhibir tímidamente estos

---

[62] Obispo Joseph Hall (1574-1656). Pr. 16:24, Sal. 19:10; 119:103.

[63] Fil. 3:8. "¡Miren!" -dice el buen Obispo Joseph Hall (1574-1656)- "Esta es la miel que deseo *comer*. Denme de esta miel y recibiré (como Jonatán en la antigüedad -1 S. 14:29) claridad para mis ojos y vigor para mi espíritu, para así frustrar a todos mis enemigos espirituales". Soliloquios, liv.

[64] Ευρηκα; ευρηκα. Cf. Jer. 15:16.

privilegios, como si disminuyeran las obligaciones de la santidad, o paralizaran nuestro esfuerzo? No son opiáceos, sino bebidas aromatizadas. Vigorizan, al mismo tiempo que refrescan. La depresión nos desconcierta, el miedo se desencadena, pero "el gozo del Señor es nuestra fortaleza" (Neh. 8:10). Inspira energía, acrecienta la esperanza y hace que nuestro 'servicio sea la libertad perfecta'.

b. Dicho 27 (24:15-16)

15. *No aceches, oh impío, la morada del justo; no destruyas su lugar de descanso;* 16. *Porque el justo cae siete veces, y vuelve a levantarse, pero los impíos caerán en la desgracia.*

El sabio interrumpe su afectuoso consejo a los hijos de Dios con una solemne advertencia al *impío*. ¿Deberíamos excluirlo del círculo de instrucción? Si permanece sin convertirse, es su propia culpa. Pero si no se le advierte o instruye, tengamos cuidado de que no se nos acuse de culpables de "su sangre".

El odio a *los justos* está profundamente arraigado en el corazón *del impío* (Pr. 29:27, Gn. 3:15, Sal. 37:22, 1 Jn. 3:12). Se imagina, especialmente si está en el poder (1 S. 19:11, Hch. 12:1-3), que puede oprimirlos con impunidad. Pero al hacerlo, se aventura en un recorrido peligroso: "El que te toca, toca la niña de mis ojos" (Zac. 2:8). "Yo soy Jesús, a quien tú persigues" fue la voz que hizo temblar al más implacable de los perseguidores (Hch. 9:5-6). Los complots contra *su morada, la destrucción de su lugar de descanso*, pueden prosperar por un tiempo (1 S. 19:11, Sal. 59, Hch. 8:3-4). Pero si *el justo cae siete veces*, abrumado por el asalto, *vuelve a levantarse* (Sal. 37:24).

¡Ánimo entonces, pobre alma afligida! Mira a tu enemigo cara a cara y canta triunfante: "No te alegres de mí, enemigo mío, *aunque caiga, me levantaré de nuevo* (Miq. 7:8). De seis tribulaciones te librará, y en la séptima no te tocará el mal. Quien nos libró de una muerte tan grande, y nos libra; en quien confiamos que aun así nos librará". "Derribados, pero no destruidos" (Job 5:19, 2 Co. 1:10; 4:9). Aquí radica nuestro conflicto y nuestra seguridad. La vida está intacta, sí; se fortalece y se "manifiesta" por la sucesiva provisión de aquella misericordia sustentadora (2 Co. 4:11). Las muchas pruebas no pueden abrumar a los justos (Sal. 34:19; 37:39-40, 1 Co. 10:13). Pero una es suficiente para barrer al impío.

Caerá en la desgracia (Sal. 7:13-16; 9:16), de donde no puede *volver a levantarse* (Job 15:30, Am. 8:14), no hay recuperación, ni hay remedio.

Salmo 7:13–16 Ha preparado también sus armas de muerte; hace de sus flechas saetas ardientes. Miren, *el impío* con la maldad sufre dolores, y concibe la iniquidad y da a luz el engaño. Ha cavado una fosa y la ha ahondado, y ha caído en el hoyo que hizo. Su iniquidad volverá sobre su cabeza, y su violencia descenderá sobre su coronilla.

Yace donde cae, y perece donde yace. ¡Pecador! Sea cual sea tu impiedad, el Señor te salve de la piedra de molino de la condenación: la persecución de los santos de Dios.[65]

2. Dichos 28-30 (24:17-22)

a. Dicho 28: No te alegres cuando caiga tu enemigo (24:17-18)

17. *No te regocijes cuando caiga tu enemigo, y no se alegre tu corazón cuando tropiece;* 18. *No sea que el Señor lo vea y le desagrade, y aparte de él Su ira.*

Pese a esto, el pueblo elegido de Dios *se regocijó* con exaltación divina *en la caída de sus enemigos* (Ex. 15:1, Jue. 5:31). Más aún, ¿no constituye esta alegría el triunfo de los justos? (Pr. 11:10, Job 22:19, Sal. 58:10). ¿No es la adoración del cielo, como la gloria manifiesta de Dios? (Ap. 15:5-7; 18:20; 19:1-6).

---

[65] La figura del *hombre justo que se levanta* de su caída se aplica de manera muy injustificada a la perseverancia de los santos. La palabra *caída* ocurre frecuentemente en este trabajo, siempre en referencia a los problemas, no al pecado. (Pr. 11:5, 14; 13:17; 17:20; 26:27; 28:10, 14, 18.) La antítesis obviamente fija este significado. 'Hay suficientes textos claros para probar cada doctrina de las Escrituras. Pero introducir textos en cualquier servicio, en contra de su significado natural, no sólo sirve para engañar a los desconsiderados, sino para remachar los prejuicios y confirmar las sospechas de los oponentes; del mismo modo que el presentar algunos testigos de carácter sospechoso causa que todos aquellos que deben ser examinados en la misma causa, aunque merezcan crédito, sean sospechosos también, creando un prejuicio en contra en las mentes de la corte y de todos los presentes'. Thomas Scott (1741-1821). Comp. Ob. Simon Patrick (1626-1707).

Sin embargo, ¡cuán diferente es esta sublime simpatía por el triunfo de la Iglesia del maligno júbilo que proviene de una venganza privada! El placer secreto, si no declarado, en la caída *de un enemigo*, es el impulso de la naturaleza (Sal. 35:15, 16; 42:10, 2 S. 16:5–7). Pero, ¿qué ha hecho la gracia por nosotros, si no ha vencido a la naturaleza mediante un principio más santo y más feliz? David "lloró y afligió su alma" durante la aflicción de sus enemigos (Sal. 35:13, 14, 2 S. 1:11, 12. Cf. Job 31:29). El Señor de David lloró ante la ruina futura de la infatuada raza llena de maldad contra sí mismo.

Regocijarse ante la caída de un enemigo sería caer más profundo que él mismo; no en dificultades, sino en pecado; implicaría romper el mandamiento que nos ordena "amar a nuestros enemigos" (Lc. 19:41-44) así como a bendecir y a orar por los que nos maldicen (Mt. 5:44). Esta egoísta crueldad resulta muy odiosa para Dios (Pr. 17:5, Zac. 1:15).

> **Proverbios 17:5** El que se burla del pobre afrenta a su Hacedor; El que se regocija de la desgracia no quedará sin castigo.
> **Zacarías 1:15** 'Pero Yo estoy muy enojado contra las naciones que están confiadas; porque cuando Yo estaba un poco enojado, ellas contribuyeron al mal'.

A menudo ha hecho que *aparte su ira* del criminal hacia quien se burla de su calamidad.[66] El espejo de la palabra ¿muestra nuestro carácter como el del pecado que es reprendido, o en el contraste de nuestro compasivo Señor?

b. Dicho 29 (24:19-20)

19. *No te impacientes a causa de los malhechores ni tengas envidia de los impíos; 20. Porque no habrá futuro para el malo. La lámpara de los impíos será apagada.*[67]

---

[66] Esta elipsis no es poco frecuente en este libro. 19:1, 22. 'No sea que el Señor se enoje y vuelva su ira de él hacia ti". Obispo Miles Coverdale (1487–1569). Cf. Jue. 16:25-30, Miq. 7:10. Edom, Ez. 35:15; 36:5-7; Abd. 10–14. Tiro, Ez. 26:2. Babilonia, Sal. 137:7-9, Is. 51:22, 23, Lm. 1:21; 4:21, 22. Moab, Jer. 48:26-27. Amón, Ez. 25:1-7.

[67] Nota del Traductor: La versión usada en el inglés original señala literalmente: "(...) Porque no habrá recompensa para el malo. La lámpara de los impíos será apagada"; de allí las referencias realizadas por el autor.

Este temperamento *impaciente* debe ser una enfermedad muy arraigada como para necesitar una instrucción tan repetida (v. 1, Pr. 23:17). Un solo recuerdo de nuestras misericordias podría mostrar cuán poca razón hay para ello. Aquella misericordia, mucho más abundante de lo que conocemos, debería ser suficiente para despejar las nubes de nuestro cielo y para avergonzarnos de nuestro desaliento. Anteriormente *la envidia de los impíos* fue contrastada con el recuerdo de que *había un final,* ciertamente un final feliz, para los justos (Pr. 23:18). Que esperen dicho final. No los decepcionará. Aquí se nos recuerda, además, que no hay un *fin,*[68] *no hay una recompensa para el malo.* Déjenlo a su juez.

Su lámpara, a pesar de todos sus esfuerzos por mantenerla encendida (1 R. 21:21, cf. 2 R. 10:1–7), *será apagada* (Pr. 13:9; 20:20, Job 18:5-6; 21:17).

> **Proverbios 13:9** La luz de los justos brilla alegremente, pero la lámpara de los impíos se apaga.
> **Proverbios 20:20** Al que maldice a su padre o a su madre, se le apagará su lámpara en medio de las tinieblas.

A veces apaga su propia lámpara con audaz presunción. 'Entrego' –dijo el infiel Hobbes– 'mi cuerpo al polvo y mi alma al Gran Quizás. Voy a dar un salto *en la oscuridad*'. ¡Ay! ¿No fue un salto, un temeroso salto, *hacia la oscuridad*, a "la oscuridad de las tinieblas para siempre"?

Acepta entonces el balance de la eternidad. Aprende a no sobrevalorar el sol de *los impíos*, ni a menospreciar nuestra propia y verdadera felicidad. *No envidies* su suerte. No te quejes de la nuestra. La nuestra está más allá de su alcance. La suya está muy por debajo de nuestra *envidia*.

> Su lámpara arde y su prosperidad florece hasta que enciende el fuego del infierno, y entonces se apaga; mientras que la lámpara de los piadosos es apagada aquí para brillar como estrella en el firmamento.[69]

---

[68] La misma palabra en hebreo que en Pr. 23:18. 'No habrá fin de *las plagas* para el hombre malo'. Versión antigua.

[69] Michael Jermin (1590-1659) in loco.

c. Dicho 30 (24:21-22)

**21. Hijo mío, teme al Señor y al rey; no te asocies con los que son inestables;
22. Porque de repente se levantará su desgracia, y la destrucción que vendrá
de ambos, ¿quién la sabe?**

Tenemos otra cariñosa exhortación al *temor de Dios* (Pr. 23:17).¿Debería
sorprendernos? ¿No es la sustancia de nuestra santidad y nuestra felicidad? ¡Oh!
reverencia su majestad. Reconoce tu dependencia de él. Ten el mismo cuidado
de "andar delante de Él" en tus pensamientos secretos como en tu conducta
exterior. No permitas la complacencia de un motivo pecaminoso más de lo que
permites un pecado grave. Si no hay una vara de vergüenza externa, ¿no
atravesará tal pensamiento tu corazón? ¡Cuán insensiblemente esta profanación
corresponde un amor tan indecible!

La conexión entre el *temor a Dios y al rey* no es local o accidental.[70] Uno es
el resorte del otro. Con frecuencia, a la piedad se le ha calumniado acusándosele
de deslealtad. Pero el cristiano es leal, porque es piadoso (ver 1 S. 24:6). "El
sometimiento a los poderes fácticos" es inculcado reiteradamente (Mt. 17:24-
27, Ro. 13:1-7, Tit. 3:1, 1 P. 2:13-17), y el descuido es castigado con la más
grave condenación (Ro. 13:2). No obstante, no existe interferencia alguna con
la obligación primaria.

> Salomón coloca a Dios antes que al rey, pues Dios debe ser servido en primer
> lugar; así, nuestra obediencia debe ser dada al rey sólo en subordinación a Dios,
> y no en aquellas cosas que son contrarias a la voluntad de Dios.[71]

La independencia del hombre, sin embargo, se opone naturalmente a la
sumisión. El clamor popular es por la voz y la soberanía del pueblo, una prueba
clara de que "no hay nada nuevo debajo del sol" (Ec. 1:9), así como la imagen
de aquellos demagogos cobró vida hace casi dos mil años, "andando tras la
carne, despreciando la autoridad, atrevidos, obstinados, sin temor a hablar mal

---

[70] Nuestro Señor y sus apóstoles han unido de manera similar estos dos
mandamientos. Mt. 22:21, 1 P. 2:17.
[71] Matthew Poole (1624-1679) in loco. Cf. 1 S. 22:17-18, Dn. 3:16-18, Hch. 4:18-19;
5:27-29.

de las potestades superiores" (2 P. 2:10, Jud. 8. Cf. 1 S. 10:27). Tales hombres aman el cambio por el cambio.

Para convertirse en líderes de un partido, perturban la paz pública, proponiendo cambios sin ninguna garantía de un beneficio real. 'Al que va por ahí', dice nuestro juicioso Richard Hooker (1554–1600), 'persuadiendo a los hombres de que no están tan bien gobernados como deberían, nunca le faltarán oyentes atentos y favorables' – Lo que se necesita en la habilidad de su discurso es provisto por la capacidad de las mentes de los hombres para aceptarlo y creerlo.[72] "¡Oh, alma mía, no entres en su consejo!" (Gn. 49:6). Es peligroso *asociarse* con ellos. Oponerse a todo cambio, en efecto, es hacer una declaración de perfección. Toda mejora (¿dónde no hay lugar para una mejora?) es un cambio. Empero, los males públicos no han de ser reparados mediante simples barandillas. Ser *inestable*, estar cansado de lo antiguo y cautivado con lo nuevo, aunque no haya sido probado; hacer experimentos sobre los modos de gobierno, es un peligro temible. Es perder la sustancia de un bien real tras el ensueño de mejoras imaginarias; como si debiéramos deshacer todo en lugar de estar ociosos.

---

[72] Vea el párrafo completo que abre su gran obra, *Eccl. Polit.* Book i. "Richard Hooker (1554-1600) fue el principal teólogo que marcó los contornos de la teología de la Iglesia de Inglaterra (anglicana) durante el reinado de Isabel I. Se caracterizó por apelar a las Escrituras, la tradición y la razón. Trató de defender el acuerdo isabelino, especialmente contra los puritanos independientes o calvinistas. Su obra principal es su *Tratado de las leyes de la política eclesiástica* (libros 1-4, 1593; libro 5, 1594; y libros 6-8, después de su muerte). Ataca lo que hoy se suele llamar una visión restauracionista de la Biblia, es decir, que las Escrituras constituyen un modelo inalterable para todo en la vida. Mientras que algunos puritanos insistían en que los cristianos debían hacer sólo lo que indicaba la Biblia, Hooker sostiene que deben hacer lo que la razón y la iglesia sugieren, siempre que no sea contrario a las Escrituras. El enfoque moderado y equilibrado de Hooker le hizo ganarse el título de "el juicioso Hooker". El hecho de que John Keble editara una edición del tratado en 1836 es un síntoma del respeto que se le tiene a Hooker tanto en la tradición evangélica como en la anglocatólica. En el primer libro se discuten varios tipos de "leyes": la ley de Dios, la razón y la Escritura: "por la razón el hombre alcanza el conocimiento de las cosas que son y no son sensibles [es decir, los datos sensoriales]" (1.7.1; 1:219). Declara que "las leyes... humanas... están disponibles por consentimiento" (1.10.8; 1:246). El libro 2 también considera la Escritura. "Sostener que sólo ... la Escritura debe ser la regla para dirigir en todas las cosas" es una exageración (2.1.2; 1:287). "Porque la Escritura no es la única ley por la que Dios ha abierto su voluntad en todas las cosas" (2.2.2; 1:291). Junto a la Escritura hay que respetar también a los Padres de la Iglesia (2.5.1-3; 1:313-18). Concluye: "La determinación de la Escritura desnuda y desnuda ha causado aquí muchos dolores" (2.7.1; 1:318). En efecto, Hooker es ampliamente considerado como el fundador de la teología anglicana, aunque muchos lo subrayarían junto a los principales reformadores." Anthony C. Thiselton, "Hooker, Richard," *The Thiselton Companion to Christian Theology* (Grand Rapids, MI; Cambridge, U.K.: William B. Eerdmans Publishing Company, 2015), 469.

Este capricho lo observamos en el pecado de Coré (Nm. 16:1-13); en la rebelión de Absalón (2 S. 15:10–13); y en la continua lucha de los reyes israelitas por el trono (1 R. 16:8-22). ¡Cuán *repentinamente se levantó su desgracia*, aun cuando parecían estar al alcance de su objetivo! (2 S. 15:13; 18:9–16).

¿Quién conoce la destrucción que ambos, tanto el Señor como el rey,[73] pueden infligir a los que desprecian su autoridad (2 S. 18:7-8; 20:1-2, 22, 2 R. 17:21, 23, Ec. 8:2–5, Hch. 5:36-37), muchas veces temerosamente sin precedente, y sin remedio? (Nm. 16:29-33).

Eclesiastés 8:2–5 Yo digo: «Guarda el mandato del rey por causa del juramento de Dios. »No te apresures a irte de su presencia. No te unas a una causa impía, porque él hará todo lo que le plazca» Puesto que la palabra del rey es soberana, ¿quién le dirá: «¿Qué haces?»? El que guarda el mandato *real* no experimenta ningún mal; Porque el corazón del sabio conoce el tiempo y el modo *de hacerlo*.

---

[73] French y Skinner. Este es el punto de vista de los mejores críticos (Martin Geier (1614-1680), Dathe, Ludwig Lavater (1527-1586), etc.). Parece más natural aplicar el término distintivo (ambos) a las personas por separado. La ruina presagiada está, por tanto, relacionada con las personas que habían sido descritas por separado como objeto de temor.

CUARTA PARTE: OTROS DICHOS DE LOS SABIOS (24:23-35)

A. SOBREESCRITURA (24:23A)

23.a. *También estos son dichos de los sabios:*

Hemos tenido una solemne exhortación al pueblo. Ahora tenemos una palabra *para los sabios*, especialmente para los que tienen autoridad. Dios ha dado muchas advertencias contra *la acepción de personas en el juicio* (Ex. 23:6-8, Lv. 19:15, Dt. 1:17; 16:19).

> **Éxodo 23:6–8** »No pervertirás el derecho de tu hermano menesteroso en su pleito. »Aléjate de acusación falsa, y no mates al inocente ni al justo, porque Yo no absolveré al culpable. »No aceptarás soborno, porque el soborno ciega aun al de vista clara y pervierte las palabras del justo.

B. EL JUICIO EN LA CORTE (24:23B-25)

23.b. *Hacer acepción de personas en el juicio no es bueno». 24. Al que dice al impío: «Eres justo», lo maldecirán los pueblos, lo aborrecerán las naciones; 25. Pero los que lo reprenden tendrán felicidad, y sobre ellos vendrá abundante bendición.*

No es bueno (Pr. 18:5; 28:21).

> **Proverbios 18:5** No es bueno mostrar preferencia por el impío, para ignorar al justo en el juicio.
>
> **Proverbios 28:21** Hacer acepción de personas no es bueno, pues por un bocado de pan el hombre pecará.

Más aún, la reprende como una abominación, con la más punzante censura (Sal. 82:2-4). Que la verdad sea tenida en consideración, no el favor. Este es un mal, tanto en la iglesia como en el estado. La responsabilidad más importante en nuestros lugares sagrados es "no hacer nada con parcialidad" (1 Ti. 5:21). El hombre, corrupto como es, a menudo *aborrece* un juicio injusto (1 S. 8:1–5). Un mal magistrado nos priva de la bendición de tener buenas leyes.

Por otro lado, no hay mayor bendición nacional que un gobierno *que reprende a los impíos* (2 S. 23:3-4). Esto era parte del carácter temeroso de Dios de Job (Job 1:1, 8; 29:7, 11-17).

La abundante bendición que vino sobre la recta administración de Nehemías es abundantemente manifiesta (Neh. 5:7-9; 13:8-11, 25, 28, cf. 31). De hecho, la mayoría de las veces, *todos besarán* –rendirán un homenaje de amor y respeto (Cf. 1 R. 19:18, Job 31:26-27, Sal. 2:12, Os. 13:2)– *al que da una respuesta correcta* en el juicio. Él es un tesoro público; "una bendición en medio de la tierra".

¿Es responsabilidad de los gobernantes –y el bienestar de miles de personas que dependen de ellos– incentivar activamente a la oración? ¿No podría ser que nuestra falta de "piadosa quietud" se deba a esta negligencia? (1 Ti. 2:1-2).

No todos somos gobernantes. Sin embargo, ¿no tenemos muchos de nosotros autoridad, como padres, jefes de familia, maestros y guardianes de los jóvenes? Solo la rectitud y la consistencia pueden mantener esa influencia tan esencial para que aquella sea de beneficio. Que un dirigente espiritual *diga al impío: "Tú eres justo"* implica, en realidad, que mantiene un pérfido trato con su divino Maestro, y un cruel engaño a las almas inmortales, pues les oculta la misma ruina que está obligado a develar; actuando como un ministro de Satanás, bajo el disfraz de un ministro de Cristo.

C. HABLAR CORRECTAMENTE (24:26)

26. Besa los labios el que da una respuesta correcta.[1]

Su pueblo vivirá para *maldecirlo y aborrecerlo*, tal vez por toda la eternidad. Mientras que, por otro lado, incluso la misma gente que odia a su Maestro y su mensaje besará *los labios del que da una respuesta correcta*; un renuente pero honorable testimonio de su fidelidad.

---

[1] Nota del Traductor: La versión usada en el inglés original señala literalmente: "(...) Todo hombre besará los labios del que dé una respuesta correcta"; de allí la referencia realizada por el autor.

D. COMPORTAMIENTO APROPIADO EN EL TRABAJO (24:27)

27. *Ordena tus labores de fuera y tenlas listas para ti en el campo, y después edifica tu casa.*

Esta regla de prudencia se aplica a todo asunto mundano; la religión, lejos de prohibir, inculca cuidado y previsión. Gran parte de nuestro bienestar doméstico depende de ella. Muchos inconvenientes y sufrimientos se derivan de ser negligentes respecto a ella. Actuando sobre esta útil indicación, el constructor sabio primero *prepara sus labores de fuera.* Recoge sus materiales y calcula la cantidad necesaria; luego *los alista,* dándoles forma y poniéndolos en su lugar; *y después* –teniendo ya todas las cosas preparadas– *edifica su casa.* De esa manera *fueron ordenadas las labores* para el magnífico templo de Salomón, antes que *la casa sea edificada* (1 R. 5:18; 6:7). Del mismo modo, la casa espiritual es erigida de materiales *ordenados y alistados,* y así, "crece para ser un templo santo del Señor" (Ef. 2:21-22).

Pero medita bien el cuidado con el que *debe prepararse* la gran *labor.* Sopesa el costo ansiosamente. Considera si la profesión resistirá la tormenta (Lc. 14:28-30). Coloca los cimientos en lo profundo de la roca (Lc. 6:48). Ora frecuentemente por fortaleza divina. Evita aquella ostentación pública que tantas veces avergüenza al constructor descuidado que ha comenzado a *edificar su casa* sin haber *preparado* bien *su labor.*

¿Es necesario indicar al ministro del Evangelio la especial necesidad de *preparar su labor?* Un ministro vacío no puede ser "un sabio maestro constructor". Incluso cuando los cimientos están colocados, "cada uno debe mirar cómo sobreedifica". Que mire bien el día del juicio (1 Co. 3:10-15). Que todos los siervos del Señor sopesen profundamente su responsabilidad. Una prisa sin digerir y un juicio tosco han arruinado muchos proyectos cristianos. Dejémonos guiar por la sabiduría bien sopesada de hombres experimentados (Mt. 18:17-18), y recojamos nuestros materiales de su prudencia, previsión y energía para un sano juicio.

Mateo 18:17–18 »Y si rehúsa escucharlos, dilo a la iglesia; y si también rehúsa escuchar a la iglesia, sea para ti como el gentil y el recaudador de impuestos.

»En verdad les digo, que todo lo que ustedes aten en la tierra, será atado en el cielo; y todo lo que desaten en la tierra, será desatado en el cielo.

De ese modo *será edificada una casa* para el honor de nuestro Dios, y para el servicio de su Iglesia.

E. HABLAR MAL (24:28-29)

28. *No seas, sin causa, testigo contra tu prójimo, y no engañes con tus labios.*
29. *No digas: «Como él me ha hecho, así le haré; pagaré (Lit. devolveré) al hombre según su obra».*

El bienestar de la sociedad a veces puede requerir que *seamos testigos contra el prójimo*. Sin embargo, nunca permitas que esto ocurra *sin causa*. A pesar de todo, cuando tengas que cumplir con este repulsivo deber, sea cual sea la tentación o la consecuencia, *no engañes con tus labios*. Habla claramente, con sinceridad, toda la verdad. Doeg *fue testigo contra su prójimo, sin causa*, no por motivo de conciencia, sino por malicia. También ocultó principalmente el hecho de la imposición de David a Ahimelec, lo cual le habría librado de la sospecha de traición y le habría salvado la vida (1 S. 22:9-10; 21:1-2). Este *testimonio* tergiversado trajo *engaño en sus labios* y lleva, por lo tanto, el oscuro sello de "una lengua engañosa" (Sal. 52:3-4; 120:2-4).

El lucro es el anzuelo para el ladrón, la lujuria para el adúltero, la venganza para el asesino. Pero es difícil decir qué ventaja le redunda a este malvado *testigo*, o qué atractivo es propio de este pecado, salvo lo que siente el mismísimo Satanás: amor al pecado por sí mismo, o por la satisfacción que anticipa vanamente el cometerlo. Puede ser que estemos libres de las formas más graves de este pecado, no obstante, ¿no damos un cruel *testimonio contra nuestro prójimo* cuando magnificamos sus faltas y las medimos con una pauta mucho más estricta que la nuestra, censurando precipitadamente sus acciones indiferentes o dudosas, censurando incluso sus pecados con una intención no cristiana?

Y entonces, como para satisfacer el resentimiento personal, resultará natural *decir*, aunque sólo en el corazón, *como él me ha hecho, así le haré*. Pero, ¿nos atreveremos así a quitar la espada de las manos de Dios y a sentarnos en su tribunal? "La venganza me pertenece, yo pagaré, dice el Señor" (Ro. 12:19. Cf. Gn. 50:16-19). 'Que la sabiduría y la gracia se pongan a trabajar para apagar el fuego del infierno, antes de que se apodere de todo'.[2] Mucho más dulce será el recuerdo de las heridas olvidadas que el de las vengadas. Sólo la gracia nos capacita para "*perdonar de corazón*" (Mt. 18:35 cf. Lc. 17:3-5).

> La excelencia del deber es suficientemente proclamada por la dificultad en su práctica. Cuando las pasiones están exaltadas, la sensibilidad a la ofensa es alta, y el poder está a la mano, ¡cuán difícil es para el hombre negarse a sí mismo ese delicioso bocado de venganza! ¡cuán difícil hacerse violencia a uno mismo en lugar de hacerla al enemigo![3]

No obstante, muchas veces su ejercicio es tan poco apreciado que los sentimientos naturales ganan preponderancia; y, si bien no hay un pago real por el mal, hay simplemente una obediencia negativa a la regla: una abstención de la ebullición en lugar de un ejercicio activo del principio opuesto.

El sabio expone en este libro la verdadera regla (Pr. 20:22; 25:21-22), según la mente y la imagen de Dios; más hermosa, más exigente, como impuesta por el ejemplo divino (Mt. 5:44, cf. Lc. 23:34, 1 P. 2:21-23).

> **Proverbios 20:22** No digas: «Yo pagaré mal por mal»" Espera en el Señor, y Él te salvará.
> **Proverbios 25:21–22** Si tu enemigo tiene hambre, dale de comer pan, Y si tiene sed, dale a beber agua; Porque *así* amontonarás brasas sobre su cabeza, Y el Señor te recompensará.

La humildad y la ternura distinguen al cristiano que se conoce a sí mismo, quien se perdona a sí mismo poco, y al prójimo mucho.

---

[2] 'Works' de Matthew Henry, p. 459.
[3] Sermón de South sobre Mt. 5:44.

F. COMPORTAMIENTO NEGATIVO EN EL TRABAJO (24:30-35)

1. La viña del perezoso (24:30-31)

30. *He pasado junto al campo del perezoso y junto a la viña del hombre falto de entendimiento*, 31. *y vi que todo estaba lleno de cardos, su superficie cubierta de ortigas, y su cerca de piedras, derribada.*

Cada cosa a nuestro alrededor contiene una lección útil para el ojo observador. A cada partícula de la creación podría exigírsele una contribución para nuestro almacén de conocimientos. Podemos extraer algo bueno incluso de lo malo, y "recoger uvas de espinas e higos de cardos". Salomón describe, con su habitual vigor de pensamiento y fuerza al retratar, una visión conmovedora, que había pasado ante sus ojos: *el campo y la viña del perezoso, cubierto de cardos y ortigas, y con el cerco de piedras completamente derribado.*
En vez de darle la espalda, *reflexionó sobre ello y recibió instrucción.*

El perezoso, en virtud a una extraña ilusión, se considera a sí mismo un sabio (Pr. 26:16). Sin embargo, ¡resulta evidente que es alguien *falto de entendimiento; sin corazón* para aprovechar sus muchas ventajas! Podría enriquecerse con *su campo y su viña*. Pero nunca lo ha cultivado ni desherbado. *La cerca derribada* lo deja indefenso ante cualquier invasor; mientras que él vive como un simple animal en placeres sensuales, dirigiéndose gradual, pero irresistiblemente, *a la pobreza.*[4]

2. Línea central: Observación y reflexión (24:32)

32. *Cuando lo vi, reflexioné sobre ello; miré, y recibí instrucción.*

---

[4] Pr. 6:10-11. El satírico romano provee una vívida descripción de la excitación del hombre perezoso por la lujuria—
'Mane, piger, stertis? Surge, inquit avaritia: eja Surge: negras? Instat, surge, inquit; non queo; surge,' &c. Persius, Sat. 5.

No es que pretenda llegar a la mendicidad. Sólo quiere *dormir un poco, dormitar otro poco más*, y entonces se despertará. Pero este *poco a poco* aumenta inconscientemente. Cada hora de complacencia refuerza el hábito, y encadena a la víctima en una cautividad sin esperanza. Sus intentos por esforzarse son sólo las luchas de un paralítico, sin energía ni efectividad. Si depende de su propio trabajo, manual o mental, la pereza apresurará su ruina. En una posición más alta le priva de los medios para usar su influencia correctamente, o le impide emplear sus talentos para cualquier propósito valioso. Esto es *pobreza* para él mismo, secando las fuentes de una felicidad sólida, y desperdiciando los verdaderos propósitos de la vida.

3. La lección (24:33-34)

33. «*Un poco de dormir, otro poco de dormitar, otro poco de cruzar las manos para descansar*», 34. *Y llegará tu pobreza como ladrón* (*o* vagabundo; *lit.* uno que anda), *y tu necesidad como hombre armado.*

Pero veamos al perezoso espiritual. Si un campo descuidado es un espectáculo melancólico, ¡cuánto más un alma descuidada! un alma que, en lugar de ser cultivada con las semillas de la gracia, es dejada a su propia esterilidad; *cubierta con* el fruto nativo de *cardos y ortigas* (Gn. 3:18). El tiempo, los talentos, las oportunidades han sido concedidos; tal vez se le ha añadido la bendición de una educación piadosa y todo apoyo para una promesa esperanzadora. Pero si se requiere diligencia; si como hombre debe "trabajar y esforzarse" (Jn. 6:27, Lc. 13:24), entonces su campo será dejado, al menos por el presente. Primero querrá *dormir un poco más*.[5]

> **Juan 6:27** »Trabajen, no por el alimento que perece, sino por el alimento que permanece para vida eterna, el cual el Hijo del Hombre les dará, porque a Él *es a quien* el Padre, Dios, ha marcado con Su sello».
> **Lucas 13:24** «Esfuércense por entrar por la puerta estrecha, porque les digo que muchos tratarán de entrar y no podrán.

---

[5] Vea la instructiva referencia de Augustine a su propio caso. Confess. Lib. viii. c. 5.

Y así, sigue durmiendo, cerrando sus ojos y oídos a cualquier cosa que perturbe su sueño fatal. No hace ni intenta nada por Dios, por su propia alma o por sus semejantes. Su *viña* queda expuesta. Todos sus buenos propósitos son como *el cerco de piedras derribado*. Satanás "sale y vuelve a su voluntad" (Mt. 12:45, 2 Ti. 2:26). Todo es devastación y ruina.

¡Cristiano! ¿No hay peligro de que este mal se infiltre en nuestra religión? Ningún hábito es tan ruinoso. Enerva, y al final detiene, la voz de la oración. Entorpece la activa energía de la meditación. Debilita la influencia de la vigilancia. Controla cada paso del progreso en la vida divina, de modo que "el alma", en lugar de ser "un huerto de riego" (Jer. 31:12) que emite fragancias refrescantes y frutos gratos, vuelve a su antiguo estado desértico, expuesto a toda tentación y, es con demasiada frecuencia, finalmente presa de apetitos sensuales (Pr. 23:21, 2 S. 11:2, Ez. 16:49).[6]

Que la voz de nuestro Padre sea rápidamente oída: "Hijo, ve a trabajar *hoy en tu viña*" (Mt. 21:28). ¿No ves que está *llena de cardos?* Mira hacia adelante, no hacia atrás. No te quejes, sino decide. No sólo ores, también esfuérzate. Siempre enlaza el privilegio con la práctica. Prueba los principios del carácter moral, así como la experiencia espiritual. Procura cada ejercicio activo que pueda fortalecer los hábitos religiosos.

> Ciertamente si buscamos mantenernos en la fe de los hijos de Dios, debemos proveer y disponernos a esforzarnos cada hora, continuamente. La intención de nuestro Señor y Salvador al decir: "Padre, guárdalos en tu nombre" no fue que seamos descuidados para guardarnos a nosotros mismos. Se requiere nuestra propia diligencia para lograr nuestra propia seguridad.[7]

---

[6] Cf. Ovid. Rem. Amor. 161.
[7] Richard Hooker (1554–1600), 'On the certainty and perpetuity of Faith in God's Elect.'

QUINTA PARTE: PROVERBIOS DE SALOMÓN - SEGUNDA PARTE (25:1-29:27)

A. SOBREESCRITURA (25:1)

1. *También estos son proverbios de Salomón, que transcribieron los hombres de Ezequías, rey de Judá:*

ESTA parece ser la tercera división de este libro sagrado.[1] La selección probablemente se hizo (con varias repeticiones de la primera parte; (v. 24, cf. Pr. 21:9; 26:13, 22:13; 15, 19:24; 22, 18:8; 27:12, 22:3, 13; 20:16-15, 19:13; 28: 6, 19:1, 18, 10:9, 19, 12:11; 21, 18:5, 24:23) de "los tres mil proverbios que Salomón compuso" (1 R. 4:32. Cf. Ec. 12:9),[2] los que, habiendo sido cuidadosamente preservados, *los hombres de Ezequías transcribieron* casi trescientos años después.

Así, la palabra de Dios, extraída de la oscuridad para instrucción del pueblo, caracterizó la reforma del piadoso rey.[3] El Nuevo Testamento autentifica plenamente esta sección del libro como parte del canon inspirado (vv. 6-7, cf. Lc. 14:7-10, 21-22, Ro. 12:20; 26:11, 2 P. 2:22; 27:1, Stg. 4:14). No nos encontramos leyendo, por tanto, las máximas de los más sabios entre los hombres; sino que la voz del cielo proclama: "Estos son los verdaderos dichos de Dios".

El Espíritu Santo menciona no sólo al autor, sino a los copistas de estos Proverbios. Muchas veces se ha hecho un gran servicio a la Iglesia, no sólo por parte de los escritores originales, sino también por aquellos que han *copiado* y puesto en circulación sus escritos. El mundo suele honrar únicamente a los grandes instrumentos; mientras que el agente más humilde es arrojado a las sombras (Ec. 9:15-16).

---

[1] Vea el capítulo 1 y vv. 10-24.

[2] El discernimiento divino, que nos ha ocultado la totalidad de los escritos de Salomón, ¿No reprueba la publicación indiscriminada *de todo* lo que los hombres eminentes puedan haber dejado en manuscrito? Vulgaridades e incluso errores garrafales han sido honrados de ese modo en base a la autoridad de grandes nombres, no menos injustos para su memoria que perjudiciales para la Iglesia.

[3] 2 Cr. 31:21. Compare la subsiguiente Reforma bajo Josías, 2 Cr. 34:14–30. Advertimos el mismo sello divino de misericordia sobre nuestra preciosa, aunque vilipendiada, Reforma.

Eclesiastés 9:15–16 Pero en ella se hallaba un hombre pobre *y* sabio; y él con su sabiduría libró la ciudad; sin embargo, nadie se acordó de aquel hombre pobre. Y yo *me* dije: «Mejor es la sabiduría que la fuerza». Pero la sabiduría del pobre se desprecia y no se presta atención a sus palabras.

Pero Dios honra no sólo a los instrumentos primarios, sino también a los secundarios; no sólo los cinco talentos, sino también al talento solitario, que se dispone fielmente para Él. La bendición no ha sido prometida en base a su número, sino a su aprovechamiento (Mt. 25:21-23).

B. SECCIÓN C (25:2-27:27)

1. La jerarquía de la corte y el conflicto entre justos y malvados (25:2-27)

a. Introducción (25:2-5)

2. *Es gloria de Dios encubrir una cosa, pero la gloria de los reyes es investigar un asunto. 3. Como la altura de los cielos y la profundidad de la tierra, así es el corazón de los reyes, inescrutable.*

El gran Rey del cielo y los insignificantes reyes de la tierra son finamente contrastados aquí.

La gloria de cada uno es opuesta; *de Dios, el encubrir; de los reyes, investigar*. Ya sea que "habite en la densa oscuridad" (1 R. 8:12, Sal. 18:11; 97:2), o que se "vista con su manto de luz, y habite en luz inaccesible" (Sal. 104:2, 1 Ti. 6:16) *es gloria de Dios encubrir una cosa*. En efecto, ¿qué gloria sería propia de un Dios cuyo nombre, caminos y obras estuvieran expuestos a la vista y dentro de la comprensión de los gusanos de la tierra? Lo que Él ha sacado a la luz solamente muestra cuánto se encuentra *encubierto*. Mirando sus obras, exclamamos: "He aquí, estos son los bordes de sus caminos; sin embargo, cuán poco se oye de Él" (Job 26:14).[4]

Estudiando las dispensaciones de su Providencia, confesamos: "En el mar es tu camino, y tu senda en las muchas aguas, y tus pisadas no son conocidas" (Sal. 77:19. Cf. Sal. 36:6). Meditamos en los grandes propósitos de su gracia; y nuestros corazones sólo encuentran sosiego en una reverente adoración que clama: "¡Oh, profundidad!" (Ro. 11:33), 'más bien estando de pie en la orilla, y admirándola silenciosamente, que entrando en ella'.[5] Vadear en esas profundidades es el camino más seguro para sumergirse en ellas.

De este modo, Dios instruye a sus hijos en el misterio, ejercitándolos en una vida de fe (Jn. 13:7), para que ellos lleguen a su revelación sin una mente o voluntad propia. ¿No representa esta sombra de misterio nuestro gozo más elevado, como morada de nuestro adorable Dios y Salvador? Las nubes que lo *encubren,* ¿no constituyen el resplandor de su gloria (Hab. 3:4), como el Ser más simple, pero a la vez el más incomprensible, a quien el intelecto más poderoso no podrá nunca, "descubrir sus secretos, ni llegar a su perfección"? (Job 11:7-9, Sal. 145:2). El Obispo Joseph Hall (1574-1656) indica:

Así como hay una sabiduría insensata, así también hay una ignorancia sabia. Me gustaría saber todo lo que necesito y todo lo que puedo. Pero los secretos de Dios los dejo para Él mismo. Es motivo de alegría para mí que Dios me haga partícipe de su corte, aunque no de su consejo. ¡Oh, Señor! Bendíceme con el conocimiento de lo que has revelado; pero permíteme contentarme adorando tu divina sabiduría en lo que no has revelado.[6]

---

4 '¡He aquí! Estos son los contornos (líneas marginales o limítrofes) de sus caminos; y el mero susurro (en oposición al "trueno" de la siguiente cláusula) que podemos oír de él'. Dr. Good.

5 Robert Leighton (1611-84) sobre 1 P. 2:8.

6 Obispo Joseph Hall (1574-1656), 8:5; 11:84. Sin embargo, este *glorioso encubrimiento* no es un precedente del principio tractariano de reserva, que, a la vez, eclipsa la libertad y la plenitud del Evangelio y paraliza la energía de la vida y esperanza cristianas. ¡Bendito sea Dios! "Las cosas que atañen a nuestra paz son reveladas por el Evangelio". (2 Ti. 1:10.) La doctrina de la expiación por la cruz es "entregada *en primer lugar*" (εν πρωτοις, 1 Co. 15: 3); es la verdad principal en el primer plano del Evangelio. Con una humildad que nos humilla a nosotros mismos reconocemos que "las cosas secretas pertenecen al Señor nuestro Dios". Pero es realmente culpable aquella presunción que pretende encubrir "las cosas que han sido reveladas y que nos pertenecen a nosotros y a nuestros hijos para siempre"; no solo como fundamento de nuestra esperanza, sino como principio de nuestra obediencia. Dt. 29:29. Pese a todo, ¿no es necesario que algunos de nosotros nos alejemos más de las "cosas secretas" y nos acerquemos más a las "cosas que han sido reveladas"?

La gloria más alta de la tierra se encuentra en una exclusión infinita: Dios *encubre*. Pues, ¿quién podría soportar su máximo fulgor? (Ex. 33:20, Dn. 10:5-8, 17, Ap. 1:12-17).

Pero la gloria de los reyes es investigar un asunto (Esd. 4:15, 19; 5:17; 6:1. Cf. Job 29:16). No deben aparentar ser como Dios. Por sí mismos no conocen nada más allá de su pueblo. Sin embargo, como todo depende de ellos, deben, por medio de la *investigación*, aprovechar todos los depósitos de sabiduría. De ahí el mandato divino de que escriban una copia de la ley para su estudio y dirección diarios (Dt. 17:18-19).

> **Deuteronomio 17:18–19** »Y cuando él se siente sobre el trono de su reino, escribirá para sí una copia de esta ley en un libro, en presencia de los sacerdotes levitas. »La tendrá consigo y la leerá todos los días de su vida, para que aprenda a temer al Señor su Dios, observando cuidadosamente todas las palabras de esta ley y estos estatutos.

El sabio rey había obtenido un singular discernimiento al *investigar los asuntos*, aun cuando no tenía evidencias externas y lidiaba con la perplejidad de testimonios contradictorios (1 R. 3:16-28).

Sin embargo, muchas veces el legislador debe formular sus consejos con mucha cautela y reserva. Muchos de sus propósitos exceden la comprensión de la gran mayoría de su pueblo, de modo que, para sus mentes, *el corazón de los reyes es inescrutable*, al punto que podría parecerles más fácil medir *la altura de los cielos* o penetrar *la profundidad de la tierra*. ¿No debería esto enseñarles paciencia al pronunciar un juicio? Aquellos "atrevidos y obstinados, que no temen hablar mal de las dignidades superiores" ¿No son condenados por "blasfemar de cosas que no entienden"? (2 P. 2:10, 12, Jud. 8, 10). El "orar por los reyes y por los que están en autoridad", ¿no es un ejercicio mucho más fructífero y "agradable"? (1 Ti. 2:1-3).

4. *Quita la escoria de la plata, y saldrá un vaso para el orfebre;* **5.** *Quita al malo de delante del rey, y su trono se afianzará en la justicia.*

El orfebre elabora "un vaso para honra", *quitando de la plata* (Mal. 3:2-3) aquella *escoria* que estropea su belleza y pureza. Tal es la influencia del *malo* en los consejos reales, que tienden a la destrucción (1 R. 12:10-16, 2 Cr. 24:17-24).

Quitémoslo entonces *de delante del rey*. Que éste purifique su corte y su gobierno de esta *escoria*. Que lo excluya de las altas esferas. Que lo despoje de autoridad a cualquier precio (Pr. 20:8, 26). Así fue como David *afianzó* su trono *en la justicia* (Sal. 101:4-8), y así lo encomendó en su agonizante consejo a su sabio hijo (1 R. 2:5-6, 32-33, 44-45). Ésta es sabiduría política en base a principios bíblicos. Si "la justicia engrandece a la nación" (Pr. 14:34), el público reconocimiento de la misma es el camino seguro a la prosperidad nacional (1 R. 15:13, 2 Cr. 14:1–7). Así, ¿no será *el trono* de nuestro gran Rey *afianzado* por la completa y eterna eliminación de los malos? (Mal. 3:17-18, Mt. 13:41-43; 25:31-46).

¡Oh, alma mía! En el gran día de la prueba y de la última palabra, ¿seré hallado réprobo o plata purificada? ¡Señor! ¡Permíteme, bajo la mano del refinador, ser purificado como una ofrenda de justicia en ese día!

b. Un decálogo de proverbios para los cortesanos (25:6-15)

6. *No hagas ostentación ante el rey, y no te pongas en el lugar de los grandes;*
7. *Porque es mejor que te digan: «Sube acá», a que te humillen delante del*
príncipe a quien tus ojos han visto.

Nuestro Señor aplica este proverbio de manera más general (Lc. 14:8-11). ¿Quién no necesita de esta precaución contra la ambición? Incluso el piadoso Baruc parece haber "buscado grandes cosas para sí mismo" (Jer. 45:5. Cf. Ro. 12:16). Ni siquiera la comunión con el Salvador, su instrucción celestial, ni su estándar divino de santidad (Mt. 11:29) pudo impedir la "disputa entre los discípulos, acerca de quién era el más grande" (Mt. 18:1–4), la cual se repitió incluso después de la más maravillosa exhibición de humildad (Jn. 13:1–15), más aún, incluso después de haber participado con él en el santo banquete (Lc. 22:19-27). El "disfrute por tener la preeminencia" es la ruina de la piedad en la Iglesia (3 Jn. 9-10).

> **3 Juan 9–10** Escribí algo a la iglesia, pero Diótrefes, a quien le gusta ser el primero entre ellos, no acepta lo que decimos. Por esta razón, si voy, llamaré la atención a las obras que hace, acusándonos injustamente con palabras maliciosas. No satisfecho con esto, él mismo no recibe a los hermanos, se lo prohíbe a los que quieren *hacerlo* y *los* expulsa de la iglesia.

La caída de Thomas Wolsey[7] es un faro de instrucción para los hombres ambiciosos, a fin de que no *hagan ostentación, ni exhiban su gloria ante el rey*.[8] Así también la usurpación del *lugar de los grandes hombres* suele exponer al hombre a ser *humillado*, para su propia mortificación. "Antes de la honra está la humildad" (Pr. 18:12), mostrada en una timidez para imponer nuestra presencia o nuestra opinión sobre aquellos que están en puestos más altos; rehuyendo la consideración exterior, en lugar de cortejar la "vana ostentación". Gedeón (Jue. 6:15–17), Saúl en sus primeros y mejores días (1 S. 9:21-22; 15:17), y David fueron promovidos así a un lugar de honor (1 S. 18:18–20. Cf. Sal. 131:1).

Que cada uno de nosotros se entregue a la tarea de derribar la encumbrada torre de nuestra vanidad; cultivando un profundo sentido de nuestra total inutilidad, y sopesando cuidadosamente ese ejemplo, que es a la vez nuestro patrón y principio.

¡Oh! considera a Aquél, quien era "más hermoso que los hombres", siendo el más humilde de los hombres; más aún, considera a Aquél, quien era infinitamente superior al hombre, haciéndose "un gusano y no hombre" (Sal. 45:2, cf. 22:6). '¡Qué!' —exclama Bernardo— '¿se hará la Majestad del Cielo un gusano, mientras que el hombre, el orgulloso gusano, se exaltará a sí mismo?'. Piensa en ese día que nos pondrá a todos en nuestro verdadero pedestal; cuando cada uno de nosotros se presente *delante del* Gran *Príncipe* (Ap. 1:5), ¡seremos precisamente aquello, y sólo aquello, que Él considera de nosotros! ¡Cómo será ser *humillados*, ser indiscutiblemente echados de *delante de Él*, a quien *nuestros ojos verán entonces* para nuestra eterna confusión! (Ap. 1:7).

8. *No te apresures a presentar pleito; pues (Lit.* no sea que) *¿qué harás al final, Cuando tu prójimo te avergüence? 9. Discute tu caso con tu prójimo Y no descubras el secreto de otro, 10. No sea que te reproche el que lo oiga Y tu mala fama no se acabe (Lit.* vuelva).

La disensión, bajo cualquier circunstancia, es un grave mal. El cristiano considerado preferirá ceder derechos que insistir en ellos, arriesgando su propia

---

[7] Nota del Traductor: Se hace referencia a Thomas Wolsey, arzobispo inglés de la iglesia Católica durante el siglo XVI, quien tras haber sido consejero de Enrique VIII, cayó en desgracia y fue acusado de traición.

[8] Cf. Eclesiástico 7:4. El Poeta contrasta elegantemente a Dédalo e Ícaro –padre e hijo– ambos provistos de alas. El padre –contentándose con rozar el suelo– estuvo a salvo. El hijo, al elevarse por los aires, pereció. De ahí una lección de humildad. Ovid. Trist. Lib. iii. El. ii. 21.

alma y perjudicando a la Iglesia (vea 1 Co. 6:1-7). Los *pleitos apresurados* siempre son impropios. Piensa bien de antemano si tu caso es correcto, o incluso si lo es, si vale la pena discutirlo. Calcula debidamente la incertidumbre o consecuencia del *final*.

Observa los frutos de la disputa entre Gaal y Abimelec (Jue. 9:26–40. Cf. Eclesiástico 8:1), del *pleito* de Amasías con su hermano rey de Israel (2 R. 14:8–12), de la desacertada contienda del piadoso Josías con faraón (2 Cr. 34:21-22). Sabemos muy poco *qué hacer al final*. A menudo el hombre se ha arruinado a sí mismo a causa de un *pleito* legal *apresurado*. En lugar de triunfar, *su prójimo lo ha avergonzado*. Mientras 'usted' y 'yo' estemos en el mundo, el pecado y Satanás suscitarán contiendas. Pese a todo, nunca olvides que no sólo "el odio y la ira", sino también "los *pleitos* y las contiendas" son "obras de la carne" que excluyen del cielo (Gá. 5:19-21). De ahí la imperativa obligación de "buscar la paz y seguirla" (Sal 34:14), siguiendo el noble ejemplo de nuestro padre Abraham, que sofocó "el comienzo del pleito" al ceder a su sobrino sus términos naturales de superioridad y sus justos derechos (Gn. 13:8. Cf. Pr. 17:14).

> **Génesis 13:8** Así que Abram dijo a Lot: «Te ruego que no haya problema entre nosotros, ni entre mis pastores y tus pastores, porque somos hermanos.
> **Proverbios 17:14** El comienzo del pleito es *como* el soltar de las aguas; Deja, pues, la riña antes de que empiece.

Sin embargo, si después de todo, el *pleito* resulta inevitable, entonces meditemos en cuánta sabiduría y dominio sobre nuestro propio espíritu son necesarios para manejarlo de manera honorable a nuestra profesión. *Discute tu caso con tu prójimo*. Muéstrale que el gran propósito no es hacer valer *tu caso*, sino poner un rápido fin al pleito. Abraham, en lugar de quejarse con otros, llevó sus agravios directamente al rey, quien era responsable por ellos (Gn. 21:25-32). Jefté *discutió* así *su caso* con el mismísimo rey de Amón, como el mejor medio de llegar a un acuerdo amistoso (Jue. 11:12–27).[9]

Pero *descubrir secretos a otros*, aunque les impongamos silencio, es una violación de integridad.[10] Y si, como ocurre a menudo, la confianza es

---

[9] Compare la regla del gran Legislador; Mt. 18:15.
[10] Cf. Eclesiástico 8:17–19; 27:16–21. 'Medit. and Vows' del Obispo Joseph Hall (1574-1656), Cent. 2:38, 39. 'Contar nuestros propios secretos' –dice nuestro gran moralista– 'es generalmente una insensatez; pero la insensatez es sin culpa. Comunicar aquellos que se nos

traicionada, la justa consecuencia debe recaer sobre nosotros mismos (Jue. 16:6–21); trayendo una *mala fama*, que quizá *no se acabe*. 'Murmurador' será la marca sobre nuestro nombre. Y no solo eso; muchos secretos, hasta ahora desconocidos, podrían ser divulgados en represalia, para vergüenza nuestra.

¡Cuántas pasiones impías sería refrenadas si estas reglas de sabiduría y amor se pusieran en práctica! Una generosa y abnegada calidez en la amabilidad sofoca el primer mal; negándonos el placer de refrendar nuestro caso, o de triunfar sobre nuestro oponente; en lugar de insistir en enmiendas meticulosas, o esperar un reconocimiento del infractor. Y en cuanto al otro mal, si nos es más fácil hablar de las faltas de nuestro prójimo a los demás, que sabiamente y en oración hablar con él a solas respecto a ellas, pidamos por autodisciplina y por la mente de Cristo. "Que la paz de Dios gobierne en vuestros corazones, a la que también fuiste llamados en un solo cuerpo" (Col. 3:15).

11. *Como manzanas de oro en engastes de plata es la palabra dicha a su* **tiempo. 12.** *Como pendiente de oro y adorno de oro fino es el sabio que* **reprende al oído atento.**

Se hace alusión a las cestas de red de *plata* curiosamente trabajadas, en las que se servían frutas deliciosas. La belleza de la textura hacía que la fruta tenga un encanto adicional. Del mismo modo, un medio precioso aumenta el atractivo de la verdad.[11] "El predicador debe esforzarse por hallar palabras agradables" (Ec.

---

confían es siempre una traición, y una traición combinada en su mayor parte combinada con la insensatez. Rambler, No. 13.

[11] Vea la hermosa exposición del obispo Robert Lowth (1710-1787). Prælect. xxiv. "Robert Lowth (1710-1787) nació el 27 de noviembre de 1710 en Winchester, y asistió al famoso colegio local antes de ir al New College de Oxford, donde se graduó en 1733. Tras ordenarse en la Iglesia de Inglaterra, se convirtió en vicario de Overton, Hampshire, en 1735. En 1741 fue elegido profesor de poesía en Oxford, y durante los años 1741 a 1750 pronunció treinta y cuatro conferencias que se publicaron en 1753 con el título *De Sacra Poesi Hebraeorum* (Sobre la poesía sagrada de los hebreos). En 1750, Lowth se convirtió en archidiácono de Winchester y en 1755 en rector de Sedgefield y prebendado de la catedral de Durham. En 1766 fue preferido al obispado de St. David, y ese mismo año fue trasladado a la sede de Oxford y a la de Londres en 1777. Lowth permaneció en Londres hasta su muerte el 3 de noviembre de 1787. Rechazó la oferta de suceder a F. Cornwallis como arzobispo de Canterbury en 1783, por motivos de salud. En 1778 y 1779 había publicado Isaías: Una nueva traducción, con una disertación preliminar y notas. El comentario de Lowth sobre Isaías es un buen ejemplo de la erudición de su época. Las notas se ocupaban de establecer con la mayor exactitud posible el texto hebreo original de las profecías y su correcta traducción e interpretación a la luz de la historia de las naciones circundantes y de las costumbres imperantes en la época. Lowth se basó en un amplio abanico de fuentes, entre

12:10. Pr. 15:23), *palabras bien dichas* –dando a cada uno el alimento apropiado– y *ello* "a su debido tiempo" (Lc. 12:42. Cf. 2 Ti. 2:15), adaptándose a las edades y diferencias de temperamento. "¡Cuán contundentes son las palabras rectas!" (Job 6:25).

Nuestro Señor dio testimonio de sí mismo, como uno "dotado con la lengua de los sabios, para saber hablar la palabra a su tiempo" (Is. 50:4), una *palabra sobre ruedas,* no forzada ni arrastrada, sino que rueda suavemente, como las ruedas de un carro. Sus discursos sobre el agua viva y el pan de vida (Jn 4, 6) surgieron naturalmente de la conversación (Cf. Lc. 14:15-16), y, por lo tanto, estuvieron llenos de sorprendentes aplicaciones. Pablo acusó enérgicamente de superstición a los atenienses, por una inscripción en su propio altar; y reforzó su razonamiento citando a uno de sus propios poetas (Hch. 17:22-28). A un juez corrupto y despilfarrador le predicó de "la justicia, el dominio propio, y del juicio venidero" (Hch. 24:25).

En general, las relaciones dependen mucho de *la palabra* dada, la ocasión, y del espíritu con que se dan. Muchos que sienten fuertemente el impulso de "instar fuera de tiempo", descuidan la obligación no menos cristiana de "instar a tiempo" (2 Ti. 4:2). Debemos sopesar el tiempo y la persona, no menos que la verdad. Podemos creer que aliviamos nuestra conciencia diciendo lo que pensamos. Pero hacerlo brusca y ásperamente puede poner un obstáculo en el camino de nuestro hermano. Las *manzanas de oro,* en su bella envoltura, implican evidentemente buen sentido, buen gusto, nos remite a cosas buenas. Por el contrario, un absurdo bien intencionado trae desprecio en lugar de convicción (Cf. 1 S. 25:36-37, Pr. 31:26).[12]

1º Samuel 25:36–37 Entonces Abigail regresó a Nabal, y este tenía un banquete en su casa, como el banquete de un rey. Y el corazón de Nabal estaba alegre, pues estaba muy ebrio, por lo cual ella no le comunicó nada hasta el amanecer. Pero sucedió que por la mañana, cuando se le pasó el vino a Nabal, su mujer le

---

las que se encuentran autores rabínicos y clásicos, los primeros comentaristas cristianos y los relatos de los viajeros a Oriente. Su obra sobre Isaías se convirtió en la obra estándar sobre Isaías en los círculos británicos durante un siglo, en un momento en que los estudiosos críticos alemanes empezaban a fechar los últimos capítulos del libro en períodos posteriores y en diferentes profetas." John W. Rogerson, "Lowth, Robert (1710–1787)," ed. Donald K. McKim, *Dictionary of Major Biblical Interpreters* (Downers Grove, IL; Nottingham, England: InterVarsity Press, 2007), 679–680.

12 'Mollissima fandi tempora'. Virgilio, *La eneida* 4:493, 494.

contó estas cosas, y su corazón se quedó *como* muerto dentro de él, y se puso *como* una piedra.

Todos estamos obligados a reprender los pecados abiertos y evidentes (Lv. 19:17); sin embargo, cuando son de una naturaleza más dudosa y particular, el deber es mucho más restringido. Alguna Providencia nos dirigirá a él. Debe haber una conexión íntima, pleno conocimiento del caso, y algún título en base a la edad o posición que lo justifique. Dada la extrema dificultad para recibirlas, no hay *palabras* que requieran ser *dichas* más *adecuadamente*. Ningún deber requiere de más delicadeza y sensibilidad, o más "sabia mansedumbre".

Sin embargo, la reprensión oportuna es bien tomada: *el sabio que reprende al oído atento es un pendiente de oro, y adorno de oro* listo para ser aprovechado. Tal fue la palabra de Eli a Samuel (1 S. 3:11–18); la de Abigail y Natán a David (1 S. 25:31-34, 2 S. 12:1–13); la de Isaías a Ezequías (2 R. 20:14-19). Vemos su buen fruto en Josafat, a quien, en lugar de causarle repugnancia, le impulsó a un mejor servicio a Dios (2 Cr. 19:2–4). La reveladora reprensión del Apóstol a la Iglesia de Corinto funcionó tan eficientemente, que "en todo demostraron ser inocentes en el asunto" (1 Co. 5:1, 2 Co. 2:1-3; 7:11). Es un gran triunfo de la gracia cuando se reconoce la bondad de la *reprensión* (Sal. 141:5. Cf. Pr. 9:8), y se aprecia su motivación amorosa (Pr. 27:5-6. Cf. Eclesiástico 19:13-14). En efecto, fiel es la bendición cuando el don de *un oído obediente* prepara a los hijos del Señor para escuchar provechosamente su *reprensión* (Hab. 2:1-3, Pr. 20:12, 15:31).

> **Habacuc 2:1–3** Estaré en mi puesto de guardia, y sobre la fortaleza me pondré; velaré para ver lo que Él me dice, y qué he de responder cuando sea reprendido. Entonces el **Señor** me respondió: «Escribe la visión y grába*la* en tablas, para que corra el que la lea.»Porque es aún visión para el tiempo señalado; se apresura hacia el fin y no defraudará. Aunque tarde, espérala; Porque ciertamente vendrá, no tardará.

13. *Como frescura de nieve en tiempo de la siega es el mensajero fiel para los que lo envían, porque refresca el alma de sus señores.*

La nieve, en sí misma, sería inoportuna durante *el tiempo de la siega*. Pero *la frescura* de la nieve resultaría muy refrescante para los sedientos y desfallecientes segadores, *"así es el mensajero fiel para los que lo envían"* (Pr.

13:17). ¡Cómo *refrescó* Eliezer *el alma de su señor*, cuando 'regresó con un reporte exacto y un rápido despacho del importante asunto que se le había encomendado'!.[13] Considera los sentimientos de Isaac durante su caminata vespertina meditando –con el corazón colmado del gran asunto en suspenso– cuando "alzó sus ojos, y he aquí que los camellos venían", llevando la bendición deseada (Gn. 24:63-64).

¡Cómo fue *refrescado* Cornelio cuando su *mensajero* regresó con el gozo de su corazón y la respuesta a sus oraciones! (Hch. 10:4-6, 25). A menudo el apóstol reconoce que su ansioso espíritu ha sido *refrescado* tras haber estado cargado con "la preocupación por todas las iglesias" (Cf. 1 Co. 16:17-18, Fil. 2:25-30, 1 Ts. 3:1–7). Podríamos también ascender a lo más alto, y con reverencia notar que nuestro divino Maestro condesciende a ser *refrescado* por medio de sus *fieles mensajeros*. *"Para Dios"*, dice el Apóstol, *"somos grata fragancia de Cristo"*.

Parece estar abrumado por la contemplación y, postrado en asombro, exclama: "Para estas cosas ¿quién es suficiente?" (2 Co. 2:15-16). Sin embargo, el Gran Señor se complace en reconocer a sus *mensajeros* como "gloria de Cristo" (2 Co. 8:23). Y, además, los honrará como corona suya en el gran día en que todo sea consumado. "Los que guían a muchos a la justicia resplandecerán como las estrellas por siempre y para siempre" (Dn. 12:3).

14. *Como las nubes y el viento sin lluvia Es el hombre que se jacta falsamente de sus dones*[14] (*Lit.* en un don de falsedad).

El último proverbio describía una bendición invaluable. Este advierte de una destructiva maldición. Supongamos que una sequía, como en los días de Elías, amenaza con desolar la tierra (1 R. 18:5), y se acerca una espesa *nube*, aparentemente llena de la fructífera bendición, no obstante, pasa de frente; como *viento sin lluvia*.

Este es un fiel retrato *del jactancioso*; rico en promesas, pero sin cumplir nada; despertando grandes expectativas, pero luego hundiéndolas en la decepción. Ya sea la vana presunción de su propio entendimiento, o el hipócrita deseo para mantener una profesión, se trata de *una jactancia en un don de falsedad*. Si es malo prometer y engañar; es mucho peor prometer con la

---

[13] Poule.
[14] 'El que se jacta mucho y no da nada'. Obispo Miles Coverdale (1487–1569).

intención de engañar. Este era el mismísimo carácter del Gran Engañador. ¿No puso delante de nuestro infeliz padre *un don falso*, una promesa que nunca podría haber cumplido; "Seréis como dioses, conociendo el bien y el mal"? (Gn. 3:3-5). Más aún, lleno de tal presunción de la cual el mismo infierno podría avergonzarse, ¿no se *jactó de su falso don*, ofreciendo el mundo a su propio Hacedor, como una tentación para la más vil blasfemia? (Mt. 4:8–10).

¡Cuán triste es encontrar este carácter en aquellos que ocupan el lugar de Dios! Pese a ello, la iglesia siempre ha sido disciplinada con *falsos* maestros; quienes ministran engaños en lugar de instrucción (1 R. 22:11, Jer. 5:31, cf. 2 Co. 11:13-15, Gá. 1:7 cf. 2 P. 2:17-19, Jud. 12, 16). ¿No hay ninguno entre nosotros que alimente al rebaño con *dones falsos*; que busque mantener su vacía profesión incluso ante la mirada de Aquel cuya desaprobación en el gran día lo destierre para siempre de su presencia? (Mt. 7:22-23).

> **Mateo 7:22–23** »Muchos me dirán en aquel día: "Señor, Señor, ¿no profetizamos en Tu nombre, y en Tu nombre echamos fuera demonios, y en Tu nombre hicimos muchos milagros?". »Entonces les declararé: "Jamás los conocí; apártense de Mí, los que practican la iniquidad".

¡Oh! que los que llevan el mensaje del Señor tengan cuidado, para que aún si son contados "como engañadores", se diga de ellos, "pero veraces" (2 Co. 6:8); no como aquellos que corrompen la palabra de Dios; sino que con sinceridad, como de parte de Dios, y "delante de Dios", que "hablen en Cristo" (2 Co. 2:17. Cf. 4:2).

15. *Con la mucha paciencia se persuade al príncipe, y la lengua suave quebranta los huesos.*

El sabio nos había brindado antes una regla general para la benignidad (Pr. 15:1). Aquí, toma un caso extremo y muestra su poder con el *príncipe*, cuya ira –al no tener nada que lo restrinja– podría sublevarse y buscar una venganza inmediata (Ec. 8:3; 10:4. Cf. 1 S. 22:17-18). No obstante, la sumisión, la *mucha paciencia*, tiene un gran poder de *persuasión*. Así influyó David en el enfurecido temperamento de Saúl (1 S. 24:8–20; 26:13–25). Sucede a menudo que cuando se le presenta un caso a un *príncipe* enojado en la oportunidad indicada, éste puede ser *persuadido* por "la sabia mansedumbre", aún en contra de su parecer actual.

Pero el principio general es muy instructivo. El miembro *suave que quebranta el duro hueso* puede parecer una paradoja. Pero es una buena ilustración del poder de la benignidad sobre la dureza y el enojo. Aplícalo con aquellos que se oponen a la verdad. Muchos corazones duros han sido ganados gracias a una *paciente*, pero inflexible, adaptación a los prejuicios (2 Ti. 2:24-26, 1 Co. 9:20-22). Al momento de reprender, Jehová mostró lo que podía hacer a través "del fuerte viento y del terremoto". Pero su reprensión efectiva vino a través del "susurro apacible" –sin regaño– agudo, pero tierno (1 R. 19:11-13). ¡De tal poder es la energía de la benignidad!

En cuanto a la paciencia, es un fruto manifiesto de la regeneración (Stg. 1:18-19); una clara exhibición de la mente de Cristo (Mt. 11:29), y un reflejo práctico de su propia *paciencia* en medio de nuestras continuas y extremadamente graves provocaciones. Pues, cuando se nos concedió el privilegio del discípulo amado, "recostado en el pecho de Jesús" (Jn. 13:23; 21:20), no hemos sentido nada allí que no sea benignidad, ternura y amor.

c. Conflictos personales generales (25:16-26)

16. ¿Has hallado miel? Come solo lo que necesites, no sea que te hartes y la vomites.

Hace poco, Salomón nos había invitado cordialmente *a comer miel* (Pr. 24:13). Aquí, sin embargo, nos impone una restricción.

Come tanto como te sea suficiente. Hasta ese punto es dulce. Más allá de esto resulta nauseabunda. El principio nos guía hacia un disfrute agradecido, pero moderado, de nuestras bendiciones terrenales. "Toda lo creado por Dios es bueno, y nada se debe rechazar, si se recibe con acción de gracias" (1 Ti. 2:4). Pero como necesario equilibrio a este privilegio universal, se nos indica: "que vuestra moderación sea conocida por todos los hombres" (Fil. 4:5. Cf. 1 Co. 7:29–31, Jud. 12).

> **1 Corintios 7:29–31** Pero esto digo, hermanos: el tiempo ha sido acortado; de modo que de ahora en adelante los que tienen mujer sean como si no la tuvieran; los que lloran, como si no lloraran; los que se regocijan, como si no

se regocijaran; los que compran, como si no tuvieran nada; los que aprovechan el mundo, como si no *lo* aprovecharan plenamente; porque la apariencia de este mundo es pasajera.

Satisface tus necesidades, pero has morir los deseos de la carne (Ro. 13:14, Col. 3:5. Cf. Lc. 21:34). Así, los dones de Dios se convierten en bendiciones para nosotros, y lo glorificamos en ellas y por ellas. Sin embargo, los más elevados placeres de la tierra, en exceso, se vuelven desagradables y perjudiciales, y se llenan de desilusión cuando se separan del gran propósito (Ec. 2:10-11). Nuestros afectos nunca podrán fluir hacia ningún objeto sin peligro, a menos que estén fijados principalmente en Dios.

Entonces podremos estar seguros de no ofender, ni en el objeto ni en la medida. Ningún hombre puede, en Dios, amar a quien no debe; ni amar inmoderadamente a quien sí debe. Este santo respeto lo dirige y lo limita, y encierra sus deleites tras la conciencia de un cumplimiento legítimo.[15]

En los placeres terrenales, sin embargo, nunca podemos olvidar cuán delgado es el límite entre el sendero lícito y el prohibido. El pecado y el peligro comienzan en un extremo de la virtud. Pues, ¿no es la legítima satisfacción del apetito, llevada a su máxima expresión, lo que nos lleva al límite, y con frecuencia nos empuja a la tolerancia, de la gula? Así pues, el gusto indisciplinado por los afectos terrenales ¿no nos pone en peligro de idolatría? Más aún, incluso el placer espiritual puede necesitar de autocontrol, a fin de que no sea un entusiasmo sin principios profundos, el cual eventualmente resulta insustancial y engañoso.

Pese a todo, al *comer* la *verdadera miel* del Evangelio, no existe un peligro de exceso. Nunca conoceremos la saciedad en este deleite. El creciente deseo será plenamente satisfecho sólo en la eternidad.

Oh Dios, permíteme probar y ver cuán dulce es el Señor Jesús en todas sus graciosas promesas; en todas sus misericordiosas y verdaderas acciones. No necesitaré nada más para ser feliz. Esta no es la miel de la que se me pide que no coma demasiado. No, Señor, nunca podré comer lo suficiente de esta miel

---

[15] 'Works' del Obispo Joseph Hall (1574-1656) – Select Thoughts, II.

celestial. De ella no puedo comer en exceso; o si pudiera, este exceso sería para salud mía.[16]

17. *No frecuente tu pie la casa de tu vecino, no sea que él se hastíe de ti y te aborrezca.*

Ningún código de leyes incluye, como la Biblia, minuciosas medidas para las cortesías de la vida. Con todo, ciertamente no menoscabamos la santidad de la religión al difundirla en todas las esferas de la sociedad humana. La vida diaria es evangelizada por la abrumadora influencia de sus sanos principios. Esta regla ilustra algunos de nuestros propios Proverbios, los cuales no han perdido un ápice de su importancia por el uso tradicional. 'Bueno es lo bueno, pero no demasiado. La familiaridad produce desprecio'.

No puede mantenerse un trato amable con *nuestro vecino* sin que exista un sentimiento de consideración. Un simple conocido ocasionaría un disgusto justo si reclamara el trato libre y sin control propio de una amistad íntima. Y así, probablemente el intruso reciba una evidente insinuación de que es un invitado no deseado. *Retirar el pie* resulta una regla útil para evitar un resultado tan mortificante. "*Haz que tu pie sea precioso*"[17] *para tu vecino*, no visitándolo con demasiada frecuencia. Es mucho más seguro equivocarse del lado de la reserva, que incurrir en su desprecio por el error opuesto (Cf. Eclesiástico 21:22).

Más aún, incluso el estrecho vínculo de la amistad requiere una medida de prudente moderación. Vale la pena dedicar todo nuestro cuidado a fin de proteger esta invaluable bendición de una probable ruptura. Da dulzura a la vida. Y, aun así, esta *miel* puede implicar un exceso (v. 16). Si no hay respeto mutuo, puede resultar desagradable. Las inoportunas interrupciones del tiempo de nuestro amigo; las visitas frecuentes sin previo aviso ni objeto; la interferencia con sus compromisos obligatorios, o con descansos familiares; el inconveniente de cargar con los gastos: persistir en este curso puede producir *hastio*, si no repugnancia, o incluso *odio*.

¡Bendito sea Dios! No hay necesidad de esta precaución y reserva cuando se trata de acercarnos a Él. Una vez familiarizados con el camino de acceso, no

---

[16] 'Soliloquies' del Obispo Joseph Hall (1574-1656), LIV. Sin embargo, que *el profesante antinomiano* recuerde: 'No existe un exceso tan peligroso como el de las dulces y deliciosas verdades del evangelio'. Ob. Hopkins sobre Is. 43:25.

[17] Heb. Vea Holden. Cf. 1 S. 3:1-"precioso" en ambos casos, porque es raro.

hay muro que nos separe. Nuestro amigo terrenal puede ser apremiado en demasía. La amabilidad puede desgastarse por el uso frecuente; pero nunca podremos acercarnos a nuestro amigo celestial intempestivamente. Nunca estará *hastiado* de nuestra importunidad (Lc. 11:5-9; 18:1). Sus puertas siempre están abiertas; y son "bienaventurados los que velan y aguardan allí" (Pr. 8:34).

Mientras más frecuentes sean las visitas, más bienvenidas y más fructíferas serán. Lo que para el hombre constituiría intromisión, para Dios es confianza. Nos invita de corazón a un íntimo y sumamente entrañable compañerismo (Cnt. 5:1). ¿Acaso su hijo da por sentado este privilegio abundante en gracia? Nada más lejos de la verdad. Aunque tiene un "libre acceso" (Ef. 3:12, Heb. 4:16; 10:19-20); procura aquella "gratitud mediante la cual puede ofrecer a Dios un servicio aceptable con reverencia y piadoso temor" (Heb. 12:28).

18. *Como mazo y espada y flecha aguda Es el hombre que levanta falso testimonio contra su prójimo.*

El falso testimonio es condenado universalmente. Sin embargo, ¿dónde, salvo en la palabra de Dios, se explica adecuadamente su verdadero carácter y la profunda gravedad de su culpa? ¡Qué cuadro tenemos aquí de crueldad y maldad, o, mejor dicho, incluso de asesinato deliberado! Tres instrumentos asesinos están ante nosotros, asociando el sexto y el noveno mandamiento. La lengua, concebida como "árbol de vida", se convierte en un arma de muerte (Pr. 15:4, 12:18. Cf. Sal. 52:2; 55:21; 57:4; 59:7; 64:3-4, Jer. 9:3-8).

> **Proverbios 15:4** La lengua apacible es árbol de vida, Pero la perversidad en ella quebranta el espíritu.
> **Proverbios 12:18** Hay quien habla sin tino como golpes de espada, Pero la lengua de los sabios sana.

¿Quién conoce el pecado que implica esta terrible perversión? Muchas veces el perjurio público, como *una espada y una flecha aguda*, hiere la fuente de vida (Gn. 39:14-20, 1 R. 21:10-13, Mt. 26:60-66, Hch. 6:13-14). Y poco mejores son esas calumnias e insinuaciones poco amables –todas ellas transgresiones de la caridad– que son expresadas tan libremente durante una conversación común.

Consideren, ustedes que emplean tales conversaciones, si pueden imaginarse tratando a los objetos de su plática difamatoria como Jael lo hizo con Sísara

(Jue. 4:21), o como Joab lo hizo con Abner (2 S. 3:27). ¿Se estremecerían de horror ante la idea de golpear el cerebro de su prójimo con un martillo, o de atravesar sus entrañas con una *espada,* o con una *flecha aguda*? ¿Por qué, entonces, se entregan a una barbarie semejante, destruyendo tanto como pueden aquella reputación que es tan querida por los hombres como su vida, y perjudicando todos sus intereses al destrozar su carácter?[18]

Resulta verdaderamente conmovedor pensar en el sinnúmero de *mazos, espadas y flechas agudas* que hay incluso en la Iglesia de Dios. No es porque ella está "puesta en orden de batalla contra los filisteos, ejército contra ejército" (1 S. 17:21), sino el hermano contra su hermano. El Shibolet de una facción (Jue. 12:6), y no el estandarte de la cruz, es el santo y seña del destructivo conflicto. "¡Hasta cuándo, Señor! Hasta cuándo".

19. *Como diente malo y pie que resbala Es la confianza en el hombre engañador en tiempo de angustia.*[19]

El diente roto y el pie descoyuntado no sólo son inútiles para sus respectivas funciones, sino que son fuentes de dolor e inquietud. Así es *el hombre infiel en tiempo de angustia.* "En todo tiempo ama el amigo, y el hermano nace para la adversidad" (Pr. 17:17). Pero muchos sólo tienen el nombre. Se muestran muy amigables cuando no se les necesita, cuando estamos dispensando, no recibiendo, nuestros regalos; cuando no hay un costo que pagar. Pero en *tiempos de angustia*; "¿quién hallará hombre fiel?" (Pr. 20:6). Job sintió vivamente que esta era una *confianza* que se hundía en *su tiempo de angustia* (Job 6:14-17). David fue probado duramente por esta aflicción (Sal. 55:12-14), incluso en la última etapa de su vida (1 R. 1:19, 25). Los hermanos salieron para encontrarse con el Apóstol en el Foro de Apio.

Sin embargo, en una época en la que su apoyo habría sido especialmente alentador, él dice: "En mi primera defensa, ninguno estuvo a mi lado, sino que todos me abandonaron" (Hch. 28:15, cf. 2 Ti. 4:16). ¿Necesitamos cuestionarnos sobre la cruz que se le designó? Su Maestro la había soportado antes que él; así pues, "bástale al siervo ser como su Señor" (Mt. 26:56, cf. 10:24-25).

---

[18] Lawson in loco.

[19] Nota del Traductor: La versión usada en el inglés original señala literalmente: "La confianza en el hombre infiel en tiempo de angustia es como diente roto y pie descoyuntado"; de allí las referencias realizadas por el autor.

El mundo abunda en ejemplos de esta decepción. El levita de Micaía pagó desagradecidamente la confianza depositada en él (Jue. 17:7–12; 18:20–24). La confianza de Mefiboset en Siba (2 S. 16:1–4; 19:24–28), y la dependencia de Israel de un brazo de carne, evidenciaron una caña rota, y no un bastón de apoyo verdadero.[20] En realidad, ¿cuándo ha cumplido el mundo con sus lindas promesas? ¿Cuándo ha dado *una recta confianza en tiempo de angustia*? ¿Cuándo ha fracasado en hacer que el alma "se avergüence de su esperanza"? ¡Qué misericordiosa corrección viene sobre el hijo de Dios, cuando en la mala hora se aparta de su verdadera *confianza* en pos de vanas dependencias!

Pero quien quiera sea *infiel*, Dios es veraz. ¿Quién ha confiado en Él, y ha sido confundido? ¿Quién ha edificado sobre su seguro cimiento y no ha visto su inquebrantable seguridad? (Is. 28:16). Aunque se ha comprometido a nunca abandonar a sus siervos (Heb. 13:5), especialmente dice "con él estaré yo *en la angustia,* seré un auxilio muy grato en las tribulaciones" (Sal. 91:15; 46:1. Cf. Jer. 17:5-8).

20. *Como el que se quita la ropa en día de frío, o como el vinagre sobre la lejía (I.e. carbonato sódico),*[21] *Es el que canta canciones a un corazón afligido.*

¿Qué puede ser más inhumano que *quitarle* a un pobre la *ropa* o la manta de su cama *en día de frío*? Tal acto de crueldad fue prohibido por el Dios de los pobres (Dt. 24:12, 17. Cf. Job. 24:7-10, Is. 58:7). Otra vez, ¿qué puede ser más inadecuado que *verter vinagre sobre la soda*; lo que, en lugar de ser útil, sólo la disolvería con violenta efervescencia?[22] No menos inoportuno sería el júbilo de *cantar canciones al corazón afligido* (Ec. 3:4). "Dad vino" –es la regla inspirada– "a los de *corazón agobiado*" (Pr. 31:6. Cf. Sal. 104:15). Por muy

---

[20] Asiria, 2 Cr. 28:20-21, Os. 5:13. Egipto, Is. 30:1-3; 31:1-3, Jer. 36:5-7, Ez. 29:6-7.

[21] Nota del Traductor: La palabra usada en la versión inglesa (*nitre*) ha sido traducida en otras versiones (RVR19060) como jabón; y hace referencia a un mineral cuyo componente principal es el carbonato de sodio (como la aclara la NBLA), más comúnmente conocido como sosa, o soda, y éste es el término usado por otras versiones inglesas más modernas (ESV, NASB). Pese a ello, el término *"nitre"* suele traducirse como "nitro", un mineral distinto usado como componente de la pólvora, con el cual no debe confundirse, de allí la aclaración realizada por el autor. Debido a esto, hemos considerado usar el término "soda" cuando el autor se refiere a *"nitre"*.

[22] El 'nitro' de la Escritura no es aquella sal que comúnmente se denomina así, sino una soda o un álcali mineral (el *natrum* romano), que fermenta fuertemente con todos los ácidos. El Dr. Blayney comenta en Jer. 2:22 (el único otro ejemplo de la palabra): "En muchas partes de Asia se llama tierra de jabón, porque se disuelve en agua y se usa como jabón para lavar".

grandes que sean los encantos de la música (1 S. 16:23, 2 R. 3:15), no son apropiados para calmar las punzadas del dolor (Job. 30:31, Dn. 6:18. Cf. Eclesiástico. 22:6).

El canto forzado agravaba el agudo filo de la aflicción babilónica (Sal. 137:1-4). Y allí donde no hay intención de ser cruel, la frivolidad desconsiderada, o incluso la alegría excesiva, puede ser como "una espada en los huesos". La ternura que se muestra en las lágrimas de un hermano; que sabe "llorar con los que lloran" (Ro. 12:15. Cf. Job 2:11-13), como miembros de un mismo cuerpo (1 Co. 12:26, Heb. 13:3); y que guía al que sufre hacia su amigo y Dios; ésta es la verdadera compasión cristiana, un precioso bálsamo para el corazón roto.

> **Job 2:11–13** Cuando tres amigos de Job, Elifaz, el temanita, Bildad, el suhita y Zofar, el naamatita, oyeron de todo este mal que había venido sobre él, vinieron cada uno de su lugar, pues se habían puesto de acuerdo para ir juntos a condolerse de él y a consolarlo. Y cuando alzaron los ojos desde lejos y no lo reconocieron, levantaron sus voces y lloraron. Cada uno de ellos rasgó su manto y esparcieron polvo hacia el cielo sobre sus cabezas. Entonces se sentaron en el suelo con él por siete días y siete noches sin que nadie le dijera una palabra, porque veían que *su* dolor era muy grande.

La manifestación exterior de esta compasión puede no ser siempre necesaria. Pero, ¡oh! que su espíritu sea profundamente apreciado, especialmente por aquellos cristianos de temperamento optimista o gélido; sobre todo por el ministro de Cristo, que pueda sentarse al lado del que sufre y lo "consuele con la misma consolación con que él mismo es consolado por Dios" (2 Co. 1:4-6). Se puede hacer mucho para corregir una deficiencia congénita. Un exceso de sentimientos, sin embargo, necesita autocontrol.

Pero no olvidemos nunca que, nuestro Divino Salvador, para este fin "tomó nuestras enfermedades y llevó nuestras dolencias", para que "pueda compadecerse de ellas" (Mt. 8:17, Heb. 4:15). En efecto, "conoce nuestro condición" (Sal. 103:1), y su labor no es *quitarle la ropa* a su hijo en *día de frío*, sino abrigarlo con todo el cariño de su propio seno (Is. 40:11). En lugar de indebidamente *verter vinagre sobre la soda*; como el buen samaritano, "derrama aceite y vino para curar las heridas" (Is. 61:2-3, cf. Lc. 10:34).

21. *Si tu enemigo tiene hambre, dale de comer pan, y si tiene sed, dale a beber agua; 22. Porque así amontonarás brasas sobre su cabeza, y el Señor te recompensará.*

¿En qué código moral pagano podríamos encontrar este amor perfecto? Todo sistema cede, en gran medida, al egoísmo del hombre. Ninguno va más allá de "amar a los que nos aman", respecto a lo cual el verdadero Legislador pregunta justamente, "¿Qué recompensa tenéis?" (Mt. 5:46-47). Más aún, ni siquiera los corruptos maestros de Israel pudieron alcanzar este sublime estándar.

> Al parecer, no percibieron nada que se desapruebe más en el odio que en la buena voluntad. Y, según su sistema moral, "nuestro enemigo" era el adecuado y natural objeto de una de estas pasiones, así como "nuestro prójimo" lo era de la otra.[23]

No pudieron elevarse hasta la ley; y, por lo tanto –pervirtiendo la norma de la venganza judicial a fin de autorizar la venganza privada (Mt. 5:43, cf. Nm. 25:16–18. Dt. 7:1-2; 23:6; 25:17–19) – rebajaron la ley a su propio nivel.

La armonía entre la normativa del Antiguo y el Nuevo Testamento (Cf. Ro. 12:20-21, con Ex. 23:4-5, Mt. 5:44) es muy completa. Ambos fueron dictados por el mismo Espíritu. Cada uno sella al otro con autoridad divina. 'La ley del amor no es expuesta más espiritualmente en un solo precepto de Cristo o de sus Apóstoles, que en esta exhortación'.[24] Por lo tanto, no es necesario menospreciar un sistema para exaltar el otro. "El mandamiento nuevo es el que teníamos desde el principio"; es antiguo en cuanto a su autoridad; y "nuevo" en cuanto es impuesto por un principio y un ejemplo nuevos (Jn. 13:34, 1 Jn. 2:7-8, 2 Jn. 5, cf. Lv. 19:18). Suponer que el evangelio se extiende más allá de la medida de la ley implicaría que la ley exige muy poco, o el evangelio demasiado. Ninguna de las dos suposiciones honra a la ley como transcripción inmutable de las perfecciones divinas.

Puede que no haya una manifiesta violación de la ley, y, sin embargo, el corazón se subleva en secreto contra su alto estándar. Las circunstancias pueden dificultar la represalia abierta. Nuestro enemigo puede estar fuera de nuestro alcance, o ser demasiado grande para ofender impunemente. Pero el rencor

---

[23] 'Sermons at the Rolls' del Ob. Butler. Serm. VIII.
[24] Thomas Scott (1741-1821) in loco.

permanece (Lv. 19:18, Stg. 5:9). Su desgracia nos sería un placer (Pr. 24:17-18). Pensamos en él sólo en referencia a nuestras heridas.

La chispa puede estar confinada durante años, pero en alguna oportunidad favorable, estallará en una llama asesina (2 S. 13:23, 28). Y aún cuando parece que estamos en el camino, ¡cuántas paradas y cambios hay antes de que aceptemos total y prácticamente la obligación! ¡Cuánto espíritu de réplica, o de determinar nuestra conducta hacia nuestro enemigo por la suya hacia nosotros! Y si en algún punto hemos forzado a nuestro egoísta corazón a devolver bien por mal, ¿en qué ministra aquello a la autocomplacencia o a la justicia propia?

Muchas veces también sucede que nuestro amor "a nuestros enemigos" consiste sólo en dejar de pelear con ellos. Dejamos de lado la venganza por ser inconsistente con nuestro nombre cristiano, no obstante, ¿nos vestimos "como escogidos de Dios, con entrañable misericordia, perdonándonos unos a otros, si alguno tuviere queja contra otro"? (Col. 3:12-13).

> El amor es de una naturaleza demasiado sustancial como para estar formado por meros negativos; y también demasiado operativo como para terminar en simples deseos.[25]

Podemos profesar nuestra buena voluntad hacia *nuestro enemigo* diciendo que lo perdonamos y oramos por él de corazón. Sin embargo, a menos que estemos preparados para ejercitar de manera práctica la compasión, *alimentándolo cuando tiene hambre y dándole de beber cuando tiene sed*, sólo somos víctimas de nuestro propio engaño. Exclama el piadoso Obispo Joseph Hall (1574-1656):

> ¡Oh, noble venganza de Eliseo, la de ofrecer un festín a sus perseguidores! ¡La de facilitar una mesa a aquellos que querían facilitarle una tumba! Ninguna venganza sino ésta es heroica, y digna de imitación cristiana.[26]

---

[25] Sermón de South sobre Mt. 5:44.

[26] Contemplations, Book xix. Cont. 9, sobre 2 R. 6:22-23. Vea otro ejemplo igualmente noble; 2 Cr. 28:12-15, "Si por venganza destruyes a un enemigo, perdonando vencerás a tres: a tu propia ambición, a la tentación del diablo, y al corazón de tu enemigo". 'Keeping the Heart' (Guardando el Corazón) de John Flavel.

Alimentar a nuestro enemigo hambriento con la ternura de una nodriza, quien divide cada porción en bocados para la alimentación de su criatura,[27] ¡qué esplendor proporciona el oponerse a la naturaleza a esta victoria de la gracia!

Ningún hombre conquistó nunca el corazón de su enemigo por medio de la venganza; pero sí muchos por amor. ¿No fue así que el Todopoderoso Salvador derritió la dureza de nuestros inquebrantables corazones? Que tal esfuerzo sea probado. Rodea el intratable metal por debajo y por encima; no sólo lo pongas sobre el fuego, sino *amontona brasas sobre él*. Pocos corazones son tan obstinados como para no fundirse bajo la poderosa energía de un amor paciente, abnegado y ardiente (1 S. 24:16–20; 26:25). O, incluso si es escoria que resiste a la vehemente llama, no todo está perdido.

Si tu enemigo no te recompensa por todo el bien que ha recibido, no te preocupes por ello. *El Señor te recompensará*. El Dios de amor honrará su propia imagen en sus propios hijos (Mt. 5:44-45).

> **Mateo 5:44–45** »Pero Yo les digo: amen a sus enemigos y oren por los que los persiguen, para que ustedes sean hijos de su Padre que está en los cielos; porque Él hace salir Su sol sobre malos y buenos, y llover sobre justos e injustos.

Con esta confianza, David contuvo la creciente sed de venganza de sus celosos siervos (2 S. 16:9–12. Cf. Sal. 7:4), y con una paciencia similar, halló que su "oración por el bien de su enemigo se volvió a su propio seno" (Sal. 35:13. Cf. Mt. 10:13). Se nos ha ordenado devolver "bendición por maldición, sabiendo que para ello fuimos llamados, para que heredemos bendición" (1 P. 3:9).

Disputar la racionalidad del precepto es afirmar que, como añade el Obispo Butler, sondeando este principio hasta el fondo:

> El hombre es el objeto adecuado de la buena voluntad, cualesquiera que sean sus defectos, siempre que éstos conciernan a los demás; pero no cuando me conciernan a mí. Estoy seguro de que no hay nada irrazonable en él. En realidad, no se trata de algo más que del deber de no permitirnos una pasión que, si fuera generalmente permitida, se propagaría por sí misma, hasta casi arrasar con el mundo.[28]

---

[27] Ψωμιζε. LXX. Rom. 12:20. Comp. Schleusner.
[28] 'Sermons at the Rolls' del Ob. Butler, Serm. IX.

Pero, por muy razonable que sea este precepto, está infinitamente alejado del poder innato del hombre. Las reglas, no menos que las doctrinas, de Dios son "locura para él" (1 Co. 2:14). Que aquellos que buscan "entrar en la vida guardando los mandamientos", comiencen con este. Se darán cuenta que sería más rápido hacer retroceder al sol; que sería más fácil "cortarse la mano derecha" que extenderla para alimentar *a un enemigo* en apuros. Tal exhibición de amor sería, para sus ojos, la perfección total; o por lo menos, una exquisita pieza de trabajo; algo que todos admiran, pero que nadie intenta imitar.

No obstante, ¿es realmente impracticable? Así lo considera el mundo. Así lo ha hallado mi propio y corrupto corazón. Empero, "todo lo puedo" (esto entre todo los demás) "en Cristo que me fortalece" (Fil. 4:13). De ese modo, será hecho de buena gana y con alegría. Mi enemigo no tiene derecho a mi amor; sin embargo, El que me pide que lo ame, demanda y merece mi obediencia total (Jn. 14:15). 'Somos discípulos de Aquél que murió por sus enemigos'.[29] Si bebiéramos más de su espíritu, este impracticable precepto sería, no nuestro deber o nuestra cruz, sino nuestro deleite y satisfacción.

23. *El viento del norte trae la lluvia,*[30] *y la lengua murmuradora, el semblante lleno de ira.*[31]

¿Quién debería tolerar *al murmurador*? Es una plaga en la sociedad (Pr. 26:20); en el círculo amical (Pr. 16:28); y en la iglesia de Dios (2 Co. 12:20). Ni su persuasiva apariencia ni la buena compañía que le da audiencia pueden ocultar su verdadero carácter. Si *el viento del norte aleja la lluvia*, que *el semblante enfadado* le aleje de nuestra presencia.

Si trae la lluvia: que su sola vista traiga consigo una represión de santa indignación. Esto es "airarse y no pecar" (Ef. 4:26). De hecho, no airarse aquí

---

[29] Obispo Wilson. Ro. 5:10. Cf. Lc. 23:34. ¿No constituyó esto un acto de obediencia a su propia ley? Mt. 5:44.

[30] Nota del Traductor: La versión usada en el inglés original señala: "*El viento del norte aleja la lluvia, y el semblante enfadado a la lengua murmuradora.* (El viento del norte trae la lluvia, y la lengua murmuradora el semblante enfadado. Marg.)"; de allí la aclaración y las referencias realizadas por el autor.

[31] Muchos críticos valiosos, tras la LXX., prefieren la lectura marginal a la recibida. El significado ordinario de la palabra hebrea es producir, o hacer surgir, cap. 8:24. Y, sin embargo, compare Job 37:22. Homero también habla del viento del norte como el que trae un buen tiempo. Il. O. 170. El significado, sin embargo, es el mismo con cualquiera de las dos interpretaciones.

sería un pecado. El enojo santo es una cualidad de Dios (Dt. 9:8, Sal. 7:11, Nah. 1:2). Se manifestó en la humanidad de Jesús (Mc. 3:5; 8:33). Cuando el nombre de Dios fue deshonrado, "el hombre más manso de la tierra se encendió" (Ex. 32:19, cf. Nm. 12:3) en ira, mientras su corazón se derretía de amor por los rebeldes (Nm. 12:11-13).

> **Números 12:11–13** Entonces Aarón dijo a Moisés: «Señor mío, te ruego que no nos cargues *este* pecado, en el cual hemos obrado neciamente y con el cual hemos pecado. »No permitas que ella sea como *quien nace* muerto, que cuando sale del vientre de su madre su carne ya está medio consumida». Y Moisés clamó al Señor y dijo: «Oh Dios, sánala ahora, te ruego».

¿No deberíamos sentir esto, cuando *la lengua murmuradora* quebranta la ley del amor, estimada por Él como su propia Deidad? Y, sin embargo, ¡es verdaderamente rara la ocasión –ay, incluso en círculos cristianos– en donde las faltas de los demás, reales o imaginarias, no ocupan la conversación, o por lo menos, no se permita humillar al ausente o ridiculizar sus debilidades!

Esta *lengua* hiere a cuatro con un solo golpe: al propio *murmurador*, al objeto de su ataque, al oyente y al nombre de Dios. Todo ello envuelve al profesante cristiano en la temible culpa de "haber hecho tropezar a los pequeños" (Mt. 18:6). Pues, ¿cómo podrían no tropezar los débiles e inexpertos ante una exhibición tan inconsistente del evangelio del amor?

Pero si, por otro lado, el *murmurador* es bienvenido antes que repelido, ¿no participa el oyente complaciente de su pecado? Huye de esta plaga mortal. Mantén tus oídos y tu boca alejados del veneno. Que tu *semblante lleno de ira* aleje, bien la calumnia de él, o bien al calumniador de ti. Cuando no es posible la reconvención, un desagrado manifiesto en el *semblante* es, a menudo, una efectiva represión para el desvergonzado ofensor.[32]

---

[32] El biógrafo de Agustín menciona que estas dos líneas estaban escritas en su comedor:

'Quisquis amat dictus absentum rodere vitam,
Hanc mensam vetitam noverit esse sibi.'

Asimismo, añade que a un obispo –que se complacía con este hábito en su mesa– le dijo: 'O borro estos versos de la pared, o me voy de mi mesa'. Vea una fina descripción en Eclesiástico 28:13–20.

24. *Mejor es vivir en un rincón del terrado que en una casa con mujer rencillosa.*

Este proverbio ha sido ofrecido anteriormente (Pr. 21:9. Cf. Pr. 5:19; 19:13; 27:15-16). Las repeticiones en las Escrituras muestran, no una falta de material, sino la profunda importancia de la materia expuesta. Tal es el vejamen relacionado con este mal, que la morada más incómoda, donde el alma pueda retirarse para tener comunión con Dios, sería una apreciada alternativa.

Este libro presenta un gráfico retrato de la felicidad conyugal, donde "la esposa es como cierva amada y graciosa gacela"; el placer más satisfactorio de su marido (Pr. 5:18-19). Aquí tenemos un vívido contraste de miseria, respecto a la cual, una *amplia casa* no proporciona ningún refugio, ningún descanso.

La posición relativa de las partes en la sagrada ordenanza está sabiamente designada. La igualdad sólo habría provocado disputas por la superioridad. La designación divina preserva la paz sin llegar a degradar (Gn. 3:16, 1 Ti. 2:11-14). Si "el hombre es la cabeza de la mujer", "la mujer es gloria del hombre" (1 Co. 11:3, 7), la diadema en su círculo doméstico (Pr. 31:28), y, en su nivel ligeramente más bajo, sigue siendo su apoyo, consuelo y "ayuda idónea" (Gn. 2:18).

La mujer rencillosa, que se rebela contra la regla de sujeción de su Hacedor, no resulta menos martirizante para sí misma que para su marido.

Que el profesante cristiano tenga cuidado de no trivializar la regla de esta ordenanza: "Sólo en el Señor" (1 Co. 7:39). Si se adentra en el mundo, en lugar de "salir" de él; si, en lugar de "separarse", se une con el más estrecho vínculo; si, al prohibírsele "tocar lo inmundo", se hace "una sola carne" con ello (2 Co. 6:14-17, cf. Ef. 5:31), que no se sorprenda si su Dios "maldice su bendición" (Mal. 2:2), y deja que escoja para sí una casa de contiendas, a la que no llega ni un rayo de luz celestial. ¡Joven! reflexiona en la profunda responsabilidad de la elección para el matrimonio. Que manifiestamente se trate de la elección del Señor para ti, y no de la tuya para ti mismo. Sí, que Él sea tu primera elección, y Él ordenará el resto (Mt. 6:33). Vigila y desconfía de tu propia voluntad. Consulta la "lámpara y lumbrera de tu camino" (Sal. 119:105). Presta atención a la Providencia de tu Dios (Gn. 24:12-60, Rut 3:18); y su bendición "que enriquece, y no añade tristeza con ella", santificará su propio don (Pr. 19:14; 10:22).

¡Mujeres cristianas! No piensen que estos Proverbios no merecen su atención. Ojalá ustedes no reproduzcan tal repugnante cuadro. Ciertamente la reiterada exposición inculcará poderosamente el cultivo de las gracias opuestas, gracias cuya ausencia oscurece el carácter femenino en una dolorosa deformidad (1 Ti. 2:9-10, 1 P. 3:1-6).

> **1 Timoteo 2:9–10** Asimismo, que las mujeres se vistan con ropa decorosa, con pudor y modestia, no con peinado ostentoso, no con oro, o perlas, o vestidos costosos, sino con buenas obras, como corresponde a las mujeres que profesan la piedad.

25. *Como agua fría para el alma sedienta, así son las buenas nuevas de una tierra lejana.*

¡Cuán grata fue el *agua fría* para Agar y su hijo en el desierto (Gn. 21:16-19); para Israel en Refidim (Ex. 17:1-6. Cf. Nm. 20:11); y para Sansón en Lehi! (Jue. 15:18-19).[33] Tal es el alivio de las *buenas nuevas de una tierra lejana*. Salomón había mencionado antes el "refresco traído por el mensajero" (v. 13); aquí, habla del mensaje. Este proverbio, como muchos otros, era probablemente familiar a su propia experiencia. El regreso de la flota enviada a *un país lejano* para obtener mercancías preciosas (como nuestros propios barcos mercantes) fue, sin duda, recibido con un placer nada común (1 R. 9:26-28).

> **1° Reyes 9:26–28** El rey Salomón también construyó una flota en Ezión Geber, que está cerca de Elot, en la ribera del Mar Rojo, en la tierra de Edom. Hiram envió a sus siervos con la flota, marineros que conocían el mar, junto con los siervos de Salomón, y fueron a Ofir, y de allí tomaron 14.3 toneladas de oro que llevaron al rey Salomón

El que ha sido exiliado de su país, o el que tiene intereses en una tierra extranjera, parientes cercanos y queridos, de quienes la separación ha sido larga; se darán cuenta plenamente de esta viva ilustración. Si los hermanos de José hubieran llevado a su afligido padre tantas piezas de oro como granos de maíz, ello no habría sido nada en comparación a las *buenas nuevas de una tierra lejana*: "José vive aún" (Gn. 45:25-28. Cf. Gn. 43:27–30).

---

[33] Vea la hermosa imagen de Virgilio, Eclog. v. 46-48.

La información distante es naturalmente más alentadora que aquellas noticias igualmente interesantes en sí mismas, pero más cercanas al hogar. El largo intervalo de estas noticias, la prolongada separación del objeto amado, la ansiedad necesariamente agitada por la falta de camaradería, la incertidumbre respecto a su bienestar y perspectivas, todo esto se combina para hacer que esta *agua fría* sea especialmente refrescante *para el alma sedienta*. "La esperanza que se demora enferma el corazón; pero el deseo cumplido es un árbol de vida" (Pr. 13:12. Cf. 15:30, Neh. 1:2-4).

¡Lector! Si tu corazón ha brincado dentro de ti ante la noticia de algún beneficio terrenal, ¿has oído y recibido las *buenas nuevas de la tierra lejana*? ¿Conoces tu necesidad, el peligro de perecer al que estás expuesto? Entonces, ¿qué otra cosa más refrescante puede haber que las "buenas nuevas de gran gozo" traídas del cielo: "Te ha nacido un salvador"? (Lc. 2:10-11). Montañas de oro nunca podrían haber comprado la bendición que ahora llega a tus oídos, sí, a la puerta de tu corazón, "sin dinero y sin precio" (Is. 55:1). ¿No brota de tu corazón el canto de alabanza: "¡Cuán hermosos son sobre los montes los pies del que trae buenas nuevas, del que anuncia la paz!" (Is. 52:7, Ro. 10:15)? Así también, con gran agradecimiento los mensajeros *de tierra lejana* reciben las noticias respecto a la recepción de su mensaje (Hch. 15:3. Cf. 11:18, 23). Las arpas angelicales entonan la canción (Lc. 15:7, 10); ¡incluso el seno de Dios está lleno de un gozo encantador! (Lc. 15:20-24).

26. *Como manantial turbio y pozo contaminado es el justo que cede ante el impío.*[34]

Los *pozos y manantiales* orientales (donde las lluvias sólo ocurren periódicamente y tras largos intervalos) tienen un precio fuera de lo común (Gn. 26:18-22, Dt. 8:7, Jos. 15:18-19). El agravio por contaminarlas es proporcional (véase Ez.. 32:2; 34:18). Un pozo es, por tanto, una bendición o una maldición, según la pureza o impureza de sus aguas. El *justo,* en su carácter apropiado, es "un pozo de vida, una bendición en medio de la tierra" (Pr. 10:11, Gn. 12:2). Pero si *cae ante el impío,* a causa de su inconstante profesión,[35] la bendición se

---

[34] Nota del Traductor: La versión usada en el inglés original señala literalmente: "Como manantial turbulento y pozo corrompido es el justo que cae delante del impío"; de allí las referencias realizadas por el autor.

[35] *La caída* debe tomarse en un sentido moral (cometer un desliz). Parkhurst.

convierte en maldición, *el manantial se enturbia y el pozo se contamina*. ¡Cuán degradante fue para Abraham *caer* bajo la reprensión de un rey pagano (Gn. 12:18-20. Cf. 20:10; 26:10), y para Pedro *ceder* ante una sirvienta al negar a su Señor! (Mt. 26:69-72). ¡Cómo *enturbió el manantial* el pecado de David, tanto para su familia (2 S. 11:2, cf. 13:11–14; 16:22), como para su pueblo! (2 S. 12:14). ¡Cómo la idolatría de su sabio hijo *contaminó el pozo* por sucesivas generaciones! (1 R. 11:1-8, 2 R. 23:13).

Cuando un ministro de Cristo apostata de la fe (Flm. 22, cf. 2 Ti. 4:10; tristemente tales espectáculos han sido frecuentes) o compromete sus principios por el temor del hombre (Gá. 2:11-14), los *manantiales y pozos* de la verdad son terriblemente corrompidos. Cuando un siervo de Dios, de posición e influencia, se agacha y *cae bajo el impío* (2 R. 18:5-6, cf. vv. 13–16)*,* la transparencia de su profesión se ve gravemente empañada.

Así, Satanás hace un uso más efectivo del pueblo de Dios que del suyo propio. La grosera maldad de los malvados pasa en silencio. Pero hace que el vecindario resuene con las fallas de los profesantes cristianos. Una consistencia piadosa irrita de tal modo las conciencias del mundo, que, ante cualquier brecha en ella, éstas aplauden con gozo satánico; viendo al Señor "herido en casa de sus amigos" (Zac. 13:6). Se sancionan principios y prácticas que hieren a nuestro divino Señor. Las conciencias de los impíos son adormecidas. "Los cojos", en lugar de ser "sanados", se "salen del camino" (Heb. 12:13). Así, 'las escandalosas caídas de hombres buenos son como un saco de veneno arrojado que Satanás arroja en el *pozo* de donde el pueblo entero se abastece de agua".[36]

Tampoco esto debe ser considerada una responsabilidad que atañe sólo a los cristianos eminentes. Todos son, por profesión de fe, "la sal de la tierra y la luz del mundo". Por lo tanto, que todos se ocupen de que "la sal no pierda su sabor" y que el candelero dé su luz clara (Mt. 5:13-16). Ninguno de nosotros se encuentra o actúa solo. "Ninguno de nosotros" –medítese bien en esto– "vive para sí mismo" (Ro. 14:7). La conducta de cada uno tiene su nivel de influencia en el cuerpo. Cada uno es el centro de un círculo más o menos extendido. Cada uno es un *pozo* puro, o *un manantial turbio*. ¡Señor! "Echa la sal en el manantial de las aguas para que sean purificadas" (2 R. 2:21-22).

2° Reyes 2:21–22 Eliseo fue al manantial de las aguas, echó sal en él, y dijo: «Así dice el Señor: "He purificado estas aguas; de allí no saldrá más muerte ni

---

[36] 'Method of Grace' de Flavel, Sermon XXXV.

esterilidad"». Y las aguas han quedado purificadas hasta hoy, conforme a la palabra que habló Eliseo.

2. Conclusión (25:27)

27. *No es bueno comer mucha miel, ni el buscar la propia gloria es gloria.* [37]

La *miel* es buena, pero con moderación (Pr. 24:13). *No es bueno comer mucha miel* (v. 16). El nombre y la reputación de un hombre son *miel* para él. Que la preserve cuidadosamente de "las moscas muertas que la estropean" (Fil. 4:8, cf. Ec. 10:1). El honor de Dios está conectado con la honorable profesión de su pueblo. Sin embargo, este cuidado es una virtud al borde del vicio; un deber en el límite del peligro inminente. Estar hinchados por nuestras propias cualidades; escuchar nuestras alabanzas; dirigir la atención pública sobre nosotros (Pr. 20:6; 27:29); y así *buscar nuestra propia gloria* (Gn. 11:4, 2 R. 10:16, Dn. 4:30), *no es gloria*, sino vergüenza. Es tan impropio buscar *nuestra propia gloria* como atribuirnos a nosotros mismos nuestro propio ser.

Pese a todo, ¿no existe el peligro de buscar la fama, en lugar de las riquezas, de la piedad? ¿un nombre reconocido en la Iglesia en lugar de un nombre desconocido en el libro de la vida? Algunos ministros, que no han sido severamente entrenados en esto, identifican su utilidad con su honor; atesoran el deseo de la aprobación pública más que de una fertilidad desapercibida; temen ser contados entre los de un nivel ordinario, como "vasos de madera y tierra", en lugar de vasos de "oro y plata" (2 Ti. 2:20). ¡Oh! constituye una poderosa victoria sobre el ego el hollar el juicio del hombre bajo el pie, y buscar solamente la aprobación de Dios. Nada es correcto, excepto si se hace con el verdadero espíritu del evangelio: "no haciendo nada por vanagloria, sino con humildad, estimando cada uno a los demás como superiores a él mismo" (Fil. 2:3. Cf. Gá. 5:26). El gran apóstol habló respecto a gloriarse sólo cuando se veía obligado a hacerlo (2 Co. 12:1, 11). [38]

---

[37] Los críticos parecen estar muy perplejos respecto a la traducción de esta última frase. La objeción gramatical de proporcionar un negativo llevó al Sr. Thomas Scott (1741-1821) a sugerir una versión interrogativa: "¿Es gloria de los hombres buscar su propia gloria?"

[38] Vea Lyttleton sobre la conversión de San Pablo.

Un espíritu vanaglorioso arruina muchas profesiones de fe convincentes (Jn. 5:44; 12:43). Si apartáramos la vista del halagador espejo del amor propio en pos del espejo puro y fiel de la ley; las inconcebibles imperfecciones a la vista nos obligarían a ocupar el lugar más bajo entre los más indignos. Es muy saludable recordar que: "Lo que los hombres tienen en alta estima, es una abominación ante los ojos de Dios" (Lc. 16:15).

3. Siete tipos de perversiones de la humanidad (25:28-26:28)

a. Transición (25:28)

28. *Como ciudad invadida y sin murallas es el hombre que no domina su espíritu.*

Un proverbio precedente declaraba que "el que dominaba su espíritu" era un poderoso conquistador (Pr. 16:32). Y ciertamente, las más nobles conquistas se ganan o se pierden sobre nosotros mismos. Pues *el hombre que no domina su propio espíritu* es una presa fácil para el enemigo invasor. Cualquiera puede irritarle y atormentarle, y estropear su comodidad (Est. 3:5-6; 5:13). Se rinde al primer asalto de su ingobernable pasión –sin ofrecer resistencia– como *una ciudad derribada y sin murallas,* objeto de piedad y desprecio (Neh. 1:3; 2:17).

Así, al no tener disciplina sobre sí mismo, cada tentación se convierte en una ocasión de pecado, y lo empuja a terribles extremos que no había contemplado. El primer brote de ira tiende al asesinato (Gn. 4:5-8. Cf. 1 S. 20:30-33; 25:33, Dn. 3:13, 19). La falta de vigilancia sobre la lujuria se sumerge en el adulterio (2 S. 11:2–4).

> **2° Samuel 11:2–4** Al atardecer David se levantó de su lecho y se paseaba por el terrado de la casa del rey, y desde el terrado vio a una mujer que se estaba bañando; y la mujer era de aspecto muy hermoso. David mandó a preguntar acerca de aquella mujer. Y alguien dijo: «¿No es esta Betsabé, hija de Eliam, mujer de Urías el hitita?». David envió mensajeros y la tomaron; y cuando ella vino a él, él durmió con ella. Después que ella se purificó de su inmundicia, regresó a su casa.

La más poderosa fuerza natural es de una debilidad absoluta en el gran conflicto (Jue. 16:1–19). ¡Alguien así debería despertar nuestra más tierna compasión!

No obstante, hay diversos casos de esta debilidad moral, algunos de una menos vergonzosa, y, sin embargo, apenas menos dañina para el alma. Cada brote de ira, cada chispa de orgullo que se enciende en el corazón, antes que se muestre en el rostro o en la lengua, debe ser atacado y resistido con determinación. Es el origen de una brecha en *las murallas de la ciudad*. Sin una atención inmediata, ésta crecerá hasta arruinar la ciudad entera (Cf. Pr. 17:14).

El hombre natural puede hablar de 'dominio propio', como si las riendas estuvieran en su propia mano. Pero aquél que ha "nacido del Espíritu", y ha sido enseñado "a conocer la plaga en su propio corazón", es capaz de discernir que ese 'dominio propio' efectivo es la gracia divina, y no su propio e innato poder. ¿Qué debe hacerse entonces? Durante el primer asalto, fortifica *los muros* con la oración. Nunca te atrevas a confiar en la fuerza de la ciudadela. ¿No nos han enseñado las repetidas derrotas que es necesario acudir a una fuerza más grande que la nuestra? ¿Cómo podríamos entrar en el conflicto, y mucho menos sostener la lucha, sino fuera por la promesa "El pecado no se enseñoreará de nosotros"? (Ro. 6:14). ¡Oh, que tengamos una fe perseverante y simple para obtener, de esta poderosa fuente, energía, vigilancia continua, perseverancia y una victoria triunfante!

b. El Necio (26:1-12)

1. Como nieve en el verano y como lluvia en la siega, así la honra no es apropiada para el necio.

LAS BENDICIONES más ricas pierden su valor cuando son otorgadas indebidamente. *La nieve* es la hermosa cubierta invernal de la tierra (Job 37:6); y preserva la semilla del frío mortal (Is. 55:10). Pero *en el verano,* está fuera de temporada. La *lluvia,* en su debido tiempo, es una bendición fructífera (Job 38:26, 27, Sal. 65:9-13; 104:13, 14, Stg. 5:7). Pero *en la siega* se convierte en una inadecuada interrupción para la labor del segador, y a menudo en una calamidad pública (1 S. 12:17-18). Así pues, *la honra* otorgada inadecuadamente *al necio, no es apropiada para él*. 'No la merece, ni sabe cómo usarla'.[39]

La honra otorgada a José y a Daniel, conveniente a su sabiduría, resultó apropiada para ellos mismos, y una bendición para la tierra (Gn. 41:38-40, Dn. 6:1–3). Pero cuando *el necio*, quien a veces se burla de la religión, es ascendido a una posición de influencia pública, ¡cuán infame resulta la *honra* sobre él! A Amán sólo le sirvió para desplegar su orgullo y vanagloria, y fue la ocasión para su mayor desgracia pública (Est. 3:1–6; 5:11).

Por tanto, aprende a adornar nuestra profesión con la coherencia. Busca esa sabiduría celestial que nos hace dignos de cualquier honor que se nos asigne. "El que es fiel en lo poco, también en lo mucho es fiel" (Lc. 16:10).

2. *Como el gorrión en su vagar y la golondrina en su vuelo, así la maldición no viene sin causa.*

Los temores infundados son verdaderos males, y a menudo ejercen una presión muy fuerte sobre las mentes débiles. Cuando una maldición se escapa de una boca airada inmerecidamente y sin provocación, aquellas se preguntan '¿Y si llegara a suceder?' Pero no debemos temer más a *la maldición sin causa* que a *los pájaros que revolotean* sobre nuestras cabezas.

La golondrina que vuela de aquí para allá nunca se posa sobre nosotros; así *la maldición sin causa no vendrá* a lastimarnos. La maldición de Moab fue ineficaz, aunque intentó fortalecerse con las adivinaciones del malvado profeta (Nm. 22:4-6; 23:8, Dt. 23:4-5, Neh. 13:2). La maldición de Goliat contra David se dispersó entre los vientos (1 S. 17:43). ¿En qué le perjudicó a David la maldición de Simei (2 S. 16:12), o a Jeremías la maldición de sus odiosos perseguidores? (Jer. 15:10). Bajo esta inofensiva lluvia de piedras, nos volvemos de los hombres a Dios, y estamos seguros. "Que maldigan ellos, pero tú bendice; cuando se levanten, sean avergonzados, pero que tu siervo se alegre" (Sal. 109:28).

Sin embargo, si hay *causa* para la *maldición*, *vendrá*. La justa maldición de Jotam cayó sobre Abimelec y los hombres de Siquem (Jue. 9:56-57).

Jueces 9:56–57 Así pagó Dios a Abimelec por la maldad que había hecho a su padre al matar a sus setenta hermanos. Dios también hizo volver sobre sus

---

[39] Matthew Poole (1624-1679). Pr. 19:10; 30:21, 22, Ec. 10:5-7. Cf. Sal. 12:8.

cabezas toda la maldad de los hombres de Siquem, y vino sobre ellos la maldición de Jotam, hijo de Jerobaal.

La maldición de Eliseo cayó terriblemente sobre los insolentes jóvenes de Betel (2 R. 2:24). La maldición permanece sobre Jericó de generación en generación (Jos. 6:26, 1 R. 16:34).[40] Así pues, lector, si eres un pecador inconverso e incrédulo, sin amor por tu Salvador, hay una *maldición* para ti, no es *injustificada*, sino justamente merecida; que debe venir, y que *ha de venir* (Dt. 28:15; 29:19-20, 1 Co. 16:22).

Ciertamente, ¿no ha venido ya, de parte de tu Creador y de tu Dios (Pr. 3:33, Zac. 5:3-4), tu bendición y tu maldición? ¡qué horrible pensamiento! ¡que ambas vengan de la misma boca! No se trata de un deseo impotente de maldad, sino la esencia de la eterna ira de Dios centrada en tu corazón. ¡Oh! huye de ella, mientras aún se te concede tiempo; mientras el refugio está abierto para ti! (Gn. 19:17). Si estás a cubierto, *no vendrá* (Ro. 8:1). Te regocijarás en "tu redención de ella" (Gá. 3:10, 13), y hallarás confianza en una seguridad plena (Pr. 1:33).

3. *El látigo es para el caballo, la brida para el asno, y la vara para la espalda de los necios.*

Este proverbio trastoca nuestras ideas. Nosotros destinaríamos *la brida para el caballo, y el látigo para el asno*.[41] Pero los asnos orientales son una raza muy superior, tanto en belleza como en espíritu, y una propiedad invaluable para sus dueños (Jue. 10:3-4; 12:13-14, 2 S. 17:23; 19:26). La *brida* es necesaria para frenarlos y guiarlos; mientras que *el caballo* –quizá mal domado– puede necesitar del *látigo*; si está adormecido, para acelerar su velocidad; si es brioso, para corregir su temperamento.[42]

Cada criatura sometida al servicio del hombre necesita su apropiada disciplina. El Señor "guía a sus hijos con sus ojos puestos en ellos". Pero ellos han de cultivar un espíritu flexible; "no como el caballo y el mulo, cuya boca

---

[40] Un viajero reciente describe la ciudad de las palmeras como un conjunto de cabañas, 'tan pequeñas, que por la noche casi se podría pasar por ellas sin darse cuenta de dicho hecho'. (Three Weeks in Palestine, p. 89.) ¡Tal es la verdad inmutable de Dios!

[41] Michaelis estaba tan seguro de este punto, que alteró su versión en ese sentido, en contra de la autoridad de todas las versiones y del MSS.

[42] 'Natural History of Scripture' de George Paxton (1762 – 1837), p. 221, y Parkhurst.

debe ser sujetada con *brida* y freno" (Sal. 32:8-9). *El necio* no oye la voz, ni ve el ojo que lo dirige. No se somete ni a la razón ni a la persuasión.

    Por tanto, la vara es para la espalda del necio (Pr. 10:13; 19:29).

    Proverbios 10:13 En los labios del entendido se halla sabiduría, pero la vara es para las espaldas del falto de entendimiento.
    Proverbios 19:29 Los juicios están preparados para los insolentes, y los azotes para la espalda de los necios.

Faraón provocó este severo castigo de las manos de Dios (Ex. 10:3); los hombres de Sucot y Peniel de las manos de Gedeón (Jue. 8:5–7, 16). Hay muchos de estos *necios* en la Iglesia; obstinados y llenos de presunción. Necesitan *la vara* y la obtienen (2 Co. 10:6-11; 13:2). La disciplina es la prueba más reveladora. ¿Cuál es su fruto? En el hijo, sumisión y sensibilidad (Jer. 31:18-20); en *el necio* (salvo que supere su necedad —2 Cr. 33:11–13—, lo cual muchas veces es un caso desesperado; Pr. 17:10; 27:22), dureza y rebelión (2 Cr. 28:22, Is. 1:5, Jer. 5:3). Ciertamente es muy triste que el hijo a veces necesite la *vara* destinada a *la espalda del necio*.

    Sin embargo, su amoroso Padre nunca la usa sino hasta que los medios más blandos han sido empleados en vano. ¡Oh Dios mío! usa tus propios y sabios medios para salvarme de mi propia perversidad, necedad y ruina.

4. *No respondas al necio de acuerdo con su necedad, para que no seas tú también como él. 5. Responde al necio según su necedad se merece, para que no sea sabio ante sus propios ojos.*

Se nos prohíbe, pero simultáneamente se nos ordena, *responder al necio*. No obstante, la razón adjunta a cada regla explica la aparente contradicción.[43] Ambas, en conjunto, conforman un sabio directorio para el tratamiento del *necio*, según los diferentes caracteres, ocasiones o circunstancias. Supón un librepensador o alguien que se burla de la religión, que muestra la extrema "*necedad* de su corazón, burlándose del pecado" (Pr. 14:9) mediante ingeniosas

---

[43] Sin embargo, el docto Dr. Kennicott tropezó tan extrañamente con esta contradicción verbal, que propuso una precipitada enmienda del texto siríaco y del Targum, el cual no correspondía en absoluto con el sentido del texto. Dissert. ii. on Heb. Text of Old Testament, p. 369.

y profanas bromas, o a través de engañosos argumentos contra la palabra o los caminos de Dios. En términos generales, sería mejor seguir la orden de Ezequías contra la blasfemia del Rabsaces: *"No le respondan"* (2 R. 18:36. Cf. Jud. 9). Del mismo modo, Jeremías se apartó en silencio de la necedad de los falsos profetas (Jer. 28:11).

Sin embargo, si realmente nos vemos obligados a responder, *no le respondamos de acuerdo a su necedad*, no según su necio proceder, "no devolviendo maldición por maldición" (1 P. 3:9). Moisés cometió una infracción aquí. *Respondió* a los rebeldes *de acuerdo con su necedad*, pasión por pasión, y así, *se hizo como ellos* (Nm. 20:2-10, Sal. 106:33). La respuesta de David a Nabal se degradó de la misma manera (1 S. 25:21-22).

> **1° Samuel 25:21–22** Y David había dicho: «Ciertamente, en vano he guardado todo lo que este *hombre* tiene en el desierto, de modo que nada se perdió de todo lo suyo; y él me ha devuelto mal por bien. »Así haga Dios a los enemigos de David, y aun más, si al *llegar* la mañana he dejado *tan solo* un varón de los suyos».

Pese a todo, lo que en un momento puede ser nuestro deber contener, en otro momento, y bajo diferentes circunstancias, puede ser nada menos que nuestro deber hacer. El silencio puede ser confundido a veces con la derrota. Las palabras sin respuesta pueden ser consideradas incontestables; así, *el necio* se vuelve arrogante, más y más *sabio en su propia opinión* (v. 12). Por tanto, una *respuesta* puede resultar necesaria; pero no en necedad, sino a la necedad; 'no de un modo necio, sino en el modo que su necedad requiere';[44] no *de acuerdo con su necedad*, sino de acuerdo a tu propia sabiduría. Nuestras palabras deben ser fuertes como varas. La espalda del necio las necesita. Tal fue la respuesta de Job a su esposa; grave, convincente, silenciadora: "Hablas como habla cualquier mujer necia. ¿Qué? ¿Recibiremos de la mano de Dios el bien y no recibiremos el mal?" (Job 2:9-10).

¡Oh, que tengamos sabiduría para gobernar la lengua; para discernir "el tiempo para guardar silencio, y el tiempo para hablar" (Ec. 3:7); y, sobre todo, para sugerir una "palabra pertinente" (Pr. 15:23; 25:11) para una represión efectiva! ¡Cuán ilustrativo es el patrón de nuestro gran Maestro! Tanto su silencio como sus respuestas fueron igualmente dignas de Él. El primero

---

[44] 'Harmony of Scripture' de Fuller.

siempre transmitió una digna represión (Mt. 16:1-4; 21:23-27). Las últimas resultaron en la confusión de sus artificiosos enemigos (Mt. 22:46; Lc. 13:17). Un estudio llevado en meditación y oración ¿no nos transmitirá una gran medida de su sabiduría divina?

6. *Se corta los pies y bebe violencia el que envía recado por mano de un necio.*
7. *Como las piernas que penden del lisiado, así es el proverbio en boca de los*
necios. 8. *Como el que ata la piedra a la honda, así es el que da honor al necio.*
9. *Como espina que se clava (Lit. se levanta) en la mano de un borracho, así*
es el proverbio en boca de los necios.[45]*

Sin duda esta variada exhibición de la necedad de la insensatez es un incentivo para el estudio de la sabiduría celestial.

El necio es un completo inepto para el servicio. Cuando un recado es enviado por sus manos, comete tantos errores, por descuido o con intención, que es como pedirle que se vaya, cuando le hemos *cortado las piernas.* De hecho, sólo podemos beber *perjuicios* de su encargo (Pr. 10:26. Cf. 13:17; 25:13). El uso de espías incrédulos propagó *el daño* del descontento y de la rebelión por toda la congregación (Nm. 13:32; 14:1-4). ¡Cuán cuidadosos debemos ser en confiar asuntos importantes a personas dignas de confianza! *Los necios,* o son incompetentes para su misión, o tienen sus propios intereses que atender, a cualquier costo para sus amos. El propio Salomón bebió *perjuicio* al emplear a un siervo "industrioso", pero *necio* en cuanto a maldad, quien luego "alzó su mano contra el rey", y arrebató a su hijo de diez partes de su reino (1 R. 11:26-40). Ben Adad *bebió perjuicio enviando un recado por manos* de Hazael, quien asesinó a su amo cuando el camino estuvo despejado para lograr sus propios propósitos egoístas (2 R. 8:8-15).

Observa, nuevamente, cómo el necio expone su vergüenza. Un lisiado nunca muestra tanto su enfermedad, como cuando pretende hacer hazañas de agilidad o fuerza. Nunca un *necio* se muestra tan ridículo como cuando intenta hacer un despliegue de sabiduría. Sólo genera aversión (Pr. 17:7. Cf.

---

[45] Nota del Traductor: La versión usada en el inglés original señala: "El que envía un mensaje por mano de un necio se corta los pies y bebe perjuicio. Las piernas del lisiado no son parejas: así es una parábola en boca de los necios. Como el que ata la piedra a la honda, (*pone una piedra preciosa en un montón de piedras, Marg.*) así es el que da honor al necio. Como espina que sube a la mano de un borracho, así es una parábola en la boca de los necios."; de allí las referencias realizadas por el autor.

Eclesiástico 20:20). 'Los dichos sabios hacen al necio tanto como la danza al lisiado'.[46]

La parábola, 'un dicho importante y autoritativo',[47] *en su boca* se convierte en una broma. "¿Saúl también entre los profetas? ¿Por qué miras la paja que está en el ojo de tu hermano y no consideras la viga que está en tu propio ojo? Médico, cúrate a ti mismo. Tú que enseñas a otro, ¿no te enseñas a ti mismo?" (1 S. 19:24, Mt. 7:3-5, Lc. 4:23, Ro. 2:21).

Dar honor al necio. *La honda* hace de *la piedra atada en ella* un instrumento de muerte (1 S. 17:49-50). El *honor dado al necio* lo convierte en una maldición para sus compañeros (Jue. 9:6, 1 S. 8:1–3). El principal favorito del déspota habría sido el destructor de la nación elegida, si Dios no lo hubiera detenido (Est. 3:1–5). Es peligroso, en efecto, poner a personas no cualificadas en una posición de autoridad. 'Es como poner una espada o una pistola cargada en la mano de un lunático'.[48]

Pero el necio también se daña inconscientemente a sí mismo. 'No conviene más al necio entrometerse en un discurso sabio, que a un borracho manipular un arbusto de espinas'.[49] Cuando *la espina se clava en su mano*, su insensibilidad sólo hace que la herida sea más mortífera. Así, *la parábola del necio* –sus dichos sabios y agudos, reunidos apenas sabe de dónde– se *le clavan como una espina,* aguijoneando su conciencia. No obstante, no siente ningún escrúpulo ni alarma (Cf. Eclesiástico 19:12). Verdaderamente triste es el espectáculo del profeta impío (¿no debería hacernos temblar por nosotros mismos?) que reparte de la boca de Dios –aunque con endurecida indiferencia– palabras suficientes para "hacer que le zumben ambos oídos" (Nm. 23-24).

¡Tal es *el necio*, una plaga para sus semejantes, y tremendamente responsable ante su Dios! Pero, respecto al oficio sagrado, ¡cuán terriblemente se incrementa la maldad y la responsabilidad! El gran mensaje, *enviado por*

---

[46] Ob. Simon Patrick (1626-1707).

[47] Parkhurst.

[48] Thomas Scott (1741-1821). Parkhurst y otros críticos prefieren la lectura marginal: el valor del honor en un necio es algo que se pierde como una piedra preciosa cubierta en un montón heterogéneo. "El que coloca a un necio en alta dignidad es como el hombre que arroja una piedra preciosa sobre la horca". Ob. Miles Coverdale (1487–1569), aludiendo a la costumbre de arrojar una piedra al montón bajo el cual estaba enterrado el criminal. Sin embargo, la lectura del texto está bien respaldada tanto por la Vulgata como por la LXX.

[49] Obispo Joseph Hall (1574-1656).

manos de siervos impíos, trae un *daño* muy serio a la Iglesia (1 S. 2:17, Jer. 23:15).[50]

La parábola –la sabia y santa instrucción de nuestro Divino Maestro– *en boca del necio* es pervertida y contradicha por su vida impía. "Al malo dijo Dios: ¿Qué derecho tienes tú de declarar mis estatutos, o de tomar mi pacto en tu boca, viendo que odias la instrucción y echas mis palabras a tu espalda? (Sal. 50:16-17). 'Omnipotente Dios, de quien procede toda buena dádiva y todo don perfecto; envía el saludable Espíritu de tu gracia sobre nuestros Obispos y demás Clero';[51] que los "administradores fieles" a su cargo (1 Co. 4:1-2), los "obreros que no tienen de qué avergonzarse" (2 Ti. 2:15), los verdaderos y autorizados "embajadores de Cristo" puedan ser multiplicados en la Iglesia; y que los *necios*, los ministros infieles, puedan ser reprendidos y contenidos.

> **1 Corintios 4:1–2** Que *todo* hombre nos considere de esta manera: como servidores de Cristo y administradores de los misterios de Dios. Ahora bien, lo que se requiere además de los administradores es que *cada* uno sea hallado fiel.

10. *Como arquero que a todos hiere, así es el que toma a sueldo al necio o a (O Un obrero hábil produce todo, pero el que toma a sueldo a un necio es como el que toma a sueldo a.) los que pasan.*[52]

Es difícil fijar con certeza la interpretación de este proverbio.[53] Sin embargo, todos extraen de él el gobierno divino, directo o permisivo. Supongamos que *el Grande* es *Dios, que formó todas las cosas.* Proporciona exactamente la *recompensa* del impío (Sal. 31:23, Is. 3:11).

El necio es responsable de los pecados de ignorancia; no sólo por lo poco que sabía, sino también por lo mucho que –de no haber descuidado los medios– podría haber sabido.

---

[50] De ahí la solemne responsabilidad de la Regla de Ordenación. 1 Ti. 5:22.

[51] Liturgia.

[52] Nota del Traductor: La versión usada en el inglés original señala literalmente: "El gran Dios, que formó todas las cosas, recompensa al necio y a los transgresores. *(Un gran hombre aflige a todos, toma a sueldo al necio; y también a los transgresores, Marg.)*"; de allí las referencias y la aclaración realizadas por el autor.

[53] Nuestros venerables traductores han suministrado, con cierta duda, una elipsis del término principal. La palabra en el original puede significar *el Gran Dios*, o un gran hombre. La construcción tampoco determina claramente ninguno de los dos significados.

El transgresor es mucho más responsable de sus pecados contra el conocimiento, las advertencias y la convicción. Y en "el día de la revelación del justo juicio de Dios", Él pagará a cada hombre según sus obras. "El siervo que conocía la voluntad de su Señor, y no se preparó, ni hizo según su voluntad, recibirá muchos azotes. Mas el que no la conocía y cometió actos dignos de azotes, será azotado poco" (Ro. 2:5-6, Lc. 12:47-48).

O, suponga que el Grande es un Príncipe grandioso, poderoso para *formar* las mentes, el carácter y los principios de *todos* a su alrededor. Si se le enseña a "gobernar en el temor de Dios" (2 S. 23:3), ¿no *recompensará al necio y al transgresor,* al ignorante y al presuntuoso? Pues, ¿cómo podría prosperar su reino si se fomentara la maldad? (Pr. 25:5, 2 Cr. 28:1-8; 33:1-11).

O si es un príncipe malvado, aflige a todos con su tolerancia del pecado; *tomando a sueldo a los transgresores* como instrumentos de su voluntad (Jue. 9:4, 1 R. 21:10). Aun así, sigue siendo un gobierno de Dios. El cetro está en manos de un poder, una sabiduría y una bondad ilimitadas. "Los malvados son su espada, su mano, la vara de su ira y el báculo de su indignación" (Sal. 17:13-14, Is. 10:5). ¿Debemos entonces "altercar contra Dios"? La reverencia, la fe, la humildad, la paciencia, la expectación, son gracias de los hijos del Señor. "Nubes y oscuridad le rodean; justicia y juicio son el fundamento de su trono" (Sal. 97:2). No hay letargo en su Providencia; ni interrupción de su Gobierno. Sólo vivimos en un estado preparatorio. El velo se levantará pronto, y la gran consumación lo explicará todo.

Los necios y los transgresores recibirán su justa *recompensa*; y el coro universal estallará desde el cielo: "¿Quién no te temerá Señor y glorificará tu nombre? Porque sólo tú eres santo, porque tus juicios se han manifestado" (Ap. 15:4).

11. *Como perro que vuelve a su vómito es el necio que repite su necedad.*

¿Es este un retrato del hombre "hecho un poco menor a los ángeles" (Sal. 8:5), sí, "hecho a semejanza de Dios"? (Gn. 1:26). De entre los que vieron a Adán en su dominio universal, sentado como el monarca de la creación, convocando a todos delante de él, poniendo a cada uno su nombre, y recibiendo, a su vez, homenaje (Gn. 2:20); ¿quién habría imaginado que sus hijos se hundirían en tan brutal degradación? La promesa del tentador fue: "Seréis como dioses" (Gn. 3:5). El resultado de esta promesa fue: "Seréis como bestias". Las comparaciones más viles son usadas para manifestar cuán repugnante se ha hecho el hombre delante de Dios.

> ¿Alguno se siente asqueado por tales alusiones? Recuerden que el símbolo es mucho menos asqueroso que lo que denota; y que toda la raza animal no se ha permitido nada tan degradante como para no ser superada por los excesos de libertinos, borrachos y glotones.[54]

Nos apartamos naturalmente asqueados de esta visión. ¡Ojalá sintiéramos la misma repugnancia por el pecado, que tan gráficamente retrata! ¡Ojalá nos aborreciéramos a nosotros mismos por aquello que Dios aborrece infinitamente en nosotros!

El Apóstol utiliza este "verdadero proverbio" para describir la terrible condición de los apóstatas (2 P. 2:20-22); una convicción temporal que no va acompañada de una verdadera conversión del corazón, y que cae en una desesperada dureza.

> **2 Pedro 2:20–22** Porque si después de haber escapado de las contaminaciones del mundo por el conocimiento de nuestro Señor y Salvador Jesucristo, de nuevo son enredados en ellas y vencidos, su condición postrera viene a ser peor que la primera. Pues hubiera sido mejor para ellos no haber conocido el camino de la justicia, que habiéndolo conocido, apartarse del santo mandamiento que les fue dado. Les ha sucedido a ellos según el proverbio verdadero: «El perro vuelve a su propio vómito», y: «La puerca lavada, *vuelve* a revolcarse en el cieno».

Muchas razones pueden ocasionar que la mente del pecador sienta repugnancia por su *necedad*. Puede odiarla, y por un tiempo, renunciar a ella. Ésta ha demostrado estar tan llena de miseria (Pr. 13:15); y sus placeres están tan impregnados de veneno, que no resulta extraño que haga un esfuerzo ocasional, incluso uno fuerte, para librarse de ella. Pero cuando el malestar ha pasado, la dulzura de la fruta prohibida vuelve a la mente; *y así como el perro vuelve a su vómito,* al alimento que le había causado su mal; *el necio repite su necedad,* aquello que le había herido y avergonzado.

---

[54] Thomas Scott (1741-1821).

De este modo, Faraón se *volvió* ávidamente de su convicción momentánea (Ex. 8:8, 15; 9:27, 34-35); Acab de su arrepentimiento fingido (1 R. 21:27-29; 22:6, 37); Herodes de su enmienda parcial (Mc. 6:20–27); y el bebedor de su atontamiento brutal (Pr. 23:35), todos para seguir un curso más determinado de pecado; para efectuar su salto final hacia la ruina. Incluso un conocimiento superficial de Cristo es insuficiente para preservarnos de un corazón no renovado (2 P. 2:20-21). La "casa puede haberse barrido" de pecado externo, "y haberse adornado" con santidad externa. Pero si está "vacía"; si el habitante divino no ha sido acogido de corazón, el antiguo poseedor regresará rápidamente y la tomará como su morada estable, con una devastación siete veces mayor (Mt. 12:43-45).

Así pues, ¿no es el pecado justamente llamado *necedad*? ¿No lo ha declarado como tal el Dios de Verdad? ¿No lo confesará así todo *necio* al final, cuando su recompensa sea totalmente pagada en "vergüenza y perpetua confusión"? (Dn. 12:2). Hijo de Dios, escucha la voz de "paz" de tu Padre. Pero considera también la solemne advertencia que hace a "su pueblo y a sus santos, para que *no vuelvan a la locura*" (Sal. 85:8. Cf. Jn. 5:14; Eclesiástico. 21:19).

12. ¿Has visto a un hombre que se tiene por sabio (*Lit.* sabio en sus propios ojos)? Más esperanza hay para el necio que para él.

¿Has visto un hombre así? Dios quiere señalarlo (Pr. 22:29). Hay algo que se puede aprender de él. Se confina consigo mismo en *su propia opinión*. Es apto para ser un modelo, pues la falsa persuasión de que ha obtenido sabiduría le impide totalmente obtenerla. Se cree sabio porque no sabe lo que es ser sabio (1 Co. 8:2, Gá. 6:3). Su sabiduría está constituida por "la falsamente llamada ciencia" (1 Ti. 6:20). Y es que aún no ha aprendido la primera lección en la educación: su propia necedad; una lección que no se puede aprender sin un severo ejercicio. "Que ninguno se engañe a sí mismo. Si alguno de vosotros se cree sabio en este mundo, hágase un necio, para que pueda ser sabio" (1 Co. 3:18. Cf. Pr. 3:7, Ro. 12:3, 16).

Más esperanza hay para el necio, que sabe que es uno. El necio natural tiene sólo un obstáculo: su propia ignorancia. El *necio envanecido* tiene dos: la ignorancia y el autoengaño.

Tal fue la aguda reprimenda de nuestro Señor a los *envanecidos* fariseos: "Los publicanos y las rameras van al reino de los cielos delante de vosotros"

(Mt. 21:31). Fue su acusación contra la Iglesia de Laodicea: "Porque tú dices: Soy rico, y me he enriquecido, y no tengo necesidad de nada; y no sabes que eres un desdichado, miserable, pobre, ciego, y desnudo" (Ap. 3:17. Pr. 30:12-13).

> **Proverbios 30:11–13** *Hay* gente que maldice a su padre, Y no bendice a su madre. *Hay* gente que se tiene por pura, Pero no está limpia de su inmundicia. *Hay* gente de ojos altivos, Cuyos párpados se alzan *en arrogancia*.

El *necio* pródigo, corriendo en pos de los "excesos de la perdición", está más abierto a la convicción que el hombre que se enorgullece de su decorosa religión (Lc. 15:11-18, cf. Jn 9:40-41). A los profanos e impíos debemos ir. Pero cuando le advertimos, él se imagina que ha llamado a la puerta equivocada: "¡Dios! Te agradezco porque no soy como los demás hombres" (Lc. 18:11), tal es el lenguaje de su corazón ante Dios. "Quédate donde estás, soy más santo que tú" (Is. 65:5) es su altiva regla con sus compañeros tan pecadores como él. Ofrézcanle luz, pues "anda a la luz de su propio fuego" (Is. 50:11). Ofrézcanle vida, pues está "vivo" en sus propios ojos (Ro. 7:9). Ofrézcanle comida, pues su "alma saciada desprecia el panal de miel" (Pr. 27:7).

¡Señor! Guárdame de esta desesperanzadora ilusión. Derriba todo mi orgullo y mi imaginaria sabiduría. Quita lo ciego de mis ojos, para que pueda saber lo que soy ante tus ojos. "Vísteme de humildad" desde la planta del pie hasta la cabeza.

c. El perezoso (26:13-16)

13. *El perezoso dice: «Hay un león en el camino; hay un león en medio de la plaza».*[55] 14. *Como la puerta gira sobre sus goznes, así da vueltas el perezoso en su cama.* 15. *El perezoso mete la mano en el plato,*[56] *pero se fatiga de*

---

55 Pr. 22:13.

56 Nota del Traductor: La versión usada en el inglés original señala literalmente: "El perezoso esconde su mano en su seno; le duele llevarla de nuevo a su boca. El perezoso es más sabio en su propia opinión que siete hombres que pueden dar una razón"; de allí las referencias realizadas por el autor.

llevársela a la boca.[57] **16. *El perezoso es más sabio ante sus propios ojos que siete que den una respuesta discreta.*[58]**

La contrapartida de estas ilustraciones puede verificarse en el hombre que pasa su vida dormitando en una culpable ociosidad; sin un propósito, y, por tanto, sin un motivo para esforzarse. Pero observemos este cuadro, ya que con mucha frecuencia se encuentra en la Iglesia.

El perezoso es totalmente reacio a trabajar. Por lo tanto, cuando su indolencia es perturbada, es ingenioso para inventar excusas e imaginar peligros, los cuales no tienen una existencia real. Pues 'quien no tiene mente para trabajar, nunca carece de pretextos para la ociosidad'.[59] Quizás su insinceridad puede adormecer su conciencia con sus falsas excusas. Si fuera tan fácil ser espiritual como desear serlo, ¿quién no sería cristiano? Si la religión consistiera de sólo un gran esfuerzo, pronto a realizarse, valdría la pena luchar. Pero el hecho de ver un esfuerzo sin fin, deber tras deber, problema tras problema, sin un tiempo de paz para respirar, es un obstáculo terrible. Y, por lo tanto, *un feroz león en el camino,*[60] *un león en las calles* ('el cuco[61] en lugar de un león'[62]) lo excusa de una profesión decidida.

No nos sorprende que huya de su trabajo*. Le encanta su cama de descanso.* Aquí *da vueltas*, *como la puerta sobre sus goznes*, moviéndose, en efecto, pero sin hacer ningún progreso. Salta de una excusa a otra, pero nunca se mueve de su lugar. Las dificultades le impiden avanzar.

---

[57] Pr. 19:24.

[58] 'Que siete hombres que se sientan y enseñan'. Ob. Miles Coverdale (1487–1569). "Miles Coverdale (1487-1569), fue el más conocido como traductor de la Biblia inglesa. Coverdale se ordenó como sacerdote católico romano en 1514, pero, por influencia de Robert Barnes, pronto abrazó la Reforma Protestante. Obligado a vivir en el exilio debido a la oposición real a un texto en lengua vernácula, Coverdale tradujo una Biblia completa en 1535 y tuvo un papel importante en la elaboración de la Gran Biblia de 1539. Durante el breve reinado de Edward VI, el traductor fue consagrado obispo de Exeter, pero se vio obligado a huir del país cuando Mary Tudor asumió el trono. Bajo el reinado de Elizabeth I, Coverdale se identificó con el creciente partido puritano." Nathan P. Feldmeth, *Pocket Dictionary of Church History: Over 300 Terms Clearly and Concisely Defined*, The IVP Pocket Reference Series (Downers Grove, IL: IVP Academic, 2008), 46–47.

[59] Ob. Simon Patrick (1626-1707).

[60] Thomas Scott (1741-1821).

[61] Nota del Traductor: El inglés original señala "bugbear", el cual es una criatura imaginaria usada para asustar a los niños en la cultura anglosajona, de allí que se optó por usar el término 'cuco' o 'coco' como criatura análoga en nuestra cultura.

[62] Sermón del Ob. Robert Sanderson (1587-1663) sobre Heb. 12:3.

La conciencia le impide retroceder. Y, por lo tanto, así como *la puerta sobre sus goznes*; donde estaba un día, o un año, allí se le encuentra al siguiente. Se mueve dentro de un limitado conjunto de tareas, siempre comenzando, pero nunca terminando, su tarea; sin determinar nada; no *muy* a gusto; pero sin corazón para esforzarse. Tendido sobre su lecho de pereza, clama: ¡Oh que esto fuera trabajar! ¡Oh, que pudiera elevar mi corazón al cielo! No obstante, ¿es posible ganarse el cielo quejándose y deseando?

Más aún, incluso el esfuerzo más necesario le resulta penoso. Supongamos que se ha levantado de su cama, no obstante, su caso no ha mejorado. La comodidad sigue siendo su clamor. Cómo preservarla, su única preocupación. *Esconde su mano en su seno por el frío*, y nunca hace el esfuerzo de *llevársela a la boca* a fin de comer lo que necesita (Ec. 4:5). De ese modo, por evitar el más insignificante ejercicio, mata de hambre su alma, aunque el pan de vida esté delante suyo. No es de extrañar que su vida, en lugar de ser un "continuo festín", sea un constante disgusto.

Y, sin embargo, tal es la extraña combinación de autocomplacencia con necedad, que este inútil ser, un mero "estorbo para la tierra", se enorgullece de su sabiduría superior (v. 12). Al no tomarse la molestia de meditar, no distingue ninguna de las dificultades que son obvias para una mente reflexiva, y arriba rápidamente a las conclusiones más irrazonables. Su pereza no puede ser sacada a golpes. Cualquier *sabio podría dar razón* para su condena. Pero él *es más sabio ante sus propios ojos que cualquiera de ellos*.[63]

¡En numerosas y llamativas maneras ha sido presentada la pereza en este libro! ¿Acaso he pensado muy poco en ella? Que mis ojos puedan ver con atención, ¿en qué sentido he sido influenciado por ella, física, mental o espiritualmente? ¿Nunca me ha seguido a lo largo de mi trabajo, a mis rodillas, en mi lectura de la Biblia? ¿No me excuso de los trabajos que implican gran esfuerzo? O, cuando la conciencia me obliga a hacerlos, ¿cómo los hago? ¡Oh Dios mío, permíteme resistir esta parálisis en todas sus formas! Si estoy a punto de tomar una resolución, que pueda plantearme mi trabajo como algo que debe hacerse con pleno propósito de corazón; no oponiendo las dificultades a la necesidad; y no permitiendo un desaliento sin esperanza. ¿Y si después de todo, mi fe resultara una fantasía, y mi esperanza una ilusión? Sospechar de uno

---

[63] *Siete hombres*, el número de la perfección. Compare Am. 1:3, 6, 9, 13; 2:4, 6.

mismo es el primer despertar del alma: "Examíname, oh Dios mío" (Sal. 139:23-24).

> **Salmo 139:23–24** Escudríñame, oh Dios, y conoce mi corazón; pruébame y conoce mis inquietudes. Y ve si hay en mí camino malo, y guíame en el camino eterno.

Es bueno si al sueño se le sacude un poco; pero mucho mejor si los ojos se abren por completo. La fe simple y activa nos lleva hacia adelante, cara a cara con *los leones del camino* que parecen estar con las fauces listas para devorarnos. Es una misericordia especial darse cuenta de la santa violencia del conflicto. Bunyan pone a sus peregrinos bajo la guía de Gran-Corazón para que puedan recibir aliento. El cielo nunca será ganado con los brazos cruzados. "Los violentos lo toman por la fuerza" (Mt. 11:12).

d. Los cuatro tipos de perturbadores (26:17-28)

17. *Como el que toma un perro por las orejas, así es el que pasa y se entremete en pleito que no es suyo.*

Si queremos honrar a nuestro Dios en nuestro caminar cristiano, debemos dedicar tiempo, en cada paso, para la oración y para ejercitar un buen juicio. De lo contrario, a menudo nos precipitaremos sin control, para perjuicio nuestro. *Tomar un perro por las orejas* nos dará una buena razón para arrepentirnos de nuestra necedad. *Entrometerse en pleitos que no nos atañen* traerá, sin duda, sus problemas (véase 1 R. 22:4, 32), su propia cruz, no *la de nuestro Maestro*. Hay una gran diferencia entre "padecer por entrometidos y padecer como cristianos". El Apóstol relaciona a los primeros con "asesinos, ladrones y malhechores". A los otros, les da la noble exhortación: "Glorifiquen a Dios por ello" (1 P. 4:15-16).

> **1 Pedro 4:15–16** Que de ninguna manera sufra alguien de ustedes como asesino, o ladrón, o malhechor, o por entrometido. Pero si *alguien sufre* como cristiano, que no se avergüence, sino que como tal glorifique a Dios.

Si no debemos "entrar apresuradamente en pleito" (Pr. 25:8) por nuestra propia causa, menos aún por la del prójimo. Esto es "provocar contienda", la perversidad del necio (Pr. 18:6; 20:3).

Incluso con intenciones cristianas, a muchos nos gusta *entrometernos en pleitos que no son nuestros*. Nos constituimos muy fácilmente en jueces de la conducta de nuestro prójimo. Empero, la neutralidad es frecuentemente el dictado de la prudencia. Una interferencia innecesaria rara vez es de provecho a las partes en conflicto; mientras que el mediador bien intencionado se involucra en el pleito para su propia desgracia. Nuestro bendito Maestro nos da una lección de sabiduría divina. Él sanó las disputas dentro de su propia familia. Pero cuando se le llamó a *meterse en un pleito que no era suyo*, respondió: "¿Quién me ha hecho juez o partidor sobre vosotros?" (Mt. 18:1-6; 20:24-28, cf. Lc. 12:13-14).

¿Debemos entonces "consentir el pecado de nuestro hermano"? (Lv. 19:17). Ciertamente no. Pero debemos considerar cuidadosamente el modo más efectivo de detener su pecado. No olvidamos la especial "bienaventuranza de los pacificadores" (Mt. 5:9). Pero el verdadero pacificador, aunque deplora la *contienda*, sabe bien que interferir en un momento de enojo avivará, en lugar de extinguir, el fuego. Tener dominio propio, sin embargo, no es para él ser indiferente. Él encomienda el asunto a Aquél cuya fuerza y sabiduría tanto necesita.

Aprovechará el primer momento para una represión favorable; pues "una palabra dada a su tiempo, ¡cuán agradable es!" (Pr. 15:23). En efecto, la convivencia común en la vida requiere mucho de aquella "sabiduría que habita con la prudencia" (Pr. 8:12). "¿Quién es el sabio, y dotado de ciencia entre vosotros? Que muestre por su buena conducta sus obras en sabia mansedumbre" (Pr. 8:12).

18. *Como el enloquecido que lanza teas encendidas, flechas y muerte,* **19.** *Así es el hombre que engaña a su prójimo, Y dice: «¿Acaso no estaba yo bromeando?».*

¡Cuán poco considera el hombre irreflexivo la miseria que su desenfreno ocasiona a los demás! No tiene malicia, no se deleita en venganza. Lo hace por puro amor a las pillerías. Lleva a cabo un plan de contrariedades como si fueran un juego inofensivo. Sus compañeros le felicitan por su destreza y se unen a sus risas de triunfo sobre la víctima de sus crueles burlas. Pero "*divertirse* con sus propios *engaños*" (2 P 2:13) es una oscura marca de impiedad. Lo que el hombre llama *diversión* (Pr. 10:23), el Señor considera que es obra del *enloquecido*: esparcir malicia asesina, *teas encendidas, flechas y muerte*.

En este caso existe poca diferencia entre el fraude y la furia. Aquel que deliberadamente engaña a su vecino, disfrazando su acto como una broma, no es menos perjudicial para él que un lunático, quien hace daño por frenesí y destemplanza.[64]

Sin embargo, un horrible límite se encuentra trazado: mientras que el *demente* es irresponsable por sus acciones, *el engañador* es responsable ante Dios y sus semejantes. 'El que peca en broma, debe arrepentirse en serio; sino su pecado será su ruina'.[65]

'¿Qué tiene que ver un cristiano' –decía Bernardo– 'con las truhanerías?' Que observe en la práctica la saludable advertencia de que "no convienen" (Ef. 5:4). Que cultive diligentemente las valiosas gracias de la seriedad, la consideración y la autodisciplina. Que estudie el espíritu y las reglas del Evangelio, y honre el reflejo de su Maestro que reside en ellas.

20. *Por falta de leña se apaga el fuego, y donde no hay chismoso, se calma la discusión. 21. Como carbón para las brasas y leña para el fuego, así es el hombre rencilloso para encender pleitos. 22. Las palabras del chismoso son como bocados deliciosos,*[66] *y penetran hasta el fondo de las entrañas (Lit. las cavidades del vientre).*[67]

La lengua afanada se hace de trabajo donde no lo encuentra. De ahí la ocupación del chismoso, ¡ese oficio despreciable! Tan profundamente arraigado está el principio del amor propio que 'el hombre naturalmente es su propio gran ídolo. Busca ser estimado y honrado a cualquier precio; y para engrandecer al ídolo

---

[64] Obispo Joseph Hall (1574-1656).
[65] Matthew Henry (1622-1714).
[66] Nota del Traductor: La versión usada en el inglés original señala en este versículo: "Las palabras del chismoso son como heridas, y descienden a las partes más recónditas *(cámaras, Marg.)* del vientre"; de allí las referencias realizadas por el autor.
[67] Pr. 18:8.

del yo, destruye el nombre y la estima de otros en sacrificio a él'.[68] La verdadera virtud se rebela ante este sórdido y abominable egoísmo.

El fuego del celo santo se apodera de las cosas más cercanas a casa. Éste es un incendio forestal que esparce destrucción a su alrededor. El *chismoso* debe ser visto como un incendiario. Su "lengua es un fuego, es encendida por el infierno" (Stg. 3:6. Cf. Pr. 16:27). Su rastrillar historias viejas y olvidadas suministran el combustible, sin el cual *el fuego de la discusión, así como cuando falta la leña, se apaga*. Para apagar la llama, debemos quitar el combustible. Debemos alejar *al chismoso*, detener sus palabras; obligarlo a presentar sus evidencias; encararlo, si es posible, con el protagonista de sus historias. Este decisivo curso evitará una gran cantidad de calumnias y lo avergonzará (Pr. 25:23. Cf. 22:10).

El hombre rencilloso es casi igual a él. Su malicia es, en efecto, más abierta. Su empeño en tener la última palabra es *como carbón para las brasas, y leña para el fuego* (Pr. 15:18; 16:28; 29:22, 2 Co. 12:20).

> **Proverbios 15:18** El hombre irascible provoca riñas, Pero el lento para la ira apacigua pleitos.
> **Proverbios 16:28** El hombre perverso provoca pleitos, Y el chismoso separa a los mejores amigos.
> **Proverbios 29:22** El hombre lleno de ira provoca rencillas, Y el hombre violento abunda en transgresiones.

Mantiene encendida la llama, avivada tal vez por una simple palabra de enojo o una mirada despectiva; la misma que, de no ser por este constante abastecimiento de combustible, podría haberse apagado rápidamente. ¿Acaso nunca hemos pretendido el ingenio de una respuesta aguda, que "haga subir el furor", en lugar de la sabiduría y la gracia de "una respuesta blanda, que quite la ira"? (Pr. 15:1).

Las heridas del chismoso son, sin embargo, las más peligrosas. *Penetran hasta las cavidades,* a lo vital del corazón. Una sola palabra exenta de ruido puede ser la puñalada de muerte. Pero, aunque pueda escapar por un tiempo, todos sus pecados secretos estarán "delante de sus ojos", y su cruel jugarreta con el carácter de su hermano será justamente recompensada (Sal. 50:20; 52:1-5).

---

[68] Robert Leighton (1611-84) sobre 1 P. 2:17. Cf. Jer. 9:4.

¿Estamos vigilando de cerca estos pecados? ¿Humedecemos con cuidado la creciente llama de la *contienda*? (Pr. 17:14, Gn. 13:8-9). ¿Resistimos la tentación de hablar innecesariamente de las faltas de otros? Podemos sentirnos indignados ante la acusación de participar en *chismes*. Sin embargo, ¡cuántos grados hay de este vicio! Se requiere de un ejercicio extraordinario de disciplina cristiana a fin de mantener el silencio de la caridad y de contener tanto la lengua como el oído dentro de sus bien aconsejados límites.[69]

23. Como vasija de barro revestida de escoria de plata, así son los labios ardientes y el corazón perverso. 24. El que odia, disimula con sus labios, pero en su corazón (Lit. interior) acumula engaño. 25. Cuando su voz sea agradable, no lo creas, pues hay siete abominaciones en su corazón. 26. Aunque su odio se cubra con engaño, su perversidad será descubierta en la asamblea. 27. El que cava un hoyo caerá en él, y el que hace rodar una piedra, sobre él volverá.

¡El pecado descrito aquí es una vergüenza para la sociedad! Sin embargo, a menudo es *revestido* con un atuendo halagador, como la *vasija* sin valor con una fina capa de *plata*. "La lengua de los justos es como plata escogida". Aquí sólo hay *escoria de plata*; "el corazón del impío, que es como nada" (Pr. 10:20); *labios que arden* con cálido afecto, pero que encubren un *corazón* lleno de malicia y perversidad (Pr. 10:17, Sal. 55:21. Cf. Eclesiástico 19:26–28).[70]

Tales fueron *los labios* de los hermanos de José, cuando "se levantaron para consolar a su padre" tras la pérdida que le habían causado (Gn. 37:25). Tal fue la suave hipocresía de Absalón (2 S. 15:1–9). Tales fueron los *labios* y el corazón del traidor, los cuales se unieron a los demás declarando fidelidad, pero "traicionaron al Hijo del Hombre con un beso" (Mt. 26:35, Lc. 22:47-48). Un enemigo declarado podría ser mucho mejor soportado (Sal. 55:12-14). El fingimiento de los hipócritas, la benevolencia de los infieles, la suave seducción del falso "ángel de la luz", todo responde a esta intensa figura.

Muchas veces también se *disimula el odio* cuando *los labios* no *arden*. "Caín llevó a su hermano al campo", mientras el asesinato estaba en su corazón (Gn. 4:8). Saúl procuró honrar a David, mientras planeaba su ruina (1 S. 18:17, 21).

---

[69] El Dr. South recomienda que tanto 'el chismoso como el que lo escucha sean colgados, espalda con espalda, uno de la lengua y el otro de la oreja'.
[70] Vea la descripción de Bunyan de la ciudad de 'Buenas palabras'.

Absalón *disimuló* frente a su hermano, pareciendo que lo dejaba en paz, y durante dos años *acumuló engaño en su interior* (2 S. 13:22–28). Joab *revistió* sus intenciones asesinas con una profesión pacífica (2 S. 3:27; 20:9-10. Cf. Gn. 34:15-25, Sal. 28:3; 55:20).

La prudencia cristiana se guardará de la credulidad (Jer. 9:8; 12:6, Mi. 7:5. Cf. Eclesiástico 12:10–17), la cual es, de hecho, la "inocuidad de la paloma" sin "la sabiduría de la serpiente" (Mt. 10:16). Esta debilidad le costó la vida a Gedalías (Jer. 40:14; 41:6-7). Un espíritu más sensato salvó a Nehemías de la trampa de sus malignos adversarios (Neh. 6:1-4). La fuente de esta maldad provee una buena razón para la desconfianza. Hay *siete abominaciones en su corazón*; una gran variedad[71] de *abominaciones* estrechamente plegadas; las cuales sólo pueden ser conocidas por aquella mirada que escudriña el corazón, "ante la cual todas las cosas secretas están desnudas y abiertas" (Jer. 17:10; Heb. 4:13). Aquí yace la raíz de la enfermedad.

> Un corazón astuto hace que la lengua y los labios sean astutos. Es el taller donde se forja el engaño y la calumnia; la lengua es sólo la tienda exterior donde son estos son reparados, y los labios la puerta de la misma; así que la mercancía que se hace en el interior, solamente aquella y ninguna otra puede ser expuesta. De los malos pensamientos, surgen las malas palabras; de un corazón engañoso, las palabras engañosas, bien adornadas, pero revestidas de podredumbre.[72]

¡Oh! que este despreciable personaje sea una señal para nosotros, a fin de evitar todo acercamiento a los tratos deshonestos. Es mejor arriesgarse a ofender siendo fieles (aunque hay que evitarlo, en la medida en que la conciencia lo permita) que *cubrir nuestro odio* con palabras halagadoras.

Disimular nunca conviene al final. La Providencia de Dios trae a la luz las obras oscuras: "La voz de la sangre de Abel clama desde la tierra" (Gn. 4:10. Cf. Hch. 23:12-16). "Los pecados de algunos hombres son evidentes antes que ellos vengan a juicio, y de otros se descubren después" (1 Ti. 5:24). La mano quita la máscara y expone al adulador a la vergüenza.

Sus siete abominaciones serán proclamadas, si no más privadamente, por lo menos *ante toda la asamblea*, cuando todos comparezcan ante los hombres y

---

[71] Obispo Joseph Hall (1574-1656), Versículo 16; 24:16.
[72] Robert Leighton (1611-84) en 1 P. 3:10.

ángeles como realmente son, y cuando todos los hipócritas reciban su justa recompensa de "desprecio eterno" (Lc. 12:1-2).

Sin embargo, con frecuencia la retribución llega al transgresor en este mundo: 'Caerá en la fosa quien ha hecho sufrir a su vecino, y será aplastado por la misma piedra que quiso hacer rodar sobre él'.[73] Incluso el lugar del pecado se convierte a veces en el lugar del castigo (1 R. 21:19, cf. 2 R. 9:26. Cf. Jer. 7:31-32). Aquellos que traman el mal contra los demás, se verán ellos mismos abrumados por este (Sal. 7:15, 16; 9:15; 10:2, 57:6, Ec. 10:8). Moab, al intentar maldecir a Israel, cayó él mismo bajo la maldición de Dios (Nm. 22:1-6; 24:17). La horca de Amán para Mardoqueo resultó su propia "exhibición de deshonra" (Pr. 3:35, Est. 7:10). Los enemigos de Daniel fueron devorados en la ruina que tramaron contra él (Dn. 6:25). De este modo, Dios "prende al sabio en su astucia" (Job. 5:13), "al impío en su impiedad" (Pr. 11:5-6).

> **Proverbios 11:5–6** La justicia del íntegro enderezará su camino, pero el impío caerá por su propia impiedad. La justicia de los rectos los librará, pero los traidores en *su* codicia serán atrapados.

La muerte de Cristo, que iba a ser el medio para protegerse de un juicio a la nación, fue la justa causa del menospreciado flagelo (Jn. 11:50, cf. Mt. 23:32, 38). La malicia que medita en el mal, a menudo es la causa de su propia caída. ¡Qué Acéldama sería este mundo si no fuera por la gracia limitante de Dios! ¡Oh, que mi corazón, mi alma, cada miembro, cada principio, no sólo se abstenga de pasiones cargadas de odio, sino que sea imbuido del espíritu del Evangelio, y consagrado al servicio de Dios!

28. *La lengua mentirosa odia a los que oprime (Lit. sus oprimidos), Y la boca lisonjera causa ruina.*[74]

Rara vez vemos un pecado solitario. Un pecado engendra otro. *La mentira* y la malicia están unidas aquí. La *lengua mentirosa* contra nuestro Señor fue el fruto de una malicia llena de odio (Jn. 8:44, cf. 40). La calumnia contra Esteban se

---

[73] Thomas Scott (1741-1821) in loco. Eclesiástico 27:25–27.

[74] Nota del Traductor: La versión usada en el inglés original señala literalmente: "La lengua mentirosa odia a los que aflige, y la boca lisonjera causa ruina"; de allí las referencias realizadas por el autor.

originó en la misma fuente. El reproche tácito de su piadosa profesión era intolerable (Hch. 6:9, 14). Si los hombres *afligen* porque odian, con mucha más razón *odian a aquellos a quienes han afligido*, y de ese modo, han hecho sus enemigos. Amnón, luego de haber *afligido* a su hermana Tamar, la aborreció con un odio más grande que su anterior amor, como testigo contra su propia vergüenza (2 S. 13:5–15).

Pero, una y otra vez, cuídate del *lisonjero*. Desde cierta posición favorable, presenta un rostro atractivo. Pero una perspectiva más cercana lo muestra como un sutil y sanguinario enemigo, *causando ruina* (Sal. 5:9; 10:7-10). Su gran ventaja es que tiene un aliado en nuestro propio seno. La dulce canción de nuestras propias alabanzas nos adormece, y en un momento de seguridad, la red es tendida con gran éxito (Pr. 29:5).

La lengua lisonjera causó la ruina del mundo. La tentación: "Seréis como dioses" resultó irresistible (Gn. 3:5). Y aún en la senda del pecado (Pr. 2:16; 5:3; 7:5, 21-23, Eclesiástico 9:3–9), en la decidida indulgencia de la voluntad rebelde (1 R. 22:6, 11-12, Jer. 5:31; 14:14-16), *la lisonja* es la trampa; y *la ruina* es el fin.

> **Proverbios 2:16** *La discreción* te librará de la mujer extraña, De la desconocida que lisonjea con sus palabras.
> **Proverbios 5:3** Porque los labios de la extraña destilan miel, Y su lengua es más suave que el aceite.
> **Proverbios 7:5** Para que te guarden de la mujer extraña, De la desconocida que lisonjea con sus palabras.

¿Cuál debería ser entonces nuestro tratamiento del *lisonjero*? Homero pone en el corazón de su héroe el considerarlo como un demonio del infierno.[75] Nuestra seguridad, entonces, radica en la evasión (Pr. 20:19), o al menos en una airada resistencia (Cf. Pr. 25:23). Demuestra claramente que los que más nos alaban son los que menos nos complacen.

Advierte oportunamente que la repetición de la ofensa amenaza con romper la amistad. Atesora las opiniones más profundas sobre la corrupción innata, las cuales desmentirán de inmediato cualquier imagen favorable de nosotros mismos que se nos pueda presentar. Ora por sabiduría para descubrir las trampas; por principios de gracia que nos eleven por encima de alabanzas vanas;

---

[75] La Ilíada, I. 312, 313.

por una abnegación que esté satisfecha, e incluso agradecida sin ellas. Este será el medio de Dios para una liberación providencial.

Todas estas Escrituras enseñan vehementemente cuán odioso es para un Dios de verdad el intento de engañar. Todas nos advierten contra el hábito común de desviarnos ligeramente de la verdad; así como de cualquier falta de sinceridad al expresarnos, como actos totalmente inconsistentes con una profesión cristiana, los cuales no solo infringen la ley del amor, sino que, a menudo, conducen al engaño habitual.[76]

3. Sobre los amigos y la amistad (27:1-22)

a. Primeras instrucciones sobre los amigos y las amistades (27:1-10)

1. *No te glories del día de mañana, porque no sabes qué traerá el día.*

DEJEMOS que el Apóstol profundice en lo que dice el sabio: "Vamos ahora, vosotros que decís: 'Hoy o mañana iremos a tal ciudad, y estaremos allí un año, y compraremos y venderemos, y obtendremos ganancias'." Ambos destinan la misma represión a la *jactancia*: *no sabes lo que puede traer el día*; "puesto que no sabéis lo que será mañana" (Stg. 4:13-14).[77]

Proveer para el día de mañana es un deber escritural (Pr. 6:6-8; 10:5; 24:27. Cf. Gn. 41:35; Hch. 11:28-29). El cristiano en su vocación, apoyándose en la Providencia de Dios, camina con Dios. Pero *gloriarse del día de mañana*; "toda jactancia es mala" (Stg. 4:16). En efecto, es absurdo *jactarse* de lo que no es nuestro.

El mañana es finamente descrito como el origen de lo desconocido. Podría ser la eternidad. Y, sin embargo, el sensualista y el mundano (Is. 56:12, Lc. 12:16–19) *se glorían*, como si este fuera suyo; y así, virtualmente sacan a Dios de su propio mundo. Los impíos cuentan con ser religiosos *mañana*, y por lo tanto posponen el hecho de arrepentirse, abandonar el mundo y vivir para la eternidad, hasta algún indeterminado y futuro día (Hch. 24:25). ¿Harían esto, si

---

[76] Vea la sabia advertencia, Eclesiástico 19:1.
[77] 'Quid sit futurum cras, fuge quærere.' Horacio, Carm. lib. i. 9.

no contaran con que el *mañana les fuera* dado? No solo eso, ¿no tenemos todos nosotros ese afecto natural por las expectativas futuras, que el gran enemigo convierte en un olvido práctico de Dios?

Pese a esto, no debemos vivir como si no llegara un mañana. De lo contrario, el mundo caería en un estado de paralización. Los deberes de cada día serían absorbidos en la inmediata preparación para la eternidad venidera. Comenzamos con la muerte, cuando entra en nuestras casas como si no la esperáramos. ¡Cuán poco morimos diariamente! (1 Co. 15:31). Inclusive podemos calcular fríamente la muerte de otros, para nuestro propio beneficio. Nuestra intensa ansiedad por lo terrenal y apatía por lo celestial habla con demasiada claridad. Los jóvenes miran hacia la mediana edad; los más avanzados hacia la última etapa de la vida. Todos, en contradicción con su profesión declarada, *se glorían del día de mañana*.

¡Cuán horriblemente ha sido avergonzada esta *jactancia*! En los días de Noé "se casaban, y se daban en matrimonio, hasta el día en que vino el diluvio y los destruyó a todos" (Lc. 17:26-29). Abner prometió un reino, pero no pudo asegurar su vida por una hora (2 S. 3:9, 10, 27). Amán se vanaglorió ante la perspectiva del banquete de la reina, pero fue colgado como un perro antes del anochecer (Est. 5:12; 7:1–10). El alma del necio fue requerida de él "esa misma noche", apartándolo de sus proyectos mundanos en los "muchos años" por venir (Lc. 12:19-20).

> **Lucas 12:19–20** "Y diré a mi alma: alma, tienes muchos bienes depositados para muchos años; descansa, come, bebe, diviértete". »Pero Dios le dijo: "¡Necio! Esta *misma* noche te reclaman el alma; y *ahora*, ¿para quién será lo que has provisto?".

El infiel Gibbon calculó que tendría quince años más de vida, pero murió en pocos meses, habiéndosele anticipado de su muerte un día antes.

No sabemos que traerá el día. ¡Cuán natural es para los jóvenes buscar las perspectivas que trae el *mañana*! Pero, ¿nunca has visto una hermosa flor cortada, descolorida en medio de las demás? ¿No son reducidas tanto las complexiones robustas como las débiles cuando están en la flor de la vida? (Job 21:23-24). ¿Ha tomado en alquiler su vida? Dado que hay una promesa de perdón para el que se arrepiente, ¿dónde está la promesa de arrepentimiento del *mañana*? ¿Vendrá la consideración naturalmente con los años? ¿no se endurecerán más bien los prolongados hábitos de impiedad hasta volverse una segunda naturaleza? ¿Qué si en medio de tu *jactancia*, mientras te halagas a ti mismo que verás otro día, eres sorprendido sin prepararte, y se abandona para que lamentes por siempre tu presunción en el lago de fuego eterno? (Mt. 24:48-51, Lc. 13:25. Cf. Eclesiástico 5:7). Detente, considera, llora, ora, cree; ahora, mientras la conciencia te habla, mientras oscilas entre Dios y el mundo, entre la convicción y tu tendencia natural. Ahora, en este "tiempo aceptable", dedícate a Dios. Pon al Salvador en el trono de tu corazón.

El universo no ofrece un espectáculo más conmovedor que el de un pecador anciano, con un pie en la tumba, perdiendo todo en el mundo e infinitamente más en la eternidad. Tras un instante se habrá ido. El cielo y el infierno no son ninguna nimiedad. El *mañana* del que se presume –el presente que se descuida– lo arruina todo. Estando al borde del precipicio –cuán precioso es el momento para orar– antes que la puerta de la misericordia se cierre para siempre.

¿Tienes, como hijo de Dios, razones para *gloriarte del día de mañana*? ¿Qué diferencia hace en tus circunstancias mundanas (Job 1), o en tu experiencia cristiana? (Sal 30:5-7). Nunca te sentirás más seguro, que cuando eres consciente de que no tienes seguridad por una sola hora. Deposita todas tus preocupaciones en el seno de tu Dios (Sal. 37:3–7).

Que la desilusión te prepare para tu descanso celestial, y que todos tus deseos y placeres sean limitados por su amable voluntad (Stg. 4:15). Pero, ¿no tienes necesidad de advertencia? ¿Qué dice de ti la desbordante corriente de afectos hacia los goces terrenales? ¿Si creyeras en la práctica que "el tiempo es corto y la apariencia de este mundo es pasajera", no te alegrarías "como si no te alegraras"? (1 Co. 7:29-31. Cf. Fil. 4:5). ¿Serían los placeres de esta tierra grandemente apreciados si no hubiera una dependencia secreta del *mañana*?

Ciertamente este pensamiento puede hacer más que sostenernos ante la pérdida de los tales: sólo la sombra ha desaparecido, el cuerpo de mi felicidad permanece inamovible. Poder ver las cosas temporales como si "no las miráramos" es lo vital de la religión espiritual (2 Co. 4:18). Tener "ceñidos nuestros lomos" para la venida de nuestro Señor; vivir de un modo que no nos sorprenda la llamada, y con buena disposición "abrirle *inmediatamente*"; esta es nuestra seguridad y nuestra felicidad. "Bienaventurados aquellos siervos a los cuales el Señor, cuando venga, halle velando" (Lc. 12:35-40).

2. *Que te alabe el extraño, y no tu boca; el extranjero, y no tus labios.*

Un antiguo expositor escribe:

> La alabanza es una prenda muy bonita. Pero, aunque tú la lleves puesta, *otro*
> debe ponértela, o de lo contrario nunca te sentará bien. La alabanza es una
> dulce melodía, pero nunca suena afinada en *tu propia boca*. Si viene de la boca
> de *otro*, suena más afinada en los oídos de todos los que la escuchan. La
> alabanza es un rico tesoro, pero nunca te hará rico, a menos que *otro* diga lo
> mismo.[78]

En efecto, salvo que lo requiera la reivindicación de nuestro carácter (1 S. 12:3,
Sal. 7:3-5, 2 Co. 1:17-19), o el honor de nuestro Maestro relacionado a ella (2
Co. 11:5-12; 12:11); nada degrada tanto a un hombre frente a sus semejantes
como proferir su propia alabanza. Pues, aunque cada hombre es su propio
adulador (Pr. 20:6), aun así, los hombres usualmente saben cómo calcular el
orgullo en otros, mientras lo aprecian en ellos mismos. "Lo que es de buen
nombre; pensemos en ello para hacerlo" (Fil. 4:8-9). Pero "que nuestras obras"
–no nuestras lenguas– "nos alaben en las puertas" (Pr. 31:31. Cf. Rut 3:11). Y
mientras nuestras obras brillan, procuremos ocultarnos. "Confesémonos
nuestras faltas los unos a los otros" (Pr. 25:27, Mt. 5:16, Stg. 5:16). Pero dejen
que *otro* exprese nuestras *alabanzas*.

Nuestro nombre no perderá nada con este espíritu de auto renuncia. Si
nuestra propia boca calla, la de *otro* se abrirá. Ante sus propios ojos, Juan era
"indigno" de "desatar las correas de los zapatos de su Maestro". Sin embargo,
la boca de su Señor lo proclamó como "el más grande de los nacidos de mujer"
(Mt. 3:11, Jn. 3:30, cf. Mt. 11:11, Jn. 5:35). El centurión dijo de sí mismo que
"no era digno de que Cristo entre bajo su techo". No obstante, los ancianos
testificaron que "era digno que se le conceda eso". Sí, la propia boca del
Salvador confirmó el testimonio: "Ni aun en Israel he hallado una fe tan grande"
(Mt. 8:8, cf. Lc. 7:3-4, 9). En sus registros, Lucas no menciona nada en su propio
crédito. Sin embargo, *otro lo alaba* calurosamente como "el médico amado" y
como su único compañero fiel en sus pruebas (Col. 4:14, 2 Ti. 4:11).[79]

---

[78] Michael Jermin (1590-1659).

[79] He aquí una fina pincelada de Sallust en la descripción de Cato: 'Prefería ser, antes
que parecer, un buen hombre; de modo que mientras menos buscaba la gloria, más la
obtenía'.

Colosenses 4:14 Lucas, el médico amado, les envía saludos, y *también* Demas.
2 Timoteo 4:11 Solo Lucas está conmigo. Toma a Marcos y tráelo contigo,
porque me es útil para el ministerio.

El egoísmo es una mancha vergonzosa sobre la profesión cristiana. ¿Qué?
¿Debería alguien que ha dicho ante Dios "He aquí que soy vil", estar dispuesto
a decir ante sus semejantes "Vengan a ver mi celo por el Señor" (Job 40:4, 2 R.
10:16), vengan a ver cuán humilde soy? ¡Oh! que tengamos el espíritu auto
humillante de nuestro glorioso Maestro; siempre listo para soportar el reproche,
pero nunca recibiendo "gloria de los hombres", ni "buscando su propia gloria"
(Jn. 5:41; 8:50). Comparen lo que Dios nos muestra de nosotros mismos en lo
secreto con nuestra "buena presentación en la carne". ¿No avergonzará esto a la
autocomplacencia? El hecho que somos *realmente* poco humildes es, sin duda,
suficiente para la más profunda humillación.

3. Pesada es la piedra y pesada la arena, Pero la provocación del necio es más
pesada que ambas. 4. Cruel es el furor e inundación la ira; Pero ¿quién se
mantendrá ante los celos?[80]

El furor, incluso el de un sabio en un momento de insensatez, es *cruel* (1 S.
25:13, 21). ¿Cómo será entonces *el furor del necio* 'donde no hay ni una gota de
agua celestial que apague el fuego'?.[81] Ciertamente es *pesado como la piedra o*
arena (Ex. 15:5. Cf. Eclesiástico 22:14-15)*,* intolerable, 'sin causa, medida o
fin'.[82] Su mal humor permanente lo distingue del impulso temporal, al cual el
hijo de Dios puede ceder de manera muy precipitada. Absalón lo mantuvo
durante dos años (2 S. 13:22-23). La ira de David se desvaneció ante la primera
señal de convicción traída por la reprensión, y así, "el sol no se puso sobre su
enojo" (1 S. 25:32-33, Ef. 4:26).

   Pese a todo, por muy cruel que sea *la ira* (Gn. 49:7, Mt. 2:16), *desbordante*
como la marea viva, puede ser apaciguada. La ira de Esaú fue calmada hasta

---

[80] Nota del Traductor: La versión usada en el inglés original señala: "La piedra es
pesada, y pesada la arena; mas el furor del necio es más pesado que ambas. El furor es cruel,
(crueldad Marg.), y la ira impetuosa *(una inundación, Marg.)*; mas ¿quién podrá sostenerse
delante de la envidia?"; de allí las referencias realizadas por el autor.

[81] Thomas Cartwright (c. 1535-1603).
         Ira furor brevis est, animum rege; qui, nisi paret, Imperat, hunc frænis; hunc
               tu compesce catenâ.' Horacio, Ep. i. 61, 62.

[82] Matthew Poole (1624-1679). Cf. Pr. 17:12.

volverse amor fraternal (Gn. 27:41; 33:4). El *impetuoso* déspota fue sometido al ser testigo de la presencia y el poder de Dios (Dn. 3:13–30). Pero *la envidia* es una pasión implacable, un principio innato (Mc. 7:22, Gá. 5:20-21, Tit. 3:3, Stg. 4:5), que trae una temible serie de males (Ro. 1:29-30, 2 Co. 12:20, Stg. 3:14, 16).

La ira es agitada por la ofensa; *la envidia* por la piedad (Ec. 4:4, Dn. 6:3–5), la prosperidad (Gn. 26:14, Sal. 73:3), o el favor (Gn. 4:5-6, 1 S. 18:6–9, 16-17). La fuerza de la razón es más bien como el aceite que aviva la llama, en lugar de agua para apagarla. La felicidad del prójimo produce dolor; mientras que su ruina, o al menos su perjuicio, se vuelve una fuente de placer.

Los hombres orgullosos han de ser admirados por todos y preferidos a los demás; y si no es así, una enemistad secreta invade sus espíritus y se instala allí. No pueden soportar la excelencia real o reputada de los demás. La orgullosa criatura ha de ser la única que brille.[83]

Nunca faltan ocasiones para el ejercicio de este odioso principio. Siempre encuentran algo malo en la conducta del prójimo; algo por lo menos, que si no merece reproche, por lo menos le quite mucho mérito a sus elogios.

Bueno, entonces podríamos preguntarnos: ¿Quién *podrá sostenerse delante de la envidia*? Incluso la inocencia perfecta del paraíso cayó *ante ella*. Satanás perdió su propia felicidad. Luego *envidió* la del hombre, y no dejó de trabajar en su destrucción (vea Sabiduría 2:23-24). Abel cayó mártir de esta pasión maligna (Gn. 4:8, ut supra). José (Gn. 37:3-4, Hch. 7:9) y Daniel (Dn. 6:6–17) fueron sus víctimas temporales. No solo ello, incluso el Salvador, en sus actos más benévolos, fue severamente acosado por este mal (Jn. 12:10-11), y finalmente cayó bajo su poder (Mt. 27:18-20, Mc. 15:10). Sus siervos, por lo tanto, no deben esperar "ser mayores que su Amo" (Hch. 5:17, Mat. 13:44, 45; 17:4-5, cf. Mt. 10:24).

Pero, cristianos, recuerden: el pecado no está muerto dentro de nosotros. Y aunque la promesa de que "no nos dominará" (Ro. 6:14) es segura, la lucha contra toda corrupción es una lucha aguda hasta el final. Examinemos a profundidad esta corrupción. ¿Disfrutamos ver la superior eminencia de un hermano, sus mayores dones o gracias? (Nm. 11:28-29).

---

[83] Manton sobre el Salmo 119:77.

Números 11:28–29 Entonces respondió Josué, hijo de Nun, ayudante de Moisés desde su juventud: «Moisés, señor mío, detenlos». Pero Moisés le dijo: «¿Tienes celos por causa mía? ¡Ojalá todo el pueblo del Señor fuera profeta, que el Señor pusiera Su Espíritu sobre ellos!».

¿Nos complace su prosperidad, el honor que se le rinde, aunque sea en nuestro propio descrédito? (Jn. 3:30).

¿Percibimos una mayor satisfacción por su éxito? ¿Es nuestro tono de alabanza tan decidido como quisiéramos que sea el de los demás hacia nosotros? ¿Podemos soportar ser dejados de lado, en favor de los demás, especialmente de aquellos que parecen hacer nuestro trabajo en oposición a nosotros mismos? (Flm. 1:15–18). ¡Oh! ¡Cuán odiosa sería la manifestación de lo oculto en la profundidad de nuestros engañosos corazones! "¿Quién podrá entender sus errores? Líbrame de las faltas que se esconden de mí" (Sal. 19:12).

5. *Mejor es la reprensión franca que el amor encubierto.* 6. *Fieles son las heridas del amigo, pero engañosos los besos del enemigo.*

¿Cuál es el amigo que puede ser una verdadera bendición para mi alma? ¿Acaso es uno que complacerá mis fantasías, y halagará mi vanidad? ¿Es suficiente que me ame y que dedique su tiempo y energías a mi servicio? Eso está muy lejos de lo que yo requiero.

Soy un pobre pecador descarriado, con una voluntad desviada y un corazón cegado, que se equivoca a cada paso. El amigo que necesito es uno que velará por mí con una *reprensión franca* (no siempre pública (Mt. 18:15), pero sí con un corazón libre y *abierto*); un represor cuando sea necesario, no un adulador. La autenticidad de la amistad que no tiene este sello es más que dudosa; y su utilidad se encuentra totalmente paralizada. Ese *amor encubierto*, que no se arriesga a *una herida fiel* y evita la *reprensión* en lugar de infligir dolor –juzgado según el estándar de Dios– es odio (vea Lv. 19:17). Es mucho mejor que la herida sea examinada que tapada. La *reprensión* –administrada con amabilidad, consideración y en oración– consolida la amistad en lugar de debilitarla (Pr. 9:8; 28:23, Mt. 18:15). Los casos contrarios sólo prueban que la unión nunca se había basado en un principio sustancial.

¿Podría Pablo haber dado razón a Dios de su amor *encubierto* a un hermano apóstol, cuando la concesión de un principio fundamental requería una *reprensión franca*? (Gá. 2:11-14). De todos modos, obviamente el pecado debe ser puesto a la vista, antes de *reprenderlo*. Tampoco debemos reprender con vehemencia los deslices involuntarios (vea Eclesiástico 19:16); y mucho menos olvidar ejercitar un espíritu amoroso. La mansedumbre de Robert Leighton (1611-84) dio tal poder a su reprensión que rara vez la ofensa fue repetida, más bien quizás por vergüenza, que por verdadera contrición. La marca de la verdadera piedad es una ansiedad por que se nos hagan notar nuestras faltas; así como gratitud para aquellos que asumen los oficios abnegados.[84] Esta *fidelidad* es mucho más valiosa que la suave corrección de las relaciones del mundo. Más aún, los defectos en esta deferencia han de ser excusados en aras de una genuina calidad.

¿Quién no elegiría ser *fielmente herido*, aunque resulte doloroso en ese momento, antes que recibir *los engañosos besos del enemigo*? (Pr. 26:23-26, Neh. 6:2).

Proverbios 26:23–26 *Como* vasija de barro revestida de escoria de plata, así son los labios ardientes y el corazón perverso. El que odia, disimula con sus labios, pero en su corazón acumula engaño. Cuando su voz sea agradable, no lo creas, pues hay siete abominaciones en su corazón. *Aunque su* odio se cubra con engaño, Su perversidad será descubierta en la asamblea.

El beso del apóstata fue un ingrediente amargo en la copa de sufrimiento del Salvador (Mt. 26:48-49, cf. Sal. 41:9; 55:12). Su anticipado conocimiento de la traición (Jn. 6:70; 13:18–26) no debilitó en ningún grado aquellas exquisitas sensibilidades, que, debido a su íntima unión con la Divinidad, lo hicieron susceptible de sufrir más allá de toda comprensión.

7. *El hombre* (*Lit.* alma) *saciado aborrece* (*Lit.* pisotea) *la miel, pero para el hombre* (*Lit.* alma) *hambriento todo lo amargo le es dulce.*

Esta es una ilustración auténtica en lo que respecta a los placeres de esta vida. La abundancia, en lugar de aumentar la felicidad del poseedor, le priva del reposo que a menudo le pertenece a una porción más escasa (Cf. Ec. 5:11). El

---

[84] Sal. 141:5. Incluso cuando se da de forma impulsiva y poco amable, uno de los hombres más mansos podría decir: 'Agradecí a Dios por amonestarme, y mi gratitud hacia el hombre fue, creo, no fingida'. En su diario, se halló que el nombre del represor fue especialmente recordado en oración. Martyn's Life, cap. 3.

hombre cuyo apetito se ha empalagado de indulgencia, se vuelve con asco de los más dulces manjares; mientras que *todo lo amargo* y desagradable es plenamente saboreado por *el alma hambrienta*, tal vez recién salvada de la inanición (Job 6:7, Lc. 15:16-17).[85] Este apetito saludable es una de las muchas ventajas compensatorias de la pobreza. El epicúreo saciado bien podría envidiar el lujo de una comida casera. Los hijos de Israel, después de "comer el pan de los ángeles en abundancia", *lo aborrecieron y lo pisotearon* como "pan liviano" (Sal. 78:25, Nm. 11:4-20; 21:5).

¿Y no sucede lo mismo en el ámbito espiritual? El profesante de Laodicea, "rico y enriquecido en bienes, y sin necesidad de nada", *aborrece la miel* del evangelio (Ap. 3:17-18. Cf. Mt. 9:12, Ro. 9:30-31).

> **Apocalipsis 3:17–18** 'Porque dices: "Soy rico, me he enriquecido y de nada tengo necesidad". No sabes que eres un miserable y digno de lástima, y pobre, ciego y desnudo. 'Te aconsejo que de Mí compres oro refinado por fuego para que te hagas rico, y vestiduras blancas para que te vistas y no se manifieste la vergüenza de tu desnudez, y colirio para ungir tus ojos y que puedas ver.

Cristo, en su dolor amargo, no es nada "para él, mientras pasa de largo" (Lm. 1:12). Su amor no provoca ninguna ternura. Su esperanza no despierta ningún interés. "Los consuelos de Dios le parecen poco", de poca importancia (Job 15:11). Él puede omitirlos sin sufrir una pérdida apreciable. Lee la Biblia sólo para criticar sus más preciadas y ofensivas verdades, lo que le implica una ruina que no teme, así como la falta de un corazón para contemplarla. De este modo, le repugna el alimento más nutritivo; no teniendo ningún gusto, porque no siente ninguna necesidad. Se presenta otro caso, no menos conmovedor. La "plenitud de pan", o abundancia en ordenanzas espirituales, no siempre trae su correspondiente apetito. ¿No puede ser la saciedad una maldición tan grande como la hambruna? Sobre muchos profesantes cristianos está escrito temerosamente: *"El alma saciada aborreció la miel"*.

Mucho más envidiable es *el alma hambrienta*, la cual se alimenta de verdades ásperas; sí, pero acoge incluso las dispensaciones amargas como medicina para la salud del alma (Sal. 119:67, 71). *Lo dulce del evangelio* se conoce por esta *amargura*. Hace que Cristo sea *dulce* para el alma. Un pecador en la plenitud de su culpa, un Salvador en su perfecto mérito y amor; uno

---

[85] 'Jejunus stomachus raro vulgaria temnit.' Horacio. Lib. ii. Sat. ii. 38.

responde perfectamente a lo otro. Cada visión de Cristo amarga el pecado. Cada visión del pecado nos hace querer a Cristo. Tampoco hay terror alguno en la convicción que no nos haga querer así al Salvador. Un sentido de necesidad y un sentido de culpa son la base de una confianza sólida y un feliz privilegio.

¿Cuál es, entonces, el pulso genuino de mi religión? ¿Estoy dispuesto a recibir la palabra en su totalidad, tanto la amarga como la dulce? ¿Amo su humilde espiritualidad y sus exigencias de abnegación, subordinando cada deseo a una obediencia alegre y sin reservas a mi Dios; dispuesto a caminar por su senda más estrecha, a que se revele mi más secreta corrupción, a abrir mi conciencia a la "aguda incisión de la espada de dos filos"? (Heb. 4:12). ¡Oh! ¡Que mi alma sea resguardada en esta vigorosa devoción!

8. *Como pájaro que vaga lejos de su nido, así es el hombre que vaga lejos de su hogar (Lit. lugar).*

El instinto le enseña al *pájaro* que *el nido* es el único lugar seguro o de reposo. Allí Dios le ha proporcionado un refugio especial (Dt. 22:6-7).

> **Deuteronomio 22:6–7** Si encuentras un nido de pájaros por el camino, en un árbol o en la tierra, con polluelos o con huevos, y la madre echada sobre los polluelos o sobre los huevos, no tomarás la madre con los hijos; sin falta dejarás ir a la madre, aunque a los hijos los puedes tomar para ti, para que te vaya bien y prolongues tus días.

Por lo tanto, solamente le espera peligro en sus *vagabundeos*. Y rara vez regresa de ellos sin haberse lastimado ella misma o sus polluelos. Tal vez *su nido* es frío e incómodo. Pero sus *vagabundeos* lo vuelven más inquieto e insatisfecho. Él está seguro y feliz sólo mientras se mantiene en *su nido*.

No menos insensato, y peligroso, es abandonar a la ligera el lugar, la sociedad o la vocación que la Divina Providencia ha señalado. Allí el hombre está 'en los recintos de Dios, y, por lo tanto, bajo la protección de Dios';[86] y si se contenta con permanecer en *su lugar*, Dios le bendecirá con la rica ganancia del "contentamiento piadoso" (1 Ti. 6:6). Pero *el hombre que vaga lejos de su lugar* es como la 'piedra que rueda, que no cría musgo'. Su falta de principios y empleo fijos lo expone a una tentación perpetua (Pr. 21:16, Jer 2:36). Al siempre

---

86 'Christian Man's Calling' de George Swinnock (1627-1673), i. 346.

querer ser algo o estar en algún lugar diferente a lo que es y donde está, sólo cambia problemas imaginarios por problemas reales. Conocer y mantener nuestro lugar es estar lleno de sabiduría. El alma, el cuerpo, la familia, la sociedad; todos tienen derechos sobre nosotros. Esta febril excitación de la ociosidad es un síntoma de enfermedad, algo totalmente opuesto a la religión, y la pesadilla de nuestra comodidad y utilidad.

Esta clara regla no puede ser ordinariamente rota sin pecar. "Que todo hombre, en donde fue llamado, permanezca para con Dios" (1 Co. 7:24). ¿Permaneceremos, entonces, en comunión con Dios? Debemos "permanecer en nuestro llamado". Cada paso de separación *sin una clara justificación bíblica* constituye una separación de Dios. Estamos seguros al seguir la Providencia. Pero si nos movemos antes que ella; y mucho más si nos desprendemos de su guía (Jon. 1:1–4); *vagaremos lejos de nuestro lugar* bajo nuestro propio costo. Nunca podremos apartar nuestro pie de los caminos de Dios sin que volvamos a la senda con una cruz.

A menudo se trata del caprichoso impulso del placer o la ociosidad, pero siempre se obtiene el mismo fruto. Dina estaba a salvo en el seno de su familia, *como el pájaro en su nido*. Pero cuando "salió a ver a las hijas de la tierra" (Gn. 34:1-2), la trampa del cazador pronto enredó a la desprevenida *vagabunda*.

Examinemos este espíritu en la Iglesia. *El "ocioso anda* de casa en casa" (1 Ti. 5:13), descuidando sus propios deberes, y cuenta, por tanto, con mucho tiempo en sus manos, para "entrometerse en lo que no es suyo" (Pr. 26:17). ¡El enemigo está extremadamente ocupado asignando su propio trabajo a aquellos que no tienen el corazón para trabajar para Dios!

El profesante descontento está encerrado tristemente en un rincón tan oscuro que morirá antes de que el mundo conozca su valor. Quiere una esfera más grande. El mundo es apenas lo suficientemente amplio para él. Así que *se aleja de su lugar*, "buscando descanso, pero no encontrando ninguno".

El profesante talentoso está lleno de celo por Dios y su iglesia. Sus dones no están destinados a desperdiciarse. Lo que puede hacer, cree que debe hacerlo. Ve al ministro de Dios descuidando su rebaño, ¿por qué no debería, dado que es perfectamente capaz, ocupar su lugar? Pero, ¿no se está *alejando de su lugar*? El encargo de nuestro Señor es: "Da cuenta de tu mayordomía", no de la de tu prójimo (Lc. 16:2).

Si la gracia da el deseo de ser útil, la Providencia debe abrir el camino. Nuestra "sabiduría está en entender *nuestro propio camino*" (Pr. 14:8), nuestro deber, "ocuparnos de *nuestros propio negocios*" (1 Ts. 4:11). No debe desperdiciarse ni un solo talento. Cada cristiano cuenta con su propio campo, suficientemente grande para el ejercicio de su medida de dones, sin tener que "remover el antiguo lindero" que separa el oficio sagrado como el servicio consagrado del Señor. Se puede encontrar a muchos que realicen competentemente el oficio de embajador. Pero, ¿quién se aventuraría a hacerlo sin la autoridad acreditada de su soberano?

El profesante inestable no tiene un hogar espiritual. Ninguna iglesia es suficientemente sólida para él; ninguna totalmente moldeada a su gusto. Como el *pájaro errante*, siempre está en vuelo. Cualquier lugar es demasiado estrecho para él. El pan acostumbrado, aunque baje del cielo, es "aborrecido como pan liviano" (Nm. 21:5). Su apetito viciado, en la mañana del Sabat, a menudo le torna indeciso sobre a quién escuchar, siendo su propia voluntad su única guía. Está ansioso por escuchar a todos y, como resultado evidente, no aprende de ninguno (2 Ti. 3:7). En su obstinada ilusión, la forma y la sustancia de la Iglesia están destruidas.

Sin embargo, olvida que no son unas cuantas ovejas errantes, sino un rebaño y un pastor; no un montón de piedras sueltas y dispersas, sino piedras cementadas, encajadas en sus lugares correspondientes. "El edificio, así convenientemente coordinado, crece para convertirse en un templo santo en el Señor" (Ef. 2:21-22, 1 P. 2:5). La Iglesia es "imponente", no por sus miembros individuales, sino "como un ejército con estandartes" (Cnt. 6:10); estrecha en rango, donde cada soldado mantiene su propio lugar. Así, la profesión individual, en lugar de unidad colectiva, es un puro espíritu cismático; la esencia del orgullo y el egoísmo.

¿No es este vagabundeo espiritual la historia de muchos, quienes bajo el pretexto de la conciencia se han separado de la Iglesia que los había "alimentado y criado desde niños"? *Conforme a sus propias concupiscencias,* "acumularon para sí maestros, teniendo picazón en los oídos". Este *vagabundeo lejos de su lugar*, como el del *pájaro que se aleja de su nido*, tiene como desenlace la pérdida de todo lo valioso. *"Apartarán sus oídos de la verdad y se volverán a las fábulas".*[87]

¡Profesante cristiano! Ten cuidado con esta manipulación de la simplicidad y la constancia piadosa. Un espíritu *vagabundo* demuestra, no un amor vasto,

---

[87] 2 Ti. 4:3-4. El principio de separación se muestra en Ro. 16:17-18; y ostenta una marca oscura sobre él, Jud. 19.

sino una indiferencia latitudinaria; libertad, no de prejuicios, sino de principios establecidos. Nuestro Señor impidió a sus discípulos que "prohibieran" continuar al hombre "que hacía la buena obra", pero no les ordenó que se alejaran *de su propio lugar* y le siguieran (Mc. 9:38-40).

La regla de "examinar todas las cosas" se une a otra de "retener lo que es bueno" (1 Ts. 5:21). El afianzamiento cristiano es el resultado de un equilibrio bíblico. "Orden y firmeza" – "Gracia y ataduras"; son los dos cayados del Buen Pastor; la fuerza de la Iglesia; el "gozo" de sus ministros (Col. 2:5, cf. Zac. 11:7). Si el "orden" es roto, pronto falla la "firmeza". Reina la confusión, en lugar de la paz y la unidad. La consigna del enemigo prevalece: 'Divide y vencerás'. Que cada uno se mantenga en *su propio lugar* en la Iglesia; no debilitando las manos de su ministro para complacer sus propios caprichos; sino prestando cuidadosa atención a "los pasos del rebaño" y buscando encontrar "a quien ama su alma" al "alimentarse junto a las tiendas del Pastor" (Cnt. 1:7-8).

9. *El ungüento y el perfume alegran el corazón, y dulce para su amigo es el consejo del hombre* (*Lit.* alma).

Los *ungüentos* y los *perfumes* son muy refrescantes para los sentidos (Cf. Sal. 133:2, Cnt. 1:3; 3:6; 4:10, Juan 12:3, Dn. 2:46). No menos refrescante es una amistad cordial para el alma (Pr. 17:17. Cf. Eclesiástico 6:14–16). ¿Quién no ha sentido la necesidad del pecho de un hermano o hermana, de sus manos, su corazón? Fría, en efecto, es una relación social sin simpatía individual. "Fieles son las heridas del amigo" (vv. 5-6).

Sin embargo, su sola fidelidad nos aplastaría. Su *dulzura* y ternura sanan acertadamente la herida. La simpatía es el bálsamo de la amistad. "Mi amigo es como mi propia alma" (Dt. 13:6; Flm. 12, 17),[88] el que comparte mis alegrías y mis penas (Ro. 12:15; Job 2:11-12; 42:11).

> **Job 2:11–12** Cuando tres amigos de Job, Elifaz, el temanita, Bildad, el suhita y Zofar, el naamatita, oyeron de todo este mal que había venido sobre él, vinieron cada uno de su lugar, pues se habían puesto de acuerdo para ir juntos a condolerse de él y a consolarlo. Y cuando alzaron los ojos desde lejos y no lo reconocieron, levantaron sus voces y lloraron. Cada uno de ellos rasgó su manto y esparcieron polvo hacia el cielo sobre sus cabezas.

---

[88] Horacio llama a Virgilio: 'Animæ dimidium meæ'. Carm. i. 3.

¿Cómo podría disfrutar más de la mitad de mis placeres, o cómo podría soportar mis penas, solo? ¡Qué ricos *ungüentos y perfumes deben haber alegrado el corazón* de los dos íntimos amigos "en la palabra", cuando sus *sinceros consejos* "fortalecieron las manos del otro en Dios"! (1 S. 18:1-3; 20:17, 2 S. 1:26, cf. 1 S. 23:16).

La sinceridad del consejo de un amigo constituye su excelencia. No es oficial, o simplemente inteligente. Es *el consejo de su alma*. Se pone a sí mismo en nuestro lugar, y aconseja como él mismo desearía ser aconsejado. El *corazón* de Moisés *se alegró así por el consejo* de Jetro, aliviándole de una pesada e innecesaria carga (Ex. 18:17-24. Cf. Esd. 10:2-4). Muchos casos de perplejidad espiritual han sido solucionados de este modo. Cuando no era posible ver el consuelo necesario, *el consejo de un amigo*, como el ángel de la antigüedad, ha señalado el pozo de agua cercano para nuestro sustento (Gn. 21:15-19).

A menudo, la simpatía de la experiencia de un hermano ha despejado nuestro camino (Sal. 34:2; 66:16), y ha convertido un obstáculo en una señal en el camino que nos dirija y anime. ¿No deberíamos, pues, "consolar" a nuestros compañeros de fatigas "con el mismo consuelo con el que nosotros hemos sido consolados por Dios"? (2 Co. 1:4). El Señor nos ha dado, como a nuestro divino Maestro, el don de "la lengua de los sabios" (Is. 50:4).

> ¡Maestro inigualable, que en una hora enseña más de lo que el hombre puede hacer en toda una era! Para poder aprender la verdadera y viva teología, ¡nos sentamos a tus pies! Lo que no sé, enséñame tú.[89]

10. *No abandones a tu amigo ni al amigo de tu padre, ni vayas a la casa de tu hermano el día de tu infortunio. Mejor es un vecino cerca que un hermano lejos.*

El hombre sin principios es una criatura de caprichos. Sus amistades no tienen una estabilidad garantizada.

El ungüento pronto pierde su fragancia. *La dulzura del consejo sincero* (v 9) es olvidada. Nuevos amigos ganan influencia; e, incluso *el amigo del padre*, el amigo de la familia que ha sido probado por mucho tiempo, es *abandonado*. Salomón ejemplificó su propia regla, cultivando amablemente las relaciones con

---

[89] Sermón de Robert Leighton (1611-84) sobre Job 34:31-32.

Hiram, el *amigo de su padre*.[90] El inescrupuloso desprecio de esta regla le costó el reino a su insensato hijo (2 Cr. 12:6–19). Si otras cosas son mejores cuando son nuevas, una amistad es mejor cuando ha sido probada a lo largo de los años (ver Eclesiástico 9:10).

Pues, ¿cómo se puede confiar en un amigo no probado? Nunca olvides su valor inusual. Nunca te dejes tentar por el señuelo de algún beneficio que acarree así el riesgo de perderlo. Su casa, *no la de tu hermano*, puede ser tu refugio *en el día de tu infortunio* (Pr. 18:24). Pues, aunque tal relación debería constituir el vínculo más estrecho, sin embargo, sin un principio superior, no puede someter la fuerza del egoísmo. José encontró mucha más bondad entre los extraños que en su propia familia (Gn. 39:4, 21; 41:39-45, cf. 37:4-18). El afecto de Jonatán le proporcionó a David lo que los celos de su hermano nunca le habrían dado (1 S. 20 cf. 17:28). El Salvador, *en el día de su infortunio*, halló la más reconfortante simpatía, *no en la casa de sus hermanos,* sino en el constante apego de sus devotos amigos (Lc. 22:28, cf. Jn. 7:3, 5). *Un amigo y vecino* estrechamente unido, *cercano,* al alcance de la mano, y dispuesto a ayudar; es *mejor que un hermano lejano* tanto en afecto como en distancia.[91]

'Pero, si es una indecencia, una falta de gusto, y algo muy inapropiado –esto es, contrario al precepto de meditar en "todo lo amable y pensar en estas cosas"– abandonar a *mi amigo y al amigo de mi padre*, ¡cuánto más horrible debe ser abandonar a mi Dios y al Dios de mi padre! – "¡El Dios de mi padre no será mi Dios"!'[92]

¿No fui acaso consagrado con gran solemnidad a este Dios en mi incipiente venida al mundo? ¿Fue esta solemne transacción una nimiedad en ese momento de modo que deba ser considerada una nimiedad hasta el final de la vida? Salomón nunca pudo olvidar el mandato de su anciano padre: "Tú, hijo mío, reconoce al Dios de tu padre" (1 Cr. 28:9. Cf. Ex. 15:2). Exquisitamente bello es el cuadro del venerable patriarca recomendando su *amigo y amigo de su padre* a sus hijos para su bendición celestial: "El Dios delante de quien anduvieron *mis padres, Abraham e Isaac, el Dios que me ha mantenido* toda mi vida hasta este día, el Ángel que me rescata de todo mal, bendiga a estos jóvenes" (Gn. 48:15-16).

---

[90] 1 R. 5:1-10. Incluso las demandas de justicia son mitigadas. 2:26, Cf. 2 Cr. 24:22.
[91] Obispo Simon Patrick (1626-1707).
[92] 'Works' de Howe, vii. 529

He aquí *un amigo sabio*, que conoce nuestra necesidad (Col. 2:3); *un amigo compasivo*, que siente nuestra angustia (Sal. 31:7); *un amigo poderoso*, capaz de proteger y proveer (Is. 63:1; Mt. 28:18.); *un amigo fiel*, leal a su palabra (Nm. 23:19; Ap. 19:11); un amigo *firme*, que nunca se irá (Heb. 13:5). Jóvenes, ¿lo reconocen como *amigo de su padre*? Háganlo *vuestro amigo* recibiendo cordialmente su Evangelio. Aférrense a Él. Nunca los decepcionará.

b. Segundas instrucciones sobre los amigos y las amistades (27:11-21)

11. *Sé sabio, hijo mío, y alegra mi corazón, para que yo responda al que me afrenta.*[93]

Un niño impío es el *reproche* de sus padres. Por ello, la damisela ofensora fue "apedreada a la puerta de la casa de su padre" (Dt. 22:21). Los hijos faltos de gracia de padres llenos de gracia constituyen un *reproche* especial, incluso sobre el nombre de Dios (Gn. 34:30; 1 S. 2:17). El mundo responsabilizará (aunque en muchos casos de forma muy injusta) al ejemplo o la negligencia de sus padres.

Un hijo sabio, por tanto, alegra el corazón (Pr. 10:1; 15:20; 23:15-16, 24-25; 29:3).

> **Proverbios 10:1** Los proverbios de Salomón. El hijo sabio alegra al padre, Pero el hijo necio es tristeza para su madre.
> **Proverbios 15:20** El hijo sabio alegra al padre, Pero el hombre necio desprecia a su madre.
> **Proverbios 23:15–16** Hijo mío, si tu corazón es sabio, Mi corazón también se me alegrará; Y se regocijarán mis entrañas Cuando tus labios hablen lo que es recto.

Es el arma de defensa de su padre, "cuando hable con sus enemigos a la puerta" (Sal. 127:5). ¿No deberían los hijos de la Iglesia considerar cuidadosamente la responsabilidad de llevar una profesión de modo tal que *responda al que*

---

[93] Nota del Traductor: La versión usada en el inglés original señala literalmente: "Hijo mío, sé sabio y alegra mi corazón, para que yo pueda responder al que me reprocha"; de allí las referencias realizadas por el autor.

reprocha, y cierre la boca siempre dispuesta a burlarse del Evangelio? Esta responsabilidad deben sentirla especialmente los hijos de los ministros; la de 'adornar' (como el Sr. Richmond inculcó afectuosamente a sus hijos) 'no sólo su profesión cristiana, sino los principios de sus padres; mostrando que los principios de la casa y el ministerio de su padre son sus reglas de conducta y su verdadero deleite.[94]

12. *El hombre prudente ve el mal y se esconde, Los simples siguen adelante y pagan las consecuencias.*[95]

Incluso el instinto animal es un ejercicio de *prudencia* (Job 36:23, Jer. 8:7). Todo hombre inteligente actúa en base a ella.

Ve el mal que se avecina, y busca para sí protección. A menudo vemos la paciencia, la seguridad y la esperanza del cristiano. Aquí tenemos su *prudencia*, asegurándose un refugio. Hay un mal espantoso en cada lado. Pero Dios en Cristo es para él una "fortaleza de rocas"; no un refugio frío y estéril, seguro contra los enemigos, pero expuesto al hambre; sino un almacén de alimentos tan provisto como una ciudadela de defensa. "Se le dará su pan y sus aguas serán seguras" (Is. 33:16. Cf. Sal. 142:5). El hombre que nunca se ha dado cuenta *del mal* no cuenta con un *lugar donde esconderse*. El hombre que se queda fuera de la puerta, perece como si no hubiera refugio. Sólo aquel que "corre a la torre fuerte está seguro" (Pr. 18:10). Cualquier dispensación que despierte del sueño, y traiga cuidado, *prudencia* y confianza es una bendición poderosa.

Los israelitas, advertidos del exterminio de los primogénitos (Ex. 12:12-13, 21-23), y muchos siglos después, de la ruina de su ciudad (Mt. 24:15-21), *se escondieron*. Esta prudencia combinada con fe, nos despierta como al homicida, para huir del peligro inminente, y para "asirnos de la esperanza puesta delante de nosotros" (Heb. 6:18). Para aquél se establecieron seis ciudades (Nm. 35:11–13); para nosotros sólo hay una (Hch. 4:12). Nada que no sea una fe vital nos llevará a ella.

---

[94] 'Life', pp. 294, 295. La ley mosaica castigaba severamente los pecados de la hija del sacerdote por la deshonra traída sobre el santo oficio. Lv. 21:9. Los "hijos fieles" constituyen una calificación ministerial. 1 Ti. 3:4, 5, Tit. 1:6. Era una petición frecuente, en el culto familiar de Philip Henry, que los hijos de los 'ministros' tengan la gracia de sobrellevarlo, para que el Ministerio no sea culpado de nada. Vea 'Christian Ministry' del Autor. Parte iii. cap. 9.

[95] Pr. 22:3.

Pero los simples, los deliberadamente insensatos, dejan que las cosas sigan su curso. Dios es tan misericordioso. Todo estará bien al fin. No se dan por advertidos. Las tonterías del mundo ocupan su corazón. Todo lo demás se olvida; y así *siguen adelante y pagan las consecuencias.* El *prudente se esconde en Dios.*

Los simples corren hacia el infierno con los ojos vendados. ¡Oh pecador!, ¿no eres responsable de tu propia ruina? ¿Sabes que, por seguir los delirantes placeres del presente, "serás sepultado en dolor eterno"? (Is. 50:11). Las lágrimas del penitente duran sólo un momento, pero terminan en un gozo eterno (Sal. 126:5-6).

> **Salmo 126:5–6** Los que siembran con lágrimas, segarán con gritos de júbilo. El que con lágrimas anda, llevando la semilla de la siembra, En verdad volverá con gritos de alegría, trayendo sus gavillas.

Las tuyas durarán por toda la eternidad, serán "el llanto" de la extrema frustración (Mt. 8:12; 22:13, Lc. 13:28). ¿Despreciarás esta advertencia? El buey es llevado hacia el exterminio. El pecador se sumerge en él a pesar de todos los esfuerzos por contenerlo.

13. *Tómale la ropa al que sale fiador del extraño; y tómale prenda por la mujer desconocida.*

También hemos visto antes este proverbio (Pr. 20:16). 'Pero lo que conduce a la felicidad en la vida es necesario inculcarlo una y otra vez, para fijarlo en lo profundo de la mente'.[96] Este proverbio puede ser una ilustración de la *prudencia* que acabamos de describir; *prever el mal* y, en lugar de precipitarse hacia él, evitarlo. Pues ¿qué puede ser más imprudente que confiar en un hombre *que sale fiador del extraño, o de una mujer desconocida*? Tal insensatez es completamente indigna de confianza.

Por lo tanto, *tómale la ropa* en garantía de una deuda. Es preferible ser acusado de egoísmo que, por imprudencia, te impidas a ti mismo ayudar objetivos más dignos. Y, aun así, no permitas que la disciplina de la prudencia enfríe el fulgor de un amor activo y abnegado. Que cada gracia esté en su orden,

---

[96] Ludwig Lavater (1527-1586).

proporción y combinación correspondiente, "para que el hombre de Dios sea perfecto, enteramente preparado para toda buena obra" (2 Ti. 3:17).

14. *Al que muy de mañana bendice a su amigo en alta voz, le será contado como una maldición.*

¿Acaso es un pecado *bendecir a nuestros amigos*? Muchas veces nuestro Señor reconoció abiertamente el amor de sus amigos (Lc. 22:28). Y, sin embargo, hacerlo *en voz alta*, y con alabanzas extravagantes, pone en duda la sinceridad del acto. Cuando un hombre sobrepasa todos los límites de la verdad y la decencia, empleando palabras pomposas y expresiones hiperbólicas, no podemos dejar de sospechar algún propósito siniestro (Pr. 26:23-25).

> **Proverbios 26:23–25** *Como* vasija de barro revestida de escoria de plata, así son los labios ardientes y el corazón perverso. El que odia, disimula con sus labios, pero en su corazón acumula engaño. Cuando su voz sea agradable, no lo creas, pues hay siete abominaciones en su corazón.

La verdadera amistad no necesita tal aseguramiento. Un acto de amor es mejor que muchas *bendiciones en alta voz*.

> No hay sabio que no prefiera una promesa antes que mil palabras bonitas, y un resultado antes que diez mil promesas. Pues ¿qué costo tiene un poco de aliento para el hombre que da su palabra a alguien a quien nunca tuvo la intención de darle algo más?[97]

Un hombre puede levantarse temprano, *muy de mañana*, para que no haya nadie delante de él; pues, de otro modo, apenas tendría tiempo para terminar sus negocios; y, sin embargo, mientras repite el mismo guión, puede estar socavándome todo el día. Compara a David, levantándose *muy de mañana* para servir a Dios, con su hijo, quien *de mañana* hipócritamente *bendecía a sus amigos* (Sal. 5:3; 55:17; 119:147, con 2 S. 15:2–7). El Apóstol no podía soportar esta exagerada alabanza (2 Co. 10:6. Cf. Ro. 12:3). De hecho, todo hombre

---

[97] Sermón de South sobre Mt. 5:44. Algunos de los primeros amigos del Sr. Thomas Scott (1741-1821) en el 'Lock Hospital' le recordaron dolorosamente este proverbio. Life, pp. 225, 226.

inteligente debe verla más bien como *una maldición para él*. Pues cualquier supuesta motivación que pudiera provenir de una adulación tan excesiva lo distinguiría como un tonto. Y así, *la bendición*, si se dejara engañar por ella, terminaría en una temible *maldición* (2 S. 16:16-19; 17:7-13, Hch. 12:22-23).

La regla bíblica de la amistad es: "No amaré de palabra ni de lengua, sino de hecho y en verdad" (1 Jn. 3:18). La regla para nosotros es: "Camina delante de Dios" (Gn. 17:1), no delante de los hombres. Que las cosas y los hombres mundanos sean pequeños a tus ojos. El tiempo del hombre (1 Cor. 4:3) pronto habrá pasado. La eternidad, en toda su sustancia y gloria, se acerca.

15. *Gotera constante en día de lluvia Y mujer rencillosa, son semejantes;* 16. *El que trata de contenerla* (Lit. esconderla), *es como refrenar* (Lit. esconde) *al viento Y recoger aceite con su mano derecha.*[98]

La figura de *la gotera* ha sido ofrecida anteriormente (Pr. 19:13). Aquí se añade el detalle del clima –*día de lluvia*– el cual nos obliga a permanecer en casa.[99] La lluvia cae afuera y adentro, y ambas son *semejantemente* molestas; una nos impide ir al exterior con comodidad, la otra nos impide quedarnos en casa en paz. No obstante, la tormenta interior es la más despiadada. Se puede encontrar refugios contra la otra. Pero ninguno frente a ella. La otra sólo moja la piel; ésta moja hasta los huesos.

Una rencilla con el vecino es como una lluvia fuerte; termina y desaparece. Esta es una *gotera constante*, y es la perdición de una casa, aunque esté repleta de todos los lujos.

Ya sea que *la mujer* tenga deseos de gobernar, o sienta un quejumbroso descontento al tener la obligación de someterse; cualquiera de los dos principios violenta la posición en la que Dios la ha colocado. Siempre se presentan ocasiones para el despliegue de este infeliz temperamento. Después de los intentos de calmarla y tranquilizarla, la "regreso de nubes tras la lluvia" presagia más precipitaciones y disipa la esperanza que el pasajero rayo de sol pueda haber suscitado. Incluso bajo la restricción de la gracia divina –más aún cuando está totalmente desenfrenada– llega a ser un tormento para su marido (ver Eclesiástico 26:6-7), y una vergüenza para ella misma. Pues sería más fácil

---

[98] "El que la refrena, refrena el viento, y retiene el aceite en su honda. Ob. Miles Coverdale (1487–1569).

[99] Holden.

esconder el viento, y que no se sepa de él, o el *ungüento de nuestra mano derecha*, para que no *se arruine* (Jn. 12:3), que contener su lengua, o *esconder su* turbulencia. Más aún, así como *el viento* reprimido aúlla más espantosamente; así los intentos por calmar su alboroto sólo la hacen más escandalosa.

Tantas y reiteradas advertencias parecen ser necesarias. Muchas veces los "deseos carnales" gobiernan la conciencia y el juicio, influyendo en la trascendente elección. "Algunos tendrán aflicción en la carne" (1 Co. 7:28). La prudencia y la oración –y no un afecto ciego– son la única garantía de felicidad y paz.

17. *El hierro con hierro se afila, Y un hombre aguza a otro* (*Lit.* el rostro de su amigo).

El hombre fue diseñado, no para soledad, sino para sociedad (Gn. 2:18). Es sólo como un ser social que sus capacidades y afectos se desarrollan completamente.

El hierro con hierro se afila (1 S. 13:20-21). El acero, afilado contra un cuchillo, aguza el filo. Así, en el encuentro de diferentes mentes, cada una aguza el filo de la otra.[100] Debemos algunos de los más valiosos descubrimientos de la ciencia a esta activa reciprocidad. Hubo pistas útiles una vez descartadas que posteriormente abrieron grandes campos de conocimiento hasta ese entonces inexplorados. En la afinidad de la amistad, cuando la mente está paralizada y el semblante nublado, la palabra de un amigo puede avivar la energía adormecida e iluminar el semblante (Job 4:3-4).

Una palabra de mando en el campo de batalla confiere un agudo filo *al hierro* (2 S. 10:11–13). La mutua incitación al mal, resultado de comunicaciones impías, constituye en sí una solemne advertencia contra ellas (Pr. 1:10-13, 1 R. 21:25, Is. 41:6. Cf. 1 Co. 15:33). Sin embargo, cuán reconfortante es cuando, como ocurría en las épocas oscuras de la Iglesia, "los que temen al Señor se hablan a menudo unos a otros" (Mal. 3:16). Tras el diálogo en Emaús, los discípulos debieron terminar efectivamente *aguzados,* pues mientras escuchaban, "su corazón ardía dentro de ellos" (Lc. 24:32). Muchas veces, el Apóstol se sentía fortalecido de tal modo por *el rostro de sus amigos* (Hch. 18:5,

---

[100] ... 'Ergo fungar vice cotis, acutum, Reddere quæ ferrum valet exsors ipsa secandi.'
Horacio, Ars. Poet. 304.

28:15; 2 Co. 7:16), que anhelaba "disfrutar de su compañía" (Ro. 15:24).[101] Con base en el principio: "Mejores son dos que uno"; nuestro Señor envió sus primeros predicadores a su labor (Lc. 10:1-3, cf. Ec. 4:9-12).

> **Eclesiastés 4:9–12** Más valen dos que uno solo, pues tienen mejor pago por su trabajo. Porque si uno de ellos cae, el otro levantará a su compañero; pero ¡ay del que cae cuando no hay otro que lo levante! Además, si dos se acuestan juntos se mantienen calientes, pero uno solo ¿cómo se calentará? Y si alguien puede prevalecer contra el que está solo, dos lo resistirán. Un cordel de tres *hilos* no se rompe fácilmente.

Así también la primera ordenación al ministerio en la Iglesia Cristiana tuvo como base este precedente (Hch. 13:2-4).

'La comunión de los santos' es un artículo de nuestro credo. Pero en la práctica ¿es aceptado en su gran responsabilidad y privilegio cristiano? ¿No "soy acaso guardián de mi hermano"? Acepta gustosamente el vínculo de hermandad. Si un hermano parece caminar solo, *afila su hierro* con un diálogo piadoso. Caminen juntos en mutua "consideración" de las debilidades, pruebas y tentaciones de cada uno; así como en mutua "estimulación" (Heb. 10:24, 25; cf. 3:13) de los dones y gracias de cada uno. "Si se embotare el hierro, el filo debe ser amolado, así se le añadirá más fuerza" (Ec. 10:10). Si esta gran obligación y privilegio fueran más entendidos, y si camináramos más cerca a Dios en esta atmósfera santa (ver 1 Jn. 1:7), no nos quejaríamos tan a menudo de las

---

[101] Hasta un pagano podría decir: 'Ipse aspectas viri boni delectat'. – Séneca. "Lucio Anneo Séneca (4 a. C.- 65 d. C.), llamado Séneca el joven para distinguirlo de su padre, fue un filósofo, político, orador y escritor romano conocido por sus obras de carácter moral. Hijo del orador Marco Anneo Séneca, fue cuestor, pretor, senador y cónsul sufecto durante los gobiernos de Tiberio, Calígula, Claudio y Nerón, además de tutor y consejero del emperador Nerón. Séneca destacó como intelectual y como político. Consumado orador, fue una figura predominante de la política romana durante los reinados de Claudio y Nerón, siendo uno de los senadores más admirados, influyentes y respetados. Como escritor, Séneca pasó a la historia como uno de los máximos representantes del estoicismo. Su obra constituye la principal fuente escrita de filosofía estoica que se ha conservado hasta la actualidad. Abarca tanto obras de teatro como diálogos filosóficos, tratados de filosofía natural, consolaciones y cartas. Usando un estilo marcadamente retórico, accesible y alejado de tecnicismos, delineó las principales características del estoicismo tardío, del que junto con Epicteto y Marco Aurelio está considerado su máximo exponente. La influencia de Séneca en generaciones posteriores fue inmensa. Durante el Renacimiento fue admirado y venerado como un oráculo de edificación moral, incluso cristiana; un maestro de estilo literario y un modelo para las artes dramáticas."

relaciones sociales, donde mucho podría haber sido comunicado, y sin embargo todo ha terminado en esterilidad y decepción.

18. *El que cuida la higuera comerá su fruto, y el que atiende a su señor será honrado.*

¡He aquí un estímulo a ser diligentes en nuestra vocación! *La higuera* era un producto valioso en Judea (Jue. 9:10-11, Miq. 4:4. Cf. Joel 1:6-7, Hab. 3:17; Lc. 13:6-9). Su cultivo era probablemente una labor rentable, y, por lo tanto, ilustraba la recompensa general de la fidelidad. El trabajo del viñador era recompensado al *comer de su fruto* (1 Co. 9:7, 2 Ti. 2:6). La fidelidad del siervo devoto será igualmente *honrada* (Pr. 22:29). La rectitud de Eliezer (Gn. 24), y los largos y fieles servicios de Débora (Gn. 35:8), fueron adecuadamente *honrados*. La afectuosa devoción de Eliseo a *su señor fue honrada* con una doble porción de su espíritu (2 R. 2:3-15). El cuidado del Centurión por su siervo fue probablemente un reconocimiento a la *atención* diligente que brindaba *a su señor* (Lc. 7:7-8). Los raros casos de ingratitud (Gn. 31:7) no invalidan la regla.

No hay excepciones, sin embargo, en el servicio del Divino *Señor*. Nuestra felicidad radica en recibir su palabra y en conocer su voluntad. Nuestra *honra* está asegurada por sus promesas: "Si alguno me sirviere, mi Padre le *honrará*". "Bienaventurados aquellos siervos, a quienes el Señor, cuando venga, halle velando. En verdad os digo que se ceñirá", ¡adorable condescendencia!, "y hará que se sienten a comer, y saldrá y les servirá" (Jn. 12:26, Lc. 12:37). Su *honra* será proclamada a cada uno delante del mundo reunido: "¡Bien hecho! Buen siervo y fiel; entra en el gozo de tu Señor" (Mt. 25:21, 23). Sellará su desbordante porción en dicha eterna: "Sus siervos le servirán; y verán su rostro, y su nombre estará en sus frentes" (Ap. 22:3-4).

19. *Como el agua refleja el rostro (Lit. rostro al rostro), así el corazón del hombre refleja al hombre.*

Este proverbio no confunde a todos en una masa indiscriminada, como si todos fuéramos iguales bajo una infinita diversidad de condiciones. No podemos identificar la inmadurez con la edad, o con las individualidades propias de la constitución y la educación. Pero bajo las mismas circunstancias, y en el mismo nivel, la coincidencia es muy notable e instructiva; y así como *el agua refleja rostro al rostro*, así podemos ver en otro corazón un reflejo del nuestro (Sal. 33:15).

La naturaleza humana no ha sufrido ningún cambio desde la caída. El cuadro de la corrupción humana, esbozado hace más de cuatro mil años, corresponde al hombre tal como lo vemos y conocemos hoy (Gn. 6:5, cf. Sal. 14:2, 3, Ro. 3:9-10). La gráfica representación del conflicto cristiano realizada por el Apóstol es tan actual como si nosotros mismos hubiéramos estado sentados delante de su lápiz para ser retratados (Ro. 7:14-25).

Esta identidad en la experiencia cristiana es muy valiosa. El hijo de Dios que está siendo probado podría exclamar: 'Nadie se ha sentido nunca como yo'. Pero si comparte su asunto con algún hermano o hermana, y éste compara sus observaciones con sus propios esfuerzos; ¿cuál de ellos no suscribiría su queja como propia? De este modo, en lugar de "sorprenderse del fuego de prueba", descubre que "los mismos padecimientos se van cumpliendo en sus hermanos en todo el mundo" (1 P. 4:12; 5:9).

> **1 Pedro 4:12** Amados, no se sorprendan del fuego de prueba que en medio de ustedes ha venido para probarlos, como si alguna cosa extraña les estuviera aconteciendo.
> **1 Pedro 5:9** Pero resístanlo firmes en la fe, sabiendo que las mismas experiencias de sufrimiento se van cumpliendo en sus hermanos en *todo* el mundo.

Los mismos rasgos y la misma "medida de la estatura en Cristo" distinguen a toda la familia; dado que "todas estas cosas las hace uno y el mismo Espíritu, repartiendo individualmente a cada uno según su voluntad" (1 Co. 12:11).

La historia de las Escrituras también ilustra esta unidad. Las burlas de Ismael muestran la rivalidad del corazón en todas las épocas. ¿Quién de nosotros no encuentra algo que refleje el mal genio de Jonás en nuestra propia irritabilidad, extravío o ingratitud? (Gá. 4:29). Job nos muestra nuestra impaciencia, nuestros erróneos pareceres sobre el trato de Dios con nosotros, y la prueba particular de las tentaciones de Satanás. El *corazón* de David, a lo largo de sus múltiples pruebas, *refleja nuestro corazón*. De lo contrario, ¿cómo podríamos tomar su confesión, alabanzas, conflictos y triunfos, y sentir que ninguna de nuestras palabras podría expresar de un modo más completo y preciso nuestro propio ser? Son estos retratos bíblicos los que hacen que la palabra de Dios sea tan "útil para exhortar, corregir e instruir en justicia" (2 Ti. 3:16).

De ahí que aprendemos a simpatizar con los miembros de Cristo. Compartimos sus alegrías y penas, su confianza y tentaciones. Conocernos a nosotros mismos también nos instruye en el conocimiento de la naturaleza humana (Sal. 36:1), y nos enseña a tratar sabia y provechosamente con nuestros prójimos, pecadores como nosotros. También se aprehende profundamente una lección práctica de humildad y paciencia.

El hombre mira con desagrado *el rostro* reflejado *en el agua* sin pensar que es *su propio rostro* el que realmente le genera repugnancia. Con una vana preferencia por sí mismo, clama contra la impiedad del pecador o las debilidades del santo. ¿Por qué? ¡Es tu propia naturaleza la que estás despreciando! Cambia entonces tu lenguaje de desdén por uno que denote aborrecimiento a uno mismo, y vergüenza.

20. *El Seol (I.e.* región de los muertos) *y el Abadón (I.e.* lugar de destrucción) *nunca se sacian; tampoco se sacian los ojos del hombre.*

He aquí una impactante imagen de los dos grandes devoradores, *el Seol y la destrucción* (Pr. 15:11), *que nunca se sacian. El Seol*, la tumba, desde el pecado de Adán ha sido insaciable. Ha abierto su boca para recibir incontables millones; y, aun así, bosteza, anhelando más (Pr. 30:15-16, Is. 5:14). Muchas generaciones se han hundido en *la destrucción*, tras haber desarrollado la obra y recibido "la paga del pecado". Aun así, el foso no está saciado. Su ancha boca se abre aún por más.

Así de insaciables son *los ojos,* los deseos (1 Jn. 2:16), *del hombre*, siempre buscando gratificarse en algo más. "Ensancha su deseo como *el Seol*, y es como la muerte, *no puede ser saciada*. Su ojo *no se sacia* con ver, ni su oído con oír" (Hab. 2:5, Ec. 1:8. Cf. 2:1-11). La curiosidad, el amor a la novedad, la codicia, la ambición; todos estos deseos, como la sed en la hidropesía, empeoran cuando se les complace (Ec. 6:7).

El hombre siempre está buscando aquello que nunca podrá *hallar*: satisfacción en las cosas terrenales. Se esfuerza por su objetivo, y cuando lo ha alcanzado, aún continúa esforzándose; es poseedor de una sombra terrenal, no de la verdadera felicidad (Ec. 5:10–12).[102] La altura de su ambición, cuando la alcanza, no se convierte en su lugar de descanso, sino en un punto desde el cual

---

[102] 'Crescit amor nummi, quantum ipsa pecunia crescit'. Juvenal. Sat. 14:139. 'Crescentem sequitur cura pecuniam, Majorumque fames'. Horacio. Carm. 3:16. Comp. ib. 24.

se extiende hacia algo más elevado. Puede imaginarse que sus deseos son moderados. Puede ponerles límites y halagarse a sí mismo respecto a que nunca los sobrepasará. Pero dale un mundo; y, como el famoso conquistador, llorará por otro.

Tampoco es esto efecto sólo de su depravación. La corrupción ciertamente nos lleva a buscar descanso en algo que no sea Dios. Pero está en nuestra naturaleza no hallarlo. ¿Cómo puede un ser inmortal saciar su sed si no es de una fuente infinita? Y aquí es donde el evangelio satisface nuestra necesidad. Tan pronto surja la ansiosa pregunta: "¿Quién nos mostrará el bien?" (Sal. 4:6), escuchen la voz que dice: "¡A todos los sedientos, venid a las aguas! Si alguno tiene sed, que venga a mí y beba. El que viene a mí no tendrá sed jamás" (Isa. 55:1-2, Jn. 7:37; 6:35).

Aquí nuestros deseos son al mismo tiempo incrementados y *saciados*. Tal es el carácter alegre del evangelio. Dios es nuestra porción satisfactoria, nuestro deleite supremo (Sal. 16:5, Lm. 3:24). Deleitarse en cualquier otra cosa – independiente de él; Sal. 73:25– es equivalente a echarlo de su trono; pues todo es miseria y engaño. Pero hacerlo deleitándose en Él, todo ello ministra a nuestro consuelo, fluyendo de este gran centro. En la gran consumación, *los ojos* serán completamente *saciados*. "Tus ojos contemplarán al Rey en su belleza. En cuanto a mí, veré tu rostro en justicia. *Estaré satisfecho*, cuando despierte a tu semejanza" (Is. 33:17, Sal. 17:15).

> **Isaías 33:17** Tus ojos contemplarán al Rey en Su hermosura, verán una tierra muy lejana.
>
> **Salmo 17:15** En cuanto a mí, en justicia contemplaré Tu rostro; al despertar, me saciaré cuando *contemple* Tu semblante.

21. *El crisol es para la plata y el horno para el oro, Y al hombre se le prueba por la alabanza que recibe.*

El crisol y el horno han sido mencionados antes como la "prueba del corazón" del Señor (Pr. 17:3. Cf. Eclesiástico 2:1, 5). Un *horno* más escudriñador es mostrado aquí. El ámbito que es probado por la *alabanza* de nuestros semejantes es el mundo interior.

La alabanza es una prueba más aguda de la fortaleza de principios que el reproche. 'Si un hombre es vano y ligero, se envanecerá con ella. Si es sabio y sólido, no será conmovido por ella'.[103] La conducta altiva y superflua; "el gusto por tener la preeminencia" (3 Jn. 9); la anticipación en dar nuestra opinión, y el resentimiento –si esta no es tomada en cuenta–; esta es la escoria sacada del horno, Considera este descubrimiento como una misericordia especial. Se consciente de tu necesidad de purificación, y deja que el gran Refinador haga su obra perfecta (Mal. 3:2-3).

Pero observa al *hombre* humillado por las alabanzas, el cual es consciente de lo poco que las merece, y de "quien le distingue" (1 Co. 4:7). Observa cómo se ha hecho más cuidadoso y diligente, llevando su honor mansamente, y siendo el mismo hombre de antes; aquí *el horno* ha probado el metal genuino, y saca a relucir "un vaso de honor, apto para el uso del Maestro" (2 Ti. 2:21).

Absalón fue probado en *este crisol* y fue hallado "plata reprobada" (2 S. 14:25; 15:6, cf. Jer. 6:30, Ez. 22:18). Herodes, bajo los gritos de alabanza de sus aduladores, "no le dio gloria a Dios", y fue condenado en vergüenza (Hch. 12:21-23). Por su parte, José (Gn. 41:41–43; 45:5–8) y David (1 S. 18:7-8, 15–18) mantuvieron su humildad, Daniel su consistencia (Dn. 6:3–5), y los apóstoles su lealtad a la gloria de su Maestro (Hch. 3:11–16; 10:25-26; 14:11–15); hallándose en estos casos *oro* radiante en el *horno* calentado.

Cuando el ministro de Cristo se convierte en objeto del aplauso popular, el ídolo de su pueblo; cuando ellos miran al poste, en lugar de mirar la serpiente de bronce; cuando hombres de fuerte impulso y débil juicio ponen al siervo en el lugar del Maestro,[104] entonces el ministro ha sido colocado en *el crisol*. El que no es más que escoria, se consume. Aunque haya metal genuino, el hombre de Dios "es salvo, pero como por fuego". Sin una dolorosa disciplina, su utilidad se marchitaría, su espiritualidad moriría, y su alma se perdería (Cf. 2 Co. 12:7).

Dos reglas se presentan con fuerza: *Sé cuidadoso al dar elogios*. ¿Es misericordioso exponer a un pecador, débil como nosotros, al enojo de un Dios celoso? ¿o despertar la corrupción innata de su corazón?[105] Pues aún si

---

103 Obispo Joseph Hall (1574-1656).

104 El venerable señor Charles Simeon dijo a su manera: 'Cuando descubramos cualquier intento de trasladar la corona de gloria de la cabeza del Redentor a la de cualquiera de sus sirvientes, deberíamos sentir las punzadas de la blasfemia en nuestros oídos'. Henry Martyn evidencia continuamente su sensible conciencia frente a esta tentación acosadora. Life, cap. 2, 3. Vea también del Autor 'Christian Ministry', Parte iii. cap. 7.

105 'No sé' –dijo Neff– 'si debería agradecerles tan calurosamente por aquello que, en base a demasiadas razones, sé que será aprovechado por el viejo hombre de buena gana; siendo que su vida, como ustedes saben, se nutre principalmente de alabanzas'. Biography, p. 369.

colocáramos *en el horno el oro* más fino, ¡cuán humillante es el espectáculo de la escoria que aún se adhiere a él! (Is. 39:2, 2 Cr. 32:31).

> **Isaías 39:2** Se alegró por ello Ezequías y les mostró la casa de su tesoro: la plata y el oro, las especias y el aceite precioso, todo su arsenal y todo lo que se hallaba en sus tesoros. No hubo nada en su casa ni en todo su dominio que Ezequías no les mostrara.
> **2° Crónicas 32:31** Aun *en el asunto* de los enviados por los gobernantes de Babilonia, que los mandaron a él para investigar la maravilla que había acontecido en el país, Dios lo dejó *solo* para probarlo, a fin de saber todo lo que había en su corazón.

No seas menos cuidadoso al recibir elogios. Aunque a nuestro paladar le repugnen los halagos extravagantes, con todo, somos propensos a pensar que los tales son bienintencionados, así pues, es muy raro que no tomemos inconscientemente una gota del veneno. Sin embargo, el elogio de la iglesia es, de lejos, el veneno más pernicioso –tan refinado, tan exquisito– especialmente cuando sentimos que ha sido obtenido de una manera lícita, ¡cuán difícil es recibirlo con una consagración a Dios que renuncie a sí misma!

> ¡Cristiano! Sabes que tienes mucha pólvora a tu alrededor. Entonces, que sea tu deseo que los que portan fuego se mantengan distanciados. Ocurre una situación muy peligrosa cuando un corazón orgulloso se encuentra con labios lisonjeros.[106]

Incluso el hábito de hablar humildemente de nosotros mismos, ¿no podría ser también una trampa del diablo? ¿No sería más seguro no hablar de nosotros mismos en absoluto? O, por lo menos, limitar nuestra conversación, *con una estricta sinceridad,* a lo que somos, y no a lo que aparentamos ser; ello sería un "sabio refrenamiento de nuestros labios" (Pr. 10:19). Guárdate de pensar insistentemente en cualquier cosa que atraiga la mirada aprobatoria del hombre sobre nosotros.

Deléitate principalmente en aquellas obras que sólo son visibles al ojo de Dios. Valora sólo su aprobación. Nunca olvides que el amor a la alabanza humana es la plaga más letal que puede venir sobre la profesión cristiana (Jn.

---

[106] John Flavel.

5:44; 12:42-43), y hay que resistirlo con intensa energía y perseverancia. Una mirada continua a la eternidad mostrará su vanidad; y una mirada a la cruz, su pecaminosidad.

c. Transición (27:22)

22. *Aunque machaques con el mazo al necio en un mortero entre el grano molido, no se apartará de él su necedad.*

La alusión es al modo oriental de quitar la cáscara del maíz, *machacándolo en un mortero*. No obstante, la cáscara no está tan adherida al grano, como *la necedad al necio*. Los golpes en *el mortero* pueden separar la primera. La otra *no se apartará* por medio de repetidos golpes.[107] Se habla mucho de la eficacia de la corrección (Pr. 23:13-14; 29:15, 17).

> **Proverbios 23:13–14** No escatimes la disciplina del niño; aunque lo castigues con vara, no morirá. Lo castigarás con vara, y librarás su alma del Seol.
> **Proverbios 29:15, 17** La vara y la reprensión dan sabiduría, pero el niño consentido avergüenza a su madre... Disciplina a tu hijo y te dará descanso, y dará alegría a tu alma.

Pero, por sí misma, no logra nada. ¿Qué puede hacer por *el necio* que la desprecia? (Pr. 12:1; 15:10). "La vara", como medio ordinario, "alejará *la necedad* del corazón *del niño*" (Pr. 22:15). Pero aquí, el niño se ha convertido en un hombre, con hábitos fortalecidos y una voluntad obstinada. Es más fácil que "el etíope mude su piel, o el leopardo sus manchas", que hagan el bien aquellos que "*están habituados a hacer el mal*" (Jer. 13:23).

Los ejemplos de esta *dureza* irremediable abundan. El diluvio, ese instrumento de venganza divina, destruyó la raza, no *la necedad* del hombre. Incluso el mismo Dios declaró su ineficacia para lograr este fin (Gn. 8:21). Faraón fue *machacado* una y otra vez *en el mortero*; sin embargo, *su necedad no se apartó de él* (Ex. 9:27; 10:16; 12:29; 14:5). Acaz, bajo la misma pena, "pecó aún más contra el Señor", destacándose así como un faro de advertencia

---

[107] Muchos comentaristas consideran esta una referencia a este modo de castigo que aún se practica en Oriente. Vea Calmet–Parkhurst. Horne's Introduction, 3:157. 'Oriental customs' de Burder. Sin embargo, quizás la alusión figurativa es más simple.

a todas las épocas: "*¡Este es ese rey Acaz!*" (2 Cr. 28:22). "¿Por qué querréis ser castigados aún?" fue la descorazonada queja de Dios respecto a su Israel (Is. 1:5. Cf. 9:13, Jer. 5:3; 44:9, 10, 15, 16, Ez. 24:13, Am. 4:11-12).

El dolor más profundo del castigo sólo produce el fruto de la blasfemia y la impenitencia endurecida (Ap. 16:10-11). Si *la necedad* de Manasés *se apartó de él* tras *ser machacado en el mortero* (2 Cr. 33:12-13), no fue por el poder innato de la aflicción, sino por el sobreabundante poder de la Gracia Soberana. Creer que la aflicción cumple un papel indispensable en nuestro bien salvífico es un engaño fatal. Nunca trajo, *por sí misma,* un alma a Dios. En todos los casos, se trata sólo de lo que Dios se complace en hacer. Un hombre puede ser aplastado y aún permanecer sin humillarse.

Así como los pedazos rotos de una roca, puede conservar toda su dureza natural. Se aferrará a su *necedad* y se separará de Cristo y del cielo, en lugar de aquello que está entretejido en cada parte de su naturaleza. ¿No era este también tu caso, cristiano, hasta que el amor Omnipotente despertó lo que el castigo por sí solo nunca podría haber provocado: un clamor de sumisión sin reservas? '¡Señor! no me pases por alto; hiéreme, humíllame; haz cualquier cosa conmigo, pero no me dejes bajo mis pecados. ¿Quién me librará si no lo haces tú? El "llanto" del hijo arrepentido resulta sumamente grato al padre anhelante.

Me has azotado y fui castigado como becerro desacostumbrado al yugo. Conviérteme y seré convertido, porque tú eres el Señor mi Dios. Pues después de haberme apartado, me arrepentí, y después que fui instruido, herí mi muslo; me avergoncé, y también me confundí, porque llevé la afrenta de mi juventud. ¿No es Efraín mi hijo amado? ¿no es un niño encantador? Pues siempre que hablo contra él, lo recuerdo aún más; por eso mis entrañas se conmueven por él: Ciertamente tendré misericordia de él, dice el Señor (Jer. 31:18-20. Cf. Os. 14:1-4, Lc. 15:18-24).

4. El cuidado de los "rebaños y manadas" (27:23-27)

a. La amonestación: "Conoce tus rebaños" (27:23)

23. Conoce bien la condición de tus rebaños, y presta atención (Lit. pon tu corazón) a tu ganado.

'Esto manifiesta la gran bondad de Dios hacia el hombre, y la diligencia que le exige en la preservación de sus dones'.[108] Es un cuadro vívido de las ocupaciones, virtudes y responsabilidades de la vida rural de antaño. Resulta especialmente apropiado para una nación cuyas principales riquezas fueron, en su origen temprano, *los pastos y los rebaños*. Su padre Jacob ejemplificó admirablemente esta regla.

En Él *conocía bien la condición de sus rebaños y de su ganado*, probablemente también sus caras (Gn. 30:32-42; 31:38-40; 33:13). Incluso el Rey David, consciente de sus antiguos intereses, mantenía sus *rebaños y ganado* bajo constante inspección (1 Cr. 27:29-31, cf. 1 S. 16:11, Sal. 78:70-71).

> **1º Crónicas 27:29–31** A cargo del ganado que pastaba en Sarón *estaba* Sitrai el saronita; y a cargo del ganado en los valles *estaba* Safat, hijo de Adlai. A cargo de los camellos *estaba* Obil el ismaelita; y a cargo de las asnas *estaba* Jehedías el meronotita. A cargo de las ovejas *estaba* Jaziz el agareno. Todos estos eran administradores de las propiedades del rey David.

Uzías tampoco consideraba que las labores pastorales degradaban su dignidad real (2 Cr. 26:10). La regla inculca una atención personal. No todo debe dejarse a los sirvientes. La mirada del amo, como en el caso de Booz (Rut 2:4-5; 3:7), debe, en la medida de lo posible, supervisar el trabajo.

b. Sustentación (27:24-27)

24. Porque las riquezas no son eternas, ni perdurará la corona por todas las generaciones. 25. Cuando la hierba desaparece se ve el retoño, y se recogen las hierbas de los montes; 26. Los corderos darán para tu vestido, y las cabras para el precio de un campo, 27. Y habrá suficiente leche de cabra para tu alimento, para el alimento de tu casa, y sustento para tus doncellas.

---

[108] Notas de la 'Reformer's Bible'

Las riquezas son una posesión voluble; *no son eternas* (Pr. 23:5). Incluso *la corona podría no perdurar por todas las generaciones*. La producción agrícola es una riqueza más permanente. Tal trabajo honesto asegura un mantenimiento más seguro, al surgir de la tierra, un don más inmediato de Dios.

Por lo tanto, la Biblia constituye una guía para todos los diversos empleos de la vida. Enseña que todo hombre debe tener un oficio, y reprende el abandono de los deberes prácticos de la vida diaria. Dios puede ser glorificado por un ojo y propósito sanos en cada posición social; por el obrero, el granjero, el siervo, no menos que por el amo (Col. 3:22-24).

> **Colosenses 3:22–24** Siervos, obedezcan en todo a sus amos en la tierra, no para ser vistos, como los que quieren agradar a los hombres, sino con sinceridad de corazón, temiendo al Señor. Todo lo que hagan, háganlo de corazón, como para el Señor y no para los hombres, sabiendo que del Señor recibirán la recompensa de la herencia. Es a Cristo el Señor a quien sirven.

Debemos "servir al Señor con fervor de espíritu"; pero una parte de este servicio es que "no seamos perezosos en lo que requiere diligencia" (Ro. 12:11). La indolencia hará de las preocupaciones de la vida una excusa para mantener un estándar deficiente en cuanto a la religión. Pero rehuir nuestra responsabilidad sería descuidar "servir según la voluntad de Dios en nuestra generación" (Hch. 13:26); "poner nuestra luz debajo de una vasija, en lugar de sobre el candelero", cubrirla, en lugar de "dejarla brillar" (Mt. 5:14-16). Nuestra propia vocación es el camino que Dios ha hecho para nosotros; y en este camino, comprometámonos con Dios, y estemos en paz (1 Co. 7:20, 24). Su Providencia se extiende a las pequeñas cosas, así como a las cosas de mayor relevancia. Así, se vuelve un bálsamo para esa preocupación que carcome por dentro, la cual es la perdición de toda piedad.

Este cuadro muestra también que los frutos del trabajo son mucho más preferibles a los de la ambición. La comparación con aquellos cuya posición los coloca más allá de la necesidad de trabajar no da lugar a la envidia, sino al agradecimiento. Los diversos productos del campo, el heno *y la hierba* de los pastizales, *las hierbas de los montes* (Sal. 104:14),[109] el *vestido* oportuno obtenido de *los corderos* (Job 31:20), *las cabras* que pagan *el precio del campo*,

---

[109] La palabra traducida como *"heno"* significa "hierba". Donde la vegetación era tan abundante, rara vez tenían ocasión de hacer heno. Holden. Comp. Parkhurst.

la cantidad suficiente de comida saludable *para la casa y las doncellas*; todo ello conforma la desbordante recompensa de nuestro misericordioso Dios. "¡Cuán preciosa es, oh Dios, tu misericordia!" (Sal. 36:7). Así "sale el hombre a su trabajo, y a su labor hasta el atardecer", cantando esta canción de alabanza: "¡Cuán numerosas son tus obras, oh Señor! Las has hecho todas con sabiduría: la tierra está llena de tus riquezas" (Sal. 104:23-24).

C. SECCIÓN D (28:1-29:27)

1. La relación con la Torá para gobernar y obtener riquezas (28:1-11)

a. Proverbio introductorio (28:1)

1. *El impío huye sin que nadie lo persiga, pero los justos están confiados como un león.*

Los impíos pueden parecer *intrépidos* ante el peligro, siempre y cuando ahoguen la reflexión y aturdan la conciencia. Pero cuando la conciencia se despierta, la culpa engendra miedo. Adán no conoció el miedo hasta que se convirtió en una criatura culpable.

Entonces, ante la escrutadora pregunta: "¿Dónde estás?", respondió: "Tuve miedo, porque oí tu voz en el jardín y me escondí" (Gn. 3:9-10). Pero *el impío huye*, no sólo cuando sus enemigos lo persiguen (Dt. 28:25), sino también *cuando nadie lo persigue* (Lv. 26:17, 36, Sal. 53:5). No obstante, ¿no es la conciencia un *perseguidor* invisible, que sigue de cerca, y el precursor de la ira de Dios? Habrá momentos en que "el sonido de una hoja que se mueva los perseguirá" (Lv. 26:36. Cf. Job 15:21); cuando "las sombras de los montes" harán que sus corazones se derritan (Jue. 9:36). Caín estuvo aterrorizado ante la percepción del asesinato cuando no había ningún hombre, salvo su propio padre, viviendo en la tierra (Gn. 4:13-14). Muchos infieles atrevidos se han mostrado cobardes en un momento de peligro repentino. Ante molestos pensamientos del juicio venidero, su conciencia se ha vuelto pálida ante la pregunta: "¿En dónde aparecerá el impío y el pecador?" (1 P. 4:18).

Pero si la culpa trae miedo, la eliminación de la culpa otorga confianza (Heb. 10:22, 1 Jn. 3:21).

El impío huye; los justos están confiados como un león. Intrépidos como el Rey de la selva (Cf. Pr. 30:30, 2 S. 17:10),[110] se atreven a hacer cualquier cosa que no sea ofender a su Dios. El temor a Él ha ahogado cualquier otro temor. "Aunque un ejército acampe contra mí", dice el hombre de Dios, "no temerá mi corazón" (Sal. 27:1-3. Cf. 3:5; 46:2, 3; 112:7). Moisés "no temió la ira del rey" (Heb. 11:28, Ex. 10:28-29). Caleb y Josué se mantuvieron firmes contra la corriente rebelde (Nm. 14:6-10). Elías desafió la ira de Acab, cara a cara (1 R. 18:10, 17-18; 21:20. Cf. 2 R. 1:15, 1 R. 13:1-10, 2 Cr. 26:17-18). Nehemías, en un momento de peligro, exclamó: "¿Ha de huir un hombre como yo?" (Neh. 6:11). Los tres confesores se presentaron imperturbables ante el furioso autócrata de Babilonia (Dn. 3:16–18).

> **Daniel 3:16–18** Sadrac, Mesac y Abed Nego le respondieron al rey Nabucodonosor: «No necesitamos darle una respuesta acerca de este asunto. »Ciertamente nuestro Dios a quien servimos puede librarnos del horno de fuego ardiente. Y de su mano, oh rey, nos librará. »Pero si no *lo hace,* ha de saber, oh rey, que no serviremos a sus dioses ni adoraremos la estatua de oro que ha levantado».

La *audacia* de los apóstoles sorprendió a sus enemigos (Hch. 4:13). Pablo ante el gobernador romano (Hch. 24:26, Ro. 1:15-16), y aún ante el mismísimo Nerón, "dio testimonio de la buena profesión" (2 Ti. 4:16-17). Atanasio ante el Concilio Imperial por herejía; y Lutero en la Dieta de Worms, ejemplificaron firmemente esta *audacia leonina.* Tampoco es este el carácter de algunos individuos solamente. El cristiano constante y fiel *tendrá confianza* al caminar en contra de la corriente de este mundo; superando el desprecio de los hombres;

---

[110] "Este noble animal es el más perfecto modelo de audacia y coraje. Nunca huye de los cazadores, ni se asusta ante su aparición. Si su número le obliga a ceder, se retira lentamente, paso a paso, volviéndose frecuentemente contra sus perseguidores. Se sabe que ataca a toda una caravana, y cuando se ve obligado a retirarse, siempre se retira luchando, y con el rostro hacia el enemigo". 'Illustration of Natural History of Scripture' de George Paxton (1762 – 1837), pp. 295, 296. Píndaro se refiere al león como la representación del coraje. Isth. iv. Antistr. V.

manteniendo su valor por la verdad despreciada; y gloriándose en un nombre perseguido. No tendrá temor de los hombres. "Pues si Dios es por él, ¿quién puede estar en su contra?" (Ro. 8:31). Tampoco se amilana ante Satanás. Aunque este sea un león "rugiente" (1 P. 5:8), también es cierto que es un león "encadenado". "Resistidle", y cobardemente "huirá de vosotros" (Stg. 4:7).

Si carecemos de esta *confianza*, ¿no es porque hay una conciencia herida, negligencia en la oración o falta de fe? La *audacia,* en sí misma, representa un sentido de debilidad así como la fuerza divina perfeccionada en ella" (2 Co. 12:9). Cuando Dios quiere que hagamos grandes cosas, nos hace sentir que "sin él, nada podemos hacer" (Jn. 15:5). De este modo, la soberbia recibe su golpe mortal y Él recibe toda la gloria. El Obispo Joseph Hall (1574-1656) ha desarrollado muy bien este contraste:

> *El impío* es muy cobarde y teme a todo; a Dios, porque es su enemigo; a Satanás, porque es su verdugo; a las criaturas de Dios, porque, uniéndose a su Creador, luchan contra él; a sí mismo, porque lleva consigo a su propio acusador y verdugo. El hombre piadoso, por el contrario, no teme a nada; no a Dios, porque lo conoce como su mejor amigo, quien no le hará daño; no a Satanás, porque no puede hacerle daño; no a las aflicciones, porque sabe que provienen de un Dios amoroso y que ayudan en su bien; no a las criaturas, ya que "las propias piedras del campo están aliadas con él"; no a sí mismo, ya que su conciencia está en paz.[111]

b. Primera subunidad sobre la Torá y el gobierno justo (28:2-6)

2. *Por la transgresión de la tierra, muchos son sus príncipes; pero por el hombre entendido y de conocimiento permanece estable.*

¿A Dios le interesa la caída de un gorrión? (Mt. 10:29). Entonces, sin duda alguna, le interesa mucho más el control de los reinos (Dn. 4:25. Cf. Eclesiástico. 10:4). Si tuviéramos una conciencia más profunda de nuestra dependencia nacional, veríamos que las nubes de la anarquía y la confusión cumplen sus sabios, misteriosos o graciosos propósitos.

---

[111] Joseph Hall (1574-1656) *Medit. and Vows.* Cent. ii. lxxiv.

Príncipes rivales asolan la tierra con los horrores de la guerra civil (1 R. 12:16-21). Una rápida sucesión de *príncipes* se eleva por traición, usurpación, o por el curso natural (Zac. 11:8). Ello desencadena cambios en las leyes, despojo de privilegios, imposición de nuevas cargas y un derroche de tesoros o sangre. Muchos atribuirán estos males a causas políticas. Sin embargo, la voz de Dios habla desde la nube: "Esto lo he hecho yo" (1 R. 12:24).

Por la transgresión de la tierra, muchos son sus príncipes. No hay menos motivos para reconocer su mano en *la estabilidad de la nación* lograda por medio de *hombres entendidos y de conocimiento*. Los largos y prósperos reinados de los reyes de Judá contrastan con los registros de Israel después de la revuelta (1 R. 15:25-34; 16:8-29, 2 R. 15:8-31, cf. 1 R. 15:33. 2 Cr. 17:1–5; 32:20–26). Las sangrientas contiendas en nuestra historia temprana, las cuales barrieron con la flor de nuestra nobleza, y las de fechas posteriores, que abolieron momentáneamente nuestras instituciones de larga data, ¿no fueron el azote de *muchos príncipes por la transgresión de la tierra*? Así pues, si oramos por nuestra amada soberana, ¿no podríamos prever el evidente contraste que habría si, debido a la elección de *hombres entendidos y de conocimiento* en su consejo, *la nación* se *estabiliza* "en una piadosa quietud"? (1 Ti. 2:1-2).

> **1 Timoteo 2:1–2** Exhorto, pues, ante todo que se hagan plegarias, oraciones, peticiones *y* acciones de gracias por todos los hombres, por los reyes y por todos los que están en autoridad, para que podamos vivir una vida tranquila y sosegada con toda piedad y dignidad.

3. *El pobre que oprime a los humildes es como lluvia torrencial que no deja pan.*

El poder desenfrenado es a menudo un generador de *opresión* (Gn. 31:29. Cf. Ec. 4:1-2); sobre todo cuando está al alcance de los *pobres*.

> **Eclesiastés 4:1–2** Entonces yo me volví y observé todas las opresiones que se cometen bajo el sol: Y *vi* las lágrimas de los oprimidos, y no tenían quien *los* consolara; en mano de sus opresores estaba el poder, y no tenían quien *los* consolara. Así que felicité a los muertos, los que ya murieron, más que a los vivos, los que aún viven.

Pon a un derrochador sin principios en el poder y será un diluvio destructivo en su esfera; aprovechando cada oportunidad, mediante la *opresión* y la avaricia, a fin de amortizar sus deudas. Un *pobre* elevado repentinamente al poder, en lugar de simpatizar con los agravios que le son familiares por sus recuerdos previos (Mt. 18:28-30), suele distinguirse preeminentemente por su egoísmo.

Ester, cuando fue elevada al trono tras estar en el incógnito, se le recordó que debía usar su poder para Dios; pues seguramente le había sido destinada alguna tarea especial por tal notable Providencia (Est. 4:14). Pero una mente baja se vuelve más corrupta tras un ascenso apresurado. Las necesidades del hombre inflaman sus deseos; y, al no tener una chispa de generosa humanidad, sólo se empeña en aprovechar sus inciertas oportunidades hacia un engrandecimiento egoísta. El Ob. Robert Sanderson (1587-1663) observa admirablemente:

> En cuestiones relacionadas al poder ocurre lo mismo que en el aprendizaje. Observaréis que aquellos que cuentan con un bajo nivel de erudición son los más inclinados a hacer ostentación de los pocos recursos que poseen; pues temen que se preste poca atención a su aprendizaje si no los muestran cuando pueden. Incluso en este caso ocurre así. Los hombres de bajo espíritu y condición, cuando han conseguido el beneficio de un poco de poder, imaginan que el mundo no sabrá qué tan buenos hombres son si no hacen algún acto que demuestre su poder al mundo. Y entonces, al ser sus mentes demasiado estrechas para comprender cualquier camino generoso por el cual lograrlo, no logran enmarcarlo de otra manera que pisoteando a los que están por debajo de ellos; y lo hacen más allá de toda razón, y sin misericordia alguna.[112]

Algunos de los gobernantes de la Revolución Francesa fueron levantados desde los rangos más bajos. Y su *opresión* fue verdaderamente *una lluvia torrencial, que no dejó comida* en los distritos fértiles.

No obstante, hay una alentadora diferencia en Él: *pobre* una vez por humillación voluntaria, pero ahora elevado a honra y a gloria; y, quien, sin embargo, se muestra compasivo y "no se avergüenza de sus pobres hermanos" (2 Co. 8:9, Fil. 2:7-11, cf. Heb. 2:11-12). Ciertamente su administración no es la *lluvia torrencial* de la desolación, sino "lluvia que desciende sobre la hierba

---

[112] Ob. Robert Sanderson (1587-1663), *Sermón sobre el capítulo 24:11*, 12. Compare también el sermón sobre 1 S. 12:3.

cortada", rica en misericordia. "Librará al necesitado cuando clame; al pobre también, y al que no tenga quien le socorra. Redimirá sus almas del engaño y la violencia, y su sangre será preciosa ante sus ojos" (Sal. 72:6, 12-14).

4. *Los que abandonan la ley alaban a los impíos, pero los que guardan la ley luchan contra ellos.*

¡Cuán importante es la influencia de nuestra profesión, actuando a nuestro derredor para bien o para mal! La elección de nuestros compañeros obedece a la coincidencia en nuestros gustos. Los que aman el pecado, naturalmente "se complacen en los que lo practican" (Ro. 1:32). Alaban a *los impíos* porque, como ellos, *abandonan la ley*, y "la echan a sus espaldas" (Cf. 1 S. 23:21, Neh. 6:17-19, Sal. 10:3). "El mundo ama *lo suyo*" (Jn. 15:18. Cf. Jer. 5:30-31).

> **Jeremías 5:30–31** »Algo espantoso y terrible ha sucedido en la tierra: Los profetas profetizan falsamente, los sacerdotes gobiernan por su cuenta, y a Mi pueblo así le gusta. Pero ¿qué harán al final de esto?

Cada uno apoya a su hermano en el pecado (Is. 41:6). Cada uno hace de la conducta del otro, y no *de la ley abandonada*, el patrón a seguir.

Los impíos pueden poseer algunas cualidades dignas de elogio (Lc. 16:8); pero *alabarlos* por su maldad nos identifica con ellos. 'Es terrible pecar, pero más terrible es deleitarse en el pecado, y más aún, defenderlo'.[113]

Los siervos de Dios mantienen la misma unidad de espíritu. No pueden llamar al pecado con nombres suaves, ni pasar por alto un carácter impío. Si *guardan la ley, luchan contra los que la abandonan*. Así *luchó* Noé *contra* los impíos de su tiempo, condenándolos no sólo por medio de sus palabras, sino por su vida; y aunque fue "predicador de justicia", predicó más poderosamente con su vida que con su doctrina (2 P. 2:5, Heb. 11:7). Esta *lucha* debe ser agresiva. Debemos "reprender", así como separarnos de, "las obras infructuosas de las tinieblas".[114] El testimonio público de nuestro divino Maestro fue su gran delito (Mt. 15:10-12, Jn. 7:7). Demostremos pues, y de una manera clara, que sus enemigos son los nuestros (Sal. 139:21-22);[115] y que consideramos la

---

[113] 'Works' del Obispo Joseph Hall (1574-1656), viii. 36.
[114] Ef. 5:11. Elías, 1 R. 18:18. Eliseo, 2 R. 3:5. Juan, Mt. 3:7; 14:3-4.
[115] Vea la reprimenda dada a un rey piadoso, 2 Cr. 19:2.

neutralidad en su causa como traición; pues Él dijo: "el que no es conmigo, contra mí es" (Mt. 12:30).

¡Oh, que espantoso es el recuerdo de nuestra antigua influencia al mal! ¡el daño mortal, y quizás eterno, que todas nuestras obras posteriores nunca han podido deshacer! ¡el estímulo que nuestra *alabanza a los impíos* dio al pecado, endureciendo a nuestros compañeros en su maldad! ¡Qué no habría dado Manasés para deshacer su pecado y todas sus funestas consecuencias sobre su hijo y su reino! (2 Cr. 33:15-17, cf. 22, 2 R. 23:26).[116] Recordar el pasado sería intolerable si no fuera por aquella sangre que cubre la culpa mientras profundiza la vergüenza y el aborrecimiento a uno mismo (Ez. 16:63). Pero, al mismo tiempo, tengamos siempre presente nuestra obligación de redimir lo que se ha perdido, en la medida de lo posible, por medio de una *lucha* santa contra el pecado, y de una convincente protesta en la forma de una piedad consistente (Fil. 2:15-16, 1 P. 2:12; 3:16).

5. *Los hombres malvados no entienden de justicia* (*O* juicio), *pero los que buscan al Señor lo entienden todo.*

La ignorancia y el conocimiento son contrastados aquí, se traza también el origen de cada uno. El Apóstol esboza el mismo contraste: "El hombre natural no recibe las cosas del Espíritu de Dios. Pero el que es espiritual juzga todas las cosas" (1 Co. 2:14-15). Esta unidad en sus discursos es hermosa e instructiva. 'Los dos Testamentos, como nuestros dos ojos, se iluminan y ayudan mutuamente'.[117]

Los hombres malvados no entienden de justicia (Sal. 82:5, Jer. 4:22). No conocen el verdadero estándar del bien y el mal, el verdadero camino hacia Dios, ni el término del trato de Dios con ellos. Su ignorancia es deliberada (Job 21:14): "Tienen el entendimiento entenebrecido *por la dureza del corazón*. Los hombres aman más las tinieblas que la luz, porque sus acciones son malas. Llaman a las tinieblas luz y a la luz oscuridad" (Ef. 4:18, Jn. 3:19, Is. 5:20). El erudito más distinguido es un completo necio para *entender justicia*, y, si no se humilla consciente de su ignorancia, y busca luz de lo alto, perecerá en densa oscuridad.

---

[116] El Sr. Cecil tenía motivos para lamentar su ineficaz labor de reclamar de la infidelidad a más de uno, a quien, en sus días de rebelión, había hundido en ese abismo de perdición.

[117] 'Horæ Solitariæ' de Serle, vol. i. 565.

Inclusive en algunas ocasiones el conocimiento impide un *entendimiento* correcto tanto como la ignorancia. Allí donde el conocimiento de la verdad ha precedido o sobrepasado su poder, a menudo la mente se ha desconcertado ante las dificultades, las cuales no alcanzan a los menos inteligentes, pero más simples. Cuando el conocimiento ocupa el lugar de la fe, cuando el hombre razona en vez de someterse a la enseñanza divina, el abuso del conocimiento se convierte en un verdadero obstáculo para un *entendimiento* correcto.

El orgullo es, en efecto, una causa muy extendida de ignorancia. La fuente de luz es despreciada (Sal. 10:4). Por lo tanto, "no hay quien *entienda*" pues "no hay quien busque a *Dios*" (Sal. 14:2, Ro. 3:11).[118]

Los que buscan al Señor –aunque sean niños en intelecto e ignorantes en las cosas mundanas– tendrán un *entendimiento* exacto *de todo* lo provechoso, cual ningún "hombre natural" puede alcanzar (Sal. 25:9, 12; 119:98-100, 130, Mt. 11:25). "Las palabras son sinceras para el que *entiende*, y rectas para los que hallan conocimiento" (Pr. 8:9). Muchas cuestiones oscuras para la razón humana son simplificadas ante la humildad (Sal. 25:14, cf. Pr. 24:7). La obra de Dios es la fuente de la diligencia, no de la inercia. El hombre trabaja, pero bajo el Maestro-obrero. Es libre, pero bajo el Espíritu libertador, quien le da voluntad de servicio. Así, aunque está activo, sigue siendo dependiente (Sal. 119:4, 5, 8, 10, 32, 173). Trabaja con una humildad más profunda y una confianza más serena (Fil. 2:12-13). Este es un misterio para la razón.

Pero *los que buscan al Señor lo entienden*. La experiencia práctica se los muestra. Una vez más, ¡cuán oscuros son los caminos del Señor para la orgullosa razón humana! ¡cuán difíciles sus dispensaciones! ¡son un mundo de dolor! Pero el hijo de Dios, *que busca* conocer "el fin del Señor", *entiende que* "todas sus sendas son misericordia y verdad" (Stg. 5:11, cf. Sal. 25:10). ¿No sirve la aguda prueba para sondear la herida; la amargura, para separarnos del consuelo propio de las criaturas; la carga, para probar "la paciencia y la fe de los santos"; el tamizado, para separar la paja del trigo; el horno, para purificar el oro? ¡Así es como la *búsqueda del Señor* expone los misterios de la Providencia y la gracia!

---

118 'La maldad' –observa con justicia el Ob. Francis Taylor (1589-1656)– 'corrompe el razonamiento de un hombre, le da falsos principios y una mala evaluación de las cosas'. Sermón ante la Universidad de Dublín. 'Considero un error fundamental en el estudio de la teología' –reflexiona el profesor Franke– 'que cualquiera se persuada a sí mismo que puede estudiar teología correctamente sin el Espíritu Santo. Mientras permanezca en este error, todo trabajo en él es en vano'. Lect. Parœn. p. 184. 'Un grano de fe verdadera es más estimable que un montón de mero conocimiento histórico'. Ib. Idea studiosi in Theologiæ

No tropezamos con las piedras, no nos desconciertan los laberintos, ni nos desanimamos porque el camino resulta "largo y cansado". Aquellos que desean luz, la obtienen (Jn. 7:17). A los que la aprovechan, más se les dará (Mt. 13:12; 25:29).

Quizá piensas 'No puedo *buscar* –es decir– no puedo orar'; entonces haz conforme se te ha enseñado. No dejes que tu incapacidad se vuelva indolencia, sino fe. Llévala al Señor (Lc. 11:2). Recuerda la asistencia que se ha proporcionado ante la debilidad y la ignorancia (Ro. 8:26). Si no puedes orar como quisieras, ora como puedas. El deseo –*sincero y supremo*– es la verdadera oración del corazón, obra del propio Dios en el alma (Sal. 38:9, Is. 26:8-9).[119]

> **Isaías 26:8–9** Ciertamente, *siguiendo* la senda de Tus juicios, Oh Señor, te hemos esperado. Tu nombre y Tu memoria son el anhelo del alma. En la noche te desea mi alma, en verdad mi espíritu dentro de mí te busca con diligencia. Porque cuando la tierra tiene *conocimiento* de Tus juicios, aprenden justicia los habitantes del mundo.

¿Es esto manifiesto? Espera en el uso constante de los medios; sé hallado en el camino (Is. 64:5). "La luz está sembrada" (Sal. 97:11); y la semilla, en el tiempo apropiado de Dios, traerá cosecha. Ninguno de los que se esfuerzan en serio deja de progresar. Es un gran error suponer que debe sentirse alguna señal como *orden para iniciar la búsqueda*. La única orden verdadera es la invitación gratuita del Evangelio. Debes venir –si es que vienes– como un pecador, no como un santo; como eres, no como te gustaría ser; ahora, sin esperar por un mejor momento o preparación; buscando tu idoneidad en Cristo, no en ti mismo.

Si piensas o sientes que no puedes buscar de esta manera, no razones ni te desanimes por ello. Pide que la enseñanza divina te ayude a entender (y la gracia divina a seguir) la luz concedida. No se necesita un conocimiento profundo ni una inspiración extraordinaria. "Tenéis la unción del Santo, *y conocéis todas las cosas*" (1 Jn. 2:20). Tanto el corazón como la mente son concedidos. "Los sentidos son ejercitados para discernir entre el bien y el mal" (Heb. 5:14). Tenemos toda esta luz, porque la palabra creadora ha sido dada nuevamente: "Sea la luz; y se hizo la luz" (Gn. 1:3, 2 Co. 4:6). En ese caso, ¿han de ser

---

[119] Vea la excelente descripción de Homero de las 'Oraciones de las hijas de Júpiter' – quizás la opinión más notable que se puede encontrar en la literatura pagana, como escribe Cowper en sus Notas– muy digna de observación, considerando dónde se encuentra. II. I. 502–514.

despreciados los cristianos como tontos? Son las personas más inteligentes de este mundo. Establecidos en la puerta de la sabiduría, su religión es sabiduría divina; así pues, "la sabiduría es justificada por sus hijos" (Lc. 7:35; Pr. 8:34. Cf. Sabiduría 6:11-16).

6. *Mejor es el pobre que anda en su integridad que el que es perverso (Lit. perverso de dos caminos), aunque sea rico.*

Este proverbio se repite (Pr. 19:1)[120] debido a su valiosa instrucción. Una parte de la comparación, que antes se había dejado implícita, está aquí expresada: *aunque sea rico*. Anteriormente se había descrito al perverso como *el de labios perversos*. Aquí se describe un rasgo más profundo de su carácter: *perverso en sus caminos,* o en sus principios. Esta es una de aquellas paradojas que a veces hacen tropezar, incluso a los hijos de Dios (Sal. 73:2-16).

El hombre puede andar en integridad, y, sin embargo, ser *pobre*. Puede ser *perverso en sus caminos* y ser *rico*. A pesar de esto, *el pobre*, con todas sus desventajas externas, *es* realmente *mejor*, más honorable, más feliz, y más útil *que el rico* con todo su esplendor terrenal. Es de una gran relevancia práctica llegar a una decisión escritural sólida en este punto. Pues si nos deslumbramos con el brillo de la gloria de este mundo, invertiremos la regla de oro (Mt. 6:33); y "buscaremos" *primero* el mundo como nuestro gran objetivo, y "el reino de Dios" –los intereses del alma, la eternidad en juego–ocupará sólo el segundo lugar, es decir, será virtualmente desterrado.

Evalúa si este no es un balance justo, aunque se oponga a la opinión mayoritaria. La deshonestidad es la tentación que acosa al *pobre* (Pr. 30:9). No obstante, a pesar de esta tentación, camina en *integridad*. ¿No hay cierta gloria, alrededor de su pobreza, que trasciende infinitamente la vana ostentación de este mundo?

El rico es perverso en dos caminos. Es un "hombre de doble ánimo", que se esfuerza en caminar por dos caminos;[121] siguiendo la piedad por fuera y el engaño por dentro; fingiendo un camino, pero caminando en otro; ¿quién puede confiar en él?

En lo que *respecta al carácter*, la comparación sigue siendo buena, a favor del *pobre*. Ahora, en cuanto a la condición. ¿Quién no preferiría la suerte de

---

[120] 'Mejor es el pobre que anda en la verdad que el rico por la mentira'. LXX. Cap. 19:22.
[121] Heb. Stg. 1:8.

Elías, subsistiendo de su tinaja de harina, a la de Acab con toda la pompa y la gloria de su trono? (1 R. 17:13-15, cf. 21:1-4, 19). ¿Quién no ve una dignidad en Pablo, de pie ante el tribunal, que hace que el rango mundano de sus jueces sea totalmente insignificante? (Hch. 24:24-26; 26:27-29, 2 Ti. 4:16-17).

2 Timoteo 4:16–17 En mi primera defensa nadie estuvo a mi lado, sino que todos me abandonaron; que no se les tenga en cuenta. Pero el Señor estuvo conmigo y me fortaleció, a fin de que por mí se cumpliera cabalmente la proclamación *del mensaje* y que todos los gentiles oyeran. Y fui librado de la boca del león.

Pese a todo, la verdad es de aplicación general. La superioridad en lo externo sólo repercute en nuestra posición ante Dios aumentando nuestra responsabilidad, en proporción a nuestros beneficios y talentos (Lc. 12:48). ¡Cuántos desearán haber vivido y muerto en una oscura pobreza, con "una conciencia sin ofensa ante Dios y ante los hombres" (Hch. 24:16), en lugar de que se les hayan confiado riquezas, las cuales, en *la perversidad de sus caminos,* sólo les envalentonaron a pecar con soberbia contra Dios y contra sus propias almas!

c. Segunda subunidad sobre la Torá y el gobierno justo (28:7-11)

7. El que guarda la ley es hijo entendido, pero el que es compañero de glotones avergüenza a su padre.

Guardar la ley representa sabiduría y honor nacionales (Dt. 4:6). La instrucción que lleva a los jóvenes, bajo la bendición del Señor, a tomar esta feliz elección es invaluable. Quienes así obran son manifiestamente enseñados por Dios, y guiados por su Espíritu hacia la verdadera *sabiduría* (Is. 56:4–6).

Imagina pues un hijo de modales pulidos y grandes dotes intelectuales, pero sin principios rectos; y otro de habilidades promedio, en un humilde caminar de vida, pero profundamente imbuido de una piedad práctica, ¿podríamos dudar cuál de los dos es el *hijo sabio* (Pr. 27:11), que trae honor al nombre de su padre? Y, sin embargo, ¡cuán a menudo es *vergüenza,* en lugar de honra, lo que el padre experimenta amargamente! ¡cuán manchado queda su nombre cuando el hijo depravado, empeñado en su propia gratificación, elige la *compañía* de los impíos, y, al poco tiempo, se hace uno de ellos! (Pr. 19:26; 23:19-22; 29:3, 15, Lc. 15:13, 30). ¡Joven! ¿Has encontrado paz sólida y duradera en tu ruidosa alegría? (Pr. 14:13, Ec. 2:2, 7:6).

> **Proverbios 14:13** Aun en la risa, el corazón puede tener dolor, y el final de la alegría puede ser tristeza.
> **Eclesiastés 2:2** Dije de la risa: «Es locura»; y del placer: «¿Qué logra esto?»
> **Eclesiastés 7:6** Porque como crepitar de espinos bajo la olla, así es la risa del necio. Y también esto es vanidad.

Deja que el hombre de Dios te dirija en la "limpieza de tu camino, guardando la palabra" (Sal. 119:9, 11). Has tuya su elección: "Soy *compañero", no de los alborotadores*, sino "de todos los que te temen y de los que guardan tus preceptos" (Sal. 119:63). Has frente a las instigaciones de tus antiguos *compañeros* con su decidida protesta: "Apartaos de mí, malhechores; pues yo guardaré los mandamientos de mi Dios" (Sal. 119:115). Aquí reside la honra a tu padre, la felicidad para ti mismo, la utilidad para la Iglesia, la mansedumbre para el cielo.

¡Padres! ¿Nos rehuimos de esta abrumadora *vergüenza*? Cultivemos con más diligencia, y con más oración, la instrucción sabia y santa de nuestros hijos, que es la ordenanza designada por Dios; la cual además, por más que pruebe nuestra fe larga o severamente, no dejará de honrar en su mejor momento (Pr. 22:6).

8. *El que aumenta su riqueza por interés y usura, la recoge para el que se apiada de los pobres.*

¡Qué mortal maldición implica estar bajo el hechizo de la codicia! Todo lo que es "honesto, justo, puro, amable, y de buen nombre", es sacrificado a este principio idólatra. No hay ley que la pueda atar. Dios ha rodeado los derechos de los pobres de entre su pueblo con solemnes y claras obligaciones (Ex. 22:24, Lv. 25:36, Dt. 23:19-20, Ez. 18:13). Y no permitirá que sus derechos sean tomados a la ligera. "Yo sé" –dice el hombre de Dios– "que el Señor sostendrá la causa del afligido y el derecho de los pobres" (Sal. 140:12).

Como un Dios de equidad, a menudo hace que el egoísmo se castigue a sí mismo, e incluso que se convierta en algo beneficioso para los oprimidos (Pr.

13:22, Job 27:13, 16-17). Las ganancias mal habidas son una posesión peligrosa e incierta (Pr. 10:2; 13:11; 21:6).

> **Proverbios 10:2** Tesoros mal adquiridos no aprovechan, Pero la justicia libra de la muerte.
> **Proverbios 13:11** La fortuna *obtenida* con fraude disminuye, Pero el que la recoge con trabajo *la* aumenta.
> **Proverbios 21:6** Conseguir tesoros con lengua mentirosa Es un vapor fugaz, es buscar la muerte.

El hombre trabaja para sí mismo, pero su cosecha cae en mejores manos; 'sin que ello haya sido en lo absoluto su intención; sino fruto de la secreta Providencia de Dios'.[122] En esto, como en todo, la piedad "tiene promesa para la vida presente" (1 Ti. 4:8). Trae "la gran ganancia del contentamiento" (1 Ti. 6:6), y refrena aquellos deseos desmedidos de riqueza que arruinan todo principio recto, y "hunden a los hombres en destrucción y perdición" (1 Ti. 6:9. Pr. 21:7). "La vida del hombre no consiste en la abundancia de los bienes que posee" (Lc. 12:15).

¿Por qué debemos buscar *aumentar nuestras riquezas por medio de ganancias injustas*, cuando tenemos la promesa de nuestro Padre de que "todo lo demás les será añadido" (Mt. 6:33), y más aún, cuando su divino poder nos ha dado todas las cosas relacionadas con la vida y la piedad? (2 P. 1:3).

9. *Al que aparta su oído para no oír la ley, su oración también es abominación.*

Es horrible que pueda haber un rebelde así. Sin embargo, eso es lo que hacen los impíos cuando toman el pacto de Dios en sus bocas: "aborrecen la instrucción, y echan a sus espaldas sus palabras" (Sal. 50:16-17). Inclusive en su iglesia "vienen delante de él como viene el pueblo, y se sientan delante de él como su pueblo; *oyen sus palabras pero no las ponen por obra*" (Ez. 33:31-32). Si el súbdito *aparta* de ese modo *su oído para no oír la ley* de su soberano, toda *oración* que presente en tiempo de angustia será considerada como una *abominación* por su Señor (Pr. 1:28-29, Zac. 7:11-13).

---

[122] Diodati. Ec. 2:26.

Zacarías 7:11-13 »Pero ellos rehusaron escuchar y volvieron la espalda rebelde y se taparon los oídos para no oír. »Y endurecieron sus corazones como el diamante para no oír la ley ni las palabras que el Señor de los ejércitos había enviado por Su Espíritu, por medio de los antiguos profetas. Vino, pues, gran enojo de parte del Señor de los ejércitos. »Y como Yo había clamado y ellos no habían querido escuchar, así ellos clamaron y Yo no quise escuchar», dice el Señor de los ejércitos.

'La gran razón por la que Dios se niega a escuchar a alguien es que éste se niega a escuchar a Dios'.[123] ¡Y qué si su lenguaje actual, "Apártate de mí", fuera quitado de su boca y usado en su contra en el gran día, como sello de su perdición eterna! (Job 21:14; 22:17, cf. Mt. 25:41).

¡Qué extraña contradicción que este abierto rechazo de Dios esté conectado a alguna forma o apariencia de religión! Y, pese a ello, con frecuencia el auto engañador compensará la desobediencia de una simple orden con el cumplimiento de algún deber externo. Israel presentaba una "multitud de sacrificios" como precio por el abandono de sus obligaciones prácticas. "¡Vanas ofrendas! ¡El incienso me es *abominación*! (Is. 1:11-15. Cf. Sal. 66:17). El hecho de *orar* en casa ahora se utiliza como una excusa para *no oír la ley* en la propia casa de Dios. Tal *oración* es declarada solemnemente una *abominación*. La ley de la caridad e incluso ciertos deberes ineludibles son evadidos a fin de mantener una profesión de piedad (Mt 15:5-9) que resulta odiosa ante los ojos de Aquél que avergonzará públicamente todo servicio hipócrita. ¿Juega Dios con el hombre? Ciertamente Él no permitirá que el hombre juegue con él.

Que siempre se recuerde que la piedad actúa en la *totalidad* del culto y servicio a Dios; que "la sabiduría de lo alto es sin parcialidad y sin hipocresía" (Stg. 3:17); y que ensalzar una ordenanza a expensas de otra, o desacreditar la predicación con el fin de elogiar la oración, es prueba tanto de un juicio falso como de un corazón malo. Rechazar cualquier ordenanza divina representa una arrogante adoración de la voluntad; y es una prueba evidente de que nunca se ha disfrutado de tal privilegio. Ningún mendigo despreciaría la puerta de donde solía recibir su bendición. ¡Oh Dios mío! ¡Déjame reposar en tu seno o a tus pies, que mi voluntad se pierda en la tuya, y mi felicidad resida en una entrega total a ti mismo!

---

[123] Ob. Edward Reynolds (1599-1676) sobre Os. 14:8.

10. *El que extravía a los rectos por el mal camino En su propia fosa caerá, Pero los íntegros heredarán el bien.*[124]

Disfrutar incitando pecadores *al mal camino*, es el retrato mismo y el carácter del tentador. Sin embargo, su principal deleite, su objetivo principal, es *hacer que los justos se extravíen*. Nunca se regocija tanto como cuando "un abanderado es derrotado". Y es que, con ello no solo muestra su hostilidad hacia la verdad, sino que su pecado se ve apoyado. No obstante, ¡cuán pasajera es su alegría! El éxito es su ruina. La justicia retributiva de Dios hace que, con frecuencia, *caiga en su propia fosa* (Pr. 26:27. Cf. Job 12:16).

> **Proverbios 26:27** El que cava un hoyo caerá en él, y el que hace rodar una piedra, sobre él volverá.
>
> **Job 12:16** »En Él están la fuerza y la prudencia, suyos son el engañado y el engañador.

La trampa que Balaam tendió al pueblo de Dios acabó en su propia ruina (Ap. 2:14, Nm. 31:15-16, cf. 8).

Pese a todo, la malicia de Satanás y sus emisarios pone en manifiesto la fidelidad de nuestro Todopoderoso Guardador: "Nos preparas mesa en presencia de nuestros enemigos" (Sal. 23:5), quienes rechinan los dientes ante tal panorama. Incluso si logran *extraviar* temporalmente *a los rectos*, hay una misericordia restauradora disponible para ellos (Sal. 12:3, Lc. 22:31-32); así también *los íntegros*, tras ser rescatados de la trampa, profundamente humillados –en vez del mal que se planificó contra ellos– *poseerán cosas buenas*. Tan buenas son que se trata de cosas que "ojo no vio, ni oído oyó, ni entraron al corazón del hombre" (1 Co. 2:9). Y así, si *tenemos cosas buenas en* nuestra *posesión*, tendremos en retorno mucho más, "una herencia inmaculada, inmarcesible", de la que nadie puede despojarnos (1 P. 1:4). "¿Quién nos separará del amor de nuestro Padre? Ni la vida, ni la muerte; ni la tierra, ni el infierno" (Ro. 8:35, 38-39).

---

[124] Nota del Traductor: La versión usada en el inglés original señala literalmente: "El que hace que los justos se pierdan en el mal camino caerá en su propio pozo; pero los rectos tendrán en su posesión cosas buenas"; de allí las referencias realizadas por el autor.

11. *El rico es sabio ante sus propios ojos, pero el pobre que es entendido, lo sondea (Lit. lo examina).*

Ser verdaderamente sabio y ser *sabio ante nuestros propios ojos* son dos cosas que a menudo se confunden, pero que son esencialmente opuestas. Las riquezas no siempre traen *sabiduría* (Job 32:9); aunque *el rico* a menudo finge serlo y atribuye su éxito a su propia sagacidad. Obviamente tiene muchas ventajas sobre *el pobre* en cuanto a recreación y oportunidades de instrucción. Pero, por otro lado, un ascenso en lo mundano actúa desfavorablemente. Lo excluye de muchas oportunidades de instrucción cristiana.

La atmósfera llena de lisonjas opaca su capacidad para conocerse a sí mismo, que es la base de la verdadera sabiduría. ¡Cuán natural es para él pensar que es tan sabio como lo representan sus aduladores, tan superior a sus vecinos en entendimiento como en posición! Por lo tanto, se vuelve dogmático en su exagerada presunción; y un devoto de todas las formas en que puede mostrar su superioridad imaginaria.

Sin embargo, como en el caso de los siervos de Naamán (2 R. 5:13), el buen e inteligente *entendimiento del pobre puede sondearlo,* y ver a través de este brillo falso. Especialmente cuando goza de cierto *entendimiento* espiritual*, el pobre* puede exponer a su superior a una justa humillación (Jn. 9:30-34). Ciertamente en el universo no hay un carácter más digno que el del *pobre sabio.* ¿No honró nuestro Señor encarnado enormemente esta condición al asumirla él mismo? (2 Co. 8:9, Fil. 2:7). Caminar en sus pasos –en su espíritu– trae sabiduría, honor y felicidad, infinitamente más grandes que lo que este pobre mundo de vanidad puede ofrecer.

2. La relación con Dios para gobernar y obtener riquezas (28:12-27)

a. Proverbio introductorio (28:12)

12. *Cuando los justos triunfan, grande es la gloria, pero cuando los impíos se levantan, los hombres se esconden.*

"Hemos llegado a ser" –dijo *un justo*– "como la escoria de la tierra, el desecho de todos hasta ahora" (1 Co. 4:13). Sin embargo, estos son los hombres que "sostienen las columnas de la nación" (Sal. 75:3). Por tanto, *cuando triunfan*, cuando son elevados a una posición de honra, *grande es la gloria* que hay (Pr. 11:10-11; 29:2). Todo el reino se ve influenciado, más o menos, por esta bendición nacional. La piedad es favorecida. Los hombres son protegidos en el libre ejercicio de su religión.

> Cuando Mardoqueo salió de delante del rey, vestido con el traje real, la ciudad de Susa se alegró y regocijó. Los judíos tuvieron luz, alegría, gozo y honra; y en cada provincia una fiesta y un día festivo (Est. 8:15–17).

Se observa el mismo resultado en la experiencia de la Iglesia. Cuando las Iglesias descansaron "del fuego de prueba", fueron edificadas y caminaron en el temor del Señor y en la fortaleza del Espíritu Santo (Hch. 9:31). ¡Cuán *grande fue la gloria,* como la luz que disfrutaban de su Dios!

Pero cuando los impíos se levantan y son honrados, ¡cómo es eclipsada esta *gloria*! El pueblo de Dios es "llevado a los rincones", silenciado, se *esconde* (v. 28). La luz de más de cien profetas, e incluso del propio Elías, se *escondió* durante un tiempo, bajo la tiranía de Acab (1 R. 17:2-3; 18:4; 19:1-6). Así, en cada época, el poder de *los impíos*, especialmente bajo un gobierno despótico, *esconde* mucha influencia valiosa. Sin embargo, sólo se encuentra *escondida* a los ojos de los sentidos. Pues a aquellos que "anduvieron de aquí para allá, cubiertos con pieles de ovejas y de cabras, en los desiertos y cuevas de la tierra" –qué mejor *gloria* podríamos reconocerle que la dedicatoria divina– "¡El mundo no era digno de ellos! (Heb. 11:37-38. Cf. Ap. 12:6).

b. El Señor y el gobernante (28:13-18)

13. *El que encubre sus pecados no prosperará, pero el que los confiesa y los abandona hallará misericordia.*

Tanto Dios como el hombre cubren el *pecado*; Dios, en una gracia gratuita e ilimitada (Is. 43:25; 44:22); el hombre, en la vergüenza y la hipocresía. Los pecadores contrastados aquí son acusados de la misma culpa. No obstante, ¡cuán opuestas son las soluciones adoptadas, y los correspondientes resultados! El contraste no se hace entre los pecados grandes y los pequeños, sino entre los *pecados encubiertos* y los pecados *confesados y abandonados*.

El que encubre el pecado más pequeño, *no prosperará*. El que confiesa *y abandona* el pecado más grande, *hallará misericordia*. "El amor *cubre"* los pecados de nuestro prójimo (Pr. 10:12); el orgullo, los nuestros. El pecador orgulloso desea naturalmente ser considerado mejor de lo que es. Su pecado ha de tener alguna cobertura.[125] Debe otorgarle, al menos, una buena reputación (Is. 5:20).

Lo *encubriría*, si es posible, de sí mismo; sacándolo de su mente; desterrando todo pensamiento serio y sofocando la convicción; para luego tratar de persuadirse a sí mismo de que es feliz. A fin de escapar de las malas consecuencias, recurre a la mentira.[126] O si los hechos son demasiado evidentes como para ser negados; argumenta 'la peor parte es infundada. No estoy metido en ello tanto como mi vecino'. Ignorancia; buenas, o por lo menos no malas, intenciones; la costumbre; la necesidad; una tentación fuerte; una sorpresa repentina; la primera ofensa; debilidad innata; incluso los decretos de Dios (Jer. 7:10),[127] ¿no alegamos uno o más de estos como atenuantes? O, para salvar nuestro honor, mejor dicho, nuestro orgullo, echamos la culpa a otro;[128] a veces incluso al mismo Dios (Gn. 3:12, *ut supra*, Cf. Stg. 1:13-14), o, más comúnmente, al diablo (Gn. 3:13). O bien, presentamos algún resarcimiento como *cobertura*, pagando por el pecado con algunas supuestas buenas acciones (Miq. 6:6-7, Lc. 20:47); como si al contrarrestar lo malo con lo bueno pudiéramos obtener algún saldo a nuestro favor. Sin embargo, todas estas "hojas de higuera" (Gn. 3:7) que el hombre usa para *cubrir* su desnudez sólo demuestran su determinación a aferrarse a su pecado y a su orgullo de corazón, los cuales preferiría esconder de Dios mismo, que someterse a recibir misericordia gratuita como un pecador auto condenado.

---

[125] Cicerón subraya *la confesión* de la maldad como algo vergonzoso y peligroso (turpis et periculos a Contr. Verrem. Lib. iii.) Así, la moral pagana fomentó el orgullo de la depravación innata.

[126] Caín, Gn. 4:9. Raquel, 31:34-35. Los hermanos de José, 37:31-35. David, 2 S. 11:15, 25: la adúltera, Pr. 30:20. Cf. Jer. 2:23; Pedro, Mt. 26:69; Ananías y Safira, Hch. 5:1-8. ¿No es esta una triste inclinación en los niños? La primera ofensa puede ser insignificante. Pero el miedo al castigo induce a la mentira. Otra mentira es necesaria para *cubrir* la primera. Así, cada paso acrecienta el pecado.

[127] Cf. Calv. Instit. B. iii. c. xxiii. § 12–14.

[128] Adán y Eva, Gn. 3:12-13. Cf. Job 31:33; Aarón, Ex. 32:21-24; Saúl, 1 S. 15:20, 21. Pilato, Mt. 27:24-26.

A pesar de todo, estos intentos de *encubrir el pecado no prosperarán*. La voz de un Dios ofendido llamó a Adán fuera de su escondite para recibir su sentencia (Gn. 3:9-11). "La voz de la sangre de Abel clamó desde la tierra" y así, el asesino se convirtió en "un fugitivo y un vagabundo en la tierra" (Gn. 4:10–12). La conciencia azotó a los hermanos de José con el pecado de días pasados (Gn. 42:21). El hecho de que Saúl *encubriera su pecado* le costó su reino (1 S. 15:21–23).

> **1º Samuel 15:21–23** »Pero el pueblo tomó del botín ovejas y bueyes, lo mejor de las cosas dedicadas al anatema, para ofrecer sacrificio al Señor tu Dios en Gilgal». Y Samuel dijo: «¿Se complace el Señor *tanto* En holocaustos y sacrificios Como en la obediencia a la voz del Señor? Entiende, el obedecer es mejor que un sacrificio, Y el prestar atención, que la grasa de los carneros. »Porque la rebelión *es como* el pecado de adivinación, Y la desobediencia, *como* la iniquidad e idolatría. Por cuanto tú has desechado la palabra del Señor, Él también te ha desechado para que no seas rey».

"La lepra de Naamán se pegó a Giezi y a su descendencia para siempre (2 R. 5:27). Los orgullosos acusadores de una pecadora como ellos fueron "acusados por sus propias conciencias" (Jn. 8:9). "No hay tinieblas, ni sombra de muerte, donde puedan esconderse los que obran iniquidad" (Job 34:22, cf. 24:14-15). Su acto más oscuro es llevado a cabo ante el semblante descubierto de un Dios que todo lo ve, y "puesto a la luz de su rostro" (Job. 34:21, Sal. 10:8), para "ser proclamado desde las azoteas" delante del mundo entero (Lc. 12:2-3. Cf. Ec. 12:14, 1 Co. 4:5).

Este inútil intento de *encubrir el pecado* no solo agranda la culpa (Is. 30:1), sino que está lleno de miseria (Is. 28:20). El amor al pecado lucha con el poder de la conciencia. La puerta de acceso a Dios se cierra (Sal. 66:17). La confianza cristiana se oscurece (Is. 32:3-4); y, a menos que la misericordia soberana se interponga, termina indefectiblemente en el aguijón del "gusano que nunca muere".

Encubrir la enfermedad excluye toda posibilidad de cura. Sólo el confesor penitente puede ser el pecador perdonado.

Verdaderamente larga es la lucha que se libra antes de que toda falsa *cubierta* sea cortada; antes de que la insensible confesión general: 'Todos somos pecadores' sea cambiada por el profundo reconocimiento personal que da gloria a Dios: 'Esto es lo que he hecho. He aquí soy vil, ¿qué te responderé? Pondré mi mano sobre mi boca" (Jos. 7:19-20, Job 40:4. Cf. Jer. 8:6). Gloriosa es la victoria divina sobre el orgullo y la aspereza cuando este primer acto de arrepentimiento, este primer paso de regreso (Lc. 15:17-18) se cumple de corazón.

Dios no necesita de la confesión para su propia información, sino que la demanda por nuestro bien. La confesión no nos da derecho a su misericordia, pero si es un requisito para recibirla. Cristo ha satisfecho plenamente las demandas de justicia. Pero tales demandas deben ser reconocidas al aceptar humildemente el beneficio. La misericordia está al alcance, pero el pecador debe demandarla: "Reconoce pues tu maldad" (Jer. 3:12-13). Nuestro anhelante Padre está "esperando" este momento "para que pueda mostrarse misericordioso" (Lc. 15:20, Is. 30:18, cf. Os. 5:15). No hay más ira almacenada para nosotros, sino que *hallaremos misericordia*, reconciliación instantánea.[129]

Las palabras a usarse pueden ser escasas mientras el corazón esté rebosante. En el caso de David bastó una sola frase, pero los movimientos más íntimos de su corazón dieron testimonio de la amplitud e ingenuidad de su dolor (2 S. 12:13, cf. Sal. 51).[130] De esta forma, luego que el hombre *confiesa* su deuda y Dios la borra de su libro, dulce es el canto del penitente: "Cuán bienaventurado es aquel cuyo *pecado es cubierto*" (Sal. 32:1).

Sin embargo, no debemos pasar por alto el rasgo distintivo de esta *confesión*. No es la de Faraón, arrancada en el potro de tortura (Ex. 9:27, 34), o la de Saúl y Judas (1 S. 24:16-17; 26:3-4, Mt. 27:4-5), fruto del aguijón del remordimiento; o la de los fariseos y saduceos (Mt. 3:6–9), una mera profesión formal; o la de las rameras (Pr. 7:14), una tapadera para el pecado. La fe penitente *se confiesa* mientras coloca la mano sobre el gran sacrificio (Lv. 16:21); y desde aquí extrae fuerza de voluntad para *abandonar* todo lo que ha sido *confesado* aquí. Pues mientras el hipócrita *confiesa* sin *abandonar* nada,[131] un *abandono* sincero del pecado se presenta aquí como la mejor prueba de una *confesión* sincera.

Este primer acto del penitente se convierte en el hábito diario del santo. Mientras más avancemos, más profundo será el tono de la *confesión* (Job 40:4; 42:6, Ez. 16:63). En el momento en que detectemos que el pecado es pecado,

---

[129] Sal. 32:5. Compare ejemplos similares, 2 Cr. 33:12, 13, Jer. 31:18-20, Jon. 3:5-10, Lc. 15:21-24, 23:40-43. Vea también las promesas, Lv. 26:40-42, 2 Cr. 7:14, Job 33:27, 28, Is. 1:16-18; 55:7, Ez. 18:21-22, 1 Jn. 1:9.

[130] Vea también su tierno temor de *encubrir el pecado*. Sal. 139:1, 23-24.

[131] Faraón y Saúl, ut supra.

coloquémoslo sobre la cabeza del Fiador. Cada momento que transcurre sin confesar el pecado agranda su carga y su culpa.

La consideración de una naturaleza alejada de Dios; el corazón lleno de corrupción; los pecados de la juventud y de la madurez, previos y posteriores a la conversión; el contraste con la luz y la convicción, el conocimiento y el amor; los pecados de nuestras propias confesiones –su corrupción, su frialdad y, con demasiada frecuencia, su tendencia farisaica–, todo ello nos proporciona abundante material para una confesión realmente humilde. Aleguemos la grandeza, no la pequeñez, de nuestro pecado (Sal. 25:11, cf. Lc. 18:11. Cf. Is. 43:24–26). No consideremos nunca ningún pecado tan insignificante como para no necesitar de la *inmediata* aplicación de la sangre de la expiación. Una convicción genuina no nos dará descanso hasta que, comprendiendo y creyendo en este remedio, la paz de Dios esté firmemente fijada en la conciencia. Como Bunyan describió con tanta precisión, no es ante la puerta, sino a la vista de la cruz, que Cristiano halló la tumba del pecado.

Esta humillación evangélica constituye el único fundamento sólido de la piedad práctica. Es una tristeza llena de alegría, y no menos llena de santidad. No hay Acán que sea protegido (Jos. 7:1); ningún Agag que sea perdonado (1 S. 15:20); ni mano u ojo derecho alguno que sea respaldado (Mc. 6:17-20; 9:43-48). No hay un "espíritu inmundo que salga y vuelva a su casa con una influencia siete veces peor" (Mt. 12:43-45); o no estamos ante un hombre que deja su casa, pero no la *abandona*; pues su corazón y alegría enteros continúan allí.

Aquí el *abandono* ocurre sin que exista la idea de volver; más aún, tiene la fija determinación de no volver nunca más (Job 34:32). No es el intercambio de un sendero en el camino ancho por otro sendero más atractivo; sino la renuncia a todo ese camino, incluyendo a todos sus senderos. Tanto los principios internos como el caminar externo, "los pensamientos inicuos", no menos que "los caminos impíos" son *abandonados* (Is. 55:7) de corazón y para siempre.

14. *Cuán bienaventurado es el hombre que siempre teme, pero el que endurece su corazón caerá en el infortunio.*

Este proverbio está ubicado adecuadamente tras el anterior. *La confesión* precede a la recepción de misericordia, y a ella le sigue el *temor* piadoso como el fin para el cual se da (Sal. 130:4), y como prueba de su recepción. El temor no implica ninguna incertidumbre sobre nuestra seguridad; sino que, al protegernos de nuevas heridas en la conciencia, mantiene más firmemente nuestra confianza. Podemos creer y regocijarnos en el Señor como "nuestro Sol"; y, sin embargo, *siempre le temeremos* como "fuego consumidor" (Sal. 84:11, cf. Heb. 12:28-29).

> **Hebreos 12:28–29** Por lo cual, puesto que recibimos un reino que es inconmovible, demostremos gratitud, mediante la cual ofrezcamos a Dios un servicio aceptable con temor y reverencia; porque nuestro Dios es fuego consumidor.

Y este temor constituye nuestra seguridad (Hab. 3:16).

Aquí podemos echar una provechosa mirada a algunas paradojas cristianas. *¿Cómo se puede encontrar la felicidad en el temor constante?* ¿Es el temor la atmósfera o el espíritu de un hijo de Dios? El "temor que involucra castigo ha sido echado fuera por el amor". Pues allí donde "el amor perfecciona", no puede haber inquietud o doblez de corazón (1 Jn. 4:18); sino que un piadoso temor preserva la luz del sol, y sella nuestra especial aceptación (Is. 66:2). Caminamos con nuestro Padre en santa vigilancia y paz. Entonces, *recibimos con gusto la felicidad de la confianza* (Pr. 16:20).

¿Cómo la enlazamos a *la felicidad del temor?* Lejos de ser contraria a la fe, es parte integrante de ella, o al menos su inseparable complemento (Heb. 11:7); la disciplina que la preserva de la presunción. La fe sin temor implica que confiamos y nos engañamos a nosotros mismos. Más aún, la seguridad de nuestro "permanecer en la fe" se equilibra con un instantáneo y muy necesario ejercicio de *temor* (Ro. 11:20). ¿Quién alcanzó una confianza más triunfante que Pablo? Con todo, sin llegar a presumir de una larga y consistente profesión, la desconfianza en sí mismo, la vigilancia y la diligencia afianzaron su confianza (Ro. 8:33-39, cf. 1 Co. 10:27).

> Si hay verdad en su seguridad, ni el pecado puede decepcionarlo, es verdadera. Pero no es menos cierto que si no teme al pecado, no hay verdad en su seguridad.[132]

---

[132] Robert Leighton (1611-84) sobre 1 P. 1:17. Los romanistas, ¡y cuántos protestantes romanos con ellos!, no tienen otra idea de temor, que la que excluye la certeza de la aceptación; si bien su verdadera influencia no es la fluctuación de la duda, sino el cuidado en preservarse.

En lugar de tener miedo a la combinación de la fe y el temor, tenle pavor a su separación. De nuevo, el justo está confiado como un león (v. 1); no obstante, *siempre teme*. Así pues, el coraje cristiano, aunque opuesto al temor servil, constituye la esencia misma del *temor* piadoso. Los tres confesores se mostraron valerosos ante el autócrata babilónico, pero *temían* tanto ofender a Dios, que "el horno de fuego ardiente" fue la mejor alternativa a sus ojos (Dn. 3:16–18. Cf. 6:10, Gn. 39:9, Neh. 5:15).

Así es como el santo *temor* se identifica, en todo sentido, con la felicidad. Es un temor en reverencia, no en esclavitud; de precaución, no de desconfianza; de diligencia, no de desaliento. Mientras más nos elevamos por encima del miedo atormentador, más cultivamos una profunda reverencia ante la majestad y santidad de Dios, un temor infantil a disgustarle, un recelo de nuestros motivos, deseos y del desarrollo de nuestras inclinaciones malvadas, y un aborrecimiento y deseo de huir, no sólo del pecado, sino de las tentaciones y ocasiones de pecado.

El cristiano conoce muy bien el valor de este principio conservador, tan alejado del legalismo como de la presunción. Alguien, cuya lamentable experiencia da un peso adicional a sus palabras, nos advierte –como "peregrinos" en un mundo de maldad y con corazones que a menudo traicionan nuestros pasos– que nos "conduzcamos todo el tiempo con *temor*" (1 P. 1:17). Aunque en seguridad, "con dificultad nos salvamos" (1 P. 4:18). Aunque no hay incertidumbre al final, hay una dificultad terrible en el camino: "El que piensa que está firme, mire que no caiga" (1 Co. 10:12).

El hombre que se mantiene en su propia seguridad, requiere precaución más que nadie. Cuídate de las serpientes en cada sendero, de las trampas con cada criatura. "Aliméntate con temor" (Cf. Jud.12). "Alégrate con temblor". Sí, "ocúpate en tu salvación con temor y temblor" (Sal. 2:11, Fil. 2:12). Vive en un constante temor de ti mismo.

Este *temor* piadoso evidencia auto conocimiento, nos guarda de confiar en nosotros mismos, y produce desconfianza en uno mismo. Mostrando cautela ante las caídas es más probable que nos mantengamos en pie. Si esta fragilidad es nuestro punto débil, ser conscientes de ella es nuestra fortaleza. "Cuando soy débil, entonces soy fuerte" (2 Co. 12:9-10).

La importancia de este principio se verá en el contraste con su opuesto. *El temor* mantiene el corazón tierno y el alma segura. La seguridad y la presunción *endurecen* al pecador, y éste *cae en infortunio*. La *dureza de corazón* del Faraón y sus consecuencias no fueron sino la bravura y la ruina del diablo (Ex. 14:5-8, 23). Cuando la autocomplacencia y el descuido de David hubieron barrido con su sensibilidad, *cayó* terriblemente *en infortunio* (2 S. 11:2). El registro de los últimos días de su sabio hijo nos da la misma y aterradora advertencia (1 R. 11:1-11). La intrepidez de Pedro –aunque fruto de la ignorancia, más que de la obstinación– le llevó al borde mismo de la destrucción (Mt. 26:33-35, 41, 74).

Una aguda sensibilidad al pecado es una misericordia especial. Pensar en lo que es –lo que podría ser– si lo complaciéramos sólo con el pensamiento, si el Señor no lo restringiera; ciertamente terminaríamos en la apostasía. ¡Oh! ¿Nos atreveremos a jugar con el pecado? El hombre que presume de él como algo demasiado inofensivo para el castigo eterno, y se promete a sí mismo paz pese a la dirección de su propio corazón, ¡se encontrará con horrores apenas descriptibles por la voz del cielo! Cada palabra de Dios es un rayo dirigido hacia él (Pr. 29:1, Dt. 29:19-20).

Apenas menos digno de compasión es el hombre que se toma a la ligera su estado eterno; que vive sin oración; creyendo que es mucho mejor que sus vecinos más impíos; y que se satisface por completo con una mera preparación externa para la eternidad. Profesante cristiano, no olvides que podemos tener una confianza fuerte sólo porque estamos adormecidos en una ilusión, o *endurecidos* en insensibilidad. ¡'De' todo *infortunio* por auto ignorancia y 'dureza de corazón, líbranos buen Señor![133]

15. *Cual león rugiente y oso agresivo es el gobernante perverso sobre el pueblo pobre.* 16. *Al príncipe que es gran opresor le falta entendimiento, pero el que odia las ganancias injustas prolongará sus días.*

El gobernante piadoso es, para su tierra, como el sol claro de una mañana despejada; como la hierba fructífera que brota después de la lluvia (2 S. 23:3-4). Pero *el gobernante perverso* trae tal maldición que bien podríamos vivir entre las bestias salvajes del bosque.

El león que ruge por presa, y *el oso agresivo* y hambriento[134] –terrores de las razas más débiles– son emblemas adecuados de este tirano *sobre el pueblo pobre* (Pr. 29:2, Ez. 19:2; Sof. 3:3, 2 Ti. 4:17).

---

[133] Letanía.

[134] El nombre parece haberse originado en el gruñido propio de cuando tiene hambre. 'Nec vespertinus *circumgemit* ursus ovili.' Horacio, Epod. xvi. 51.

Ninguna actitud compasiva ablanda su pecho. Ningún principio de justicia regula su conducta; la queja sólo da lugar a más cargas. Cualquier señal de resistencia enciende su corazón insensible en una furia salvaje. Verdaderamente *pobre* y miserable es *el pueblo* a quien la ira divina ha puesto bajo su mal gobierno.[135]

Su opresión muestra *una falta de entendimiento* (Is. 3:12). Su insensata elección de ministros impíos aleja el afecto del pueblo, trayendo como probable consecuencia el acortamiento de su gobierno (1 R. 12:12-19). El gobernante considerado, que *odia la avaricia* (Ex. 18:21) y vive sólo por el bien de su pueblo, suele *prolongar sus días*. 'Puede esperar un reinado largo y feliz, habiendo erigido su trono en el corazón de sus súbditos'.[136]

¡Cuán necesario es, entonces, que *los gobernantes* busquen *entendimiento* para que puedan gobernar como los padres de su pueblo! (1 R. 3:6-9).

1º Reyes 3:6–9 Entonces Salomón le respondió: «Tú has mostrado gran misericordia a Tu siervo David mi padre, según él anduvo delante de Ti con fidelidad, justicia y rectitud de corazón hacia Ti; y has guardado para él esta gran misericordia, en que le has dado un hijo que se sienta en su trono, como *sucede* hoy. »Ahora, Señor Dios mío, has hecho a Tu siervo rey en lugar de mi padre David, aunque soy un muchacho y no sé cómo salir ni entrar. »Tu siervo está en medio de Tu pueblo al cual escogiste, un pueblo inmenso que no se puede numerar ni contar por *su* multitud. »Da, pues, a Tu siervo un corazón con entendimiento para juzgar a Tu pueblo *y* para discernir entre el bien y el mal. Pues ¿quién será capaz de juzgar a este pueblo Tuyo tan grande?».

¡Qué gran motivo tenemos para bendecir a Dios en este, nuestro gobierno afable y feliz, protegido de déspotas *perversos* (1 S. 22:17-19; Dn. 3:6, 19), quienes no se detendrían ante ninguna tiranía que sirviera a sus propósitos egoístas![137]

---

[135] 'Nat. Hist. of Script' de George Paxton (1762 – 1837). p. 333. Cf. 1 R. 21:1-7, Neh. 5:15, Ec. 4:1, Am. 4:1, Mi. 3:1–3.

[136] Thomas Scott (1741-1821).

[137] Enrique VIII, declaró de la célebre obra de Tyndale, 'The obedience of a Christian Man': 'Este libro es para mí y para que lo lean todos los reyes'. Probablemente sólo hizo publicidad de esas partes que podía usar para legitimar su propia rapacidad egoísta. Bien hubiera hecho si hubiera considerado una instrucción tan importante como: "El rey no es más que un siervo que ejecuta la ley de Dios, y no debe gobernar según su propia inventiva". Ha sido llevado al trono para "servir a sus hermanos, así que no debe pensar que sus súbditos fueron hechos para servir a sus deseos".

17. El hombre cargado con culpa de sangre humana, fugitivo será hasta la muerte (Lit. huirá hasta la fosa); que nadie lo apoye.[138]

La ley originaria contra el asesino no debe ser quebrantada. Del mismo modo que la ley respecto al Sabat –aunque confirmada por el código levítico– estuvo en vigor desde el principio. La razón dada para ello prueba su exigencia universal (Gn. 9:6). Por lo tanto, erróneamente se denomina filantropía a aquella posición que objeta *toda* pena capital. ¿Pretenderá el hombre ser más compasivo que Dios? La compasión aquí está fuera de lugar (Dt. 19:11-13. Cf. Nm. 35:31).

Los paganos juzgaron a este terrible transgresor como si estuviera bajo la venganza divina (Hch. 28:4). El mismo Dios consideró que la tierra estaba contaminada por esta culpa (Nm. 35:30-34). En consecuencia, quien asesina a su hermano es su propio asesino. *Huirá a la fosa*, llevado allí por su propia conciencia horrorizada (Mt. 27:4-5), por la espada de la justicia (1 R. 2:28-34, cf. Ex. 21:14, 2 R. 11:1-16; 15:10-30), o por el innegable juicio de Dios (1 R. 21:19; 22:38, 1 R. 11:33-37). *Que nadie lo detenga*. Que la Ley de Dios siga su curso.

A pesar de todo, no debemos desechar su alma. Visitar la celda de los condenados es un acto especial de misericordia. Si bien nos inclinamos ante la justicia severa del gran legislador, es ciertamente una alegría llevar el perdón gratuito del Evangelio al pecador sentenciado por la ley; no para anular su pecado, sino para mostrar la sobreabundancia de la gracia allí donde abundó el pecado (Ro. 5:20).

18. El que anda en integridad será salvo, pero el que es de camino torcido (Lit. perverso de dos caminos) caerá de repente.

Este contraste ha sido trazado recientemente (v. 6). En efecto, el propio proverbio, en esencia, ya ha sido dado. La "seguridad de los íntegros", antes señalada, aquí se incluye en su *salvación*. La "consabida" ruina del hipócrita (Pr. 10:7), se establece aquí como algo cumplido, *de repente* (Pr. 24:16; 29:1, Nah. 1:9).

---

[138] Nota del traductor: La versión usada en el inglés original señala literalmente: "El hombre que comete violencia contra la sangre de otro huirá a la fosa; que nadie lo detenga"; de allí las referencias realizadas por el autor.

Este andar *íntegro* constituye la perfección cristiana: "andar delante de Dios" (Gn. 17:1). No hay necesidad de tener la visión de Jacob (Gn. 28:17) para darse cuenta de su presencia. "La fe ve al que es invisible" (Heb. 11:1, 27). Puede parecer que este estilo de vida se pierde muchos beneficios temporales. Pero, ¿qué si el *íntegro* no es rico, honorable, estimado? Es *salvo*. Esta única bendición incluye todo. Es la sustancia del tiempo y de la eternidad. Todo lo demás es sombra y vanidad. Habitar en la presencia de Dios (Sal. 140:13); ante el resplandor de su rostro (Sal. 11:7); en la luz y alegría de su gozo (Sal. 97:11); y, al final, en su gloria descubierta (Sal. 15:1-2, Ap. 14:5); tal es la esperanza, la salvación *del íntegro* (Sal. 125:4).

¡Cristiano! ¿Te separarás de esta porción, de esta esperanza, por los reinos de este mundo? ¿Qué comodidades terrenales pueden sustituirla? Ella provee lugar para todo. Cualquier falta de *integridad* acarreará al hijo de Dios la vara. *Pero el que es perverso en su camino caerá de repente*. Ninguno de sus muchos cambios prosperará (Sal. 125:5). Su caminar ambiguo, su vano intento de "servir a dos señores" (Mt. 6:24), sólo lo avergonzará: ¿qué necesidad tengo yo –se pregunta– de clamar "Redímeme y ten misericordia de mí" si sé que estoy en el paso más elevado de la integridad? (Sal. 26:11).

c. La riqueza a través del trabajo duro frente a la prisa (28:19-24)

19. *El que labra su tierra se saciará de pan, pero el que sigue propósitos vanos se llenará de pobreza.*[139]

Este proverbio también ha sido compartido previamente (Pr. 12:11). Las memorias y corazones como los nuestros necesitan que "renglón tras renglón" (Is. 28:13) se les lleve a realizar sus obligaciones prácticas. Si el trabajo es una ordenanza punitiva (Gn. 3:19), en él se ha incluido tal bendición que su remoción disminuiría nuestra más sustancial fuente de felicidad. El hombre no nació para ser una piedra, sin energía; o una máquina, para ser activado por mera fuerza pasiva.

---

[139] Nota del Traductor: La versión usada en el inglés original señala literalmente: "El que labra su tierra tendrá abundante pan, pero el que sigue a los vanos tendrá suficiente pobreza"; de allí las referencias realizadas por el autor.

Nuestra verdadera felicidad radica en la dependencia activa. Los hábitos diligentes son los medios para alcanzarla fructíferamente. La tierra "en sí misma no produce más que espinas y cardos". Pero *el que labra su tierra tendrá abundante pan* (Gn. 3:18, cf. Pr. 14:4; 27:23–27).

> **Génesis 3:18** Espinos y cardos te producirá, y comerás de las plantas del campo.
>
> **Proverbios 14:4** Donde no hay bueyes, el pesebre está limpio, pero mucho rendimiento *se obtiene* por la fuerza del buey.
>
> **Proverbios 27:23** Conoce bien la condición de tus rebaños, *y* presta atención a tu ganado.

La bendición no viene por medio de milagros, para estimular la pereza; sino por el uso de los medios, para estimular el esfuerzo.

El contraste con esta *abundancia de pan* es *la pobreza*. El pródigo es un faro de advertencia. "En la casa de su padre" –ocupado, sin duda, en su activa labor– "había pan suficiente, y aún de sobra". Sin embargo, a causa de su capricho, dejó su *abundancia, y siguió a los vanos*; y pronto se *llenó de pobreza:* "perezco de hambre" (Lc. 15:13-17. Cf. Pr. 23:20-21). La ociosidad es un pecado contra Dios, contra nuestro prójimo, contra nosotros mismos. "En lo que requiere diligencia, no perezosos, fervientes en espíritu, sirviendo al Señor" (Ro. 12:11. Cf. Ec. 9:10); es la regla para prosperar en lo que concierne a este mundo; mucho más en los trascendentales asuntos de la eternidad.

20. *El hombre fiel abundará en bendiciones, pero el que se apresura a enriquecerse no quedará sin castigo.*[140]

El estudio de este contraste muestra el significado definitivo de los términos. *El hombre fiel* se contrapone, no a los ricos, sino –advierte esta cuidadosa exactitud– a aquel *que se apresura en ser rico*. El hombre puede ser rico por la bendición de Dios (Pr. 10:22, Gn. 24:35, 1 R. 3:13). Pero este *se apresura a enriquecerse* por su propia codicia (1 Ti. 6:10). El primero puede ser rico, y

---

[140] Nota del Traductor: La versión usada en el inglés original señala literalmente: "El hombre fiel abundará en bendiciones, pero el que se apresura a enriquecerse no será inocente (*sin castigo, Marg.*)"; de allí las referencias realizadas por el autor

todavía fiel. El segundo *se apresura a enriquecerse* a costa de la *fidelidad* (v. 22. Pr. 19:2; 20:14).[141]

> **Proverbios 19:2** Tampoco es bueno para una persona carecer de conocimiento, y el que se apresura con los pies peca.
>
> **Proverbios 20:14** «Malo, malo», dice el comprador, pero cuando se marcha, entonces se jacta.

El hombre fiel no hace una profesión ruidosa. No obstante, es digno de ser observado, incluso en las más pequeñas nimiedades (Lc. 16:10). Es fiel a su encargo. Cumple sus compromisos. Sólo tiene un principio: "para el Señor", bajo su mirada, en su presencia, "para su gloria" (Col. 3:23, 1 Co. 10:31). Si pones a prueba sus principios con un cebo mundano, preferirá su conciencia a su interés (Gn. 39:9). Prefiere ser pobre si así lo dispone la Providencia, que rico por el pecado.

Este es el hombre digno de confianza de quien se dice "¿Quién lo hallará?".[142] Así pues, cuando lo encuentres, fíjate en sus *abundantes bendiciones*; bendiciones que están sobre su cabeza (Pr. 10:6); bendiciones para ambos mundos (Sal. 37:37; 112, Is. 33:15-16). ¿No hay una promesa infinitamente mejor en los caminos de Dios que en los caminos del pecado? Así el camino esté lleno de pruebas e incertidumbre, si el camino es estrecho (Pr. 4:26-27, Heb. 12:13), el sol brillará sobre él. Pero el hombre que no tiene fe sólo puede caminar por un camino torcido. Salta por encima de cualquier lindero constituido por principios. Se *apresura a enriquecerse*. No puede esperar a Dios en la senda de la diligencia cristiana.

La promesa no corre lo suficientemente rápido para él. Se hace rico demasiado pronto; y apenas sabe o le importan los medios; empleará cualquiera, antes que perder lo que ha alcanzado. Sin embargo, toda esta *prisa* sólo acarrea su propia ruina. En lugar de *abundar en bendiciones, no será inocente.* A Jacob, como *hombre fiel*, le fue pagado un salario cabal por su trabajo. Aunque su amo no lo hizo, Dios lo trató generosamente.

Abundó en bendiciones; mientras que Labán, *apresurándose a enriquecerse*, se empobreció (Gn. 31:7-9). Resulta difícil, si no imposible,

---

[141] Incluso los moralistas paganos podían ver esto: 'Ουδεις επλέπησε ταχεως δικαιος ων.' Menandro. Lt. 'Nam dives qui fieri vult, *Et cito vult fieri*; sed quæ reverentia legum? Quis metus aut pudor est unquam *properantis avari?*'. Juv. Sat. xiv. 176-178.

[142] Heb. Pr. 20:6. Cf. Mt. 24:45.

mantener la *inocencia* en tal sendero de tentación (2 R. 5:25-27. Cf. Pr. 20:21; 21:6). Aunque no se recurra a ningún medio criminal, con todo, el deseo excesivo, la perseverancia tras cada rastro de Mamón, el esfuerzo día y noche para lograr el gran objetivo, el deleite al adquirir riquezas (Job 31:25); todo esto demuestra un corazón idólatra (Job 31:24, 28, Col. 3:5), y no quedará *sin castigo*. "Los que quieren enriquecerse –que se *apresuran a enriquecerse*– caen en tentación y en lazo, y en muchas codicias necias y dañosas, que hunden a los hombres en destrucción y perdición. Mas tú, oh hombre de Dios, huye de estas cosas" (1 Ti. 6:9–11).

21. *Hacer acepción de personas no es bueno, pues por un bocado de pan el hombre pecará.*

Este proverbio ha sido repetido más de una vez (Pr. 18:5; 24:23, y referencias. Cf. Stg. 2:1–4). El acto en sí *no es bueno*. Es una *transgresión* positiva. El principio es aún peor; un egoísmo sórdido. Tenemos aquí *un hombre*, no de una mentalidad servil o naturalmente degradada, ¡sino producto de la degradante influencia de la codicia! un *hombre* de peso e influencia,[143] y que, sin embargo, abusa de su poder para lograr sus propios fines. Está ante un hombre rico, o un pariente, o bajo alguna obligación, y por lo tanto *hace acepción de personas*. Ahora bien, lo que es correcto para el rico, es correcto para el pobre. En consecuencia, el Juez de toda la tierra considera que pisotear a los pobres es rebelarse contra su propio estándar justo.[144] El principio que ha sido sofocado una vez, raramente recupera su ascendencia. Toda prueba sucesiva demuestra su debilidad; hasta que aquel que se creía capaz de resistir un cuantioso soborno, por lo más mínimo rompe con Dios y con su conciencia. *Por un bocado de pan ese hombre pecará* (Am. 2:6).[145]

¿No es este, por desgracia, un pecado del púlpito? ¿Nunca se ha apartado el ministro de la piadosa simplicidad por algún motivo interesado? ¿nunca ha *transgredido* su inmensa obligación *por un bocado de pan*? En la antigüedad, esta era una tentación que acosaba el oficio sagrado (Ez. 13:18-19, Os. 4:18, Mi. 3:5, 2 P. 2:3).

---

[143] La raíz de la palabra (*un hombre*) es sabiduría y fortaleza. Pr. 24:5.

[144] *Transgresión* en este lugar es la misma palabra que rebelión. Is. 1:2. Vea también 1 R. 12:19, 2 R. 1:1; 3:5.

[145] Catón solía decir de M. Cœlius, el Tribuno, que 'podía ser contratado *por un bocado de pan* para hablar, o para callarse'.

Ezequiel 13:18–19 "Así dice el Señor Dios: '¡Ay de las que cosen cintas *mágicas* para todas las coyunturas de la mano y hacen velos para las cabezas de *personas* de toda talla con el fin de cazar vidas! ¿Cazarán las vidas de Mi pueblo y preservarán sus vidas? 'Ustedes me han profanado ante Mi pueblo por puñados de cebada y por pedazos de pan, dando muerte a algunos que no debían morir y dejando con vida a otros que no debían vivir, mintiendo a Mi pueblo que escucha la mentira' '"».

Así pues, considérese solemnemente esta advertencia.

En la vida ordinaria, el hecho que el pan de un hombre dependa del favor de otro constituye una fuerte tentación a *transgredir* principios rectos. La cobardía y la incredulidad se refugian bajo el manto de la prudencia. Se descuida la reprensión cristiana por miedo a ir contra la costumbre o a perder algún beneficio. Nuestro interés es puesto por encima del de Dios. De este modo, un claro mandato bíblico (Lv. 19:17) es dejado de lado *por un bocado de pan*. ¿Somos los cristianos totalmente inocentes en este asunto? ¿No sometemos a veces nuestra conducta al temor del hombre, en lugar de "confiar en Dios"? (Pr. 29:25). Resistamos, en la fuerza del Señor, esta tentación al primer indicio, varonilmente y en oración, y obtendremos la victoria.

22. *El hombre avaro (Lit. de ojo maligno) corre tras la riqueza y no sabe que la miseria vendrá sobre él.*

Otra palabra de advertencia, "Estén atentos, cuídense de la codicia" (Lc. 12:15). "Los deseos de los ojos" (1 Jn. 2:16) son como una ráfaga mortal para el alma. Abraham obtuvo riquezas sin *correr tras ellas*, sino con la bendición de Dios (Gn. 13:2). Lot no *pensó* que su *prisa por ser rico* era el camino hacia la *miseria*. No obstante, paso a paso, "entró en tentación" (Gn. 13:10–13; 14:12). Toda perspectiva mundana fue destruida; y terminó sus días pobre y desamparado, como un degradado inquilino de una desolada cueva de Zoar (Gn. 19:30). Así, el que buscaba el mundo, lo perdió; y el que estuvo dispuesto a perderlo, lo encontró. Ni el *ojo maligno de Acab* envidiando a Nabot el disfrute de su viña, ni Joacim apoderándose injustamente de todo lo que estaba a su alcance *sabían* cómo esta prisa *por ser ricos* terminaría en desgracia (1 R. 21:2, 18-19, Jer. 22:13-19). Sin embargo, muchas y fuertes son las advertencias contra la avaricia que terminan en vergüenza, y están llenas de la maldición de un Dios vengador (Pr. 23:5, Cf. Job 20:18-22; 27:16-17, Jer. 17:11, Lc. 12:19-20).

Job 20:18–22 »Devuelve lo que ha ganado, no *lo* puede tragar; en cuanto a las riquezas de su comercio, no *las* puede disfrutar. »Pues ha oprimido *y* abandonado a los pobres; se ha apoderado de una casa que no construyó. »Porque no conoció quietud en su interior, no retiene nada de lo que desea. »Nada le quedó por devorar, por eso no dura su prosperidad. »En la plenitud de su abundancia estará en estrechez; la mano de todo el que sufre vendrá *contra* él.

¡Hombre de Dios! Recuerda, no es el que más conoce, sino el que más ama las cosas del cielo quien estará más sordo a las riquezas de la tierra. El *ojo maligno,* fijado en la tierra, nunca podrá mirar hacia lo alto. Mientras más amas la tierra, pierdes el cielo. ¿No es un motivo de vergüenza el hecho que, si el cielo es tu posesión, y tienes tanto provecho en él, sin embargo, pienses tan poco en él, le demuestres tan poco amor? Reprime con mucho cuidado tu ansiedad por ascender en el mundo.

Pues en su gloria más alta no hay nada digno de tu corazón. Mantén las cosas de la tierra como una vestimenta exterior, que puedas "dejar de lado" cuando te enrede en la carrera celestial (Heb. 12:1). Pero mantén el cielo junto a tu corazón como tu tesoro, tu amor, tu corona. Qué bienaventuranza sería tener el ánimo del santo Obispo, quien, cuando oyó de los estragos causados en su propiedad por las incursiones de los godos, levantó sus ojos y dijo: "Tú sabes dónde ha estado mi tesoro todo este tiempo".[146]

23. *El que reprende al hombre hallará después más favor que el que lo lisonjea con la lengua.*

Con demasiada frecuencia *el lisonjero* halla *más favor* que quien reprende (1 R. 22:6-8, 27, Jer. 26:7-8).

'Pocas personas tienen la sabiduría de preferir las reprimendas que les hacen bien antes que las alabanzas que les hacen daño'.[147] Y, sin embargo, un hombre sincero, a pesar del momentáneo conflicto por el orgullo herido, apreciará *después* la pureza del motivo, y el valor de la revelación. 'Aún el que grita a su

---

146 Paulinus, obispo de Nola en el siglo V.
147 Dr. South. Vea su 'Life'.

cirujano por haberle hecho daño mientras examinaba su herida, le pagará bien y le agradecerá también, cuando le haya curado'.[148]

La incredulidad, sin embargo, paraliza la *reprensión* cristiana. Un verdadero disgusto, o el enfriamiento de la amistad, son intolerables. Sin embargo, la pública *reprensión* de Pablo a su hermano apóstol no produjo ninguna ruptura entre ellos. Muchos años *después,* Pedro recordó a su "amado hermano Pablo" con el mayor de los respetos (Gá. 2:11-14, cf. 2 P. 3:15). La dolorosa *reprensión* del Apóstol a sus conversos corintios eventualmente acrecentó su *favor* entre ellos, como un amigo de sus mejores intereses (1 Co. 5. Cf. 2 Co. 2:1-10). *El lisonjero* es visto con repugnancia (Pr. 27:14); el represor, al menos *después*, con aceptación (Pr. 9:8; 27:5-6, Sal. 141:5, Ec. 7:5).[149]

Un resultado menos favorable a menudo puede atribuirse a la elección de un momento inoportuno (Pr. 15:23), a un trato áspero, a no haber pedido en oración por la sabiduría necesaria, o a no haber "considerado" debidamente nuestro propio riesgo de caer (Gá. 6:1). Escudriñemos el espíritu de nuestro bondadoso Maestro, cuya mansedumbre siempre fue un bálsamo sobre la herida que su fiel amor había abierto. Tal espíritu es más cercano al apoyo de un amigo que a la corrección de la vara.

24. El que roba a su padre o a su madre y dice: «No es transgresión», es compañero del hombre destructor.

La gravedad del pecado es proporcional a lo requerido por el deber. Un asesino es un *transgresor* atroz, cuánto más un parricida. *Robarle* a un extraño, a un vecino, a un amigo es malo; ¡cuánto más *a un padre o a una madre*! La obligación filial de prestar un cariñoso cuidado se rompe. A la injusticia se añade ingratitud. ¡En qué grado de maldad se detendrá un pecador tan empedernido! ¿Nos sorprenderemos al verlo como *compañero del hombre destructor*? No obstante, este pecado suele cometerse sin un ápice de sensibilidad (Gn. 31:19,

---

[148] Matthew Henry (1622-1714).

[149] ¡Qué desgracia que el ejemplo del piadoso Asa presente una excepción a la regla! 2 Cr. 16:7-10. Cuando Bernard Gilpin *reprendió* públicamente los abusos de la Iglesia ante su diócesis; en lugar de incurrir en su desagrado, el obispo le trató con marcado *favor*. Dijo: 'Padre Gilpin, reconozco que usted es más apto para ser Obispo de Durham, que yo para ser el párroco de su iglesia'. 'Life' por Ob. Carleton, p. 58. Cuando el filósofo le preguntó a Alejandro la razón de su despido, el monarca respondió: 'O bien no has advertido mis errores, lo cual es una prueba de tu ignorancia, o bien has callado, lo cual es una prueba de tu infidelidad'. 'Life' de Plutarco.

34-35, Jue. 17:2); como si los hijos pudieran disponer de los bienes de sus padres a su voluntad. Estos *atracadores* no aceptan el nombre de ladrones. Pero Dios, que ve a los hombres tal como son y los juzga imparcialmente, los clasifica entre los impíos, "y lidiará con ellos como corresponde" (Pr. 21:7).

Esta culpa tampoco se limita a la más grosera atrocidad. Ciertamente no es mejor el joven derrochador que desperdicia las posesiones de *su padre,* sin considerar que es una *transgresión* hacerle incurrir en deudas sin su conocimiento o consentimiento (Pr. 19:26. Cf. Eclesiástico 3:16). Nuestro Señor anuncia otra clase de *robo*: el negarse a cumplir con el irrevocable deber de proveer a los padres; ¡y esto bajo el pretexto de servicio a Dios! (Mt. 15:3-7). Pero el evangelio no admite que un deber se sobreponga a otro (v. 9). El cristiano íntegro pondrá todos los deberes sobre la misma base de obediencia cristiana (Sal. 119:5-6, 80, 128).

¡Jóvenes! Si valoran su alma, su conciencia, su felicidad, consideren el amplio alcance de esta, su obligación filial; el honor, la deferencia y la consideración que en ella se incluyen; el evidente sello de autoridad divina sobre ella; la marca de la reprobación de Dios para los que la desprecian (Ver 1 S. 2:25); así como el seguro sello de su bendición sobre quienes la reconocen práctica y abnegadamente.

d. La riqueza a través de la confianza en el Señor y la generosidad frente a la tacañería (28:25-27)

25. El hombre arrogante (*Lit.* de alma ensanchada) *provoca rencillas, pero el que confía en el Señor prosperará* (*Lit.* engordará).

El contraste entre *el arrogante y el que confía en el Señor* es muy notable. Muestra que la raíz de la incredulidad es el orgullo. El hombre, habiendo abandonado a Dios, no espera nada, no teme nada de Él. Vive como si no hubiera Dios. Su corazón orgulloso es *ancho*; no como el del sabio, con su plenitud de facultades (1 R. 4:29); sino en ambición y apetito insaciable.[150] Nunca está contento dentro de sus propios límites.

En el mundo sería un Amán (Est. 3:1-2); en la iglesia un Diótrefes, uno que "ama tener la preeminencia" (3 Jn. 9). Es su naturaleza *provocar rencillas*. A

---

150 Heb. Holden. Dathe.

todo el que no está de acuerdo con su propia opinión de él mismo, supone que es alguien falto de respeto. Así "por la soberbia viene la contienda" (Pr. 13:10; 29:22). Y siempre habrá alguna espina de ambición mortificada (Est. 5:11–13), o algún nuevo deseo o anhelo insatisfecho (Ec. 5:10-11), consumiéndolo, de modo que "se marchita en sus empresas" (Stg. 1:11). ¡Qué sombra tan vacía de felicidad fugaz! ¡Tan contraria a la *abundancia de aquél que pone su confianza en el Señor*! (Pr. 16:20, Sal. 84:12, Jer. 17:7-8). 'Será saciado de cosas buenas y sólidas'.[151]

¡Cristiano! Teme la ocasión de *provocar una rencilla*, el flagelo de la piedad vital. Mantente cerca de tu Señor. Fue cuando los discípulos hablaban juntos por el camino, *en lugar de caminar* en *comunión inmediata con su* Maestro, que *se provocaron las disputas* (Mc. 9:33-34). ¿No nos apunta esto al gran preservador? Que la oración secreta sea tu elemento y tu gozo. Aquí es donde apreciamos la vida de fe. Y en verdad, como dice Lutero, 'La fe es algo precioso' (Cf. 2 P. 1:1). Aleja toda inquietante preocupación (1 P. 5:7). Nuestra causa está con Él, y, por tanto, estamos en reposo (Sal. 37:5-7).

> **Salmo 37:5–7** Encomienda al Señor tu camino, Confía en Él, que Él actuará; Hará resplandecer tu justicia como la luz, Y tu derecho como el mediodía. Confía callado en el Señor y espera en Él con paciencia; No te irrites a causa del que prospera en su camino, Por el hombre que lleva a cabo *sus* intrigas.

¡Cuánto más, cuando la gran carga es removida! 'Golpea, Señor, golpea, porque has perdonado'. "Sanados con los rayos del Sol de Justicia, *seremos saciados*, como los terneros del establo" (Mal. 4:2. Cf. Is. 58:11).

26. *El que confía en su propio corazón es un necio, pero el que anda con sabiduría será librado.*

Contrasta la firme y fructífera confianza que acabamos de mencionar (v. 25), con la *confianza* natural del hombre. Nuestra confianza determina nuestro estado (Mt. 7:24-27).

Confiar en un impostor que nos ha engañado cien veces, o en un traidor, que ha demostrado ser falso a nuestros más importantes intereses, es merecer ciertamente el título de *necio*. Por lo tanto, la Escritura –"con gran franqueza"–

---

151 Diodati.

le da este título a aquél que *confía en su propio corazón*. El Obispo Joseph Hall (1574-1656) lo llama 'El gran impostor'.[152] ¿No ha estado implementando un sistema de engaño sobre nosotros desde el primer momento consciente? Sí, verdaderamente el traidor tiene su hogar en nuestro propio seno, promoviendo, de común acuerdo con nuestro enemigo mortal, los más elaborados esfuerzos para nuestra destrucción.

El sabio ilustra terriblemente su propio proverbio. Debe haber sido alguna amarga raíz de confianza en sí mismo la que arrojó su maravillosa sabiduría en la más baja degradación (1 R. 11:1-8). Así también Pedro, ¡cómo se *engañó a sí mismo en su confianza*! Presumiendo de "la buena voluntad del espíritu", y olvidando la muy necesaria precaución de su Señor contra "la debilidad de la carne", aunque se le llamó una roca, cayó como una caña ante el primer hálito de tentación (Mt. 26:33, 35, 41, cf. 69-70).

Si los brazos eternos no hubieran estado debajo, habría sido como la caída de Judas a las profundidades del infierno. He aquí una instructiva lección que nos muestra que toda dependencia en nuestros sentimientos, ímpetu, fuerza natural, sinceridad, propósito o convicción, es una vana confianza. La triste experiencia nos ha convencido de esto. No obstante, en la ceguera de nuestra insensatez, siempre estamos dispuestos a *confiar* de nuevo –y, si el Señor no lo impide– causando nuestra propia ruina.

Como el buen obispo Wilson señala: 'No hay ningún pecado que el hombre no deba temer o creerse capaz de cometer, ya que tenemos en nuestra corrupta voluntad la semilla de todos los pecados'. Ninguno de nosotros puede presumir con seguridad que su corazón no lo llevará a cometer abominaciones que ahora contempla con horror (2 R. 8:13-15). Si Eva, en estado de inocencia, pudo creerle a una serpiente ante que a su Creador (Gn. 3:1-6); si "el santo del Señor" pudo adorar al becerro de oro (Ex. 32:2-5, cf. Sal. 106:16); si "el hombre según el corazón de Dios" pudo revolcarse en el adulterio, el asesinato y el engaño (2 S. 11:4, 17); si el más sabio de los hombres y el afectuoso discípulo al que acabamos de referirnos pudieron caer tan bajo, ¿qué no podríamos hacer nosotros? Ciertamente "todo hombre es mentiroso"; los mejores hombres, cuando se los deja a sí mismos, son lúgubres espectáculos de debilidad e inestabilidad (1 Co. 10:13).

---

[152] Título del sermón sobre Jer. 17: 9. Vea el diálogo de Bunyan, entre Cristiano e Ignorancia.

¡Bendito sea nuestro Dios! El hecho que permanezcamos no radica en la incertidumbre del mejor propósito del hombre; sino en la promesa fiel, la voluntad inmutable, la gracia libre y la fuerza Omnipotente de Dios; por lo tanto, no en nosotros mismos, sino en la Roca, sobre la cual la Iglesia está edificada inamoviblemente. En consecuencia, valoramos un profundo conocimiento de nuestra debilidad y corrupción interior. Doloroso y humillante como es; afirma nuestra fe, y nos fundamenta en el evangelio mucho mejor que si camináramos sobre la superficie.

Este estudio del corazón fortalece el principio del santo temor que nos permite *andar sabiamente, librándonos* así de los males de confiar en uno mismo. En efecto, en un sendero donde a cada paso hay una trampa sembrada y un enemigo acosando, ¡cuán necesaria es la precaución "Anden con cuidado", mirando a todos lados "no como necios, sino como sabios" (Ef. 5:15. Cf. Pr. 3:5-6).

> **Proverbios 3:5–6** Confía en el Señor con todo tu corazón, Y no te apoyes en tu propio entendimiento. Reconócelo en todos tus caminos, Y Él enderezará tus sendas.

Una sana confianza es una prueba de sabiduría. Por lo tanto, que sea una máxima en la religión cultivar la desconfianza en uno mismo; nunca confiando nuestra propia protección a nosotros mismos. Somos demasiado débiles para exponernos innecesariamente al peligro. No podemos orar: "No nos dejes caer en tentación", mientras nos precipitamos en ella, ni tampoco: "Líbranos del mal", mientras parece que lo invitamos a que se acerque (Mt. 6:13, cf. 26:41).

27. *El que da al pobre no pasará necesidad, pero el que cierra (Lit. esconde) sus ojos tendrá muchas maldiciones.*

No hay nadie que anhele la miseria, ni que desee ser pobre. Y, por lo tanto, para salvarse de ello, los de mente carnal cuidadosamente reúnen y almacenan tanta riqueza como pueden, por cualquier medio posible; y piensan que por tales medios evitarán la *escasez*. Y, en efecto, según el juicio humano, es el mejor camino que un hombre puede tomar. Pero el Espíritu Santo nos enseña otro medio, claramente contrario a la razón natural. *El que da al pobre no pasará necesidad*. Esto va en contra de la razón, la cual dice que debemos reunir y aferrarnos a lo que tenemos a fin de evitar la pobreza. No mira lo que

Dios puede y quiere hacer. Ella es ciega a las obras del Señor, sobre todo a las que Él hace según su gratuito prometer.[153]

Aquí también la codicia se combina con la razón para contradecir la palabra de Dios. La promesa es dada por Aquél que tiene todo el poder para cumplirla (Sal. 24:1), y que tiene además mil maneras de pagar lo que se hace o se sacrifica según sus órdenes. El fruto es absolutamente seguro, 'como la mejor prevención contra la pobreza, colocando dinero en el banco del cielo, el cual nunca puede perder crédito. Los mejores valores de la tierra no impedirán que "las riquezas se hagan alas y se vayan volando".[154] Sin embargo, ¿cuándo se han falsificado los títulos del cielo? (Nm. 23:19, 2 Co. 1:20). Después de todo, en la mente carnal la codicia prevalece sobre la fe, y "la confianza en las riquezas inciertas hace al Dios vivo un mentiroso" (Cf. 1 Ti. 6:17, 1 Jn. 5:10).

Así pues, nosotros, profesos seguidores de Cristo, ¿tomamos en serio estas verdades, probando nuestros propios principios y prácticas con ellos, con la honesta intención de adoptarlas como nuestra regla y medida de conducta, en lugar de la prudencia egoísta y la conveniencia? Una y otra vez Dios ratifica su compromiso (Pr. 3:9-10; 11:24, 25; 13:7; 14:22; 19:17; 22:9, Dt. 15:7-10, Sal. 41:1-3; 112:5-9, cf. 2 Co. 9:6-11, Ec. 11:1, Is. 32:8; 58:7-11, Mt. 5:7, Lc. 6:38).[155]

Proverbios 3:9–10 Honra al Señor con tus bienes y con las primicias de todos tus frutos; entonces tus graneros se llenarán con abundancia y tus lagares rebosarán de vino nuevo.
Proverbios 11:24 Hay quien reparte, y le es añadido más, y hay quien retiene lo que es justo, solo para venir a menos.

Sin embargo, tememos que muchos de los que "contienden seriamente por la fe" del Evangelio, y que resistirían a toda costa la invasión de la herejía, se avergonzarían de revelar los escasos límites de su liberalidad.

---

[153] Cope in loco.

[154] Lawson in loco. Pr. 23:5.

[155] Observe la brillante exuberancia de esta última promesa; no sólo "se os dará", sino también *en medida buena,* en justa proporción al ejercicio del amor; *apretada,* para asegurarla en toda su extensión; *remecida,* como con el maíz, para que quede más cerca a su lugar; y, como si esto no fuera suficiente; *rebosante,* sin límites; *dado en vuestro regazo,* para que prueben la gran indulgencia de la bendición.

Si realmente creemos en la promesa asociada a este deber, no deberíamos, tan a menudo, *esconder nuestros ojos* de un caso de angustia. Sin embargo, no sólo no estamos atentos ante posibles objetos de compasión, sino que, en realidad, nos apartamos de ellos, como el siervo de Dios se apartaba del pecado (Cf. Job 31:1, Gn. 39:10); y luego nos justificamos alegando una imposición frecuente, y los muchos objetos dignos, que podrían o no venir ante nosotros.

Muchas maldiciones se ciernen sobre este espíritu avaro, tanto de parte de Dios como del hombre (Pr. 11:26, 1 S. 25:17, 25-26, 38). Así pues, ¿no está aquí también presente el peligro de la *maldición* eterna? (Mt. 25:41-45, Stg. 2:13; 5:1–4). Considéralo bien; no sea que la prudencia y el discernimiento frenen el brillo de la caridad, resulten un manto de egoísmo y oscurezcan la luz de la benevolencia y el amor cristianos que deben brillar ante los hombres en la profesión de los verdaderos siervos de Dios.

3. Proverbio de conclusión (28:28)

28. Cuando los impíos se levantan, los hombres se esconden; pero cuando perecen, los justos se multiplican.

Este proverbio, en esencia, ha sido compartido anteriormente (v. 12. Cf. Pr. 29:2).

El ascenso de los malvados al poder es, en efecto, un juicio nacional – digno de gran lamento– que actúa como un motor de cruel perversidad contra la Iglesia de Dios. Así ha sido en todas las persecuciones paganas y papales, y así siempre lo será, mientras ella esté aún "en el desierto" (Pr. 29:27, Gn. 3:15, Ap. 12:17). Pero cuán tremenda carga de culpa y castigo implica luchar de ese modo contra Dios (Hch. 9:4). Poco saben *los impíos* de lo precioso que son los santos delante de sus Ojos (Zac. 2:8); de su perfecta seguridad bajo su Cobertura (Is. 26:20); de la soberana Limitación que ha puesto sobre sus enemigos (Sal. 76:10); y del tremendo final que tendrá todo el que se oponga contra ella (Ex. 15:1, Is. 51:9-11, Ap. 18:20).

Pese a todo, el poder de los impíos, incluso aquí, durará sólo por un momento; y *cuando perezcan*, como efectivamente perecerán, los *justos se multiplicarán*. Durante los días del piadoso Ezequías hubo un gran crecimiento en la Iglesia, cuando las puertas del templo, que su malvado padre había cerrado, se abrieron para la confesión y la consagración nacional a Dios (2 Cr. 28:24; 29; 30:13, 25).

Así también luego de la muerte de Herodes, "la palabra de Dios creció y se multiplicó" (Hch. 12:23-24). Y en nuestros propios anales, cuando le fue arrebatado a María su mal utilizado poder, los exiliados cristianos volvieron de sus escondites continentales, trayendo consigo grandes bendiciones tanto para la Iglesia como para la nación. Así, "del devorador salió comida, y del fuerte salió dulzura" (Jue. 14:14). La cruz es una bendición enriquecedora para la Iglesia y para cada uno de sus miembros.

4. Línea central: Muerte súbita para los de corazón duro (29:1)

1. *El hombre que después de mucha represión se pone terco (Lit. endurece la cerviz), de repente será quebrantado sin remedio.*

ESTE mensaje es realmente atroz. El buey intratable, que *endurece su cerviz* contra el yugo (Jer. 31:18), es una imagen demasiado apropiada del pecador obstinado, quien se deshace de las ataduras de Dios. Esta fue la invariable queja contra Israel (Ex. 32:9, 2 Cr. 36:13-16, Neh. 9:29, Is. 48:8, Jer. 17:23, Zac. 7:11-12, Hch 7:51), una verdadera imagen de la tremenda cantidad de impíos ante nuestros ojos. La convicción sigue a la convicción, la corrección a la corrección. Aun así, el rebelde endurece *su cerviz*, cierra sus oídos a la voz de Dios, e invita a sus amenazantes juicios.

Estos casos son muy frecuentes entre los hijos de padres piadosos, o entre los oyentes de un ministro fiel (Pr. 5:12-13, 1 S. 2:12).

> **Proverbios 5:12–13** Y digas: «¡Cómo he aborrecido la instrucción, y mi corazón ha despreciado la corrección! »No he escuchado la voz de mis maestros, ni he inclinado mi oído a mis instructores.
> **1º Samuel 2:12** Pero los hijos de Elí *eran* hombres indignos; no conocían al Señor.

Cada medio de gracia es una solemne, pero despreciada, represión. Un pecado agravado hace que el juicio de un Dios justo sea más manifiesto. Mientras más iluminada esté la conciencia, más *endurecida está la cerviz*. Cada latido es una rebelión contra un Dios de amor.

A veces, la voz de Dios es muy inmediata. Una enfermedad alarmante, un accidente peligroso, o la muerte de un compañero de impiedad, es "la vara y la reprensión" destinada a "dar sabiduría" (v. 15). Pero si el "necio" sigue despreciando todas las reprensiones de Dios, su *destrucción* será *repentina* (1 Ts. 5:3) *y sin remedio* (Pr. 1:22-30; 6:15; 28:14, 18, 2 Cr. 36:16, Is. 30:12–14).

Así fue la *destrucción* del viejo mundo, y de las ciudades de la llanura, largamente *endurecidas* contra la paciencia de Dios (Lc. 17:27-29). El Faraón se volvió más terco bajo la vara, y locamente se precipitó hacia su ruina *repentina* (Ex. 9:27, 34; 10:27-28; 14:28). Los hijos de Elí "no escucharon la voz de su padre, y en un día murieron ambos" (1 S. 2:25, 34). Acab, tras ser *reprendido muchas veces* por el piadoso profeta, *endureció su cerviz*; y "el arco, disparado al azar" cumplió su cometido (1 R. 18:18; 21:20; 22:28, 31). ¡Cómo debió haber endurecido Judas su corazón contra la *reprensión* de su Maestro! (Jn. 6:70; 13:10-11, 18-27). Se apresuró en seguir adelante, "para ir a su propio lugar" (Mt. 26:14-16, Jn. 13:30, Hch. 1:25).

La verdadera paciencia divina tiene su fin. Y cuando ese temible momento llegue: "los vasos de la ira, soportados con mucha paciencia", serán expuestos más claramente como lo que son, "vasos preparados para la destrucción" (Ro. 9:22). Ningún remedio, ni siquiera el Evangelio, puede solucionar su caso. Así como vivieron, así morirán, y así estarán delante de Dios, *sin remedio*. No hay sangre ni abogado que interceda por ellos. Mientras se hundan en el lago ardiente, cada oleada de fuego que caiga sobre ellos parecerá anunciar: *no hay remedio*.

¡Pecador! ¿Serás sabio para considerar tu culpa, tu estado, tu porvenir, mientras "aún tu juicio y tu condenación tardan"? ¿No suplica "el Espíritu de gracia" en tu corazón? ¿No te salvaría ahora, si es que obedecieras su llamado? Aún estás en pie, sobre el fundamento de la misericordia, entre el cielo y el infierno. Oh, Dios de la todopoderosa gracia soberana, muestra el "ejemplo de tu paciencia" (1 Ti. 1:16). Que el pecador cante tu eterna alabanza como "un tizón arrebatado del fuego" (Zac. 3:2), un monumento de tu sobreabundante gracia.

5. La crianza y el gobierno demuestran su valor en el trato con los pobres (29:2-15)

a. Proverbio introductorio (29:2)

2. *Cuando los justos aumentan* (*O* se engrandecen), *el pueblo se alegra; pero cuando el impío gobierna, el pueblo gime.* [156]

> Las vestimentas de honor para *los justos* son vestimentas de alegría para *el pueblo*. El cetro de *autoridad* para los piadosos es el cayado de bienestar para el *pueblo*. Por otro lado, las vestimentas de dignidad de *los impíos* son la ropa del *luto del pueblo*. El trono de mando para uno es el calabozo de la miseria para el otro. Los títulos de honor que se le dan a uno son suspiros de dolor arrancados al otro. [157]

El contraste entre los gobiernos de Mardoqueo y de Amán ilustra *la alegría y el lamento* antes mencionados (Est. 8:15-16; 10:3, cf. 3:15; 4:1-3). El regocijo especial por la asunción de mando de Salomón podría estar relacionado con la confianza de que "caminaría en los caminos de David su padre" (1 R. 1:39-40, cf. 3:3. Cf. 4:20). Los reinos de los reyes *justos* de Judá se distinguieron por la felicidad nacional (2 Cr. 15:12–15; 20:27–30; 29:36; 30:21). En la gloriosa era que se avecina sobre el mundo "el Señor bendecirá" su propio reino como "morada de justicia y monte santo" (Jer. 31:27. Cf. Is. 1:26). Pues, ¿qué otra cosa sino la justicia puede verdaderamente bendecir a un individuo, a una familia o a una nación? (Sal. 72:1-7, Is. 62:1).

> No es una idea peculiar, sino una cuestión de sana consecuencia que todos los deberes son realizados de una mejor manera mientras más religiosos son los hombres, de cuyas habilidades procede los mismos. Pues si los asuntos políticos no pueden prosperar sin los instrumentos adecuados, y si lo que les conviene son sus virtudes; entonces que la política se reconozca deudora de la

---

[156] Nota del Traductor: La versión usada en el inglés original señala literalmente: "Cuando los justos están en autoridad, el pueblo se alegra; pero cuando el impío gobierna, el pueblo se lamenta"; de allí las referencias realizadas por el autor.

[157] Michael Jermin (1590-1659). Cf. Pr. 28:12, 28, Ec. 10:3.

religión, siendo la piedad la virtud principal, la más alta y la fuente de toda virtud verdadera, así como Dios lo es de todas las cosas buenas.[158]

Por lo tanto, cuando *el impío gobierna, el pueblo,* no el piadoso, *gime.* Mientras más agudo haya sido *el lamento,* más grande será la alegría cuando tal azote sea removido (2 Cr. 21:19-20). Mientras tanto, es sufrido por "los fieles de la tierra" como un flagelo nacional (Ec. 10:5-6, Is. 3:4-5, Miq. 3:9–12). Y 'si las lágrimas son su bebida, la paciencia será su pan hasta que Dios tenga misericordia de ellos'.[159] ¡Cuán necesario es que agradezcamos a Dios por el hecho de que nuestro culpable país, aunque con tanto para humillarnos en la vergüenza, haya sido librado durante tanto tiempo de la maldición de los *gobernantes impíos*! El tirano gobierna para sus propios fines pecaminosos; el soberano cristiano para el bien del pueblo.

b. Alegría y estabilidad mediante la rectitud (29:3-6)

3. *El que ama la sabiduría alegra a su padre, pero el que anda con rameras malgasta su fortuna.*

La esencia de estos Proverbios ha sido compartida anteriormente (Pr. 10:1; 15:20; 23:15, 24-25; 27:11). Pese a ello, las variaciones son instructivas. Aquí se describe más claramente a la sabiduría como *amor a la sabiduría.* Pues 'es sabio no sólo aquel que ha llegado a un hábito completo de sabiduría, sino aquel que aún *la ama* o la desea, y la escucha'.[160] ¿No nos alejamos demasiado de su

---

158 Así, nuestro gran Richard Hooker insiste admirablemente en que 'la religión, amada sin fingimiento, perfecciona las habilidades del hombre para todo tipo de servicios virtuosos en la mancomunidad'. Richard Hooker, Eccles. Pol. Book v. c. I.

159 Michael Jermin (1590-1659) ut supra.

160 Basilio, citado por Ob. Simon Patrick (1626-1707). Preface to Proverbs. "Simon Patrick (1625-1707), obispo de Ely. Nacido en Gainsborough, Lincs, fue educado en el Queens' College de Cambridge. Fue ordenado ministro presbiteriano en 1653, pero el estudio de H. Hammond y H. Thorndike le decidió a buscar la ordenación episcopal. En 1654 recibió las órdenes sagradas de J. Hall, obispo de Norwich, y fue sucesivamente vicario de Battersea (1658), rector de San Pablo, Covent Garden (1662), y decano de Peterborough (1679), conservando al mismo tiempo su vida anterior. Fue un prominente y sincero latitudinario y probablemente el autor de A Brief Account of the new Sect of Latitude-Men (1662). En 1688 se resistió a la lectura de la Declaración de Indulgencia, y en 1689 prestó el Juramento de Lealtad a Guillermo y María. Ese mismo año fue nombrado obispo de Chichester. Fue trasladado a Ely en 1691. Como obispo fue un gran defensor de la Sociedad para la Promoción del Conocimiento Cristiano, que ayudó a fundar, y de la SPG. Escribió

influencia celestial? Que sea evidente que ella es nuestro gran objetivo, no como algo bueno, sino como lo mejor, 'lo principal'.[161] El pecador que ha sido despertado *la ama* porque siente su necesidad; el cristiano, por su satisfactorio deleite. El sabor le da un toque agudo al apetito. Lo que hemos asido de la bendición no tiene comparación con lo que aún queda.

¡Joven! considera el deleite y la paz que trae la Sabiduría (Pr. 3:17), su luz y seguridad (Pr. 8:20; 4:11-12), sus riquezas duraderas (Pr. 3:14-15; 8:18-19), y su gloriosa herencia (Pr. 3:35) y "¿no clamarás desde ahora" –al Dios de la sabiduría– "Padre mío, eres el guía de mi juventud?" (Jer. 3:4). Ningún honor mundano, ningún éxito del talento *alegrará a un padre piadoso* como lo hará esta elección por la eternidad (Pr. 23:23-25).

> **Proverbios 23:23–25** Compra la verdad y no *la* vendas, *adquiere* sabiduría, instrucción e inteligencia. El padre del justo se regocijará en gran manera, y el que engendra un sabio se alegrará en él. Alégrense tu padre y tu madre, y regocíjese la que te dio a luz.

La necedad trae su propia vergüenza y dolor. "*El compañero* de alborotadores y vanidosos" fácilmente se halla en compañía de *rameras*, entristeciendo a su padre al *malgastar su fortuna* (Pr. 28:7, 19). Un rumbo de vanidad lleva a otro; pero todos terminan igualmente en la ruina (Pr. 5:9; 6:26, Lc. 15:30). Puede que alguien posea la dotación externa; pero *el amor a la sabiduría* es lo único que lo resguardará de las trampas que lo acosan (Pr. 4:6; 7:4-5).

Realmente profunda es la ansiedad –así como la alegría o la tristeza– ligada a los hijos (Pr. 17:21-25). ¡Que ello produzca en nosotros más sencillez y una súplica más fervorosa al dedicarlos a Dios (Gn. 17:7), e instruirlos para su servicio! Presentémoslos tempranamente como "los hijos que el Señor nos ha

---

mucho. En 1664 publicó La parábola del peregrino, una alegoría similar a la de John Bunyan. Comentó y parafraseó todos los libros del Antiguo Testamento, desde el Génesis hasta el Cantar de los Cantares (10 vols., 1695-1710), y escribió muchos tratados polémicos contra los inconformistas y los católicos romanos, entre ellos Un debate amistoso entre un conformista y un inconformista (1669), *Una visión completa de las doctrinas y prácticas de la antigua Iglesia* (1688), y *Textos examinados que los papistas citan fuera de la Biblia* (también 1688)." F. L. Cross and Elizabeth A. Livingstone, eds., *The Oxford Dictionary of the Christian Church* (Oxford; New York: Oxford University Press, 2005), 1240–1241.

[161] Pr. 4:7. Vea la hermosa descripción, Eclesiástico 6:18–31; 24. Elegante traducción del Ob. Robert Lowth (1710-1787). Lect. on Heb. Poetry, xxiv.

dado", pero como algo más suyo que nuestro, su propiedad, su herencia (Sal. 127:3). Ellos son la fuente de nuestra diligencia, esperanza, y final recompensa.

4. *El rey con la justicia (O el juicio) afianza la tierra, pero el hombre que acepta soborno la destruye.*

¿De qué sirven las mejores leyes si son mal administradas? La parcialidad y la injusticia las hacen absolutamente nulas. Y, sin embargo, se requieren gran integridad y valor moral para soportar las tentaciones de la política mundana y el interés propio. El propio trono de Dios está edificado y se *afianza por medio del juicio* (Sal. 89:14; 97:2, Is. 9:7). Esto puede ser, entonces, lo único que *afiance la tierra* (v. 14; 16:10-12; 20:8, 26; 25:5, 2 Cr. 9:8). Las concesiones hechas a algunos intereses privados provocan que la ira de Dios castigue *la tierra,* si es que no *la destruye.* El artículo de nuestra Carta Magna: 'No venderemos la justicia a nadie' es una evidencia demasiado clara de la temeridad de todos los principios sociales previos a que el gran estandarte fuera erigido entre nosotros.

Bajo el piadoso gobierno de Samuel, *la tierra fue afianzada por medio del juicio* (1 S. 7:3–12, 15–17). "Pero sus hijos no anduvieron en sus caminos". Eran *hombres de oblaciones.*

Aceptaron sobornos, y así la Teocracia, el gran Palladium de la tierra, fue *derribada* (1 S. 8:2–7). La justa administración de David "sostuvo las columnas" de la nación durante un período de gran debilidad nacional (Sal. 75:2-6, 10, 2 S. 8:15). Los mismos principios en su piadoso sucesor fueron fuente de fuerza y prosperidad (2 Cr. 1:1; 14:2-7; 19:6, 7, cf. 20:27-30; 31:20-21, Is. 32:1-2). La falta de rectitud de Saúl arrebató el reino de sus manos (1 S. 13:13); y la codicia de Joacim (Jer. 22:13–19) destruyó sus cimientos y lo enterró en ruinas. Así pues, que la misma consistencia impregne cada grado de responsabilidad oficial. La dignidad –temporal o espiritual– no puede transmitir una influencia sólida, salvo que sea *afianzada con juicio.* Que los hombres de Dios estén en las posiciones elevadas; y así "la justicia engrandecerá nuestra nación" (Pr. 14:34), y nuestra Iglesia será "el gozo y la alabanza de toda la tierra".

5. *El hombre que adula a su prójimo tiende una red ante sus pasos.*

Muy sabiamente se les advirtió a los peregrinos de Bunyan: 'Cuidado con *los aduladores*'. Sin embargo, 'olvidando leer la nota de instrucciones sobre el camino', cayeron en *su red*, y, aunque luego fueron liberados, fueron justamente castigados por su insensatez. La doctrina de la bondad, de la fuerza o libertad del hombre; un evangelio general, sin una aplicación precisa; sus promesas y privilegios, sin el contrapeso de sus pruebas y obligaciones; todo esto nos muestra 'al hombre de alma negra vestido con túnicas blancas': "El mismo Satanás se disfraza como ángel de luz, y sus ministros se disfrazan como ministros de justicia" (2 Co. 11:13-15). Las almas incautas son engañadas. Incluso los cristianos no vigilantes caen en *la red*. Y aún mientras deben agradecer a su fiel Dios por la liberación, no pueden olvidar su agudo y necesario castigo por su necedad. Allí donde "la raíz del asunto" no es la herejía (Ro. 16:17-18), o la apostasía (2 P. 2:1-3), si lo es el fruto nefasto del *adulador*.

Por tanto, cuidémonos de esta *red* en nuestro caminar diario. Las palabras del *adulador* pierden vigencia muy fácilmente. ¿Qué otra cosa se desprende de gran parte del lenguaje de la suave cortesía, o del bullicioso interés y afecto? ¿Quién se atrevería a actuar confiando en declaraciones tan insensibles? Siempre *se tiende la red* con el fin de atraer hacia algún camino tortuoso; a menudo hacia la más grosera maldad. De ese modo, la mujer *aduladora* sedujo a su presa (Pr. 2:16; 7:21; 26:28). Los parásitos de Darío lo divinizaron durante un mes, para luego convertirlo en la herramienta de su malicioso plan (Dn. 6:6–9). Los enemigos de Cristo *tendieron la red del adulador ante sus pasos*; pero, en este caso, la sabiduría de Dios fue infinitamente superior a ellos, y "sorprendió a los sabios en su propia astucia" (Mt. 22:15-23, cf. 1 Co. 3:19).

Los pies de muchos hombres fuertes se han enredado en esta *red*. De hecho, rara vez la fragilidad del hombre de Dios ha sido más dolorosamente expuesta. David honró a su Dios al soportar la maldición de Simei. Pero las suaves palabras de Siba lo llevaron a cometer un grave acto de injusticia (2 S. 16:1–12). Por lo general, cierta falta de integridad predispone la mente a este veneno. David luchaba por encontrar una petición de clemencia para su hijo asesino, cuando la mujer de Tecoa lo manipuló con sus labios *aduladores*. El soborno de la pasión fue mucho más poderoso que sus argumentos (2 S. 14:4–24). Pero el equivocado padre cosechó un fruto amargo por caer de ese modo en *la red tendida ante sus pasos* (2 S. 15:1–14). Al escuchar *la adulación* de sus profetas mentirosos, el obstinado encaprichamiento de Acab lo preparó para su propia ruina (1 R. 22:11-12).

¿Hay algún hombre que nos agobie de ese modo, con elogios inmoderados? Tal es la red del *adulador*. "Fíjate en el sendero de tus pies" (Pr. 4:26). Reemplaza la confianza con la sospecha (Pr. 26:24-25; 27:14).

> **Proverbios 26:24–25** El que odia, disimula con sus labios, pero en su corazón acumula engaño. Cuando su voz sea agradable, no lo creas, pues hay siete abominaciones en su corazón.
>
> **Proverbios 27:14** Al que muy de mañana bendice a su amigo en alta voz, le será contado como una maldición.

Terrible es la trampa para aquellos cuyo rango o influencia los predispone a caminar delante de los hombres, en lugar de hacerlo delante de Dios. Con demasiada frecuencia *la red se tiende ante los pasos* del ministro de Cristo, ya sea para ganar su buena opinión, o debido al genuino, pero imprudente, calor del afecto.

Pero ¡oh! –considera– "Él es un hombre como tú" –acosado por tentaciones– tal vez incluso "por encima de las que son comunes a los hombres". Su corazón, como el tuyo, es totalmente susceptible de tener una imaginación exaltada. Y saber que tiene una reputación de santidad, que es un hombre influyente, que su carácter es admirado y su opinión valorada; todo esto constituye realmente un "fuego de prueba" (Pr. 27:21), que saca a la luz mucha de la escoria de la vanidad. Sería mucho mejor que nuestro trato cristiano, entre nosotros, se amoldara a la sabia resolución de abstenerse de "títulos *aduladores*", dañinos para la criatura y provocadores ante Dios (Job 32:21-22. cf. LXX. 22, con Hechos 12:22-23).

> Seguramente nos basta con tener enemigos con quienes luchar dentro y fuera de casa, como para tener trampas tendidas ante nuestros pies por nuestros propios compañeros de peregrinaje. ¡Oh! *adular* es algo cruel. A menudo el alma termina más agotada y herida tras desenredarse de estas redes, que por la más ardiente contienda con los principados y potestades. Aquellos que han conocido alguna vez la tortura que sufre el creyente mientras este veneno invade su alma, los amargos y humillantes medicamentos que debe tomar como antídotos, el espantoso olvido de las lecciones de humildad que ha estado

asimilando durante años, no administrarán, creo yo (a menos que sea bajo la influencia del enemigo de las almas), la nociva poción por segunda vez.[162]

6. *El hombre malo es atrapado en la transgresión, pero el justo canta y se regocija.*

Siempre hay *una trampa* en los caminos del pecado, y siempre una canción en los caminos de Dios. ¿Cuáles son pues "los caminos deleitosos y de paz"? (Pr. 3:17, cf. 13:15). El pecador poco serio continúa en su camino florido. Pero pronto "cae cautivo en *el lazo* del diablo" (2 Ti. 2:26, Job 18:9-11); o, a menudo, en *una trampa* producto de sus propias manos (Pr. 5:22; 11:5-6; 12:13, Job 18:8).

> **Proverbios 5:22** De sus propias iniquidades será presa el impío, y en los lazos de su pecado quedará atrapado.
> **Proverbios 11:5–6** La justicia del íntegro enderezará su camino, pero el impío caerá por su propia impiedad. La justicia de los rectos los librará, Pero los traidores en su codicia serán atrapados.

La transgresión es, de hecho, una *trampa* para el alma. El pecado y la ruina están unidos, ¿quién podrá separarlos?

El justo puede tener la misma suerte externa que el *hombre malo*. Pero el abismo entre sus respectivos estados es realmente grande (Is. 65:13-14). Los hermanos de José, al estar en prisión y bajo el aguijón de la conciencia, se hundieron en el desaliento. Por su parte, Pablo y Silas *cantaron y se regocijaron* en la prisión (Gn. 42:21, cf. Hch. 16:25). Así pues, muy poco puede juzgarse por su estado externo. Los impíos prosperan mientras que los hijos de Dios "son castigados cada mañana" (Sal. 73:1-14, Ec. 9:2); no obstante, se levantan triunfantes en la prueba más profunda: "Enemigo mío, no te alegres de mí, pues, aunque caiga, me levantaré de nuevo; aunque more en tinieblas" –con mi causa aparentemente olvidada, mi luz oscurecida, mi carácter difamado– "el Señor será mi luz" (Miq. 7:8–10).

¿Qué se compara con ser poseedor de todas las promesas de Dios? La riqueza de esta mina de oro no puede ser expresada por ninguna lengua humana;

---

162 'Letters' de Helen Plumptre, pp. 43, 44; un volumen muy provechoso.

ni comprendida por ninguna mente angelical. ¡Cuán grande es el sólido fundamento y abundantes los motivos de este *regocijo*! La plenitud de la obra del Salvador; su constante amor; la plenitud de su Espíritu; la suficiencia de su gracia; su promesa fiel; su ojo vigilante; su pronta ayuda; su intercesión perpetua; y todo este gozo –no como el del mundo, que viene y va– sino uno que aumenta y se desborda por toda la eternidad.

Pero *los justos también cantan,* y sólo ellos. A menudo no tienen habilidad para la canción. "Sus arpas están sobre los sauces", como si no pudieran "cantar el cántico del Señor en tierra extraña". No obstante, cualquiera sea la causa de su queja, lo que agobia sus espíritus, que no se olviden de magnificar esa gracia ilimitada que les ha sido dada a ellos y por ellos.[163] *¿Por qué no siempre pueden cantar?* Porque el corazón está frío, muerto, incrédulo. ¡Oh, por el poder de lo alto para avivarlo! Alabado sea Dios, nos dirigimos a un mundo donde las arpas nunca carecerán de cuerdas, el corazón nunca desafinará y la canción siempre será nueva (Is. 35:10, Ap. 5:8–10).

c. Transición (29:7)

7. *El justo se preocupa por la causa de los pobres, Pero el impío no entiende tal preocupación.*[164]

El original le da al proverbio un aspecto judicial.[165] "Favorecer al pobre" no es menos injusto que "complacer al poderoso" (Lv. 19:15, Ex. 23:3). Pero el juez o abogado *justo considerará su causa,* la juzgará como si fuera de Dios, la investigará a fondo y tendrá cuidado de que no se pierda debido a su propia incapacidad para defenderla (Sal. 82:3-4). Tal es la *considerada* administración del gran Rey de justicia (Sal. 72:2–4, 12–14). El hombre de Dios caminará tras este ejemplo divino (Job 29:11-16; 31:13, 20, Jer. 22:16). 'Que tenga primero la conciencia' (decía el obispo Robert Sanderson (1587-1663)) y luego también la

---

[163] Para algunos cristianos de temperamento mórbido, el consejo de Bernard puede ser importante: 'Mezclemos la miel con el ajenjo, para que el amargo saludable pueda dar salud, cuando se beba templado con una mezcla de dulzura. Cuando piensen humildemente de vosotros mismos, pensad también en la bondad del Señor'. En Cant. Serm. xi.

[164] Nota del Traductor: La versión usada en el inglés original señala literalmente: "El justo considera la causa del pobre, pero el impío no estima conocerla"; de allí las referencias realizadas por el autor.

[165] Holden, Martin Geier (1614-1680), Ob. Simon Patrick (1626-1707).

paciencia (pues si tiene la conciencia, ciertamente tendrá la paciencia) para buscar la verdad de las cosas, sin mostrarse muy delicado con lo penoso de ello, aunque los asuntos sean intrincados, y el trabajo sea largo y fastidioso'.[166]

Sin embargo, el egoísmo –no la verdad, la justicia o la misericordia– es el estándar del *impío*. El primero considera la persona del pobre, luego *su causa*. "El juez injusto" no le habría "hecho justicia a la viuda de su adversario", sino por ahorrarse problemas (Lc. 18:2-5). Félix *no se preocupó por conocer la causa* del Apóstol, sino solo en poder complacer su propia codicia (Hch. 24:26-27). Pero es terrible sentarse en el lugar de Dios (Sal. 82:6, Ro. 13:1-2), como representante suyo, sólo para pervertir su juicio y engrandecerse egoístamente (Pr. 24:11-12, Jer. 5:28-29, Ez. 22:7, 29-31, Miq. 3:1–4).

> **Jeremías 5:28–29** "Han engordado y se han puesto lustrosos. También sobrepasan en obras de maldad; No defienden la causa, La causa del huérfano, para que prospere, Ni defienden los derechos del pobre. "¿No he de castigar por esto?", declara el Señor. "De una nación como esta ¿No he de vengarme?".

No obstante, la máxima obviamente se aplica de manera más general al *considerado aprecio por parte de los justos,* y al cruel desprecio de *los impíos hacia los pobres*. La ordenanza de que "nunca faltarán los pobres en medio de la tierra"; así como la desigualdad de rango que prevalece en toda la "economía de la Providencia", fueron sin duda pensadas como una incitación a la solidaridad y ensanchamiento cristianos (Dt. 15:7-11, 2 Co. 8:14-15).

La consideración por el pobre es el verdadero espíritu de la compasión cristiana; poniéndonos en su lugar tanto como sea posible (Sal. 41:1).[167] ¡Oh! ¡cuán diferente es esto del temperamento impaciente e irrazonable con el que a veces se despacha la petición de un pobre cliente, como si el abogado resintiera su tiempo y sus esfuerzos! Nuestro amado Señor no sólo "anduvo haciendo el bien" (Hch. 10:38), sino que lo hizo muy tierna y *consideradamente*. Siempre estuvo dispuesto a renunciar a su propia conveniencia y hasta a su necesaria

---

[166] Sermón sobre Ex. 23:1-3.

[167] Se encuentra registrado un ejemplo muy llamativo de *consideración por los pobres* por parte del Ob. Ridley; cuando el moribundo mártir, estando en la hoguera, imploró a la reina respecto a ciertos arriendos hechos por hombres pobres en su obispado, los cuales probablemente se anularían con su muerte. Foxe: vii. 545, 546. En el mismo noble espíritu tenemos el recuerdo del moribundo Thomas Scott (1741-1821) a su hijo, concerniente a la llegada de la estación en la cual acostumbraba plantar una raíz para el suministro de los pobres.

comodidad para atender el llamado de los necesitados (Hch. 10:38). La misma *consideración hacia los pobres* marcó la administración apostólica (Hch. 4:34, 35; 6:1-6, 1 Co. 16:2, 2 Co. 9:12, 13, Gá. 2:10). La compasión por los pobres implica el reconocimiento práctico de nuestras propias e inmerecidas misericordias; recordando especialmente a los pobres del Señor, como representantes de Aquel (Mt. 10:42; 25:40) que es el Primero y el Último, y el Todo para nosotros; y quien, "siendo rico, se hizo pobre por nosotros, para que nosotros, por su pobreza, fuésemos enriquecidos" (2 Co. 8:9).

Bien merecido tienen el título de *impíos* aquellos que *no entienden esta consideración.* Como Caín, reconocen que no tienen ningún interés en su hermano (Gn. 4:9). Como Nabal, piensan "No es asunto mío" (1 S. 25:10-11). Si los pobres deben ser alimentados para que no tengan que pasar hambre, les es como darle comida a un perro, en lugar de tenderle una mano de ayuda a un pecador como ellos (Lc. 16:21). Esta total ausencia del reflejo de un Dios de Amor (1 Jn. 3:17), este absoluto rechazo de su ley real (Stg. 2:8, Lv. 19:18, cf. Lc. 10:31-32), seguramente será demandada por Él (Pr. 24:12).

d. La paz a través de la rectitud (29:8-15)

8. *Los provocadores agitan la ciudad, pero los sabios alejan la ira.*[168]

Aquí se hace la comparación entre un "orgulloso y altivo *burlador,* y *un hombre sabio*".[169] Uno es un perjuicio público; el otro una bendición pública. Uno levanta un tumulto (Pr. 21:24); el otro lo sofoca. El hombre que *se burla* de estar atado por las restricciones comunes *hará que la ciudad caiga en una trampa* con su presunción (1 S. 11:2, 11, 2 S. 10:4; 12:31), o le *prenderá fuego* 'soplando el fuego de la ira divina sobre ella'.[170] Felizmente, *los sabios* están esparcidos a lo largo de la tierra, así su energía y prudencia *alejan la ira* (2 S. 20:1, 15-22, Hch. 19:23-41).[171] 'Los hombres orgullosos y necios encienden el fuego que los sabios y buenos deben apagar'.[172]

---

[168] Nota del Traductor: La versión usada en el inglés original señala literalmente: "Los burladores hacen caer a la ciudad en una trampa; *(prenden fuego a la ciudad, Marg.)* pero los sabios alejan la ira"; de allí las referencias realizadas por el autor.

[169] Heb. Hombres de escarnio.

[170] LXX. Durell. Cf. Pr. 1:11.

[171] Cf. Virgilio (70-19 a.C.) Æn. i. 148-153.

[172] Matthew Henry (1622-1714).

Existe otra instructiva ilustración del proverbio que se sugiere a sí misma. El problema público no sólo radica en el tirano que está por encima de sus semejantes, sino en quien *se burla* contra su Dios. Muchos de los reyes de Judá e Israel *hicieron caer a la ciudad en una trampa*. Sus provocaciones de la ira divina hicieron más para promover su ruina que los más poderosos enemigos extranjeros. Su influencia condujo al pueblo a un recrudecimiento más profundo del pecado, y los preparó para el juicio (2 R. 21:9-15; 23:26-27, Is. 28:14-22, 2 Cr. 36:16-17, Jer. 36:23-32, 1 Ts. 2:15-16).

> **1 Tesalonicenses 2:15–16** Estos mataron tanto al Señor Jesús como a los profetas, y a nosotros nos expulsaron, y no agradan a Dios sino que son contrarios a todos los hombres, impidiéndonos hablar a los gentiles para que se salven, con el resultado de que siempre llenan la medida de sus pecados. Pero la ira de Dios ha venido sobre ellos hasta el extremo.

No obstante, hubo *sabios* que se pararon en la brecha, y *alejaron la ira*.[173] Sin duda, fue *la sabiduría* del Rey y el pueblo de Nínive la que, en lugar de *hacer caer a su ciudad en una trampa* tras una *provocadora* rebelión; evitó, por medio de la oportuna humillación, la inminente destrucción (Jon. 3:5–10). Que el pueblo –que los ministros– del Señor se ciñan a su labor de suplicar, en clamor y aceptación, por la tierra (Jl. 2:15-19). Ciertamente "si el Señor de los ejércitos no nos hubiera dejado un pequeño remanente" de estos poderosos intercesores, "seríamos como Sodoma, y semejantes a Gomorra" (Is. 1:9). ¡

Alabado sea Dios! Aún se escucha la voz: "No la destruyas, pues bendición hay en ella" (Is. 65:8). La sal de la tierra la preserva de la corrupción (Mt. 5:13). ¿No honraremos entonces a estos *sabios* con una reverente gratitud? "¡Padre mío, padre mío! ¡Carros de Israel y su gente de a caballo!" (2 R. 2:12).[174]

9. *Cuando un sabio tiene controversia con un necio, este se enoja o se ríe, y no hay descanso.*

---

[173] Moisés-Ex. 32:10-14, Dt. 9:8-20, Sal. 106:23; Aarón-Nm. 16:48; Finees, 25:11, Sal. 106:30; Elías, 1 R. 18:42-45, Stg. 5:16-18; Jeremías, 18:20; Daniel, 9:3-20; Amós, 7:1-6; el remanente justo-Is. 1:9; 6:13. Cf. Gn. 18:32, Job 22:30, Jer. 5:1, Ez. 22:30-31. 13:5.

[174] A veces este reconocimiento es forzado de las conciencias de los impíos. Pr. 13:10-14.

En general, sería mucho mejor no meterse con *un necio* como el que se describe aquí. Sólo podemos tratar con él en términos muy desventajosos, y con pocas perspectivas de bien (Pr. 17:12; 26:4, Ec. 10:13, Mt. 7:6).

> **Proverbios 17:12** Mejor es encontrarse con una osa privada de sus cachorros, Que con un necio en su necedad.
> **Proverbios 26:4** No respondas al necio de acuerdo con su necedad, Para que no seas tú también como él.
> **Eclesiastés 10:13** El comienzo de las palabras de su boca es insensatez, Y el final de su habla perversa es locura.

Si un sabio tiene controversia con los sabios, puede hacerse entender, y hay cierta esperanza de llevar el debate a un buen término. Pero cuando se *tiene controversia con un necio, no hay descanso*, ni paz ni tranquilidad. Se sigue sin fin. No escuchará razones, ni se someterá ante los argumentos. Es tan intratable que *se enojará o se reirá*; bien descargará sobre nosotros la furia de un temperamento no gobernado o se *reirá* en son de burla. Esta *controversia* fue uno de los puntos del conmovedor juicio a nuestro Divino Maestro. ¿Qué puede ser más repugnante que, a veces su *furia* asesina (Lc. 4:29, Jn. 7:1; 8:59; 11:53) o, a veces, su *risa* burlona (Lc. 16:14); dado que en ambas "rechazan su consejo contra sí mismos"? (Mt. 11:16-17). ¿Y qué si yo mismo debo entablar *controversia con tal clase de necios*? Que pueda recordar mis días de perversidad y *necedad*. Y si esta vívida impresión me trae a la memoria su nivel, ¿podré responder su irrazonable provocación con otra cosa que no sea ternura y compasión? (Tit. 3:2-3).

Así pues, si, como el medio más eficaz para su beneficio, los encomiendo a la todopoderosa y soberana gracia de Dios, ¿podré olvidar que, si esta gracia ha curado mi profunda terquedad, no es menos rica, ni menos libre, ni menos suficiente, para ellos?

10. *Los hombres sanguinarios odian al intachable, pero los rectos se preocupan por (Lit. buscan) su alma.*

Este odio sanguinario es el cumplimiento de la primera profecía de la boca de Dios (Gn. 3:15). La primera historia del mundo caído puso el sello sobre la profecía: "Caín se levantó contra su hermano Abel y lo mató" (Gn. 4:5–8).

Desde entonces, el mismo testimonio ha sido dado (v. 27, Sal. 37:12-14, 32, Gá. 4:29, 2 Ti. 3:12). "¿A cuál de los profetas no han perseguido tus padres?" (fue la indignada reprimenda de Esteban a sus compatriotas) hasta que "colmaron la medida de sus padres" convirtiéndose en "los traidores y asesinos" del Hijo de Dios (Hch. 7:52, Mt. 5:12; 23:32). El noble ejército de mártires se encuentra delante de nosotros. ¡Qué profunda maldad para idear tal variedad de artificios de tortura!

Los hombres sanguinarios odian a los íntegros (Heb. 11:36-37). Su inocencia era el único motivo de *odio*; así pues, ante la amenazadora percepción de cualquier brote de maldad, el grito creciente de la *sanguinaria* multitud era: '¡Los cristianos a los leones!' La siguiente imagen en los anales de la Iglesia no es menos ilustrativa: "Vi a la mujer" – ¡qué espectáculo tan horrible! – "embriagada con la sangre de los santos y con la sangre de los mártires de Jesús" (Ap. 17:6). No puede dudarse que los feroces elementos de esta crueldad yacen aún adormecidos y ocultos. Sólo el evangelio puede matar tal principio. Todo lo demás puede únicamente encadenar dicha violencia. Aún conserva, en un carácter más blando, toda su sustancia y poder; y sólo espera la eliminación de las presentes limitaciones para desarrollar el mismo *odio sanguinario* de siempre.

Las Escrituras explican esta venganza asesina. "¿Por qué Caín mató a su hermano? Porque sus propias obras eran malas y las de su hermano justas" (1 Jn. 3:12-13). Las tinieblas no pueden soportar la luz (Jn. 3:19-20). La luz condenatoria (Heb. 11:7) de la piedad provoca la enemistad de los impíos. Ellos no pueden soportar tal cuadro. De ese modo odió *el sanguinario* Acab a sus *íntegros* profetas (1 R. 21:20; 22:8) y los judíos al santo Salvador (Jn. 7:7). La conformidad a Su imagen es aún la gran ofensa. Dicen los impíos: Estos necios tan meticulosos, diferentes a todos los demás, los que "trastornan el mundo", ¿cómo pueden ser soportados? Su eliminación sería una jubilosa liberación de la tierra (Ap. 11:9-10. Cf. Hch. 22:22).

Y, aun así, su Dios está al tanto de sus problemas y amenazas en su contra.

Los sanguinarios odian al intachable, pero los rectos buscan su alma. Saúl intentó asesinar a David, pero Jonatán lo cubrió (1 S. 18:11, 25, cf. 18:1-4). Jezabel ansiaba destruir a los profetas del Señor, Abdías "los escondió en una cueva y los alimentó con pan y agua" (1 R. 18:4). Los enemigos de Jeremías conspiraron contra él, mas Ebed Melec le salvó la vida (Jer. 38:1-13). Herodes amenazó la vida de Pedro, la Iglesia lo protegió con sus oraciones (Hch. 12:1-

5). Los *sanguinarios* judíos se juramentaron para asesinar a Pablo, pero "Priscila y Aquila" estuvieron dispuestos a "exponer sus propias vidas por él" (Hch. 23:12, cf. Ro. 16:4. Cf. Hch. 9:25, 2 Co. 11:33).

¡Qué conflictiva es la vida en este mundo de pecado! ¿Necesitamos ser disuadidos de amarlo? ¿No necesitamos, más bien, paciencia para soportarlo? Pero mientras estemos en él, encontrémonos decididamente del lado del Señor (Mt. 12:30), siendo "partícipes" –si es necesario– "de las aflicciones del evangelio" (2 Ti. 1:8). Nunca permanezcamos alejados de la causa de nuestros hermanos (2 Ti. 1:16-17). Ayudarlos es ser trabajar mano a mano con Dios mismo. Si la unión es tan efectiva contra la Iglesia, seguramente su influencia no será menos importante del lado de la Iglesia, "reforzando sus estacas", estableciendo sus fundamentos y aumentando su utilidad.

11. *El necio da rienda suelta a su ira (Lit. da salida a todo su espíritu), pero el sabio la reprime.*[175]

"Todo tiene su tiempo" –escribe el sabio en otra parte– "tiempo de guardar silencio, tiempo de hablar" (Ec. 3:1, 7). Es una marca de sabiduría verdadera discernir estos tiempos (Ec. 8:5, Am. 5:13).

> **Eclesiastés 8:5** El que guarda el mandato *real* no experimenta ningún mal; Porque el corazón del sabio conoce el tiempo y el modo *de hacerlo*.
> **Amós 5:13** Por tanto, el prudente se calla en ese tiempo, pues es tiempo malo.

De hecho, la disciplina, o la falta de ella, respecto al "pequeño miembro" es una prueba de carácter. El hombre que habla apresuradamente y con presunción, será avergonzado en su insensatez (Pr. 18:13). Podría haber sido "tenido por sabio en su silencio" (Pr. 17:28). Pero el silencio está más allá de su poder: *dice todo lo que piensa*, todo lo que sabe, cree o desea, y sigue haciéndolo hasta que ha "derramado toda su necedad" (Pr. 15:2). A veces se considera una prueba de honestidad decir *todo lo que se piensa*. Pero es, más bien, una prueba de *necedad*. Así pues ¡cuántas cosas sería mucho mejor no decir nunca, antes bien, suprimiéndolas apenas se piensen en ellas! (Pr. 30:32; Miq. 7:5).

---

[175] Nota del Traductor: La versión usada en el inglés original señala literalmente: "El necio dice todo lo que piensa, pero el sabio lo guarda hasta después"; de allí las referencias realizadas por el autor.

¡Cuántas "necedades y truhanerías" (Ef. 5:4), cuántas palabras airadas, detractoras y poco caritativas pronunciamos, todo porque hemos dejado de vigilar, o más bien de rogar "al Señor que ponga guarda a nuestros labios" como la puerta de nuestros corazones! (Sal. 141:3). ¡Cuán a menudo emitimos juicios erróneos sobre las acciones de los hombres, porque *decimos todo lo que hay en nuestra mente* en tan solo un suspiro, por así decirlo, sin reflexionar, o tal vez sin fundamento para formarnos un juicio correcto!

En efecto, las palabras del tonto –como observa un viejo expositor– 'están –por así decirlo– a la puerta misma de su mente, la cual, al estar siempre abierta, permite que escapen fácilmente al exterior. Pero las palabras del sabio están enterradas en lo más escondido de su mente, de donde es más difícil la salida'.[176] Esta es la sabiduría que debe ser valorada y cultivada. Podemos *guardar* muchas cosas *hasta después*, cuando sea mucho mejor decirlas que en el momento presente (1 S. 25:36-37). Después podríamos encontrar razones para sospechar de lo que, en ese momento, estábamos plenamente convencidos.

A menudo hay una ligereza de fe, fruto de un impulso repentino, que se manifiesta en una profesión repentina. Cuidado con un cimiento débil. Hay hombres que, bajo un entusiasmo vigente, corren a través de todas las sectas y partidos de la Iglesia –*diciendo* en todas partes *todo lo que piensan*– "lanzados de un lado a otro, y llevados por todo viento de doctrina" (Ef. 4:14), quienes "buscan descanso, sin encontrar ninguno". ¡Cuánto mejor es tomarse un tiempo para pensarlo mejor, para sopesar y volver a considerar! ¿No deberíamos

---

[176] Thomas Cartwright (c. 1535-1603). Cf. Pr. 10:14; 12:16, 23; 13:16; 14:33. "Thomas Cartwright (c. 1535-1603), fue el teólogo puritano-presbiteriano más influyente del periodo isabelino. Cartwright se educó en Cambridge y a lo largo de su vida teológica se asoció con la teología reformada de Ginebra (amigo de Theodore Beza) y Escocia. Para alegría de los puritanos, fue nombrado profesor de teología en Cambridge (1570). Pero su abierta oposición al sistema isabelino, especialmente a la forma anglicana de gobierno de la Iglesia, provocó su destitución al año siguiente. Su famoso y continuo adversario, John Whitgift (1530-1604), arzobispo de Canterbury (desde 1583), fue el responsable de la destitución. El desacuerdo entre ellos sólo se refería a la forma de gobierno de la Iglesia; Cartwright defendió más tarde a la Iglesia establecida contra el puritanismo separatista. Junto con una tradición emergente en la teología reformada, abogó por una iglesia organizada según los principios presbiterianos y establecida por el Estado, incluyendo severas penas para las ofensas a los Diez Mandamientos (pena de muerte por blasfemia), pero separando claramente las jurisdicciones temporales y espirituales. Sólo Cristo es la cabeza de la iglesia, de la que el magistrado es sólo un miembro; la iglesia debe ejercer la disciplina en la vida de sus miembros. Su fama, aumentada por el encarcelamiento, continuó en el puritanismo posterior, incluido el congregacionalismo de Nueva Inglaterra." John E. Wilson, "Cartwright, Thomas (c. 1535–1603)," *Encyclopedia of the Reformed Faith* (Louisville, KY; Edinburgh: Westminster/John Knox Press; Saint Andrew Press, 1992), 59.

entonces, en lugar de mostrar una semblante inconstante y dudoso, buscar ganar esa "buena cosa consistente en un corazón afirmado con la gracia?" (Heb. 13:9).

Esta prudencia divina ha de mantenerse en la vida diaria. Sansón cayó víctima de la *necedad de decir todo lo que pensaba* (Jue. 16:17). Samuel fue librado de esta imprudencia por Dios, en consideración a su propia seguridad. No hablemos nunca en contra de lo que pensamos. Pero no es necesario *decir todo lo que hay en nuestra mente*. Tengamos cuidado en no decir nada más que la verdad. Pero la verdad completa (como en el caso de Samuel) a veces puede reservarse legítimamente (1 S. 16:1-2). El Apóstol estuvo dos años en Éfeso, sin *decir todo lo que pensaba* respecto de la adoración a Diana. Pero, ¿fue este un acto de cobardía que se alejó de la verdad? Su ministerio, caracterizado por las lágrimas, así como sus incesantes esfuerzos demostraron su fidelidad (Hch. 19:10, 23, cf. 20:31). Su abierta protesta *guardada hasta después* fue por autodisciplina, consistente con el coraje y la firmeza cristiana.

12. *Si un gobernante presta atención a palabras mentirosas, todos sus servidores se vuelven impíos.*

La influencia del carácter personal del *gobernante* sobre su pueblo implica una responsabilidad temible.[177] Un príncipe impío produce un pueblo impío (1 R. 15:30; 16:2. Cf. Eclesiástico 10:2). En su esfera más inmediata, *si presta atención a palabras mentirosas*, contradiciendo lo que indican las leyes de Dios y de la caridad (Ex. 23:1. M. R. Cf. Pr. 13:5), alrededor de él nunca faltarán aquellos que estén dispuestos a ministrar su necedad. 'Se les dirán mentiras a aquellos que estén dispuestos a *escucharlas*'.[178]

La envidia, la ambición, la malicia y el interés propio siempre estarán al alcance de los prejuicios y el escándalo. El gobernante crédulo se convierte, de este modo, en un instrumento de todo tipo de maldad. Su corrupción aleja a los piadosos de su presencia, pues *todos sus servidores se vuelven impíos*. Hay excepciones a esta máxima (como Abdías en la corte de Acab, 1 R. 18:3, Ebed Melec al servicio de Sedequías, Jer. 38:7–13, o Daniel en la corte de

---

[177] *Componitur orbis, Regis ad exemplum; nec in inflectore sensus. Humanos edicta valent, quàm vita regentis. Mobile mutatur semper cum principe vulgus.* Claudian, de Honorii Consul.

[178] Matthew Henry (1622-1714) in loco.

Nabucodonosor, Dn. 2:48-49). Pero esta es la tendencia natural –el resultado usual– a su propia desgracia y ruina.

Por lo tanto, si ha de gobernar en rectitud y temor de Dios, en lugar de prestarse a la detracción o a la adulación, debe cerrar cuidadosamente sus oídos a personajes dudosos, no sea que termine tolerando *servidores impíos* y desaliente a los que se atrevan a decir la verdad.

¡Cuán sabia fue la determinación de David, como soberano de su pueblo y como *gobernante* de su casa, de rechazar las mentiras y defender la causa de hombres fieles! (Sal. 101:2-7). Compáralo con Acab, rodeado de sus malvados profetas, todos los cuales articularon una sola mentira para complacer a su débil e impío amo. Vemos cuán dispuesto estuvo a *escuchar palabras mentirosas,* y lo bien que funcionaban con él los halagos, cuando castigó al único hombre que fue "valiente por la verdad" y que persistió en declararla "no temiendo la ira del rey" (1 R. 22:6, 26-27. Cf. Os. 7:3).

Así pues, todos los que están en autoridad pueden aprender una lección de responsabilidad. Los ministros especialmente, que no sólo mantengan la verdad en toda su integridad, y tengan presente que su carácter será sometido al más estricto escrutinio; sino que también se aparten de la servil adulación de aquellos que, en el mejor de los casos, cuentan con dudosas evidencias de rectitud.

13. *El pobre y el opresor tienen esto en común (Lit.* **se juntan**)**:** *El Señor alumbra a los ojos de ambos.*[179]

La doctrina de este proverbio, así como la de uno similar a él (Pr. 22:2), parece ser la verdadera igualdad de las dispensaciones divinas bajo las aparentes desigualdades. El rico parece estar representado por *el falso,* llamado así por la falsedad de las riquezas (Pr. 23:5, Mt. 13:22) y de los medios por los que, muy a menudo, se obtienen (1 Ti. 6:9). El *usurero* (Cf. Pr. 22:7) parece apuntar al mismo propósito, implicando la *opresión* frecuentemente relacionada con las riquezas (Sal. 62:9-10, Stg. 5:1–4).[180]

---

[179] Nota del Traductor: La versión usada en el inglés original señala literalmente: "El pobre y el falso *(usurero, Marg.)* se encuentran: el Señor alumbra los ojos de ambos"; de allí las referencias realizadas por el autor.

[180] Por esta misma razón nuestro Señor denomina a las riquezas generalmente con el distintivo término de "riquezas injustas". Lc. 16:9.

Salmo 62:9–10 Los hombres de baja condición solo son vanidad, y los de alto rango son mentira; en la balanza suben, todos juntos *pesan menos* que un soplo. No confíen ustedes en la opresión, ni en el robo pongan su esperanza; si las riquezas aumentan, no pongan el corazón *en ellas*.

Estas dos clases, tan distintas en su condición relativa, *se encuentran* en el mismo nivel delante de Dios.

Los hombres pueden ser distintos. Uno puede oprimir y despreciar, y el otro envidiar u odiar. *El pobre* puede ser tentado a murmurar a causa de la *opresión* de su vecino más rico. El que se ha enriquecido a través de la *usura* o de las ganancias injustas puede aprovecharse de las necesidades del pobre. Pero *el Señor alumbra los ojos de ambos.* "Él no hace acepción de personas" (Hch. 10:34). Ambos son partícipes de sus bendiciones providenciales (Mt. 5:45), ambos son objeto de su gracia soberana. Lázaro, *el pobre,* y Zaqueo, *el usurero,* se *encontraron,* hace mucho tiempo, en un hogar común (Lc. 16:22; 19:9), siendo ambos inmerecidos monumentos de la maravillosa misericordia eterna, y habiendo sido los *ojos de ambos alumbrados,* espiritual y eternamente.

¿No es un atrevimiento juzgar apresuradamente los caminos de Dios; o juzgarlos en absoluto según el estándar de nuestra propia razón? (Ez. 18:25). Esperemos el tiempo señalado, y todo se aclarará, pues todo está bien. ¡Cuán lejos de nuestras estrechas concepciones está cada acto y despliegue de esta múltiple sabiduría, gracia y amor!

14. *El rey que juzga con verdad a los pobres afianzará su trono para siempre.*

Esta máxima, en esencia, ha sido repetida con frecuencia (vv. 4, 7; Pr. 14:34; 20:23; 25:4-5). El autor de este libro fue un rey. Naturalmente fue llevado a escribir para su propio beneficio, si bien el Espíritu Divino dirigió su pluma para uso de los gobernantes hasta el fin de los tiempos.

¡Que cada rey, especialmente nuestro amado soberano, contemple constantemente este retrato de un gobernante piadoso! Es natural que *el rey* desee el *afianzamiento de su trono,* pero no es natural que lo busque a la manera de Dios. Jeroboam lo buscó por medio de la maldad (1 R. 11:25–30); Roboam por la política mundana (2 Cr. 11:22-23; 12:1); y Acaz a través de alianzas mundanas (2 Cr. 28:16–20). El modo más seguro es la fiel administración de justicia; sin descuidar a los ricos, pero protegiendo especialmente a los pobres, cuya debilidad necesita un amparo especial (Pr. 31:9, Sal. 82:3-4).

Proverbios 31:9 Abre tu boca, juzga con justicia, Y defiende los derechos del afligido y del necesitado.

Salmo 82:3–4 Defiendan al débil y al huérfano; Hagan justicia al afligido y al menesteroso. Rescaten al débil y al necesitado; Líbren*los* de la mano de los impíos.

David parece haber sido rey de los pobres. El más humilde de entre su pueblo podía acceder a él confiadamente por justicia (2 S. 19:8). Salomón (1 R. 3:16–28) y muchos de sus piadosos sucesores ordenaron su reino según los mismos principios de justicia y fueron abundantemente honrados por su Dios.[181] La mala administración de este fiel principio siempre trajo maldición sobre el gobierno (Is. 3:13-14; 10:1-6, Jer. 22:13-19, Sof. 3:3). "Honraré a los que me honran, y los que me desprecian serán tenidos en poco" (1 S. 2:30).

Cuando nuestro gran Rey Salvador caminó sobre la tierra, sus enemigos dieron testimonio –ya sea por adularlo o por convicción– de su carácter justo (Mt. 22:16). Esta descripción resulta tan bella como exacta al referirse a los principios de su gobierno y relacionarse con la promesa del *afianzamiento de su trono* (Sal. 72:7, 11-15, Is. 9:7; 11:4, 9).

15. *La vara y la represión dan sabiduría, pero el niño consentido* (Lit. suelto) *avergüenza a su madre.*

La disciplina es el orden del gobierno de Dios. Los padres son quienes la dispensan, de parte de Él, a sus hijos. El niño debe ser dominado para que "lleve el yugo desde su juventud" (Lm. 3:27. Cf. Eclesiástico 30:12). Prueba primero *la represión*, si tiene éxito, escatimarás *la vara* (Pr. 17:10). Si no, deja que esta haga su trabajo. Eli *reprendió* "pero no aplicó *la vara*" (1 S. 2:22–25; 3:13). Algunos emplean *la vara* sin previa *represión*; no hacen ningún esfuerzo para producir sensibilidad de conciencia. De esta tiranía, o antojo, no puede esperarse nada.

---

[181] Josafat, 2 Cr. 19:5–11, 20:30. Josías, Jer. 22:14-16. Observe el consejo de Daniel a Nabucodonosor, 4:27.

La influencia combinada de ambas no sólo "aleja la necedad" (Pr. 22:15), sino que, como bendición positiva, *da sabiduría*. Los propios hijos de Dios se vuelven más sabios bajo la corrección. Ven su necedad, y en genuina vergüenza se alejan de ella, bendiciendo a Dios por su vara de fidelidad y amor (2 Cr. 33:12, Sal. 119:67, 71, 75, Lc. 15:13-17. Cf. Miq. 6:9).

Lucas 15:13–17 »No muchos días después, el hijo menor, juntándolo todo, partió a un país lejano, y allí malgastó su hacienda viviendo perdidamente. »Cuando lo había gastado todo, vino una gran hambre en aquel país, y comenzó a pasar necesidad. »Entonces fue y se acercó a uno de los ciudadanos de aquel país, y él lo mandó a sus campos a apacentar cerdos. »Y deseaba llenarse el estómago de las algarrobas que comían los cerdos, pero nadie le daba *nada*. »Entonces, volviendo en sí, dijo: "¡Cuántos de los trabajadores de mi padre tienen pan de sobra, pero yo aquí perezco de hambre!

Pero observa al niño *suelto* a su suerte, sin restricciones. No puede concebirse un cuadro más perfecto de miseria y ruina. Se cree que su mal temperamento es un accidente de infancia: 'Pasará a medida que se desarrolle su juicio. Sólo el tiempo puede repararlo'. Pero, en realidad, el tiempo por sí mismo no repara nada. Sólo fortalece y contribuye al desarrollo de los principios naturales. Sin embargo, el veneno no se muestra en un inicio. No se estimula ningún anhelo especial. El niño no se nutre de maldad, ni recibe la influencia de un mal ejemplo. Solamente es *dejado* a sí mismo. ¡Se le deja *suelto*!

El caballo inquieto, con las riendas sueltas y lleno de su propio espíritu, se lanza de cabeza al precipicio. El niño sin gobierno se precipita bajo el impetuoso impulso de su propia voluntad;[182] ¿qué otra cosa sino la todopoderosa y soberana gracia puede salvarlo de la destrucción? Muchos malhechores empedernidos en la horca fueron, quizás alguna vez, niños agradables y susceptibles; pero fueron *dejados a sí mismos*, a su propio apetito, orgullo, y tenaz obstinación (Cf. 1 R. 1:6-9, 2:23-25).

La sana disciplina de la guía celestial es la mejor bendición de nuestro Padre. Su más temible maldición es ser abandonados a nuestros propios caminos, "caminar en nuestros propios consejos" (Sal. 81:12). *Un niño* a quien se le deja *suelto* de ese modo se encuentra en el punto más lejano de la salvación, en las mismas fauces del león devorador.

---

[182] 'Puer, cui frænum laxatum.'–Schultens. Cf. Eclesiástico 30:8–11.

Pasemos ahora del niño echado a perder al padre deshonrado y con el corazón roto. Sólo *la madre* es mencionada, como superintendente principal de la disciplina temprana; y quizás también como quien es más susceptible de este grave error. Pues si el carácter fuerte del padre le induce a "provocar a ira a sus hijos" (Col. 3:21); a gobernar por mandato antes que por persuasión, ¿no tiende el temple más suave de *la madre* al mal opuesto? Así pues, en la medida en que ella cede a una indulgencia equivocada, soporta la mayor parte del castigo. No es que ella sufra dificultades, ni siquiera pobreza, sino que sufre la más sentida de todas las desgracias, la *vergüenza*.[183]

En ningún lugar se hace más evidente la justicia retributiva de Dios. El pecado de *la madre* es visitado con un castigo proporcional. ¿Qué mayor descuido de la obligación que el de *un niño abandonado a sí mismo*? ¿Qué mayor aflicción que la *vergüenza que él le ocasiona*? La influencia de los padres se pierde. La reverencia a la autoridad se olvida (Pr. 19:26), como un nombre del pasado. El hijo gobierna, en lugar de estar, como un hijo corregido (Heb. 12:9), en sujeción. La madre teme, en lugar del hijo, y, por lo tanto, reconoce virtualmente su propia degradación. El hijo, en lugar de ser "el hijo sabio que alegra al padre", es "el hijo necio, que es tristeza de *su madre*" (Pr. 10:1. Cf. 17:21, 25). El resplandor de un futuro brillante se nubla. La copa de gozo se llena de ajenjo. El padre se ha quedado sin palabras, desconcertado por el dolor. El objeto más querido de la ternura de *la madre*, en lugar de ser un bastón y consuelo en su avanzada edad, *la avergüenza*.

Esta no es una prueba que, como muchas otras, podría encubrirse en su propio seno. ¡Ay! *La vergüenza* es excesivamente pública como para ser ocultada. ¡Cómo habrá sido la abierta deshonra que cayó sobre el nombre de Elí cuando "los pecados de sus hijos hicieron que los hombres menospreciaran la ofrenda del Señor"! (1 S. 2:25).

Cuando la traición de sus hijos *avergonzó* a David ante los ojos de todo Israel; seguramente su propia conciencia debió recordarle que su propio y distorsionado afecto era la causa de su ruina; pues ambos hijos fueron *dejaron a sí mismos*, uno exculpado de un pecado gravísimo (2 S. 14:21, 33; 15:6; 18:33), y el otro sin siquiera haber sido corregido con una palabra (1 R. 1:5-9). Y si *la vergüenza* ante los hombres es tan amarga, ¡cuán terrible será la abrumadora confusión en la gran consumación; cuando las malas

---

[183] 'Conturbator matris suæ.'–Schultens. 'Filius confundens, confusione omni arefaciens, et perplexans.' Ib. en el capítulo 10:5.

predisposiciones, mimadas con un cariño tan cruel en el seno paterno, finalmente produzcan su cosecha "en el día de la angustia y del dolor desesperado"? (Is. 17:11).

¡Oh! Si la felicidad o la miseria de nuestros hijos, tanto en este tiempo como en la eternidad, está ligada a nuestras propias responsabilidades; ¿no seremos fieles en "velar y orar", resistiendo "la debilidad de la carne" con abnegada firmeza? 'Tengan por seguro', dice el obispo Hopkins:

> Que todos los merecidos azotes que pasaron por alto a vuestros hijos, los acumulan sobre sus propias espaldas. Y a aquellos a quienes rehusaron castigar, Dios los hará azotes más severos para castigarlos a ustedes.[184]

Entonces, establece tu autoridad a cualquier costo. Que haya sólo una voluntad en la casa. Y que se sienta que esta voluntad es ley. El niño pronto descubrirá si el padre está dispuesto a ceder o si está resuelto a gobernar. Que la obediencia, en lo pequeño y en lo grande, sea algo indispensable, aunque se trate de exigencias insignificantes. La reverencia ante la autoridad paterna es perfectamente coherente con la máxima libertad de la confianza infantil; si bien también opera como una valiosa defensa contra mil necedades de rebeldía incontrolada. Así pues, siempre mantengamos vívidamente ante nosotros aquella horrible alternativa. Ya sea la voluntad del niño, o el corazón de los padres, uno de los dos ha de quebrantarse. Sin un control sabio y firme, el padre será miserable; y el hijo estará arruinado.

6. Crianza y relación con Dios (29:16-27)

a. Proverbio introductorio (29:16)

16. Cuando aumentan los impíos, aumenta la transgresión, pero los justos verán su caída.

El aumento de la transgresión es obviamente proporcional al aumento de los transgresores (Os. 4:7). No se trata sólo de un incremento numérico, sino

---

también de uno en poder y audacia para pecar. "Los hombres que comenzaron a multiplicarse sobre la faz de la vieja tierra eran gigantes" en la maldad, así como en fuerza; hasta que "el Espíritu de Dios" no pudo "contender" por más tiempo (Gn. 6:1-6). Lo mismo sucedió con los constructores de Babel (Gn. 11:1–8), y con las ciudades de la llanura (Gn. 18:20, Ez. 16:49). Uniones como estas se envalentonan en el pecado (Gn. 11:4, Is. 41:8). Cada partícula de la masa está corrompida. La masa, por lo tanto, se fermenta con el mal. De ahí que en nuestros distritos más densamente poblados predomina la infidelidad por encima de lo que ocurre en las aldeas con una población más escasa. Existe el mismo mal en cada uno de los corazones; pero no la misma fermentación del mal.

En cuanto a las perspectivas de fe, el ojo cristiano no podría soportar tal espectáculo.

Pero los justos verán su caída (Sal. 37:34; 58:9-11; 91:8).

Salmo 58:9–11 Antes que las ollas de ustedes puedan sentir *el fuego de* los espinos, tanto los verdes como los que arden, los barrerá Él con torbellino. El justo se alegrará cuando vea la venganza, Se lavará los pies en la sangre de los impíos; entonces los hombres dirán: «Ciertamente hay recompensa para el justo, ciertamente hay un Dios que juzga en la tierra».

Noé vio la destrucción del viejo mundo (Gn. 7:23). Abraham fue testigo de la ruina de las ciudades entregadas al pecado (Gn. 19:28); "Israel vio a los egipcios muertos a la orilla del mar" (Ex. 14:30). 'Que los justos no se desalienten', dijo el buen obispo Simon Patrick (1626-1707) 'pues mientras más impíos son los hombres, más corto es su reinado'. El ministro fiel, consciente de su incapacidad para detener el desbordante torrente de iniquidad, se ahogaría en la desesperación si no fuera por la asegurada confianza de que está en el bando vencedor; de que su causa, así como la causa de su Señor, finalmente prevalecerá. Sí, aunque el pecado ahora parece triunfar y Satanás se jacta de sus victorias; con todo, "los reinos de este mundo", con toda su vasta población, "vendrán a ser los reinos de nuestro Señor y de su Cristo, y él reinará por los siglos de los siglos" (Ap. 11:15).

Esta es, en verdad, el gozo que sostiene la fe: el entender la gloria de ese día, cuando *los justos vean la caída* de los temporalmente triunfantes *impíos*; entonces un grito universal se elevará por toda la tierra: "Aleluya, salvación y gloria, y honor y poder, al Señor nuestro Dios; porque sus juicios son verdaderos y justos: Aleluya, porque el Señor nuestro Dios Todopoderoso reina" (Ap. 19:1-6, cf. 15:4; 18:20. Cf. Is. 66:24).

b. Necesidad de la disciplina (29:17-21)

17. *Disciplina a tu hijo y te dará descanso, y dará alegría* (*Lit.* deleites) *a tu alma.*

Una vez más el sabio vuelve al tema de la disciplina. Estas repetidas inculcaciones (v. 15. Pr. 13:24; 19:18; 22:15; 23:13-14) muestran enérgicamente su importancia. La orden es positiva; *disciplina a tu hijo*. ¿Cómo puede un juicio recto evadir o restarle importancia a una regla tan simple y literal? Buscar reglas más complacientes equivale a establecer nuestra voluntad en oposición a la de Dios; preferir la razón o el sentimiento en lugar de la fe.

La medida y el modo de *corrección* han de depender de la edad, el sexo, el temperamento del niño, así como del carácter o las circunstancias agravantes o atenuantes de la falta. A pesar de todo, tal como ocurre con la disciplina de nuestro Padre, que no sea nunca más de lo que se pueda soportar (Is. 27:8; 57:16, 1 Co. 10:13). Ten en cuenta las marcas de una confesión ingenua. Sin embargo, ateniéndose a una sabia aplicación del principio, no debe haber ninguna excepción a la regla. Los temperamentos diferentes, tal como los suelos diferentes, requieren un tratamiento diferente. Pero debe haber disciplina; sin rebajarla por el afecto, ni aplicándola con dureza; sino autoridad temperada en amor (ver Sabiduría 6:17). Si una mano suave no puede ejercer control, debe aplicarse una mano más fuerte.

Podemos tomarnos *descansos* sin que exista *disciplina* de por medio; pero tales descansos traerán problemas al final. El verdadero *descanso* es aquel que nuestro *hijo nos dará*; y para que lo *dé*, la regla es: *Disciplina* (Cf. Eclesiástico 30:2). Podemos estar seguros de que Dios no habría insistido tanto en ello si no le hubiera añadido una bendición. Si Elí fue rechazado, fue porque, en este asunto, "honró a sus hijos más que a Dios" (1 S. 2:29-30. Cf. Gn. 22:12). Entonces, seguramente "Él honrará" a aquellos "que lo honran" por encima de sus hijos. Tanto el padre como el hijo experimentarán dolor en el presente (Pr. 19:18; 15:10); no obstante, la bendición *futura* está asegurada (Heb. 12:11). Una tierra bien labrada, con árboles cuidadosamente podados, "dará más fruto".

Observa cómo el texto se anticipa a la objeción de la debilidad paternal. 'Si hago sufrir a mi hijo, ¿no me odiará?' ¡No!; cuando "se le dejaba a sí mismo", era una profunda y preocupante aflicción. Ahora te *dará descanso*. Antes, "te avergonzaba" (v. 15). Ahora le *dará deleites a tu alma* (Pr. 23:13-16, 24-25).

Proverbios 23:13–16 No escatimes la disciplina del niño; aunque lo castigues con vara, no morirá. Lo castigarás con vara, y librarás su alma del Seol. Hijo mío, si tu corazón es sabio, mi corazón también se me alegrará; y se regocijarán mis entrañas cuando tus labios hablen lo que es recto.

Los sentimientos momentáneos del hijo bajo *disciplina* darán paso a la convicción de que los padres actuaron sabiamente y en atención a su beneficio (Heb. 12:9).

Pese a ello, la regla contra el desánimo no se habría repetido si no hubiera algún mal paternal que corregir. "Provocarlos a ira" produce rebeldía, transfiere la confianza a compañeros indignos, y conduce a tentaciones ruines. Los hijos requieren un trato considerado. No deben ser conducidos mediante la fuerza bruta. La autoridad debe ser temperada con amor. Se les debe explicar las razones detrás de las órdenes extraordinarias. Lo que es bueno debe ser generosamente elogiado. La mejor construcción ha de descansar sobre esfuerzos imperfectos. Debe distinguirse cuidadosamente entre debilidad y terquedad, entre descuido y obstinación.

El hogar ha de regocijarse con la vigorizante alegría de la primavera, y debe estar repleto de toda saludable satisfacción. Debe hacerse todo lo posible para ganarse la confianza del niño, de manera tal que, en lugar que éste se mantenga fría y temblorosamente reservado, corra hacia nuestros brazos. De todos modos, en esta atmósfera radiante no debe olvidarse el gobierno de Dios. Una disciplina completa se caracteriza por la firmeza del padre combinada con la ternura de la madre; cada uno infundiendo en el otro su propia cualidad. Un padre sabio atestiguará que una educación bien disciplinada es el medio más seguro para asegurar el afecto, la gratitud y la reverencia de los hijos (Cf. Ex. 32:25, 2 Cr. 28:19).[185]

---

[185] Martin Geier (1614-1680) y otros dan consideran –Dissipantur–disperso. Mateo 9:36. De todos modos, es evidente que se tiene en mente un estado de desalentadora miseria.

18. *Donde no hay visión, el pueblo se desenfrena, pero bienaventurado es el que guarda la ley.*[186]

La visión, como se desprende del contraste, es la instrucción divina (Cf. 1 S. 3:1). El Ministerio es la ordenanza designada para comunicar esta bendición (1 S. 9:9, Mal. 2:7, Ef. 4:8-11), por lo tanto, es el principal instrumento de conversión (1 Co. 1:21, Stg. 1:18, 1 P. 1:23-25), y del subsiguiente perfeccionamiento cristiano (1 Co. 14:3, Ef. 4:11-14, 1 Ts. 3:10).[187] En consecuencia, no puede haber mayor calamidad que la eliminación de la visión. La hambruna temporal –que sólo afecta al cuerpo– es un juicio leve, apenas mencionable, comparado con aquella hambruna por la cual *el pueblo perece:* "hambre de oír las palabras del Señor" (Am. 8:11-12 cf. Is. 8:16; 30:20, Jer. 7:12).

> **Amós 8:11–12** »Vienen días», declara el Señor Dios, «En que enviaré hambre sobre la tierra, no hambre de pan, ni sed de agua, sino de oír las palabras del Señor. »La gente vagará de mar a mar, y del norte hasta el oriente; andarán de aquí para allá en busca de la palabra del Señor, pero no *la* encontrarán.

Pues:

> Cuando no hay quien edifique, exhorte y consuele al pueblo con la palabra de Dios, no pueden sino *perecer.* Se vuelven esclavos y cautivos de Satanás. Su corazón es atado. Sus ojos son cerrados y nada pueden ver; sus oídos son

---

[186] Nota del Traductor: La versión usada en el inglés original señala literalmente: "Donde no hay visión, el pueblo perece; *(es desnudado, Marg.)* pero el que guarda la ley es bienaventurado"; de allí las referencias y aclaraciones realizadas por el autor.

[187] Y, sin embargo, este órgano tan fructífero de acción divina (la predicación), que nuestro bendito Señor honró como el gran médium de su propia enseñanza (Sal. 40:9, 10, Is. 61:1, 2), es actualmente depreciado como la marca de 'una Iglesia en un estado débil y languideciente, y un instrumento, que la Escritura *–por decir lo menos–* nunca ha recomendado mucho'. (Tracts for the Times, 87, p. 75.) Mucho más ortodoxo es el sentir de uno de nuestros venerados reformadores. 'Así pues, podemos descubrir la necesidad de la predicación, y qué inconvenientes se producen cuando no se utiliza. "Donde falla la predicación" -dice Salomón- "allí el pueblo perece". Por lo tanto, que cada uno permanezca en la escuela de Dios, y aprenda su lección diligentemente. Porque así como el cuerpo se nutre de la comida, así el alma se nutre de la palabra de Dios'. 'Works' del Ob. Pilkington, p. 112. Parker Society's edition. Lutero solía decir 'El pueblo más ruin, con un pastor y un rebaño cristiano, es un palacio de ébano'.

tapados y nada pueden oír. Son llevados como presa al infierno, pues no tienen conocimiento de Dios.[188]

Muchas veces Israel provocó este juicio tan terrible: la supresión de la *visión* pública (1 R. 12:28-32; 14:14-16, 2 Cr. 15:3-5, Sal. 74:9, Lm. 1:4, 2:9, Ez. 7:26, Os. 3:4). Por la misma causa, "el candelero" de las Iglesias del Apocalipsis fue, hace mucho tiempo, "quitado de su lugar"; quedando, en su mayor parte, poco más que el ceremonial de los días de antaño (Ap. 2:1-5; 3:1-3, 15-16). De la Iglesia Apóstata de Roma, *la visión* está casi retirada, y *el pueblo perece* en la ignorancia y el engaño. En otros cuerpos, que "tienen nombre de que viven", la queja es tan real como en los viejos tiempos: "Mi pueblo es destruido por falta de conocimiento" (Os. 4:6). No hay personas más miserables bajo el sol que la terrible cantidad de pecadores, semejantes a nosotros, que crecen en su habitual distanciamiento de Dios.

Tomemos el más horrible ejemplo de este proverbio que se pueda imaginar. Si estar sin *visión* es la marca de una condición *perecedera*, ¿qué rayo de esperanza bíblica alumbra sobre el mundo pagano? Al estar "sin Cristo", el infalible testimonio los describe como "sin esperanza" (Ef. 2:12). La salvación ciertamente es libre para todos, para "cualquiera que invoque el nombre del Señor". Pero, ¿cómo invocarán sin fe, creerán sin oír, "oirán sin que haya quien les predique"? (Ro. 10:13, 17). Por lo tanto, si no hay *visión*, ¿cómo pueden sino *perecer*? En efecto, "perecerán sin ley" (Ro. 2:12). (no condenados por la ley revelada, la cual nunca han conocido); pero aun así *perecerán* "sin excusa" (Ro. 1:20), alejados de la vida de Dios por la ignorancia que en ellos hay, "por la dureza de sus corazones" (Ef. 4:18).

El orgulloso razonador se rebela ante esto y presume ser más misericordioso que Dios. Pero esta falsa caridad es sólo una cubierta para el egoísmo. Los hombres niegan el peligro pues son demasiado indolentes, demasiado complacientes de sí mismos, como para extender una mano de ayuda, o para hacer un sacrificio por el rescate. La verdadera caridad es el fruto de una fe reverente. Y, si bien se da cuenta del tremendo peligro, concentra toda la energía de la ternura compasiva, de la oración de fe y de un esfuerzo abnegado para lograr su salvación.

Pero el contraste no se da entre los que no tienen *la visión* y los que la tienen, sino entre la destitución y el perfeccionamiento de la bendición. La mera

---

[188] Ob. Jewell sobre las Escrituras.

profesión del Evangelio puede ser algo ineficaz. ¿De qué sirve la luz, si no abrimos los ojos para verla? Lejos de ser una bendición, sólo resultará en una condena más profunda (Mt. 11:20-24, Lc. 12:47-48). Algunos son iluminados, pero también hay multitudes que se quedan ciegas (Jn. 12:40).

Sin embargo, la piedad práctica, *el guardar la ley*, trae una verdadera y duradera *bienaventuranza* (Pr. 3:21–24; 4:5–9; 8:32–35; 19:16; Lc. 11:28, Jn. 13:17); así como también el privilegio de tener comunión con nuestro Dios y Salvador, aquí y por la eternidad (Jn. 14:21-23, Ap. 22:12, 14). Entonces, ¿quién puede justificadamente arrojar la sombra del desaliento sobre los caminos de Dios? Que los cristianos de pentecostés den testimonio de su alegría (Hch. 2:46-47).

> **Hechos de los Apóstoles 2:46–47** Día tras día continuaban unánimes en el templo y partiendo el pan en los hogares, comían juntos con alegría y sencillez de corazón, alabando a Dios y hallando favor con todo el pueblo. Y el Señor añadía cada día al número de ellos los que iban siendo salvos.

Que cada siervo de su Señor invite a sus semejantes, tan pecadores como él, a disfrutar de sus privilegios, mediante la manifestación de su gozo y santidad.

19. *Un siervo no aprende solo con palabras; aunque entienda, no responderá.*

La disciplina debe ser implementada, no sólo en la familia (vv. 15, 17), sino en todo el hogar, a fin de preservar la autoridad y el orden de Dios. Aquí se da una pista importante respecto al manejo de los siervos. Aunque no se aplica a todos,[189] muestra una tentación muy hacia la obstinación. Hay un silencio orgulloso, tanto como uno humilde, que es prueba evidente (del mismo modo que una respuesta descarada y frívola) de un espíritu insubordinado.

La paciencia de Job fue ejercitada penosamente por medio de esta prueba, y ello en medio de circunstancias agravantes (Pr. 19:16). Debemos cuidarnos de tener un espíritu duro (Lv. 25:43. Cf. Eclesiástico. 33:28-29). Pero con los siervos, así como con los niños, la autoridad debe mantenerse a cualquier precio. Por lo tanto, si *un siervo entiende* la orden, pero *no responde;* y además si *no se corrige con palabras*, es mejor despedirlo que rebajar nuestra autoridad y enfrentar el mal cediendo ante su perversidad.

---

[189] La LXX. consigna, aunque sin la autoridad del original, 'un siervo obstinado'.

Las Escrituras establecen por completo los deberes de los siervos: "Sin ser respondones, servir de buena voluntad, como al Señor y no a los hombres" (Tit. 2:9, Ef. 6:7). La resistencia hosca a la reprensión es profundamente inconsistente con la profesión de un cristiano; así pues, si el ofensor escapa a la corrección de un amo terrenal, será alcanzado por la vara de su airado Señor, como quien se engaña a sí mismo o deserta de su elevada obligación (Pr. 19:29; 26:3).

20. ¿Ves a un hombre precipitado en sus palabras? Más esperanza hay para el necio que para él.

Se nos acaba de advertir acerca del silencio hosco; aquí se nos advierte de *las palabras precipitadas*. Cuando un hombre deja fluir sus palabras, evidentemente sin tiempo para reflexionar (Pr. 18:13); cuando da su opinión como si escuchar un consejo o considerar el juicio de otros fueran una pérdida de tiempo; cuando se apresura a pronunciar un juicio, adelantándose a hombres de reconocida sabiduría y experiencia; estamos ante un "necio que dice todo lo que piensa" (v. 11); el hombre recientemente señalado (como una advertencia para nosotros; Pr. 26:12), como un *necio sin esperanza*, "sabio en su propia opinión".

Es muy difícil tratar eficazmente con él hasta que no sea sacudido de su propia vanidad, a la cual se ha aferrado fuertemente. Los argumentos y la instrucción se pierden en él. Hay más probabilidades de guiar bien al hombre que es consciente de su propia debilidad, que desconfía de sí mismo, y que está dispuesto a pedir y recibir consejo; que a aquel que piensa que ya tiene la razón.

Es una misericordia especial ser preservado de juicios *precipitados*, o de expresiones *precipitadas* de juicio. La primera impresión de una mente perfecta es infaliblemente correcta. Pero, la de una mente imperfecta debe ser sometida a un cuidadoso escrutinio. Es de sabios admitir que nuestro juicio puede estar equivocado. El autocontrol y la desconfianza presentan una sólida consistencia. Esta inclinación resulta sumamente importante en las disputas religiosas. Ten cuidado de no defender o contradecir nada que no haya sido probado mediante un estándar real. Moisés aplazó el juicio del pecado ante sus ojos, hasta no haber llevado dicho asunto ante Dios (Lv. 24:10-23). "Sé pronto para oír; tardo para hablar" (Stg. 1:19).

21. El que mima a su siervo desde la niñez, al final lo tendrá por hijo.

Tenemos otra (v. 19) valiosa regla para la disciplina doméstica, la cual orienta a los amos a un tratamiento sabio de sus siervos. Es un grave error desviarse, o inducir a otro a desviarse, del camino que un Dios de orden nos ha trazado. La Sabiduría Divina ha dispuesto como ha de estar constituida la sociedad, asignando a cada uno su puesto y sus deberes. Si un siervo aspira a ser, *en la casa*, otra cosa que no sea un siervo, su carácter pierde su valor. Un amo actúa –por decir lo menos– de manera muy impropia cuando olvida su propio lugar y autoridad, y *mima a su siervo* permitiéndole una libertad indebida. Requiere de mucha práctica poder preservar un verdadero equilibrio entre la distancia y la familiaridad.

Una conducta arrogante y amenazadora (Ef. 6:9) hacia nuestros siervos olvida el respeto que justamente se les debe; un cariño desconsiderado los saca de su lugar, generalmente para su propio perjuicio. La distinción hecha por nuestro Señor muestra que son los amigos, y *no los siervos*, a quienes se debe admitir en nuestras relaciones familiares y otorgarles nuestra confianza (Jn. 15:15). Por lo tanto, promover a un siervo al rango de confidente, lo inhabilita para su propia posición, y frustra nuestros propios propósitos según el natural resultado de este tratamiento antinatural. Una verdadera bondad lo mantiene en su lugar. 'Un buen uso no implica, de ninguna manera, aquella misma indulgencia que arruinaría a un hijo'.[190]

El siervo que ha crecido con mimos, a menudo *desde la niñez*, pronto olvida el respeto y la atención. En lugar de que esta falsa amabilidad lo incentive a mostrarse diligente y lo induzca a ser grato; se vuelve ocioso, insolente e ingobernable (Cf. Eclesiástico 33:25–27), asumiéndose un joven amo: *al final será tenido por hijo*. Esta indecorosa usurpación es "un mal que la tierra no puede soportar: el siervo que reina" (Pr. 30:21-22).[191] Muy probablemente Is-boset le permitió a Abner una indebida libertad, pues este olvidó de tal manera el debido respeto a su soberano que llegó a insultarlo cara a cara (2 S. 3:7–11). David también debió haber aflojado las apropiada riendas de su autoridad cuando Joab asesinó al comandante en jefe a la cabeza de su ejército, sin ser instantáneamente sometido al castigo de la ley (2 S. 20:4-10, 3:27). Incluso el propio sabio parece haber olvidado su prudente cautela cuando *mimó* a

---

[190] Thomas Scott (1741-1821).

[191] Lord Bacon sugiere para el buen orden de los sirvientes: 1. Que los promovamos paso a paso, no apresuradamente. 2. Que ocasionalmente neguemos sus deseos. Un 'ascenso repentino' -añade- 'induce a la insolencia. La concesión constante de sus deseos sólo los hace más imperativos al demandar'. Advancement of Learning, Book xii.

Jeroboam concediéndole autoridad y ascendiéndolo muy repentinamente; y luego vivió para lamentar su error, cuando aquel combinó el orgullo de un rebelde con la pretensión de un *hijo* (1 R. 11:26-28).

> **1° Reyes 11:26–28** Entonces Jeroboam, hijo de Nabat, un efrateo de Sereda, cuya madre, una mujer viuda, se llamaba Zerúa, era siervo de Salomón y se rebeló contra el rey. Y esta fue la causa por la cual se rebeló contra el rey: Salomón había edificado el Milo *y* cerrado la brecha de la ciudad de su padre David. Este Jeroboam era guerrero valiente, y cuando Salomón vio que el joven era industrioso, lo puso al frente de todo el trabajo forzado de la casa de José.

La confusión y la anarquía durante los años posteriores del reino tuvieron su origen en el mismo paso en falso (1 R. 16:9–12). La mayor bondad hacia los siervos es "darles lo que es justo y equitativo" (Col. 4:1), pero *nada más*. Cualquier desviación de esta regla seguramente traerá (como en el caso mencionado) problemas futuros, como un justo castigo por la necedad presente. ¡Nos es muy necesario un suministro diario de la gracia divina para gobernar bien nuestra casa en debida sujeción! La resolución de "prestar atención al camino de la perfección" solo puede ser cumplida si oramos habitualmente: "¿Cuándo vendrás Señor a mí?" Solo así lograremos "Andar dentro de nuestra casa con un corazón integro" (Sal. 101:2).

c. Tipos espiritualmente inferiores frente a la confianza en el Señor (29:22-26)

22. El hombre lleno de ira provoca rencillas, y el hombre violento abunda en transgresiones.

La ira no necesariamente es una pasión pecaminosa. Incluso *la furia*, el desbordamiento del torrente, es un atributo de Dios (Nah. 1:2). Podemos imaginarnos fácilmente su energía en la naturaleza no caída del hombre. Si Satanás se le hubiera aparecido a Eva en su verdadera y detestable forma, su ira contra él habría sido un principio santo.

Sin embargo, en una naturaleza caída, preservar su pureza es un asunto excepcional y extremadamente difícil. La ira debe confinarse a aquellos puntos que conciernen al honor de Dios (Ex. 32:19, Jn. 2:15–17), y aún en estos puntos debe observarse la regla: "No se ponga el sol sobre tu enojo" (Ef. 4:26). El corto período del día es abundantemente suficiente para expresar los motivos correctos, y para cumplir con los santos propósitos.

Sin embargo, la tendencia general de la ira es descrita gráficamente aquí. Su energía activa *provoca rencillas* (Pr. 15:18; 26:21; 30:33, Stg. 3:16), peleando incluso por nimiedades (1 Ti. 6:4, 2 Ti. 2:23-24) o por asuntos que podrían haber sido explicados satisfactoriamente tras una consideración previa (Hch. 15:39). Y cuando es reprimida, pero no diligentemente mortificada, ¡con cuánta frecuencia se vuelve más intensa y estalla *violentamente, abundando en transgresiones*! Ciertamente es difícil tener una visión completa del inmenso poder de esta masa de pecado. La ira es lo que impulsa cada inclinación que nos acosa. ¡Puede ser la blasfemia! (Lv. 24:10-11). No se detiene ante nada. ¡Cuántos asesinatos le debemos a este paroxismo del momento! (1 S. 18:9-10; 22:6-19, Mt. 2:16, Hch. 7:54-59; 12:19).

1º Samuel 18:9–10 De aquel día en adelante Saúl miró a David con recelo. Y aconteció al día siguiente que un espíritu malo *de parte* de Dios se apoderó de Saúl, y este deliraba en medio de la casa, mientras David tocaba *el arpa* con su mano como de costumbre. Saúl *tenía* la lanza en la mano.

Si no fuera por la restricción divina, los mismísimos cimientos de la sociedad estarían destrozados.

¡Padres! ¿Hemos considerado la responsabilidad de controlar a tiempo esta efervescencia en nuestros hijos? ¿observamos diligentemente el primer atisbo de ira en nosotros mismos, orando incesantemente para someterlo? ¡Cuán hermosos son los ejemplos de la Gracia Todopoderosa, como el caso de Henry Martyn,[192] transformando *al hombre violento* a la semejanza de su manso y santo Maestro!

Con todo, no nos conformemos con la restricción externa de esta pasión. Dios condena el principio profundamente arraigado que la produce. ¡Miserable corazón! ¡Lleno de corrupción que destruye el alma! Cada indulgencia, incluso la más pequeña, actúa terriblemente. ¡Tanto tiempo has pasado agitado! ¡Mucho más esperando inquietamente por la oportunidad deseada! ¡Y todo lo has dado al Gran Asesino! ¡Oh, que el misterio y la doctrina de la cruz moldeen nuestro temperamento con su genuino espíritu e influencia!

---

[192] Life, p. 8. Pref. to 10th edit.

23. *El orgullo del hombre lo humillará, pero el de espíritu humilde obtendrá honores.*

Este proverbio, comenta el Obispo Joseph Hall (1574-1656) con su particular estilo, 'es como Susa: en sus calles se proclama con honor al humilde Mardoqueo; y en su palacio se erige un instrumento de muerte para el orgulloso Amán.'[193] Este proverbio exhibe el espíritu de la repetida declaración de nuestro Señor, expuesta también por sus diarias Providencias: "El que se enaltece será humillado, y el que se humilla será enaltecido" (Mt. 23:12, Lc. 14:11; 18:14).

El valor real del hombre, en sí mismo, es tan pequeño, que el salmista no sabe dónde encontrarlo (Sal. 8:3-4; 144:3; 39:5). Su indebida valoración de sí mismo es una completa ilusión: lo ha perdido todo; ha sido despojado de todo; pero se enorgullece como si fuera el poseedor de todo. Se eleva al cielo en visiones pretensiosas; pero pronto se encuentra con su propio castigo.

El orgullo del hombre lo humillará (Job 40:12, Sal. 18:27).[194] Esto lo vemos en el mundo. La soberbia presunción de un rango, del talento o de cualquier superioridad, es sometida a una continua mortificación (1 R. 21:1-4, Est. 5:13); mientras que, por otro lado, la humildad, considerada en un inicio como un espíritu mezquino y servil, al final llega a ser merecidamente estimada.

El mundo no considera grande a nada que no se exhiba a sí mismo. Pero, ten en cuenta la sustancial "honra que viene sólo de Dios". "El cielo es mi trono y la tierra estrado de mis pies; pero a este miraré, al pobre y contrito de espíritu" (Is. 66:1-2). Sí; "Dice el Alto y Sublime, que habita en la eternidad: Yo habito con el quebrantado y humilde de espíritu" (Is. 57:15). Así pues, la humildad es la verdadera grandeza, 'la corona' –como el Sr. Howel magníficamente señala– 'de los seres finitos, hecha y adornada por la mano de Dios mismo. La supremacía es la gloria de Dios; la humildad, el ornato de sus hijos'.[195] "No soy sino polvo y cenizas. Menor soy que la menor de todas tus misericordias. Me aborrezco a mí mismo. Soy el primero de los pecadores" (Gn. 18:27; 32:10, Job 40:4, 1 Ti. 1:15), son las auto humillantes confesiones de aquellos hombres grandes ante los ojos de Jehová. Ellos brillan con el reflejo de Su gloria; pero rechazan con genuina humildad su propio brillo.

---

193 Sermon on text. Works, v. 270.
194 Cf. Sof. 2:15, Ap. 18:7-8, y referencias en el capítulo 16:18-19.
195 Howel, *Sermon i.* pp. 335-336.

A hombres de esta estampa "el rey se deleita en honrar". Su dignidad comienza en la tierra, y es coronada en el cielo. "Bienaventurados los pobres de espíritu, porque de ellos es el reino de los cielos" (Mt. 5:3. Cf. 18:4). Pueden ser pobres en cuanto a su posición social. Pero brillan como conquistadores más poderosos que Alejandro. Su verdadera gloria eclipsa el resplandor de la pompa y la "vanagloria de la vida".

El encumbramiento de *los orgullosos* es muchas veces el paso previo a su caída. Pero los *honores* que Dios pone sobre su propio pueblo *los sostiene*; como José y Daniel, en alta eminencia, como testigos de su nombre. Y toda su correctiva disciplina tiene el gran propósito de "apartar al hombre de la soberbia" (Job 33:17), y de *humillarnos* ante nuestros propios ojos, de modo que su *honor* nos "exalte a su debido tiempo" (1 P. 5:6. Cf. Job 22:29). Lo mismo debe ser con nosotros, como con nuestro Señor: el honor viene tras el abatimiento (Pr. 15:32; 18:12). 'No sólo quisiste ser nuestro Salvador, sino también nuestro modelo. Si somos capaces de bajar por los escalones de tu humillación, subiremos por las escaleras de tu gloria'.[196]

24. *El que se asocia con un ladrón aborrece su propia vida (Lit. alma); oye el juramento (O la imprecación), pero no dice nada.*

Esta advertencia se ampara en el octavo mandamiento. ¿Somos conscientes que implica la misma solemnidad en cuanto a su obligación que el primero? Muchos profesantes atribuyen cierto grado de secularidad a la aplicación detallada de los deberes de la segunda tabla. No obstante, ambas tablas gozan de la misma autoridad. Las transgresiones a ambas están registradas en el mismo libro. El decálogo no podría tener el lugar de importancia que tiene si no fuera por el imprimátur: "Yo soy el Señor tu Dios". La ley no reconoce ninguna diferencia entre el ladrón *y su socio*. Dar nuestro consentimiento al pecado –recibir los bienes robados– nos envuelve en la culpa y el castigo (Pr. 1:10-15, Sal. 50:18-21, Is. 1:23-24).

El cómplice puede ser menos experimentado en el pecado. Puede que sólo esté comenzando su curso. Sin embargo, es el primer paso en un camino de muerte, pues actúa como si *aborreciera su propia alma* (Cf. Pr. 6:32; 8:36; 16:32; 20:2).

---

[196] Obispo Joseph Hall (1574-1656), *ut supra.*

Proverbios 6:32 El que comete adulterio no tiene entendimiento; el que lo hace destruye su alma.

Proverbios 8:36 »Pero el que peca contra mí, a sí mismo se daña; todos los que me odian, aman la muerte».

Proverbios 16:32 Mejor es el lento para la ira que el poderoso, y el que domina su espíritu que el que toma una ciudad.

Un paso lleva naturalmente a otro. Suponiendo que se le llame a declarar bajo juramento sobre su conocimiento o vinculación con lo sucedido. ¿No estaría tentado a cometer perjurio en lugar de delatar a su compañero? Bajo la perversa obligación de mantener el secreto *escucha imprecaciones*; el solemne juramento de declarar la verdad bajo pena de sufrir la maldición de Dios, y *no dice nada.* 'Guarda su malvado consejo, y no traiciona' (Cf. Lv. 5:1, Nm. 5:21, 1 R. 22:16, Mt. 26:63).

¡Oh! ¡Cuán espantosa es la historia de miles de personas cuya comunión con los pecadores los llevó a tener comunión con el pecado y, en última instancia, a tomar la delantera en el pecado! ¡Cuyo primer paso en dicha senda los ha llevado paso a paso a las mismas profundidades de la depravación! Y de estos miles, ¡cuán pocos, es de temer, son los que vuelven sobre sus pasos y se convierten, como Onésimo, en verdaderos seguidores de Cristo y fieles servidores del hombre![197]

25. *El temor al hombre es un lazo, pero el que confía en el Señor estará seguro* (*O* será ensalzado).

Las trampas traen dificultades al hombre. No es más dueño de sí mismo. Aquí Satanás tiende *el lazo* y *el temor al hombre* lo conduce a él. Es un *lazo* terrible, siempre lo ha sido para miles de personas. Muchos, una vez enredados, nunca han podido escapar. Cada paso en nuestro camino al cielo, cada ámbito de obligación, está plagado de él El rey se aparta de una estricta integridad (1 S. 15:24, Mt. 14:9). El juez pronuncia voluntariamente una sentencia injusta (Jn. 19:8, 13-14).

El ministro desfallece bajo la cruz (1 R. 19:3, Jon. 1:1–3), y para evitarlo, compromete la sencillez del Evangelio (Gá. 2:12; 6:12). Hay cierta timidez para exteriorizar una doctrina impopular. El pueblo no puede soportar la luz *plena*.

---

[197] Epístola a Filemón.

Así pues, el Sol de justicia se exhibe, pero tras la neblina; apenas visible, despojado de sus resplandecientes rayos. El rigor de los preceptos resulta desagradable. Por tanto, deben ser suavizados, modificados o minimizados (Is. 30:9-10, Jer. 5:31). O bien, la misma incoherencia en la profesión es manejada discretamente a fin de no perder la buena opinión de algún hombre influyente. Este tipo de servicio evidencia a un hombre complaciente, no a un verdadero "siervo de Dios" (Gá. 1:10), y trae destrucción tanto a su trabajo como a su alma (Zac. 11:17).

La misma influencia mortal opera en las familias. A veces, incluso los mismos padres rehúyen proteger abiertamente a sus hijos (Jn. 9:22). No se atreven a confesar su supremo respeto por sus principales intereses, o a profesar, en oposición a los que les rodean, la piadosa determinación del Patriarca: "Pero yo y mi casa" –por más mal que les parezca a otros– "serviremos al Señor" (Jos. 24:15).

Cada estrato de la sociedad exhibe este principio corrupto. Tal vez quienes se encuentran en el estrato más alto son los que están aprisionados con las cadenas más abyectas e irremediables. Deshonrarán todo lo religioso sin temor; pero, esclavos como son de la omnipotencia de la apariencia, "se estremecerían grandemente" (Gn. 27:33)[198] si se sospechara de su piedad. Muchos se atreverían a enfrentarse al peligro, pero rehuirían a la vergüenza. Afrontarían intrépidamente la boca de los cañones, y, sin embargo, se asustarían ante el ridículo de un insignificante gusano. O incluso si alguna excitación pública despertara en ellos un impulso a mostrar denuedo por la religión, en una atmósfera más reservada, solo habrá un silencio tímido en el corazón. Rehúyen de la atrevida consistencia de un testimonio vivo. Temen el sello de la peculiaridad. Se contentan con un exiguo decoro externo, sin un carácter o privilegio espiritual. Todo es una ilusión sin corazón.

¿Qué hace que tantos, especialmente entre los jóvenes, se avergüencen de ser hallados de rodillas, de ser conocidos lectores de sus Biblias, de ser contados entre los santos de Dios? Saben que el cristiano está del lado correcto; por lo que a menudo su conciencia les susurra: 'Ojalá mi alma estuviera en su lugar' (Jn. 7:13; 12:42, 43, Hch. 26:11, 2 Ti. 1:15; 4:16).

El temor al hombre trae un lazo. 'Y por eso no se preguntan ¿qué debo hacer?, sino ¿qué pensarán mis amigos de mí?'. No pueden hacerle frente al

---

198 La misma palabra en el original.

dedo que los señala con desprecio. Y si por un tiempo parecen tomar las cosas en serio, como Bunyan bien describe el caso:

> Son sometidos por sus miedos serviles. Empiezan a tener dudas tales como si es sabio correr el riesgo de perderlo todo por algo de lo cual no están seguros, o por lo menos, de meterse en problemas inevitables e innecesarios.[199]

Prefieren retorcerse bajo su convicción, hasta desgastarse, antes que acoger lo que Moisés "consideró una riqueza mayor que los tesoros de Egipto: *el oprobio de Cristo*" (Heb. 11:26).

A pesar de todo, ¡cuán doloroso es ver a los hijos de Dios enredarse en este *lazo*! El padre de los fieles negó dos veces a su esposa (Gn. 12:11-13; 20:2, 11). Su hijo, siguiendo su débil ejemplo (Gn. 26:7), "modeló el becerro de oro" (Ex. 32:22-24). "El hombre conforme al corazón de Dios" se hundió en la más baja degradación (1 S. 21:10–13. Cf. 27:1). Ezequías, quien se destacaba por su confianza, le dio lugar a su temor (2 R. 18:13-16. Cf. 2 Cr. 16:1–7). El discípulo vehemente, incluso después de proferir las más solemnes promesas a su Salvador, y tras un acto de gran audacia en su defensa, rindió su valor ante una sirvienta, y solemnemente abjuró de su Señor (Mt. 26:35, 51, 69-74). ¡Oh! ¿no oímos la voz que nos advierte de no "entrar en tentación, o de la debilidad de la carne"? (Mt. 26:41). Corramos a nuestro refugio y clamemos: "Sostenme y estaré a salvo" (Sal. 119:117).

¡Cuán diferente es este despreciable principio de aquel piadoso *temor al pecado* que el sabio recientemente señaló como esencia de la felicidad! (Pr. 28:14). *Aquel* es un principio sagrado; *este,* una puerta al pecado (Gn. 39:9, Cf. Is. 57:11). *En aquel* reside la gracia que nos preserva (1 Co. 10:12, Heb. 4:1); *este* hiere nuestra conciencia, y nos seduce, alejándonos de nuestra lealtad.[200] • "Con el temor del Señor los hombres se apartan del mal" (Pr. 16:6); por el *temor al hombre* corren hacia el mal'.[201] Aquel es el camino al cielo (Pr. 19:23). Este otro, que implica la negación del Salvador, lanza a su miserable esclavo al lago de fuego (Mc. 8:38, Ap. 21:8).

Pero incluso aparte de este tremendo final, ten en cuenta que constituye un serio obstáculo a la integridad cristiana. De hecho, como el Sr. Thomas Scott

---

[199] Conversación entre Esperanza y Cristiano.
[200] Referencias notas 3-9 ut supra.
[201] 'Treatise on Fear' de Flavel, cap. 2.

(1741-1821) observa fielmente, 'es', muchas veces por lo menos, 'la última victoria que el cristiano obtiene. Dominará, por la gracia que le es dada por Dios, sus propias lujurias y pasiones, y todo tipo de tentaciones internas y externas. Estará muerto a los placeres del mundo mucho antes de que haya dominado este temor al hombre. "Esta clase de espíritu no sale" sino por un rumbo de vida muy espiritual y devoto'.[202] Encontramos este estorbo en cada esquina, como una cadena sobre nuestras ruedas; de modo que, como los carros egipcios, "avanzamos con dificultad" (Ex. 14:25). ¡Oh! por una gratuita liberación de este principio de servidumbre; la cual, sin embargo, no podemos esperar si no se nos ha hecho sentir su poder.

Gracias a Dios, hay un camino de liberación. La fe desliga el alma del temor. Si el temor hace que el gigante tiemble ante el gusano, *la confianza en el Señor* hace al gusano más fuerte que el gigante. Ni el fuego ni el foso de los leones intimidan o hieren al que "cree en su Dios" (Dn. 3:28; 6:23). 'El que teme acobardarse, nunca se acobardará ante el temor'.[203] La fe reviste de poder a la oración. La fuerza de la oración nos vuelve gozosos en la obediencia, y resueltos en la prueba.

Aquí radica *la seguridad*, la fuerza, el coraje, la paz. Solo la fe nos concede la victoria; mas la victoria de la fe es completa (1 Jn. 5:4-5. Cf. Heb. 11:27). Solamente quien *confía en el Señor* estará preparado (cuando Dios y el hombre se opongan) para "obedecer a Dios antes que a los hombres" (Hch. 4:13, 19). Por medio de esta fe, una unión secreta con Dios se implanta en el alma, una unión tan poderosa como secreta, un sagrado manantial de vida, la energía de Dios mismo (Gá. 2:20, Col. 3:3), triunfando de este modo en el más fiero conflicto con la carne.

El hombre que depende del mundo para su felicidad se encuentra en esclavitud. El siervo de Dios está en libertad. No le importa si el mundo le sonríe o le frunce el ceño.

Está seguro, más allá de su alcance, *puesto en alto* (Sal. 69:29; 91:14, Is. 33:16). La fe lo ha traído a su fuerte torre (Gá. 2:20, Col. 3:3-4).

Colosenses 3:3–4 Porque ustedes han muerto, y su vida está escondida con Cristo en Dios. Cuando Cristo, nuestra vida, sea manifestado, entonces ustedes también serán manifestados con Él en gloria.

---

[202] 'Life', pp. 116, 117.
[203] Hildersham.

Allí está "guardado por el poder de Dios para salvación" (Pr. 18:10).

El temor nos es un lazo. La fe trae libertad, *seguridad*, regocijo. ¡Oh! Dios de gracia y poder, que mi alma te alabe por esta poderosa liberación, esta gozosa libertad. ¡Que nunca me avergüence de mi Maestro! ¡Que me vincule a su pueblo y me glorifique en su cruz! (1 P. 1:5).

26. *Muchos buscan el favor del gobernante, Pero del Señor viene la justicia (O el juicio) para el hombre.*

Por lo tanto, busca que Dios sea tu amigo. "Su favor es por toda la vida" (Sal. 30:5). La confianza en el hombre no es menos pecaminosa (Sal. 146:3; Is. 2:22, Jer. 16:5-6) ni peligrosa (Is. 30:1–3; 31:1–3) que el *temor al hombre*. Sin embargo, ¡con qué diligencia buscan los hombres beneficios terrenales!

Muchos buscan el favor del gobernante (Pr. 19:6) más que el de Dios, sacrificando sus conciencias y arriesgando sus almas para obtenerlo. Pero cuando lo han adquirido a tal precio, ¿qué es?, se pierde tan fácilmente, como difícilmente se ganó. El capricho de un momento puede destruir aquello que costó trabajo obtener (Gn. 40:1-2). Y luego, ¿de qué van a vivir? Todo esto sucede por olvidar que *del Señor viene el juicio para cada hombre*. He aquí, pues, la base sólida de la fe. Empieza primero con Dios. Todo *juicio* está en sus manos. "Encomienda al Señor tu camino; confía también en él, y él hará" (Sal. 37:5-6).[204]

Deja que Él escoja y disponga nuestra suerte (Sal. 47:4, Pr. 16:33). Considera todo lo que sucede como si viniera de parte de Él. En todo, grande o pequeño, trata con Él. Su favor, a diferencia del inconstante *favor del gobernante*, es "sin mudanza ni sombra de variación". Y cuando, debido a la volubilidad del hombre, tus perspectivas terrenales se desvanezcan, descansa en paz: "Ciertamente mi justicia está con el Señor" (Is. 49:4, Job 34:29). 'Como quieras, lo que quieras, cuando quieras'.[205] Tal es el camino más corto, el más seguro, hacia la paz. "Solamente cree" y no dudes.

---

[204] 'No necesita adular al gobernante, porque lo que Dios ha establecido, eso le llegará'. Notas de la 'Reformers' Bible'. 'La determinación concerniente al hombre es de Jehová'. 'Prelim. Dissertation to Isaiah' del Ob. Robert Lowth (1710-1787).

[205] Thomas à Kempis.

d. Proverbio de encuadre final (29:27)

27. Abominación para los justos es el malvado, y abominación para el impío es el recto en su camino.

He aquí el enfrentamiento más antiguo, arraigado, y universal en el mundo. Fue la primera maldición de la caída (Gn. 3:15). Ha continuado desde entonces, y durará hasta el fin del mundo. Se mantiene siempre en el punto más álgido. Cada bando es una *abominación* para el otro. No sólo son tan contrarios en carácter, como la luz y las tinieblas; sino que hay una mutua antipatía que nunca podrá ser mitigada.

Examinemos cada uno de los grupos en abierta oposición.

El malvado es una abominación para el justo. ¿Es entonces su pecado la causa de tal rivalidad con un pecador como él? No, por el contrario, es la propia santidad de su carácter y su profesión. Si tiene alguna comprensión de la santidad de Dios, si mediante la gracia ha sido liberado del amor y el dominio del pecado, ¿no le resulta odiosa la vista ofrecida por el pecado? Y aunque lo aborrece, sobre todo en sí mismo, nos preguntamos; ese vistazo del mal en su propio corazón, ¿no profundiza acaso su aborrecimiento y animadversión del mal en los que le rodean, sin excusar el mal en quienes le son más queridos, sino apelando a su Dios cuando estalla su santa indignación? "¿No odio, oh Señor, a los que te aborrecen? ¿Y no me repugnan los que se levantan contra ti? Los aborrezco con el más perfecto odio; los tengo por enemigos" (Sal. 139:21-22. Cf. Pr. 28:4).

> **Salmo 139:21–22** ¿No odio a los que te aborrecen, Señor? ¿Y no me repugnan los que se levantan contra Ti? Los aborrezco con el más profundo odio; se han convertido en mis enemigos.
> **Proverbios 18:24** El hombre de *muchos* amigos se arruina, pero hay amigo más unido que un hermano.

Observando el lado contrario, tenemos que *el impío abomina* del mismo modo a los *rectos* (v. 10). "La mente carnal es enemistad contra Dios" (Ro. 8:7), y, por lo tanto, no puede soportar su imagen en sus hijos (Jn. 15:17–19, 1 Jn. 3:12-13). Si su animosidad no fuera refrenada, de buena gana el impío los "arrancaría de la faz de la tierra", como cuando no descansaron hasta que crucificaron al Hijo de Dios en aquel madero.

Sin embargo, he aquí la diferencia principal: la enemistad de *los justos* está dirigida contra los pecados, no contra la persona, de *los impíos*; o bien contra sus personas, pero en razón de sus pecados. Así pues, ¡cómo aman sus almas (Ro. 9:1–3) y 'oran por ellos'! (Ro. 10:1), ¡con qué gozo los ganarían para Cristo y la salvación! Por otro lado, la enemistad de *los impíos* está dirigida contra las personas, contra los caminos de *los rectos*, contra todo lo que les pertenece. Este es aquel 'fuerte veneno en la simiente de la serpiente',[206] ¡el espíritu asesino de su padre el diablo!

¡Cómo se cansa el alma tras la incesante lucha con los enemigos de la verdad! ¿Cómo podría alguien abstenerse de desear "las alas de una paloma para volar y hallar reposo? (Sal. 55:6-7). No podríamos mantenernos firmes en la contienda si no fuera por esta bendita esperanza (¡Oh Señor, apresúrala en tu tiempo!): Cuando la conquistadora simiente de la mujer "hiera la cabeza de la serpiente", la cabeza de toda su simiente (Gn. 3:15, Sal. 45:3-4, Ap. 19:11–16), finalmente y para siempre, y Él reine como Rey y Salvador sobre su pueblo redimido.

---

[206] Robert Leighton (1611-84) sobre 1 P. 3:14.

SEXTA PARTE: LOS DICHOS DE AGUR HIJO DE JAKEH (30:1-33)

A. INTRODUCCIÓN (30:1-9)

1. Inscripción (30:1a)

1. Palabras de Agur, hijo de Jaqué: el oráculo.

Los dos capítulos finales de este libro son un apéndice a los Proverbios de Salomón. De los autores no se sabe nada con certeza; y es vano especular allí donde Dios ha guardado silencio. Es mucho mejor dedicar toda nuestra atención –mente y corazón– a los temas enseñados que satisfacer una improductiva curiosidad respecto a los autores. Nuestra ignorancia respecto a quienes escribieron muchos de los salmos no nos impide en absoluto beneficiarnos de ellos. Conocemos a su Autor, aun cuando los escritores nos son ocultos. Basta con asegurarnos de que fueron "santos hombres de Dios", que escribieron "*movidos por el Espíritu Santo*" (2 P. 1:2).

Sin duda, Agur fue uno de los sabios que encontramos en diversas épocas de la Iglesia del Antiguo Testamento.

a. Confesión autobiográfica de Agur (30:1b-9)

1b. Declaración del hombre a Itiel, a Itiel y a Ucal. 2. Ciertamente soy el más torpe de los hombres, y no tengo inteligencia humana. 3. y no he aprendido sabiduría, ni tengo conocimiento del Santo.

Sus palabras fueron profecía,[1] instrucción divina dada *a Itiel y Ucal* (a *Itiel* especialmente) probablemente dos de sus eruditos, cuyos nombres son igualmente desconocidos para nosotros. Tal vez vinieron a él por instrucción, y por ello fue llevado a expresarse en el sentido más humilde respecto a su propia ignorancia.

---

[1] Este era un nombre bíblico frecuente para la instrucción ordinaria. Pr. 31:1, 1 Co. 14: 1, 3, 4, 1 Ts. 5:20.

Vienes a mí para que te instruya. Pero *ciertamente soy el más torpe de los hombres*, no tengo las ventajas de *haber aprendido sabiduría* (Cf. Am. 7:14-15)*, ni tengo conocimiento del* Dios *Santo* (Cf. Dn. 4:17) ni de la santa revelación de su nombre.

Su lenguaje es realmente fuerte. Difícilmente podría haberse usado uno más fuerte. Confiesa ser, no sólo *torpe*, como el hombre es por naturaleza (Job 11:12, Sal. 49:20, Jer. 10:14), sino, *más torpe que otros hombres,* aunque haya sido iluminado por la enseñanza celestial.

> **Job 11:12** »El hombre tonto se hará inteligente Cuando el pollino de un asno montés nazca hombre.
>
> **Salmo 49:20** El hombre en *su* vanagloria, pero sin entendimiento, Es como las bestias que perecen.
>
> **Jeremías 10:14** Todo hombre es torpe, falto de conocimiento; Todo orfebre se avergüenza de su ídolo; Porque engañosas son sus imágenes fundidas, Y no hay aliento en ellas.

¿Fueron estas palabras de verdad? ¿O fueron solamente una apariencia de modestia? ¿O fue una falsa humildad que negaba deshonrosamente la obra de Dios? No obstante, estaba hablando de parte de Dios, ¿cómo podría disimular en su nombre? Habló la verdad como realmente es, como la conciencia no podía dejar de decirla, como lo dictaba el conocimiento de sí mismo bajo la enseñanza divina.

Ahora bien, si un hombre toma "la lámpara del Señor" que se le ha dado para "escudriñar lo más profundo de su ser" (Pr. 20:27), ¡qué masa de vanidad encontrará allí! Habrá tanta necedad mezclada con su sabiduría, tal ignorancia con su conocimiento, que, en vez de elevarse por encima de sus semejantes, no podrá sino clamar avergonzado: ¡*Ciertamente soy el más torpe de los hombres*! Quien conoce su propio corazón, sabe respecto a sí mismo que difícilmente podrá concebir a alguien tan bajo y tan degradado como él. Las siguientes observaciones de un exhaustivo teólogo ilustran este tema:

> El que tiene mucha gracia, aprecia, mucho más que los demás, esa gran altura a la que debe ascender su amor; y ve, mejor que los demás, cuán poco camino ha recorrido hacia esa altura. Y, por lo tanto, midiendo su amor según la altura de su deber, este parece asombrosamente bajo y pequeño ante sus ojos. La

verdadera gracia tiene esta naturaleza, que mientras más tiene una persona de ella, con la corrupción restante, menos parece su bondad y santidad al lado de, no sólo la pasada, sino de la presente y pecaminosa deformidad que ahora aparece en su corazón y en los abominables defectos de sus más altos y mejores afectos.[2]

Añade a lo anterior que el hijo de Dios está comparándose a sí mismo con un estándar perfecto. Así, al percibir sus propias faltas, el penitente más perspicaz y discernidor siente que nunca podrá humillarse como debería ante su Dios. San Pablo, comparándose con la espiritualidad de la ley perfecta, exclama: "Soy carnal, vendido al pecado" (Ro. 7:14). Isaías, en presencia de un Dios santo, clama: "Ay de mí, estoy perdido, pues soy hombre de labios inmundos" (Is. 6:5).

Job, ante la manifestación del poder de Dios, se hunde en una absoluta nulidad e indignidad (Job 40:1–5; 42:1–6). David, a la vista de la sabiduría de Dios, ve la perversidad de su propia insensatez y hace suya la confesión de Agur: "¡Tan torpe era yo, sin entendimiento, era como una bestia delante de ti".[3] Cuanto más cerca contemplemos a Dios, cuanto más estrecha sea nuestra comunión con Él, más profunda será nuestra humillación delante de Él, como la de aquellos que ante el trono, "con dos alas cubrían sus rostros, y con dos alas cubrían sus pies" (Is. 6:2).

Por lo tanto, el más sabio y santo de los hombres, aunque "renovado en el conocimiento, según la imagen de aquel que lo creó" (Col. 3:10), bien podría aceptar la humillante confesión: *"Ciertamente soy el más torpe de los hombres".* La auténtica humildad es el único camino de la sabiduría. A menos que se agache, jamás podrá entrar por la puerta. Debe "hacerse un necio, para ser sabio" (1 Co. 3:18).[4] Y cuando sea humillado en su vergüenza, podrá medir la casa de su Dios en su ancho y largo (ver Ez. 40:41), disfrutando, pero anhelando manifestaciones aún más claras del Dios incomprensible.

¡Con qué reverencia debemos acercarnos a esta presencia divina! Con qué santas manos debemos abrir su revelación, temiendo un espíritu descuidado, ligero y presuntuoso; pero también estimando esos nobles y ambiciosos deseos

---

[2] Jonathan Edwards en 'Relig. Affections', Part. iii. sect. iv.

[3] Sal. 73: 1–22: 'una bestia'. El original es el plural excelente, el cual transmite una intensidad que no es fácil de trasladar satisfactoriamente a nuestro idioma. El Ob. Horsley propone: 'Yo era como un bruto delante de ti'.

[4] Hay un fino rayo de sabiduría en esa conciencia de ignorancia, la cual llevó a Sócrates a confesar: 'Sólo sé que nada sé'. Cf. 1 Co. 8:2.

de un conocimiento más profundo y elevado; sí, reiterándolos delante de nuestro Dios con una insistencia tal que, a la mente carnal le parezca una nauseabunda tautología; pero que, quien conoce nuestros corazones, ama oír, y por ende, satisfará abundantemente más allá de nuestros deseos.

4. ¿Quién subió al cielo y descendió? ¿Quién recogió los vientos en Sus puños? ¿Quién envolvió las aguas en Su manto? ¿Quién estableció todos los confines de la tierra? ¿Cuál es Su nombre o el nombre de Su hijo? Ciertamente tú lo sabes.

¿Resulta sorprendente que Agur haya reconocido su *torpeza*, ahora que contempla la majestad de Dios, tan maravillosa en su obrar, tan incomprensible en su naturaleza? El ojo se enceguece ante el deslumbrante resplandor del sol. Contemplar a Jehová *subiendo y descendiendo* en su propia persona gloriosa (Gn. 11:7; 17:22; 18:22; Ex. 3:8), y después en la persona de su querido Hijo (Jn. 1:51; 3:13; 6:62, Ef. 4:9-10), (pues ¿no estaba el nombre de su Padre en él durante su gran obra?; Jn. 10:30, 38; 14:10), verle atrapar los sueltos vientos tan firmemente como un hombre puede atrapar las cosas en *sus puños* (Job 28:25. Cf. Sal. 104: 3; 135:7),[5] ver su control todopoderoso de *las aguas* (Job 26:8; 38:8–11, Is. 40:12, Jer. 5:22) y su *establecimiento de los confines de la tierra* (Job 26:7; 38:5, Sal. 93:1; 119:90), todo esto es una visión que podría hacer que el más alto sabio de los hombres se hundiera en la insignificancia delante de Él. *Quién* ha hecho estas cosas, nadie lo puede dudar. El desafío es lanzado como una demostración de que sólo las ha hecho Dios. 'Muéstrame al hombre que puede o se atreve a atribuirse este poder a sí mismo'.[6]

Pero cuando pasamos de las obras a su gran Hacedor, nos encontramos ante un espectáculo realmente abrumador.

¿Cuál es Su nombre, si es que lo sabes? "¿Puedes tú descubrir lo profundo de Dios? ¿Puedes llegar a la perfección del Todopoderoso? Él habita en una luz a la que nadie puede acercarse, a la que nadie ha visto ni puede ver" (Job 11:7-9, 1 Ti. 6:16. Cf. Job 38:3-4). ¿Cómo podríamos expresarlo en palabras o concebirlo con el pensamiento? ¡Hijo de Dios! "Quédate quieto y conoce que Él

---

[5] Los paganos imaginaban una deidad inferior, a quien Júpiter nombró como tendero para calmar o elevar los vientos a su gusto. Hom. Odyss. K. 21, 22. Virgilio (70-19 a.C.) Æn. I. 69-70.

[6] Obispo Joseph Hall (1574-1656).

es Dios" (Sal. 46:10). Controla tu razón. Humilla tu fe. "Pon tu mano sobre tu boca". Póstrate en el polvo delante de Él. "¡Oh, profundidad!" (Ro. 11:33), abierta sólo ante Aquel cuyo "entendimiento es infinito" (Sal. 147:5, Is. 40:28).

No obstante, ¡cómo crece el misterio!

¿Cuál es el nombre de Su hijo, si es que lo sabes? ¿quién *podría hacerlo?* "Nadie conoce al Hijo, sino el Padre" (Mt. 11:27). Con todo, hay un Hijo en la Eterna Divinidad, un Hijo no engendrado en el tiempo, sino en la eternidad (Pr. 8:22–30); por tanto su nombre, como algunos quisieran, no surgió en su humillación, sino que es una manifestación de su Divinidad, coexistente con su Padre en la misma naturaleza inefable, pero personalmente distinto.[7]

¿Cuál es Su nombre? O ¿cuál es el nombre de Su Hijo? La Soberanía, la Omnipresencia, y la Omnipotencia son suyas. Él también controla los vientos y las aguas (Mt. 8:26; 14:32), y establece la tierra (Col. 1:17, Heb. 1:3) como quien siendo la visible "forma de Dios, no estimó el ser igual a Dios como algo a qué aferrarse" (Fil. 2:6).

> **Colosenses 1:17** Y Él es antes de todas las cosas, y en Él todas las cosas permanecen.
> **Hebreos 1:3** Él es el resplandor de Su gloria y la expresión exacta de Su naturaleza, y sostiene todas las cosas por la palabra de Su poder. Después de llevar a cabo la purificación de los pecados, el Hijo se sentó a la diestra de la Majestad en las alturas.

¿Cuál es Su nombre? Incluso su nombre escondido puede escribirse fácilmente (Ap. 19:12-13). Pero el misterio continúa oculto. No debemos buscar con demasiada curiosidad (Gn. 32:29, Jue. 13:18); no sea que "nos entrometamos en lo que no hemos visto, vanamente hinchados por nuestra mente carnal" (Col. 2:18). Muchos, sin embargo, piensan que es fácil entender este nombre. Tienen un concepto mucho más grande de su sabiduría que el que Agur tenía, y no tienen ninguna dificultad en explicar lo que, en su orgullosa ignorancia, conciben como el significado pleno del inescrutable tema. Pero el discípulo genuino reconoce que la naturaleza del Hijo es igual de incomprensible que la del Padre; un misterio que debe ser adorado, no comprendido.

---

[7] 'Tenemos un testimonio pleno y claro de la distinción de la persona, así como del hecho que el Hijo es igual al Padre, y de la misma sustancia que Él'. Ludwig Lavater (1527-1586). Vea a Thomas Scott (1741-1821) in loco. El Sr. Holden considera que esta interpretación es 'natural y no forzada, y muy adecuada al contexto'.

Sin embargo, la Revelación nos ha traído, desde estas insondables profundidades, perlas de gran precio. Reunámoslas reverentemente a fin de enriquecer nuestras almas. En la medida en que nuestro Divino Maestro nos lleve de la mano, sigámosle diligentemente. El sano temor de ser "más sabios de lo que está escrito" no debe extinguir el santo entusiasmo por ser cada vez más sabios en lo que está escrito. 'Preguntar curiosamente es una temeridad; creer es piedad; conocer realmente es vida eterna'.[8] Aunque Él, en su grandeza, es inescrutable; con todo, está tan cerca de nosotros que podemos descansar en su seno. El inefable privilegio de ser uno con Aquel que es uno con Dios es tuyo, ¡oh cristiano! Y, por lo tanto, si *conoces su nombre*, dado que estás obligado a conocer lo que está revelado, ¿no es cierto que encarna todo lo que es infinitamente grande, junto con las entrañables relaciones de Esposo, Hermano, Salvador, y Rey?

5. *Probada es toda palabra de Dios; Él es escudo para los que en Él se refugian.*[9] 6. *No añadas a Sus palabras, no sea que Él te reprenda y seas hallado mentiroso.*

Nada se aprende sólidamente mediante especulaciones abstractas. Vuélvete al Libro. Todo allí es luz y pureza. Aunque "las cosas secretas pertenecen al Señor nuestro Dios; las cosas reveladas" son nuestro directorio sagrado (Dt. 29:29). Todo tiene el propósito de influir el corazón y la conducta. ¡Cuán distinto a los libros sagrados de los paganos, o a la sensual religión de Mahoma! No hay ninguna licencia, ni estímulo para pecar, ni connivencia en ello. Todos aquellos pecados que nos acechan, apreciados en la oscura caverna de la corrupción, son sacados a la luz y reprendidos.

Toda palabra de Dios es pura. ¿De qué otro libro en el mundo puede decirse esto? ¿Dónde más puede encontrarse oro sin aleación? *La palabra es probada.*[10] Ha resistido la prueba, y no se ha encontrado escoria en ella. 'Teniendo a Dios como su autor, tiene verdad sin mezcla alguna de error en su

---

[8] Bernardo Claraval.
[9] Nota del Traductor: La versión usada en el inglés original señala literalmente: "Toda palabra de Dios es pura *(purificada, Marg.)*: Él es escudo a los que en Él confían…"; de allí las referencias realizadas por el autor.
[10] Heb.

esencia.[11] "*Las palabras del Señor son palabras puras*, como plata probada en horno de tierra, purificada siete veces" (Sal. 12:6. Cf. Sal. 119:140. Pr. 8:8-9).

Salmo 119:140 Es muy pura Tu palabra, y Tu siervo la ama.

Proverbios 8:8–9 »Conforme a la justicia son todas las palabras de mi boca, no hay en ellas nada torcido ni perverso. »Todas son sinceras para el que entiende, y rectas para los que han hallado conocimiento.

Pero si *toda palabra de Dios es pura*, ten cuidado de que ninguna palabra sea menospreciada. ¡Cuán pocos abarcan toda la Revelación de Dios! Para tener una visión completa del universo, debemos aceptar no sólo sus fructíferos jardines, sino también sus áridos desiertos, pues ambos provienen igualmente de la mano de Dios, y ninguno de ellos fue hecho sin motivo. Para tener una visión igualmente completa del campo sagrado, debemos estudiar las porciones aparentemente estériles tanto como las más visiblemente fructíferas. De este modo, se recogerá alimento del detallado código de leyes, de los anales históricos de los reyes, así como de las "guerras y conflictos", el prolífico resultado de "las pasiones de los hombres" (Stg. 4:1). Toda la Escritura es Escritura, y "toda la Escritura es útil" (2 Ti. 3:16).

El favoritismo, sin embargo, es un lazo acosador en el estudio sagrado. Con demasiada frecuencia se toma una parte en lugar del todo o como si fuera el todo. Uno está absorto en lo doctrinal; otro, en lo práctico; un tercero, en lo profético; un cuarto, en lo experimental de las Escrituras; y cada uno parece olvidar que *toda palabra de Dios es pura*. Esta falta de exhaustividad será evidente a través del correspondiente defecto en la profesión cristiana. El discípulo doctrinal se vuelve flojo en la práctica; el profesante práctico se hace farisaico en principio. El profético, absorto en su fantasiosa atmósfera, descuida las obligaciones presentes. El religioso experimental confunde una religión de sentimiento, emoción o afición con la sobriedad y la abundancia sustancial del evangelio. Todo esto nos recuerda la represión de nuestro Señor: "Erráis ignorando las Escrituras" (Mt. 22:29).

La gran prueba, por lo tanto, consiste en subrayar cada detalle de la verdad, en todo su porte y gloria. Dios ha unido de una manera tan sabia las diversas partes de su sistema, que no podemos recibir razonablemente ninguna porción excepto en conexión con el todo. La exactitud de cualquier punto de vista es más

---

[11] Locke.

que sospechosa si este es usado para imponer una interpretación forzada sobre las Escrituras, para desarticular su coherencia, o para arrojar verdades importantes a la sombra.

Las declaraciones aparentemente contradictorias son, en realidad, meras verdades en equilibrio; donde cada una corrige a la declaración opuesta; de modo que, así como ocurre con los músculos antagónicos, todas contribuyen a la fuerza e integridad de la estructura. Toda herejía se apoya, probablemente, en algún texto aislado, o en alguna verdad exagerada, presionada más allá de "la medida de la fe". Pero ninguna puede encontrar sustento en una visión conjunta, ni en un testimonio integral de las Escrituras. Tampoco basta con que nuestro sistema no incluya ningún error positivo si faltan algunas grandes verdades. Que este cuidadosamente basado en el reconocimiento de que *toda palabra de Dios es pura*. Algunos de nosotros podemos errar a través de una presuntuosa familiaridad con las Escrituras; otros, de una reserva indigna. Pero si el corazón es recto, el conocimiento de uno mismo detectará el error, y la autodisciplina lo corregirá.

La sencillez cristiana nos enseñará a recibir toda verdad divina sobre esta base formal: es la palabra de Dios. Aunque no todas son de igual importancia, han de tenerse en igual reverencia. Implícitamente reconocemos a Dios como el Autor de cada porción de la Escritura, y, además, que *toda palabra de Dios es pura*. Por lo tanto, rechazar una 'jota o una tilde es demostración suficiente' – como observa admirablemente el Dr. John Owen:

> De que *ninguna jota o tilde de ella* ha sido recibida como debería serlo. Si alguna comunicación lleva el título y la inscripción de 'Palabra de Jehová' debemos inclinarnos ante ella, doblegar nuestras almas ante ella, y llevar cautivos nuestros entendimientos a la obediencia de la fe.[12]

---

[12] John Owen en 'Perseverance of the Saints', Cap. 10. Vea 'Life of Mary Jane Graham', Cap. 5. "John Owen (1616-1683) fue un teólogo puritano de la línea congregacional y uno de los principales asesores y participantes en el 'arreglo religioso de Inglaterra' de Oliver Cromwell (década de 1650). Tras estudiar en Oxford, Owen fue ordenado episcopalmente y ejerció como ministro parroquial en Essex. En la Guerra Civil, se puso del lado del Parlamento y adoptó la forma congregacional de gobierno eclesiástico. Acompañó a Cromwell en expediciones a Irlanda y Escocia y poco después fue nombrado decano de Christ Church, Oxford, y vicerrector de la universidad. Se esforzó por convertir esta antigua sede del saber en un vivero de piedad mediante la predicación, la disciplina y la reforma de los estatutos. Tuvo una gran influencia en la Asamblea de Saboya (1658), donde se expusieron los principios congregacionales. En 1660 se vio obligado a abandonar Christ Church y se convirtió en pastor de una pequeña iglesia congregacional en Londres. Owen es

Esta santa reverencia se combina con la *confianza en Dios*. ¡Bendita *confianza* que trae *un escudo* de especial favor sobre su hijo tembloroso! (Sal. 2:11-12, Is. 66:2). A veces, en verdad, se le permite a Satanás envolverlo en tinieblas, y proyectar –por así decirlo– imágenes espantosas sobre el muro de su prisión. ¿Qué sería de él en este momento de terror, si no hubiera encontrado *un escudo*, una cubierta, en el seno de su Dios? Así pues, si *la palabra de Dios es pura*, es una segura base de confianza. Podemos aceptar, sin temor a dudas, su dicho de que *es un escudo;* así como lo fue para con Abraham en la antigüedad (Gn. 15:1), lo es para con los hijos de Abraham *que se refugian en Él* (Sal. 5:12).[13]

En toda adversidad que provenga de adentro o de afuera, cuando tiemble bajo los terrores de la ley, en mi hora de muerte, y en el día del juicio, diga yo: "Tú eres mi *escudo*" (Sal. 119:114). Nada honra más a Dios que acudir a Él en cada momento de necesidad. Si es posible hallar descanso, una confianza pacífica, y un cuidado seguro, es aquí. ¿Dónde más podría hallarse? El desánimo sale al encuentro del pobre pecador engañado que busca otro refugio. Incluso el hijo de Dios debe su frecuente falta de protección al débil e inseguro uso que hace de su *escudo* Divino.

Pero *la palabra de Dios* no sólo es *pura* e incapaz de engañar. También es suficiente; y, por lo tanto, como el oro probado, no necesita ningún *añadido* para que sea perfecta. Por lo tanto, *añadir a sus palabras*, selladas como están con su autoridad divina, nos expondrá a una tremenda *reprensión*, y nos cubrirá de vergüenza (véase Dt. 4:2; 12:32, Ap. 22:18-19). La Iglesia judía prácticamente *añadió* su ley oral y sus tradiciones escritas (Mr. 7:7-13).

La Iglesia de Roma no es menos culpable, y, como iglesia, ha *sido hallada mentirosa* al *añadir* al canon inspirado una masa de Tradición no escrita y de Escritos Apócrifos, con todos sus graves errores; y ello a pesar de las clarísimas pruebas respecto a su origen humano.[14] En este sentido, ¿no existe un

---

más conocido como escritor teológico. Expuso los grandes dogmas de la fe, los defendió contra el deísmo y el socinianismo, y mostró cómo se relacionaban con la práctica de la piedad personal. También escribió sobre la doctrina de la Iglesia, su política, su culto y su vocación en el mundo. Sus obras recopiladas se siguen imprimiendo y, a pesar de su estilo latinizado, se leen con atención. En sus escritos espirituales hay una gran calidez, así como una notable comprensión de la obra del Espíritu Santo en los corazones de los pecadores". Peter Toon, "Owen, John (1616–1683)," *Encyclopedia of the Reformed Faith* (Louisville, KY; Edinburgh: Westminster/John Knox Press; Saint Andrew Press, 1992), 269–270.

13 Compare la misma relación en 18:30.

14 El Sr. Horne ha conferido una obligación a la Iglesia, publicando por separado su valioso 'Digest of the Apocryphal question', de la última edición de su 'Introduction'.

acercamiento a esta pecaminosa presunción en el intento contemporáneo de llevar la tradición a un nivel cercano, si no igual, al del Sagrado Testimonio? De este modo se introduce una nueva regla de fe –una *adición* a la regla divina– de autoridad coordinada. Nunca fue tan importante despejar de toda duda la trascendental controversia respecto a lo que es, y lo que no es, la Palabra de Dios.

El Señor ha guardado cuidadosamente su *palabra pura* de toda mezcla humana. ¡Oh, que Él preserve a sus ministros de "enseñar como doctrinas los mandamientos de los hombres", "diciendo así dice el Señor cuando no ha hablado! (Ez. 13:7-9, cf. Mt. 15:9). ¡Qué reverencial asombro, qué piadoso celo, deberían ejercer para *no añadir a la palabra pura* las acotaciones de una interpretación falsa; y evitar así exponer sus propias mentes en lugar de la mente de Dios!

7. *Dos cosas te he pedido, no me las niegues antes que muera: 8. Aleja de mí la mentira y las palabras engañosas, no me des pobreza ni riqueza; Dame a comer mi porción de pan,*[15] *9. No sea que me sacie y te niegue, y diga: «¿Quién es el Señor?». O que sea menesteroso y robe, Y profane el nombre de mi Dios.*

Pese a que Agur había confesado su *torpeza* delante de su Dios; sus oraciones (la prueba más precisa de un hombre de Dios) demuestran que poseía un profundo entendimiento espiritual. "Pedimos, y no recibimos, porque pedimos mal, para gastarlo en nuestros placeres" (Stg. 4:3). ¡Cuán sabia y llena de gracia es entonces la enseñanza del Divino Consolador, quien nos "ayuda en nuestra debilidad" en la oración, y, asegura su aceptación al moldear nuestras peticiones "según la voluntad de Dios"! (Ro. 8:26-27).

> **Romanos 8:26–27** De la misma manera, también el Espíritu nos ayuda en nuestra debilidad. No sabemos orar como debiéramos, pero el Espíritu mismo intercede *por nosotros* con gemidos indecibles. Y Aquel que escudriña los corazones sabe cuál es el sentir del Espíritu, porque Él intercede por los santos conforme a *la voluntad de* Dios.

---

[15] Nota del Traductor: La versión usada en el inglés original señala literalmente: "Dos cosas te he pedido, no me las niegues antes que muera: Aleja de mí la vanidad y la mentira; no me des ni pobreza ni riqueza; aliméntame con comida apropiada para mi *(con mi ración, Marg.)* ..."; de allí las referencias realizadas por el autor.

El corazón de Agur debe haberse encontrado bajo esta enseñanza celestial; dictando sus oraciones con una básica consideración de sus mejores intereses, y un discernimiento espiritual de qué cosas serían probablemente beneficiosas, y qué perjudiciales, para ellos.

Pedía especialmente *dos cosas*, no porque no tuviera nada más que pedir, sino debido a la apremiante carga de ese preciso momento. Y pide por estas cosas –como si no fuera a aceptar una *negativa*– con toda la intensidad de un pecador moribundo: *no me las niegues antes que muera*.

Sus oraciones son cortas, pero completas. Aunque dice poco, ese poco está cargado de material; enmarcado en su propio orden. Las bendiciones espirituales ocupan el primer lugar y las bendiciones temporales son secundarias, subordinadas a ellas.

Aleja de mí la vanidad y las mentiras. ¿No es ésta la atmósfera del mundo? *La vanidad* constituye su carácter; *las mentiras,* su ilusión; promete felicidad, pero solo decepciona a sus hastiadas y agitadas víctimas (Cf. Gn. 32:26). ¿Cómo puede el alma nacida del cielo respirar en un mundo así? Todo lo que hay en él adormece el corazón y eclipsa la gloria del Salvador; causando que "el alma esté postrada en el polvo". "Todo lo que hay en el mundo, los deseos de la carne, los deseos de los ojos y la vanagloria de la vida no proviene del Padre, sino del mundo" (1 Jn. 2:16). Por tanto, "los que siguen *vanidades ilusorias* abandonan su propia misericordia" (Jon. 2:8). El alma que conoce los peligros y las tentaciones del mundo, vivirá en el espíritu de esta oración del piadoso Agur: "*Quita de mí, lejos de mí*, tanto como sea posible, *la vanidad y las mentiras*". "*Aparta* mis ojos" –oró un santo de Dios con el mismo celo vigilante– "que no vean *vanidad. Aparta de mí el camino de la mentira*" (Sal. 119:29, 37).

Por otro lado, ¡cuán singular, y, no obstante, cuán llena de instrucción resulta la segunda oración de Agur! Todos están dispuestos a orar contra *la pobreza*. Pero menospreciar *la riqueza* diciendo '¡Oh, líbrame de esta porquería!'; 'esa oración' –como le dijo el intérprete a Cristiana–'ha sido dejada atrás y está casi oxidada. "No me des riquezas" es apenas la oración de uno entre diez mil'.[16] Agur, como hombre sabio, deseaba la porción más segura y feliz de todas; no deseaba, como el antiguo Israel, "comida según sus deseos" (Sal. 78:18), sino la *comida apropiada para él*, medida en *porciones* diarias (Cf. 1 R. 4:27, 2 R. 25:30, Jer. 36:21) adecuadas a su necesidad.

---

16 John Bunyan, *Pilgrim's Progress*. Part. ii.

Esto, obviamente, no representa una medida fija. Implica, no simplemente lo suficiente para la subsistencia natural, sino una provisión que varía de acuerdo al llamado que Dios nos ha dado.

> Si Agur es un padre de familia, entonces lo apropiado para él es aquello que es suficiente para mantener a su esposa, hijos y hogar. Si Agur es una persona pública, un príncipe o un gobernante del pueblo, entonces lo suficiente para Agur será aquello que lo mantendrá convenientemente en esa condición.[17]

Jacob, cuando "llegó a tener dos campamentos", evidentemente requería más que cuando, en sus primeros años "pasó el Jordán con su cayado" (Gn. 32:10). Lo que era suficiente para él, estando solo, no habría sido suficiente para los muchos que llegarían a depender de él. La inmensa provisión en la mesa de Salomón, considerando la vasta multitud de sus dependientes (1 R. 4:22-23), podría solamente haber sido lo que satisfacía la demanda. La distribución del maná se daba en *porciones adecuadas*, sin excesos ni deficiencias. "Al que había recogido mucho no le sobraba; y al que había recogido poco no le faltaba" (Ex. 16:18).

Así, en la diaria dispensación de la Providencia, un poco puede ser suficiente para uno; mientras que una abundancia desbordante no resulta una superfluidad para otro. Procuremos solamente que la abnegación cristiana, y no un apetito depravado, defina lo que nos es suficiente. La naturaleza orgullosa nunca llega a ese punto (Cf. Ec. 5:10, Hab. 2:5, 1 Tim. 6:9-10). El Apóstol claramente atribuye a la influencia de la enseñanza divina su moderación cristiana en medio de sus distintas condiciones (abundancia o necesidad).[18] La filosofía puede haber inculcado dicha lección. Pero sólo la gracia todopoderosa puede disponer su práctica.

'Se trata de saber cuál de las dos es mayor' –dice el Dr. South– 'la piedad o la prudencia de esta oración'.[19] Agur conocía muy bien las tentaciones características de estas dos condiciones opuestas: la *vanidad y las mentiras* propias de la *riqueza* (Sal. 62:9), y el descontento y la ocasión de pecado que son las trampas de la *pobreza*.

---

[17] Sermón de Mede sobre la elección de Agur.

[18] *He aprendido, he sido enseñado*, expresiones tomadas de la instrucción en los Misterios Paganos. Fil. 4:11-12.

[19] Sermón sobre Santiago 3:16.

Sin embargo, no ora absolutamente en contra de estos estados, sólo sumisamente. Es la oración que ha elegido, el deseo de su corazón: que Dios lo exima de ambos extremos y lo bendiga con una condición intermedia. Tampoco pide esto para complacer a la carne. No desprecia los problemas, ansiedades y responsabilidades de la *riqueza* (lo cual podría ser signo de un espíritu indolente y autocomplaciente); ni las *miserias y sufrimientos de la pobreza*. Por el contrario, ruega ser librado de las trampas propias de cada condición: "No me dejes *ser rico, no sea que me sacie y te niegue*. No me dejes *ser pobre, no sea que robe y profane el nombre de mi Dios*.

Por desgracia, el peligro de estas consecuencias es demasiado evidente. Ambos extremos se levantan como fronteras de temibles tentaciones. Por extraño e irracional que parezca, tal es la depravación de nuestra naturaleza; las misericordias nos inducen a olvidar, y a menudo, a desechar a Dios (Job 21:13-14; 22:17-18). El deseo es demasiado fuerte para la conciencia. Rara vez "la hija de Tiro vendrá con presentes, o los ricos del pueblo suplicarán el favor" de su Dios (Sal. 45:12). Con mucha frecuencia sucede que, cuanto más recibimos de Dios, menos Él recibe de nosotros (Dt. 6:11, 12; 8:10-13; 32:15, Os. 13:6).[20] Las espinas entretejidas ahogan la planta celestial (Mt. 13:22). Así, mientras prosperamos en la carne, nos empobrecemos en espíritu.

Sin embargo, no menos inminentes son los peligros de una pobreza apremiante; y no todos los cristianos pueden lidiar con ellos honorablemente. La deshonestidad es una tentación que nos acosa (Pr. 6:30), seguida del perjurio cometido para escapar del castigo (Pr 29:24. Cf. Lv. 6:2-3; 19:11-12, Zac. 5:3-4). Así, dos mandamientos son quebrantados y el pecador cae en "lazo del diablo, siendo cautivos de él para hacer su voluntad" (2 Ti. 2:26).

El 'punto medio' (el que incluso un pagano podría describir)[21] es recomendado por patriarcas (Gn. 28:20), profetas (Jer. 45:5), y apóstoles (Fil. 4:11-12, 1 Ti. 6:6–10). Más aún, nuestro Señor nos enseña a orar por él en términos idénticos a esta petición. Pues ¿qué otra cosa es el "pan nuestro de cada día" sino la *comida apropiada para nosotros*?[22]

---

[20]¡Qué profundo conocimiento del corazón está implícito en esa petición de nuestra letanía por ser librados *en el tiempo de la abundancia!* ¡Cuán difícil es entender el *tiempo de la abundancia* como el tiempo de la *necesidad especial!*

[21] 'Auream quisquis *mediocritatem,* Diligit, tutus caret obsoleti, Sordibus tecti, caret invidendâ. Sobrius aula. Horat. Carm. Lib. ii. 10.

[22] El erudito Mede insiste en esta identidad. Lo apropiado y suficiente responde con precisión a αρτον επιδσιαν. Mt. 13:11 – la cantidad suficiente, por así decirlo, επι την δσιαν, adecuada para nuestro ser y manutención; pan suficiente, el pan que necesitamos.

A pesar de todo, debemos procurar usar la oración de Agur en su espíritu. Tal vez el Evangelio nos enseña más bien a dejar completamente el asunto en manos de Dios. Tanto *la riqueza como la pobreza* son establecidas por Él.[23] Puede que le complazca colocarnos en una posición elevada, confiarnos muchas *riquezas*, o ejercitarnos con las pruebas de la *pobreza*. Muchos de sus hijos están en ambas condiciones.[24] ¿Desearán lo contrario? Antes bien, que busquen la gracia necesaria para glorificarlo en cualquiera de los dos estados. O, si les parece lícito orar por un cambio en su condición, que no se olviden de orar buscando su gloria, para que su voluntad, no la nuestra, se haga en nosotros. 'Sea lo que sea que Dios me dé' –dijo el piadoso Obispo Joseph Hall (1574-1656)– 'me siento agradecido y despreocupado; así, cuando soy rico en bienes, puedo ser pobre en espíritu, y cuando soy pobre en bienes, puedo ser rico en gracia'.[25]

B. CUERPO PRINCIPAL: SIETE DICHOS NUMÉRICOS (30:10-31)

1. Primera unidad: La locura de la avaricia (30:10-16)

a. *Proverbio de una sola línea: La maldición del esclavo calumniado (30:10)*

10. *No hables mal del esclavo ante su amo, No sea que te acuse (**Lit.** maldiga) y seas hallado culpable.*[26]

---

[23] Las riquezas son don suyo, 1 R. 3:13. La pobreza es su voluntad, Dt. 15:11. Cf. Job 1:21.

[24] Abraham, David, Salomón, con Lázaro y los herederos de su reino, Stg. 2: 5.

[25] 'Works', viii. 195.

[26] Nota del Traductor: La versión usada en el inglés original señala literalmente: "No acuses *(no hieras con tu lengua, Marg.)* a un siervo ante su amo, no sea que te maldiga y seas hallado culpable"; de allí las referencias realizadas por el autor.

No permitas que este proverbio se use para amparar la infidelidad. ¡Cuánto mal viene sobre una familia, porque los que están al tanto de ella, y deben informarla, se resisten a *acusar a un siervo ante su amo*! 'No deben armar líos en la casa, ni meterse en problemas'. Pero es nuestra obligación, tanto para con el amo (Mt. 7:12) como con el siervo (Lv. 19:17), no hacerle guiños al pecado. Nos debemos, a nosotros mismos, *acusar a un siervo ante su amo* por causarnos perjuicio (Gn. 21:25-26).

No obstante, dejemos que nuestro consiervo observe primero la regla de privacidad de nuestro Señor (Mt. 18:15). Que todo ejercicio de fidelidad sea hecho en el espíritu del amor. Ten cuidado con el ajetreado desenfreno del chismoso (Lv. 19:16). Nunca causes problemas por pequeñeces; ni *acuses al siervo* cuando no tenga plena libertad ni poder para defenderse. Cuando la conciencia no nos exige hablar, la ley del amor siempre nos proporciona una buena razón para el silencio. Los *siervos judíos* eran ordinariamente esclavos, doblegados en su mayoría por la opresión de sus amos. Por lo tanto, si no existía un motivo de peso, resultaba cruel añadir humillación sobre un semejante en desgracia, para quien la ley de Moisés prescribía bondad y protección (Dt. 23:15).

No obstante, la norma puede aplicarse de manera más general. David sufrió severamente debido a fuertes *acusaciones ante su amo* real (1 S. 22:9-10; 26:19). Aquellos que más se complacen al encontrar una falta son generalmente los que menos pueden soportar una réplica sobre sí mismos. Ten cuidado, no sea que al exhibir "la paja en el ojo de tu hermano", se te recuerde, para tu profunda desgracia, "la viga que está en tu propio ojo" (Mt. 7:3-5).

La maldición de tu hermano agraviado "no vendrá sobre ti sin causa" (Cf. Pr. 26:2; Dt. 15:9, 1 S. 26:19. Cf. Stg. 2:13). El móvil que claramente desencadenó la acusación sobre la adúltera, sólo resultó en vergüenza para los acusadores. "La acusación de sus propias conciencias" (Jn. 8:3-9. Cf. Mt. 12:2) les hizo pensar en su propia *culpa*. ¿No debería constreñirnos este recuerdo a no hablar *innecesariamente* "mal de nadie"? (Tit. 3:2-3). El hecho que nuestras propias ofensas, infinitamente provocadoras, hayan sido cubiertas ¿no debería inducirnos alegremente a cubrir a nuestro hermano ofensor, allí donde el honor de Dios no prohíbe tal encubrimiento? (Ef. 4:31-32, Col. 3:12-13).

Efesios 4:31–32 Sea quitada de ustedes toda amargura, enojo, ira, gritos, insultos, así como toda malicia. Sean más bien amables unos con otros, misericordiosos, perdonándose unos a otros, así como también Dios los perdonó en Cristo.

Colosenses 3:12–13 Entonces, ustedes como escogidos de Dios, santos y amados, revístanse de tierna compasión, bondad, humildad, mansedumbre y paciencia; soportándose unos a otros y perdonándose unos a otros, si alguien tiene queja contra otro. Como Cristo los perdonó, así también *háganlo* ustedes.

b. Tres refranes numéricos sin líneas iniciales de título (30:11-16)

11. *Hay gente (Lit. generación) que maldice a su padre, y no bendice a su madre. 12. Hay gente (Lit. generación) que se tiene por pura (Lit. pura en sus propios ojos.), pero no está limpia de su inmundicia. 13. Hay gente (Lit. generación) de ojos altivos, cuyos párpados se alzan en arrogancia. 14. Hay gente (Lit. generación) cuyos dientes son espadas, y sus muelas cuchillos, para devorar a los pobres de la tierra, y a los menesterosos de entre los hombres.*

Aquí Agur ofrece algunas observaciones, en orden artificial (como en algunos de los Salmos), probablemente respondiendo las preguntas de sus discípulos. Describe cuatro grupos diferentes que pasaron ante sus ojos, no unos pocos individuos, sino *generaciones*, una raza de hombres, como un gran linaje que desciende de padre a hijo. Ciertamente "lo que ha sido, es lo que será; y lo que se hizo, es lo que se hará; y no hay nada nuevo bajo el sol" (Ec. 1:9); pues estas cuatro *generaciones* pertenecen a todas las edades. Siempre han sido y siempre serán, hasta el final de los tiempos.

Toma la primera *generación*. ¡Qué vergüenza para la naturaleza humana! ¡*Maldecir* a sus padres! Cuando se le preguntó a Solón por qué no había hecho una ley contra los parricidas, respondió que no podía concebir a alguien tan impío y cruel. El Legislador Divino conocía mejor a sus criaturas, sabía que su corazón era capaz de perversidades inimaginables (Jer. 17:9), conocía de esta maldad mucho más de lo que imaginaba el sabio pagano. Él la ha sellado con su más rotundo juicio (v. 17; Pr. 20:20, Dt. 21:18-21; 27:16).

Deuteronomio 21:18–21 »Si un hombre tiene un hijo terco y rebelde que no obedece a su padre ni a su madre, y aunque lo castiguen, ni aun así les hace caso, el padre y la madre lo tomarán y lo llevarán fuera a los ancianos de su ciudad, a la puerta de su ciudad natal. »Y dirán a los ancianos de la ciudad: "Este hijo nuestro es terco y rebelde, no nos obedece, es glotón y borracho". »Entonces todos los hombres de la ciudad lo apedrearán hasta que muera. Así quitarás el mal de en medio de ti, y todo Israel oirá *esto* y temerá.

Maldecir a un padre era visitado con el mismo castigo que la blasfemia contra Dios (Lv. 20:9, con 24:11–16),[27] pues así de cercano era quien pecaba en lo primero a quien pecaba en lo otro.

El que se rebela contra su padre está dispuesto a "extender su mano contra Dios" mismo y a "correr con la gruesa barrera de sus escudos" (Job 15:25-26). Esta orgullosa abominación se muestra de muchas formas: resistiendo a la autoridad del padre (2 S. 15:1–10), despreciando su reprensión (Dt. 21:18–20, 1 S. 2:25), deshonrando descaradamente su nombre (2 S. 16:22), exponiendo innecesariamente su pecado (Gn. 9:22), codiciando su patrimonio (Jue. 17:2), rehusando las obligaciones para con él.[28] Realmente terrible es que esta *generación* se haya multiplicado entre nosotros.

Cada poblado tiene un triste testimonio de cómo este atroz pecado hace descender las canas de muchos padres con dolor a la tumba, y cómo propaga la anarquía por toda la tierra. Así pues, no puede permitirse que ningún alegato atenuante justifique este pecado. La autoridad de los padres, aún en la más baja degradación, debe ser respetada; incluso cuando no nos atrevemos a seguir su ejemplo. Pero, ¿qué podemos hacer para detener la amenazante irrupción de esta devastadora avalancha? Recordemos una y otra vez, antes de que sea demasiado tarde, *la disciplina*, una sabia, tierna y temprana disciplina; *la oración*, suplicante, paciente y en fe, y *la diligencia*, activa, directa y prudentemente ejercida. ¿No nos dará nuestro Dios, al usar sus propios medios, aún más motivos para alabarle? Confiemos y no dudemos.

¿En qué Iglesia no encontramos la siguiente *generación*? El fariseo del Evangelio (Mt. 23:25–27, Lc. 16:15; 18:10, Jn. 9:40-41) era un retrato vivo de ella, *puro en sus propios ojos, pero no estaba limpio de su inmundicia*. La Iglesia de Laodicea estaba llena de profesantes así (Ap. 3:17-18). De hecho, la gran labor de Satanás ha consistido en engañar a pecadores de todo lugar a fin de que tengan una buena opinión de sí mismos. El pecador se aprecia a sí mismo por

---

[27] Vea la misma cercana conexión, Is. 45:8-9, 2 Ti. 3:2.
[28] Mt. 15:4-6-mostrando la equivalencia entre *maldecir y no bendecir* al padre.

algunas cualidades creíbles, o alguna muestra de decoro externo (Mt. 19:20, Ro. 7:9, Fil. 3:6), aun mientras sigue siendo un desleal ciego respecto a aquella depravación de su naturaleza que, a diferencia de los groseros actos de pecado, define todo su carácter. A veces una obediencia parcial mantiene su ilusión; mientras él esconde de sí mismo la genuina hipocresía de ciertas reticencias secretas, las cuales estropean todo (1 S. 15:13-14). Alguna vez fue impuro; pero ha pasado por una serie de observancias purificadoras. Se ha *lavado* a sí mismo *de su inmundicia*.

Muchas veces vemos a este auto engañador en la Iglesia espiritual, exhibiendo ante sus semejantes una profesión completa y limpia; mientras él mismo –¡que horrible pensamiento! – vive a una infinita distancia de Dios (1 Co. 13:1). Su credo es la salvación por medio de la gracia gratuita, y luchará fervientemente por la más pura simplicidad del Evangelio. Puede distinguir con precisión entre la sana doctrina y la no bíblica. Sin embargo, su conciencia duerme en una "apariencia de piedad", mientras que su corazón no está totalmente influenciado por "su poder" (2 Ti. 3:5). No siente dolor por su culpa y contaminación innatas, no hay sensibilidad de pecado en sus pensamientos, propósitos, motivos u oraciones; no hay un cambio perceptible en su espíritu orgulloso, obstinado o mundano. Es *puro en sus propios ojos*, ¡según su propia perspectiva imaginaria y juicio pervertido! Pese a todo, hasta que no vea su complacencia perturbada, ¡cuán desesperada es su condición! (Cf. Pr. 3:7; 12:15; 16:2; 28:11).

La falta de toda influencia gozosa es una prueba evidente de autoengaño. Una religión vital es el azúcar en el líquido, el cual endulza todo el contenido de la copa. El camino puede ser espinoso, y nuestra luz, tinieblas. No obstante, habrá dulzura mezclada con nuestro dolor, incluso hasta que la última gota de la copa de la vida haya sido consumida. La religión del formalista es un trozo de mármol pulido dentro de la copa; bello por fuera, pero frío y muerto, el cual no aporta ni una pizca de dulzura.

El poder de este autoengaño es tal, que el hombre no percibe naturalmente la profunda mancha del pecado como algo que sólo la sangre rociada puede limpiar. El hombre de Dios, bañado en lágrimas de penitencia, clama a gritos para que esta sangre lo "purifique" (Sal. 51:7). Las lágrimas del más puro arrepentimiento son impuras y abominables en sí mismas (Job 9:30-31, Jer. 2:22). Un día no es suficiente para conocer el alcance total de nuestra corrupción. Mientras el Señor lleva luz hacia nuestros corazones, vemos "abominaciones cada vez mayores" (Ez. 8:7-15). La conciencia purificada del pecado se hace más penetrante para descubrir aquella contaminación restante. Aquellos más purificados tendrán una sensibilidad más profunda de la impureza (Cf. Ro. 7:9, Fil. 3:6, cf. Ro. 7:14-24, 1 Ti. 1:15), y valorarán más intensamente "el manantial abierto para purificación del pecado y la inmundicia", con su gratuita invitación: "Lávate y sé limpio" (Zac. 13:1).

¡Pecador! si eres hallado *sin haberte limpiado de tu inmundicia*, ¿no implica ello una segura exclusión de ese "lugar, en el cual no entrará jamás nada inmundo"? (Ap. 21:27). Ciertamente la sentencia final será terrible: "El que es inmundo, ¡sea inmundo todavía!" (Ap. 22:11).

La siguiente *generación* nos provoca un triste asombro. ¡Cuán *altivos son sus ojos*! ¡Qué intolerable arrogancia *la de sus párpados alzados*! ¡Qué peor anomalía puede sufrir la conciencia que aquella de un pecador orgulloso! *Alza sus párpados*, en lugar de arrojarlos al suelo. ¡Tal es su confianza en sí mismo, inclusive en presencia de su Dios! (Cf. Lc. 18:10–13).

Así también, cuando está ante los hombres, ¡todos deben mantener su distancia de estos gusanos hinchados! Podemos ver este orgullo encarnado en un individuo: "el Hombre de Pecado, sentado en el templo de Dios, presentándose como si fuera Dios" (2 Ts. 2:3-4). Podemos verlo en la grandeza mundana, en el orgullo de Moab (Is. 16:6; Jer. 48:29), y en el del príncipe de Tiro (Ez. 28:2-9); en el jactancioso Antíoco (Dn. 11:36-37); en Amán, en toda su gloria (Est. 5:11); en "Herodes vestido con sus vestiduras reales" (Hch. 12:21-23); en Nabucodonosor y su complaciente contemplación, antes de que el severo castigo de su Dios le enseñara la saludable lección: "Él puede humillar a los que caminan con soberbia" (Dn. 4:30–37).

En un nivel más bajo, tenemos el orgullo que viene a causa del linaje, rango, sabiduría, riquezas o logros. En toda circunstancia, esta mirada altiva es especialmente odiosa para Dios (Pr. 6:17; 21:4. Cf. Sal. 131:1); por lo cual, Él ha señalado el día, según su propio propósito, en el que esta se postrará humillada (Is. 2:11-17; 3:16-17). Mientras tanto, quienes ilusamente profesan afición por este orgullo no imaginan cuán francamente despreciables los hace aparecer ante sus semejantes (Sal. 101:5). Un rayo de la gloria divina (Cf. Job. 42:5-6, Is. 6:5) y una visión de la cruz del Calvario (Fil. 2:4–8) disiparían inmediatamente su vana y espléndida ilusión.

La última *generación* se presenta ante nosotros como un monstruo de iniquidad. Apenas podemos retratarla en todos sus colores. Imagina una bestia con *dientes* de hierro, una bestia salvaje abriendo la boca y mostrando, en lugar de verdad, *espadas y cuchillos* afilados, listos para su trabajo asesino (Sal. 57:4). Con todo, estos crueles opresores se distinguen por una miserable cobardía. Sólo dan rienda suelta a su perversidad allí donde hay un nulo, o casi nulo, poder de resistencia; no se muestran lobos con el lobo, sino con el cordero indefenso; *devorando a los pobres y a los menesterosos de la tierra* (Sal. 10:8, 9, Ec 4:1, Is. 3:15, Am. 2:6-7; 8:4, Mi. 2:1-2, Hab. 3:14); "devoran a mi pueblo", no como un antojo ocasional, sino "como si comieran pan" (Sal. 14:4), como su apetencia diaria, sin descanso.

Tales crueles opresores aparecen de vez en cuando como una castigadora maldición sobre la tierra. Más aún, han sido hallados entre los gobernantes del propio pueblo de Dios (Am. 4:1, Miq. 3:1-3, Sof. 3:3), incluso entre los maestros religiosos (Mt. 23:14, 2 P. 2:3), ocultando su codicia bajo el manto de una santidad especial. De esta manera, Dios nos muestra una imagen del hombre abandonado a sí mismo. Cuando las riendas se sueltan o son dejadas de lado, ¿hay algún grado de maldad que no pueda cometer?

En realidad, estas cuatro generaciones nos enseñan la misma lección, una extremadamente valiosa, pero también humillante, de conocer a fondo. A pesar de todo, el hombre es tan depravado que nada está tan oculto de él como él mismo (2 R. 8:12-13). Mantiene una buena opinión de sí mismo manteniendo la luz fuera del corazón y la conciencia. Su imaginación presume que hay algo bueno allí donde no hay nada más que una odiosa deformidad. Bajo este autoengaño, tratamos muy suave y tiernamente con el pecado, de manera tal que no tenemos conflicto con él, ni sentimos ninguna pena o carga en relación con él. Necesitamos desesperadamente que la penetrante luz y el poder convincente del Espíritu de Dios nos muestre nuestras abominaciones, nos haga temblar al verlas; y, sobre todo, nos ayude a ver que nuestro remedio debe venir en todo momento de Dios; que ningún cambio parcial ni ningún pulido externo –nada que no sea el poder creador de Dios– podrá conseguir una cura (Sal. 51:10).

¡Adorada sea verdaderamente la gracia de Dios, si no pertenecemos a una u otra de estas *generaciones*! No obstante, recordemos que así "*éramos* algunos de nosotros", ya sea desobedientes a nuestros padres, farisaicos en la iglesia, orgullosos y despectivos, o crueles y opresivos. Pero ya hemos sido *lavados de nuestra inmundicia* (1 Co. 6:11). Así pues, a fin de mantenernos equilibrados, debemos preguntarnos "¿qué nos distingue?" (1 Co. 4:7) cuando estamos dispuestos a olvidar de dónde hemos sido levantados, a quién le debemos todo lo que tenemos, y al servicio de quién estamos.

15. *La sanguijuela tiene dos hijas, que dicen: «¡Dame!», «¡Dame!». Hay tres cosas que no se saciarán, y una cuarta que no dirá: «¡Basta!». 16. El Seol, la matriz estéril, la tierra que jamás se sacia de agua, y el fuego que nunca dice: «¡Basta!».*

Agur describe en un modo de expresión artificial (vv. 21, 24, 27; 6:16, Am. 1:3, 6, 9, 11, 13; 2:1, 4), pero con metáforas contundentes, los deseos de la concupiscencia humana. Si se observan en alusión a la última generación, forman un cuadro admirablemente logrado del tirano despiadado y avaro. Estos deseos son como la *sanguijuela que tiene dos hijas que dicen: "Dame, dame"*. Son como estas *tres y cuatro cosas; la tumba, la matriz, la tierra y el fuego*.[29] Pero en una alusión más general, las figuras resultan gráficamente instructivas. La *sanguijuela* con su lengua bifurcada, como *dos hijas*, chupa la sangre con un apetito insaciable.[30]

La tumba abre su boca a nuevas víctimas (Pr. 27:20, Hab. 2:5). *La matriz estéril* anhela ansiosamente la bendición (Gn. 30:1; 1 S. 1:6, 11). *La tierra reseca*, después de recibir grandes cantidades, todavía tiene sed de más.

El fuego –luego que la chispa enciende el carbón, o cae sobre algún material inflamable– nunca deja de arder, siempre y cuando haya combustible disponible; así pues, tras muchos incendios desastrosos, nos ha dejado exclamando con temor y asombro: "¡Mirad! ¡Cuán grande es el incendio tras un pequeño fuego! (Stg. 3:5). Y, sin embargo, estas cosas apenas representan adecuadamente esa insaciable sed interior, que *nunca* dice: *"¡Basta!"*. Mientras más grande es la porción, mayor es la lujuria. Cada indulgencia provoca el apetito.[31] Cuán bendito es ese estado al que nos lleva el evangelio. "Teniendo

---

[29] Holden. Cf. Sal. 59:12, 14-15.

[30] Reformers' Notes.

"Non nissura cutem, nisi plena cruoris hirudo. Horacio. *De Arte Poetica,* 475.

[31] Vea las Confesiones de Agustín. Lib. iii. c. 1. Agustín de Hipona (354-430). "Agustín, una de las figuras dominantes de la teología latina (occidental), ascendió en la Iglesia hasta convertirse en obispo de Hipona, en el norte de África, y a través de sus obras escritas tuvo un profundo impacto en el desarrollo de la teología en las épocas medieval y de la Reforma. Sus primeros días, y sobre todo su peregrinaje espiritual, fueron delineados en la obra autobiográfica *Confesiones*. Nacido en Tagaste, cerca de Cartago, de padre pagano y madre cristiana devota, Mónica, Agustín perdió la fe en su adolescencia al buscar la fama como

comida y vestimenta, ¡estemos contentos con eso!" ¡Qué misericordiosa liberación de esa "destrucción y perdición" que es el indudable final de las pasiones desordenadas! (1 Ti. 6:6–10).

> **1 Timoteo 6:6–10** Pero la piedad, *en efecto,* es un medio de gran ganancia cuando *va* acompañada de contentamiento. Porque nada hemos traído al mundo, así que nada podemos sacar de él. Y si tenemos qué comer y con qué cubrirnos, con eso estaremos contentos. Pero los que quieren enriquecerse caen en tentación y lazo y en muchos deseos necios y dañosos que hunden a los hombres en la ruina y en la perdición. Porque la raíz de todos los males es el amor al dinero, por el cual, codiciándolo algunos, se extraviaron de la fe y se torturaron con muchos dolores.

¡Cuán bienaventurado es el hijo de Dios! ¡Destetado de su propia indulgencia! ¡Disciplinado bajo el yugo de su Padre! ¡Satisfecho abundantemente con el amor de su Padre! Ya sea que "tenga abundancia o padezca necesidad", puede decir: "*Tal es mi riqueza,* estoy lleno, tengo abundancia" (Fil. 4:12, 18). ¿No ha encontrado aquello que atiende cada demanda, suple cada necesidad y satisface cada deseo? ¿Qué otra cosa sino Dios puede llenar el alma que Dios mismo ha hecho y creado para sí mismo?

2. Segunda unidad: La sabiduría de vivir dentro de los límites (30:17-31)

---

profesor de retórica. Así comenzó una búsqueda de la verdad en varios sistemas filosóficos, que finalmente le llevó al maniqueísmo. Por el camino tuvo una amante y un hijo, Adeodato. Atraído a Italia por la posibilidad de la fama, Agustín enseñó en Roma y Milán. Los sermones de Ambrosio, obispo de Milán, le llevaron a la conversión en el año 386. El regreso de Agustín a África inició un rápido ascenso a la prominencia en la iglesia. Como obispo, las dotes intelectuales y las habilidades retóricas de Agustín se pusieron al servicio de la Iglesia al tratar las controversias donatista y pelagiana y al escribir obras clave, como *La ciudad de Dios* (un tratado sobre la Iglesia y el Estado), *Sobre la Trinidad, Sobre la doctrina cristiana* (un manual de interpretación de las Escrituras) y muchos comentarios sobre libros de la Biblia." Nathan P. Feldmeth, *Pocket Dictionary of Church History: Over 300 Terms Clearly and Concisely Defined,* The IVP Pocket Reference Series (Downers Grove, IL: IVP Academic, 2008), 19–20.

a. Proverbio de una sola línea: El vergonzoso final del niño rebelde (30:17)

17. *Al ojo que se burla del padre y escarnece* (*Lit.* desdeña obedecer) *a la madre, lo sacarán los cuervos del valle, y lo comerán los aguiluchos.*

Aquí Agur regresa a la primera *generación,* aquellos que, en contra de la naturaleza, *desprecian* a sus padres (v. 11). Antes ha descrito su carácter. Ahora lo vincula al castigo. Observa la culpa de la mera mirada escarnecedora, el *ojo burlón,* cuando quizá no se ha dicho ni una palabra. Ciertamente si el quinto mandamiento es "el primero con promesa" (Ef. 6:2), también es el primero con un juicio. Ningún mandamiento quebrantado es visitado con tan tremendas amenazas. ¿Qué imagen se ofrece aquí de la infamia? Quizá el caso de Absalón sea el ejemplo más llamativo: un joven obstinado y rebelde contra su padre y soberano, ¡fue hecho un vergonzoso espectáculo delante de su pueblo! (2 S. 18:9–17).

¡La venganza de Dios infligió el castigo que le correspondía según la justicia humana! No obstante, podemos observar una ilustración más general de este espantoso cuadro. ¡Cuántas confesiones en el patíbulo han dado testimonio de que el primer paso hacia ese intempestivo final fue el desprecio por la autoridad y el control de los padres! Los cuerpos de estos criminales fueron privados de todo ceremonial fúnebre, expuestos en la horca, o arrojados al valle, como carne para las aves del cielo (ver Gn. 40:19, 1 S. 17:44-46, 2 S. 21:10). Así *el ojo* que desdeñosamente se había *burlado del padre,* se convirtió en el bocado preferido de las *águilas o los cuervos del valle.*[32]

Pero incluso cuando no se presenta un cumplimiento literal, la maldición no es menos cierta. Rara vez vemos que los rebeldes desobedientes prosperan, o que son bendecidos en sus propios hijos. La justicia retributiva los visita tarde,

---

[32] Bochart considera que se alude al valle –Jer. 31:40– a donde probablemente se enviaba los cadáveres de los criminales. En todo caso, la negación del ceremonial fúnebre era una de las marcas más severas del castigo divino. Compare Jer. 7:33; 22:18, 19. Los paganos sintieron esta privación como una aflicción especial. Homero describe a un Héctor moribundo rogando a Aquiles a que no entregue su cuerpo a sus perros griegos para ser destrozado, sino que lo devuelva a sus padres para ser enterrado. Lib. X. 337–343. Virgilio también describe el ruego de Palinuro a Eneas para que arroje la tierra sobre su cuerpo, o que la lleve consigo a través del agua, en lugar de abandonarlo a las aves de presa. Æn. VI. 363–371.

pero innegablemente; y la desgarradora angustia de muchas esperanzas frustradas, y muchas flechas disparadas por su propio arco, podrá llevarles el mensaje de su Padre castigador: "Tus propias iniquidades te castigarán, y tus rebeldías te condenarán" (Jer. 2:19).

b. Cuatro refranes numéricos con líneas de títulos iniciales de versos (30:18-31)

18. *Hay tres cosas que son incomprensibles para mí, y una cuarta que no entiendo:* **19.** *El rastro del águila en el cielo, el rastro de la serpiente sobre la roca, el rastro del barco en medio del mar, y el rastro del hombre en la doncella.* **20.** *Así es el proceder de la mujer adúltera: Come, se limpia la boca, y dice: «No he hecho nada malo».*

El reino natural está lleno de maravillas, y estas maravillas están llenas de instrucción. Donde el filósofo no puede dar una explicación, el humilde discípulo puede aprender una lección. Las profundidades de la naturaleza son una ilustración de la profundidad del pecado, del corazón inescrutable y engañoso (Jer. 17:9).

El águila se eleva *al cielo* con un vuelo tan alto y rápido que el ojo no puede seguir *su rastro*. No deja olor ni huellas por las cuales podamos rastrearla, como la bestia en el suelo (Job 39:27).

La serpiente en la arena dejaría su rastro. Pero *la serpiente* en la roca, no deja baba como el gusano, ni plumas como los pájaros, ¿quién puede entonces señalar *su rastro? El barco*, como el gran monstruo de las profundidades, "hace brillar una estela detrás de sí" (Job. 41:32. Cf. Sal. 104:26; 107:23-24).[33]

> **Salmo 106:26–27** Por tanto, les juró Abatirlos en el desierto, y esparcir su simiente entre las naciones, y dispersarlos por las tierras.
>
> **Salmo 107:23–24** Los que descienden al mar en naves y hacen negocio sobre las grandes aguas, han visto las obras del Señor y Sus maravillas en lo profundo.

---

[33] Esta ilustración, y la del águila, como imágenes del rápido curso de la vida, están finamente trazadas. Sabiduría 5:11, 12. Witsius defiende admirablemente estas figuras como dignas de inspiración, contra las burlas de los críticos neológicos. Misc. Sacra. Lib. i. c. xviii. 31–33.

Pero mientras ella surca por *en medio (en el corazón) del mar*, sus surcos se cierran rápidamente, y su camino es imposible de *rastrear*. No menos misterioso es el *rastro del hombre en la doncella*. El seductor es eminentemente experto en "las profundidades de Satanás", y practica mil artes para despertar los afectos de su incauta víctima. Y muchas veces es tan difícil descubrir sus designios, y escapar de sus trampas, como trazar *el rastro del águila, la serpiente o el barco*. Que esto sea una advertencia para las mujeres jóvenes e inexpertas, a fin de que no confíen en su propia pureza, o en la fuerza de sus propias resoluciones, o para que no se expongan a situaciones de peligro.[34]

Igual de insondables son las artimañas de *la mujer adúltera* para enredar a su presa y engañar a su desprevenido marido. Salomón ha descrito tal imagen con una precisión gráfica y minuciosa (Pr. 7; 5:6). ¡Difícilmente se puede concebir un rumbo similar de abominación, maldad e hipocresía! Ella complace su pecado como un dulce bocado bajo la lengua y se da un festín con el "agua hurtada y pan secreto" (Pr. 9:17), pero mantiene la apariencia de inocencia y pureza (Gn. 39:13-19); *se limpia la boca* para evitar toda sospecha, sin que quede ninguna señal de lo sucedido.

---

[34] Ambrosio ha abordado completamente estas cuatro figuras. Asumiendo que el capítulo había sido escrito por Salomón, explica su ignorancia respeto a ellas: 'no era debido a que no fuera capaz de conocerlas, sino porque no era el momento para conocerlas'. Concibe *el rastro del águila* como la ascensión de Cristo, volando como un águila de vuelta a su Padre, ¡llevando consigo al hombre arrancado de las fauces del enemigo como su presa! Y aunque la ascensión fue visible, ¡qué entendimiento podría comprender totalmente tal Majestad en su retiro al cielo! *El rastro de la serpiente sobre la roca* reflejaba los asaltos de Satanás a Cristo, sobre quien, como *sobre una roca*, (a diferencia del primer hombre, que era tierra y polvo) no podía dejar rastro ni huellas de su malicia. El piadoso padre parece dudar respecto a la tercera imagen. *El rastro del barco en el mar* es el rastro de la iglesia de Dios a través del mar de la persecución. Esta nave no puede extraviarse, pues Cristo ha sido levantado en su mástil, es decir, en la cruz. El Padre está sentado, cual piloto, en la popa del barco. ¡El Consolador conserva su proa! O bien, Cristo es la nave que abordan las almas de todos los verdaderos creyentes; la cual, para ser llevada con más fuerza en medio de las olas, está hecha de madera y fijada con hierro: este es Cristo en la carne. Y quién puede conocer el rastro de esta nave, ya sea en el vientre de la Virgen, o en el corazón de los creyentes. ¡*El rastro de un hombre en su juventud* (según la LXX y otras versiones) ilustra los caminos de nuestro Salvador Cristo en su juventud sobre la tierra! Se estima que estas pueriles vulgaridades han traído ridículo antes que reverencia sobre el libro sagrado. ¡Pese a ello, actualmente existe un esfuerzo combinado y poderoso para imponer a los Padres sobre la iglesia, como principales expositores de la Escritura, y como regla de fe! Muchas exposiciones patrísticas de los Proverbios igualmente burdas podrían haberse producido. Aparte de un terreno más alto, ¿puede dejar de sorprendernos que hombres de buen gusto y erudición pongan su imprimátur en tan indisciplinada insensatez interpretativa?

Una mujer debe estar muy adelantada en el camino del pecado para que pueda mostrar una fachada tan desvergonzada. Sin embargo, cada nueva gratificación de la lujuria da lugar a nuevos artificios, y "endurece" más plenamente el corazón en "el engaño del pecado" (Heb. 3:13). Sus fascinaciones no le permiten ver su verdadero carácter. Entonces, evita el primer paso, el sendero más distante, que pueda conducir a la tentación. Cuando la vergüenza deja de acompañar al pecado, la ruina de la víctima se ha consumado. Abundantes advertencias han sido dadas, y una solemne instrucción, los cuales, a manera de faros en el camino, muestra el indudable final de este camino florido (Pr. 5:3-5; 7:24-27; 9:18).

21. *Por tres cosas tiembla la tierra, Y por una cuarta no se puede sostener:* 22. *Por el esclavo cuando llega a ser rey, Por el necio cuando se sacia de pan,* 23. *Por la mujer odiada cuando se casa, Y por la sierva cuando suplanta a su señora.* [35]

Junto a las cosas que resultaban inescrutables, Agur ahora menciona algunas cosas que le son intolerables, *cosas por las cuales la tierra se inquieta*, trayendo confusión dondequiera que se encuentren. ¿Quién naturalmente no condena las cosas fuera de lugar, como inadecuadas e impropias? El orden es la ley de las obras de Dios en el mundo, no menos que en la Iglesia (Ec. 3:11, 1 Co. 14:40); por lo que cualquier violación de este orden debe ser rechazada. Aquí se menciona *cuatro* de estos males, dos relacionados con los hombres, dos con las mujeres; uno en la comunidad y otro en la familia.

El primer mal mencionado es *el esclavo que llega a ser rey*. Es un mal de gravedad en la familia, ya sea que surja por la mala gestión del amo (Pr. 29:21) o por su propia intriga (v. 23). Obviamente el esclavo está fuera de lugar, por lo que, al gobernar donde debería servir, indefectiblemente produce desorden (Gn. 16:4). El mal es mucho peor en un reino. Hay hombres de baja cuna que, sin duda, pueden ascender honorablemente por sus propios méritos a una posición elevada. Dios puede llamarlos, como lo hizo con José (Gn. 45:5), a *reinar*. El

---

[35] Nota del Traductor: La versión usada en el inglés original señala literalmente: "Por tres cosas la tierra está inquieta, y una cuarta no puede soportar. Por el siervo, cuando reina, y por el necio, cuando se sacia de alimento. Por la mujer odiosa, cuando se casa; y por la sierva que es heredera de su señora"; de allí las referencias realizadas por el autor.

mal radica en el ascenso al poder de subordinados ignorantes y sin principios (Pr. 19:10, Ec. 10:5-7).

> **Proverbios 19:10** Al necio no conviene la vida de lujo; mucho menos a un siervo gobernar a los príncipes.
>
> **Eclesiastés 10:5–7** Hay un mal que he visto bajo el sol, como error que procede del gobernante: La necedad colocada en muchos lugares elevados, mientras los ricos se sientan en lugares humildes. He visto siervos a caballo y príncipes caminando como siervos sobre la tierra.

Los hombres de espíritu mezquino no son apropiados para ser elevados. Embriagados por el ascenso repentino, estos advenedizos revelan ser, no sólo necios, sino tiranos;[36] hinchándose con toda la insolencia de su indecoroso honor. Ello fue lo que ocurrió con la hostilidad de Tobías el amonita (Neh. 2:10), y el mal gobierno de Amán (Est. 3:1). ¡Cuántos males trajo a la nación la promoción de Jeroboam! (1 R. 11:26-28; 12:30). ¡Qué anarquía resultó de la exitosa usurpación de Zimri! (1 R. 16:9–20. Cf. 2 R. 8:12). Así pues, ¡bien podría deplorarse el reinado de *los siervos* como una de las calamidades de la desconsolada Sión! (Lm. 5:8). Dentro del rumbo ordinario de las cosas, sólo puede ser visto como una dispensación castigadora (Is. 3:4-5). Por tanto, reconozcamos con gratitud haber sido librados de ella.

A continuación, examinemos al *necio* (no un idiota, sino un pecador obstinado) *cuando se sacia de pan.* ¿Nos sorprenderá que sea una molestia, una maldición, cuando da rienda suelta a sus apetitos, y queda aún más falto de entendimiento que antes? Nabal, hundido en la crueldad por su propia lascivia sensual (1 S. 25:9, 36-37), Ela, asesinado por su siervo mientras "bebía y se emborrachaba en casa de su mayordomo" (1 R. 16:9-10. Cf. Os. 7:5–7), Belsasar, entregándose a los deseos de impiedad (Dn. 5:1–4, 30. Cf. 1 S. 30:16, 1 R. 20:16–18); todos estos significaron males, *por los cuales la tierra tembló,* y *no se pudo sostener.*

---

[36] Pr. 28:3. Este peligro es delineado con precisión por uno de los moralistas clásicos:
　　Asperius nihil est humili; cum surgit in altum:
　　Cuncta ferit, dum cuncta timet; desævit in omnes,
　　Ut se posse putet; nee bellua tetrior ulla est,
　　Quam servi rabius, in libera terga furentis.
Claudian, Lib. i. citado por Ludwig Lavater (1527-1586).

Saciados de pan, tras "excesos y borracheras", fueron puestos como ejemplo al ser justamente castigados por su malvada necedad.

Miremos nuevamente al interior de la familia. ¿Dónde se originan gran parte de las discordias y de la miseria palpable? En *la mujer odiosa* que está al mando. Se pelea con todos los que la rodean. Su ingobernable lengua y su temperamento son una fuente incesante de convulsión. Si se hubiera conocido mejor a sí misma, hubiera preferido no haber contraído nunca el vínculo matrimonial que convertirse en la inseparable atormentadora de su marido y su familia (Pr. 21:9, 19; 27:15). La mujer puede ser la mayor maldición, o bendición, para el hombre. Si el amor no es lo que cimenta la unión sagrada, será verdaderamente un vínculo lleno de miseria, del cual sólo la misericordia especial de Dios podrá librar. Que la dote mundana de la esposa sea lo último a considerar. Tengamos cuidado, no sea que el brillo mundano le abra una puerta a aquella irremediable miseria.

Si la mujer odiosa que se casa también ostenta autoridad, se convierte en un mal nacional. Jezabel fue un flagelo para Israel; la fuente de toda la maldad de Acab, y la que trajo el penoso juicio de Dios sobre la tierra (1 R. 16:31; 21:25).

La tierra se sacudió por ella, y al final la expulsó (2 R. 9:30-37). Herodías hizo recaer sobre su esposo y su nación la culpa por la sangre del profeta asesinado, sangre "que clamaba desde la tierra" (Mt. 14:8). Si el matrimonio es la ordenanza de la concupiscencia, y no de la piedad; ¿es de sorprender que el resultado sea *una mujer odiosa,* una llaga para la comodidad en el hogar?

El último mal observado es una frecuente fuente de problemas familiares: *la sierva que es heredera de su ama*. La falta de disciplina, simplicidad o integridad lleva a la rebeldía y a la autocomplacencia; por lo que la casa, en lugar de estar bajo un gobierno sano, se convierte en presa de la envidia y la contienda. La irregular relación entre Abraham y Agar, cuando *la sierva se convirtió en heredera de su ama al suplantar a su señora* al lado de su marido, se convirtió en la semilla de una disputa tremendamente nefasta (Gn. 16:1-6). Nuestra propia historia presenta una triste ilustración de este intolerable mal. Ana Bolena y Juana Seymour fueron *siervas* e *infelices herederas* de sus respectivas *señoras*, mientras gozaron del afecto del soberano. El ejemplo de egoísmo y lujuria dado por la corona constituyó un agravio a la nación, del cual *las siervas* no fueron totalmente inocentes.

Este tipo de casos tampoco le son ajenos a la sociedad moderna.

La sierva que ha sido tratada con aquella tierna familiaridad que rompe las barreras divinas entre los distintos rangos, a veces se ha convertido agresivamente en sucesora de *su señora*. O bien hereda su propiedad (excluyendo quizás a reclamantes con más legitimidad; Pr. 29:21); o bien ocupa su lugar al contraer matrimonio con su amo –un mal avenido vínculo, como el antes mencionado– lo cual suele producir muchas disensiones familiares.

¡Cuán necesario es preservar una profesión de fe coherente en cada detalle! ¡Oh! procuremos cuidadosamente que ninguna falta de sabiduría, de contentamiento piadoso, o de abnegación, traiga oprobio sobre ese digno nombre mediante el cual somos llamados; que no haya manchas que estropeen aquella distinguida belleza que es capaz de atraer a los que nos rodean a los caminos de Dios.

24. *Cuatro cosas son pequeñas en la tierra, pero son sumamente sabias: 25. Las hormigas, pueblo sin fuerza, que preparan su alimento en el verano; 26. los tejones, pueblo sin poder, que hacen su casa en la peña; 27. las langostas, que no tienen rey, pero todas salen en escuadrones, 28. y el lagarto, que se puede agarrar con las manos, pero está en los palacios de los reyes.*[37]

Dios nos enseña a través de su palabra como de sus obras,[38] tanto grandes como pequeñas. Él instruyó a Job por medio del Leviatán y de Behemot (Job 40-41). En este pasaje nos instruye usando a *las hormigas y a los conejos*. Y, sin embargo, en los detalles diminutos de la creación, su esplendor brilla tan gloriosamente como en los más majestuosos. Agur había mencionado antes cuatro cosas que parecían grandes, pero que realmente eran despreciables. Aquí presenta *cuatro cosas pequeñas en la tierra, pero sumamente sabias*. Así pues, no las despreciemos por su *pequeñez,* sino admiremos la maravillosa mano que ha proporcionado a estas pequeñas criaturas de suficientes medios de provisión, defensa y seguridad.

---

[37] Nota del Traductor: La versión usada en el inglés original señala literalmente: "Hay cuatro cosas que son pequeñas sobre la tierra, pero sumamente sabias: *(sabias, hechas sabias, Marg.)* Las hormigas son un pueblo no fuerte; sin embargo, preparan su comida en el verano: Los conejos no son más que un pueblo débil; sin embargo, hacen sus casas en las rocas: Las langostas no tienen rey, pero todas salen en escuadrones. La araña atrapa con sus manos, y está en los palacios del rey."; de allí las referencias realizadas por el autor.

[38] Las bestias de carga reprueban nuestra ingratitud (Is. 1:3). Las aves del cielo, nuestra falta de atención (Jer. 8:7); nuestra incrédula preocupación (Mt. 6:26); y nuestros temores ansiosos (Mt. 10:29-31).

Como ha sido bellamente observado: 'Dios reina sobre las comunidades de hormigas o mangostas tan visiblemente como entre los hombres o los poderosos serafines'.[39] Ciertamente nada fue creado en vano. El mundo de los insectos nos muestra aquello que ridiculizaría nuestro elevado mundo de la razón. En efecto, estos cuatro ejemplos notables del arte del Todopoderoso –la naturaleza y los hábitos de estos cuatro animales pequeños– nos enseñan muchas útiles e importantes lecciones; de modo que "el que tenga oídos para oír, oiga" palabras adecuadas de sabiduría, reprimenda, dirección y ánimo para sí mismo.

La laboriosidad nos es encomendada mediante todo tipo de ejemplos, los cuales merecen nuestra atención e imitación. Toda la naturaleza es muestra de ella, y el mundo entero un espejo en el que podemos contemplar este deber representado para nosotros. Cada criatura que nos rodea trabaja incesantemente por los fines para los cuales fue diseñada; ejercita infatigablemente las facultades con las que está dotada; y observa diligentemente las leyes de su creación.[40]

Las hormigas ya han sido nuestras maestras (Pr. 6:6–8), aunque sean un *pueblo sin fuerza*.[41]

Proverbios 6:6–8 Ve, *mira* la hormiga, perezoso, observa sus caminos, y sé sabio. La cual sin tener jefe, ni oficial ni señor, prepara en el verano su alimento *Y* recoge en la cosecha su sustento.

En realidad, son tan débiles, que aplastamos miles con una sola pisada; pese a ello, son *sabias para preparar su alimento en el verano*. ¡Que estimulante sermón nos predican estos pequeños insectos! Hacen sus *preparativos* para el invierno venidero. ¡Qué irreflexivo es no hacer ninguna provisión para la eternidad por venir! ¿No aprenderemos a ser sabios a tiempo, a aprovechar el presente momento de salvación, a no esperar el invierno, el límite de nuestra vida, cuando la gracia que ahora se nos ofrece ya no se ofrezca más? ¡Pecador! Si todo se pierde por tu indolencia, ¿no serás tú el gran perdedor? ¿Qué otra cosa

---

[39] 'Life' de McCheyne, p. 34.
[40] Sermones de Barrow sobre la laboriosidad.
[41] El término nación o *pueblo* se aplica a la creación animal, Jl. 1:6; 3:2. Se trata de una alusión frecuente y clásica. Homero habló de una nación de ranas (Odyss. Σ. l. 73); Virgilio, de peces, Geor. iv. 430.

tienes que hacer sino prepararte para la eternidad? ¿Qué esperanza puedes tener del cielo al final, si nunca antes has pensado seriamente en el cielo? ¡Oh! antes que sea demasiado tarde, arrójate a los pies de Aquél cuyo corazón rebosa de amor. Si estás preparado, "todo está preparado". La exclusión está contigo mismo, no con tu Salvador (Lc. 14:16-24, Jn. 6:37).

Las hormigas son un pueblo sin fuerza. Y, sin embargo, ¿qué pueblo, además de sabio, es más diligente, más perseverante, más eficaz? Verdaderamente 'la unión de tantas cualidades nobles en un corpúsculo tan pequeño es uno de los fenómenos más notables de la naturaleza'.[42] En consecuencia, la debilidad no es una excusa para la indolencia, ni es motivo de desánimo. ¿No implica más bien el alegre ejercicio de la fe? (2 Co. 12:9-10). "El gusano trillará los montes" (Is. 41:14–16). Al trabajador diligente "se le dará alimento que permanece para vida eterna" (Jn. 6:27). Al "ocuparse en su salvación" con una impotente dependencia, su "trabajo en el Señor no será en vano" (Fil. 2:12-13, 1 Co. 15:58). Crisóstomo comenta ingeniosamente las maravillas de la sabiduría Divina al inspirar un cuerpo tan diminuto con un deseo tan perenne por el trabajo, enseñándonos encarecidamente esta lección: no aparentar debilidad o delicadeza, ni huir del trabajo y el esfuerzo. Añade que, así como el sabio nos insta a aprender de estas pequeñas criaturas, así nosotros en nuestras familias, deberíamos ridiculizar la desobediencia de los hijos mayores, señalando a los más pequeños: 'Mira a este que es mucho más joven y pequeño que tú; y, sin embargo, ¡cuán dócil y dispuesto está para hacer lo que se le pide!'[43]

Así como las hormigas preparan su alimento, los conejos preparan su refugio. Aunque *son débiles*, se protegen del peligro inminente *haciendo sus casas en* los agujeros de *rocas* inaccesibles.[44] Así, lo que les falta en fortaleza lo

---

[42] 'Natural History of the Scripture' de George Paxton (1762 – 1837), p. 97.

[43] Crisóstomo, Hom. 12 ad Pop. Antioquía.

[44] Sal. 104:17. Existe mucha dificultad para determinar qué animal es este; el cual fue contado entre los inmundos (Lv. 11:5; Dt. 14:7). El Dr. Shaw (con quien Parkhurst está de acuerdo) considera que es 'el Damán del Monte Líbano –aunque común en otras partes de Siria y Palestina- del tamaño y forma del conejo. Dado que su residencia y refugio habituales son los agujeros y hendiduras de las rocas, tenemos, hasta ahora, presunta evidencia de que esta criatura pueda ser el conejo de las Escrituras'. Travels, vol. 2:160, 161. El Sr. Bruce confirma enérgicamente este relato a partir de su propia observación, añadiendo: 'Está tan apegado a las rocas, mucho más que cualquier otro animal, que nunca lo vi en el suelo, sino entre grandes piedras en la boca de las cuevas, donde reside constantemente. Se encuentra en Judea, Palestina y Arabia, por lo tanto, debe haber sido conocido por Salomón. Vea su 'Travels', v. pp. 139-147.

suplen con sabiduría. Nosotros no somos menos *débiles*, ni estamos menos expuestos a los asaltos. ¿No es también nuestro refugio, como el suyo, aquella *"fortaleza de rocas"*? (Is. 33:16. Cf. Sal. 91:1-2). Luego ¿estamos, del mismo modo que ellos, *estableciendo nuestra casa*, nuestro hogar, allí?

Observemos nuevamente el instinto de *las langostas*. Algunos insectos, como la abeja, están regidas por un gobierno monárquico. Pero *las langostas no tienen rey*. No obstante, ¡cuán asombroso orden tienen, *saliendo todas por escuadrones*, como un ejército en filas intactas, bajo la más estricta disciplina!⁴⁵ Jerónimo menciona lo que recientemente ha visto:

> Cuando los enjambres de langostas llegaron y llenaron la región inferior del cielo, volaron en tal orden, por mandato divino, y mantuvieron sus posiciones tan exactamente como cuando hábilmente se colocan varias baldosas o piedras de color en un pavimento, de modo tal que todas quedan perfectamente alineadas, sin desviarse ni por un pelo.⁴⁶

¿No nos enseñan estos pequeños insectos una lección sobre la importancia de la unidad y el actuar unánimemente? No estamos frente a una multitud desordenada y sin gobierno que vuela en direcciones diferentes; sino que *todas salen por escuadrones*. Todas mantienen sus filas. Muchos profesantes, en lugar de *salir en escuadrones*, prefieren un rumbo individual. No pertenecen a ninguna cohorte. No están bajo disciplina alguna. Este principio inestable nunca podrá resultar en una verdadera firmeza cristiana. La unidad, y no la diversidad, es la que produce "lo bueno de un corazón afirmado en Dios" (ver Heb. 13:9). La Iglesia halla su fortaleza; no en un ejército de soldados irregulares, con regimientos sueltos o desordenados, desconectados unos de otros; sino cuando *sale en escuadrones*, unida, concentrada, bien disciplinada, con cada oficial en su puesto, cada soldado en su fila, cada uno bajo autoridad, ¡sirviendo a los demás y a la gran causa! (Cf. Nm. 2). "¿Cuándo será ello?" Señor, sana nuestras desdichadas divisiones. Une nuestras fuerzas 'en un vínculo sagrado de Verdad y Paz, de Fe y Caridad'.⁴⁷

'Gaudet in effossis habitare cuniculus antris.' Mart. Epig. Lib. xiii Ep. 58.

⁴⁵ Vea la figura en Jl. 2:7.8, 25.

⁴⁶ Citado por Robert Lowth (1710-1787) respecto a Joel, ut supra. Las langostas místicas tienen un rey. Compare Ap. 9:3-11.

⁴⁷ Oración por la Unidad en el Servicio de Coronación; una súplica muy adecuada y espiritual hecha al Dios de la Paz.

¡Qué gran lección de ingenio, paciencia, tenaz trabajo y perseverancia nos enseña la *araña*! Sus garras u órganos giratorios le sirven tanto como manos y ojos.[48] Hila su telaraña en *las paredes*, como si las *agarrara con sus manos.* Construye su casa, finamente hilada, con medidas tan exactas que parece que estuviera familiarizada con las reglas matemáticas.[49] Se abre camino por igual en las cabañas de los pobres como en *los palacios de los reyes*, como si Dios instruyera incluso a los grandes de la tierra por medio de este modelo de diligencia. Tal asiduidad –tal "diligencia" al desempeñar nuestro alto llamado– quizá no nos lleva a los *palacios del rey* (Pr. 22:29), pero sí asegurará la plena recompensa de aquel hombre a quien el Gran "Rey" se complace en honrar.[50]

¡Cuántos de nosotros somos condenados por los sermones de estos pequeños insectos! ¿Acaso somos demasiado orgullosos para aprender, o demasiado descuidados para atender, las humildes pero valiosas lecciones enseñadas en esta escuela de instrucción? "El sabio oirá, y aumentará el saber" (Pr. 1:5).

29. Hay tres cosas majestuosas en su marcha, y aun una cuarta de elegante caminar: 30. El león, poderoso entre las fieras, que no retrocede ante ninguna, 31. el gallo, que se pasea erguido (Lit. el ceñido de lomos), asimismo el macho cabrío, y el rey cuando tiene el ejército con él.[51]

Agur naturalmente se toma su tiempo en este vasto campo de maravillas naturales, ¡tan espléndida es la exhibición de las perfecciones Divinas! fuente de tanta luz para el mundo antes de que el Libro de Apocalipsis fuera revelado por completo (Job 12:7-10). Después de haber mencionado algunos notables

---

[48] 'Bridgewater Treatise' de Kirby, vol. ii. 186.

[49] 'Quien hizo los diseños paralelos de la araña,
    certeros como Demoivre, sin regla ni cuerda.' -Pope

[50] El intérprete expuso esta figura a Cristiana: 'así como la venenosa araña usa sus manos para colgarse de la pared; así nosotros, por más llenos que estemos del veneno del pecado, podemos, *por la mano*, de la fe, *aferrarnos* y habitar en la mejor habitación de la *casa del Rey* de lo alto'. John Bunyan, Pil. Prog. Part. II. Tal vez la lección no sea menos verdadera que importante, pero somos de la opinión que, en este cuadro, nuestro inimitable alegórico forzó su imaginación más allá de los límites apropiados. La adaptación puede admitir una amplitud mucho mayor que la exposición, aunque incluso aquí, como el escritor recordará por sí mismo, debe ejercerse una sobria disciplina.

[51] Nota del Traductor: La versión usada en el inglés original señala literalmente: "Hay tres cosas de buen andar, sí, cuatro que son de atractivo caminar; El león, que es el más fuerte entre las bestias, y no se aparta de ninguna; El galgo: *(el caballo, ceñido en los lomos, Marg.)* también el macho cabrío; y el rey, contra quien no es posible levantarse"; de allí las referencias realizadas por el autor.

ejemplos de sabiduría, ahra señala algunos objetos que le parecieron notables por su *caminar elegante*; el firme y majestuoso caminar del *león*,[52] intrépido y orgulloso, que *no retrocede ante ninguno*; la grácil silueta y los movimientos elegantes y rápidos del galgo;[53] *el macho cabrío* a la cabeza del rebaño como su guía y protector; y la majestad del *rey*, que inspira a todos los que se acercan a él reverencia por su autoridad , y quien no sufre *ningún levantamiento contra* el ejercicio de su poder (Ec. 8:2-4).

Eclesiastés 8:2–4 Yo digo: «Guarda el mandato del rey por causa del juramento de Dios. »No te apresures a irte de su presencia. No te unas a una causa impía, porque él hará todo lo que le plazca» Puesto que la palabra del rey es soberana, ¿quién le dirá: «¿Qué haces?»»?

De todas estas abundantes lecciones prácticas puede aprender aquel hombre "que es sabio y observa estas cosas".

Tengamos en cuenta no sólo los diversos deberes de la vida cristiana, sino también el modo y el espíritu en que los realizamos. Cultivemos no sólo la integridad, sino también la *hermosura* del carácter cristiano: "la belleza" y la uniformidad de la "santidad"; que no haya nada deformado o distorsionado; que haya una justa proporción en cada parte y rasgo. Los cristianos deben resultar atractivos y encantadores por la cortesía de su comportamiento general. No basta con guardar "todo lo que es verdadero, todo lo honesto, todo lo justo, todo lo puro"; sino también "todo lo hermoso, todo lo que es *de buen nombre, pensemos en estas cosas*" (Fil. 4:8). Cualquier manifiesta falta de simpatía *en nuestro caminar* aleja al mundo del evangelio de Cristo. 'Si queremos reinar en el cielo, debemos presentarnos allí con esta hermosa corona, de la cual irradian toda clase de virtudes y alabanzas'.[54]

---

[52] Vea la hermosa descripción de Homero, Il. M. 299.

[53] Este nombre es, como comenta el Sr. Holden, 'de dudosa importancia'. El hebreo es 'ceñido de lomos', una frase general que admite una gran variedad de conjeturas, de modo que Matthew Poole (1624-1679) (Synopsis) considera más sabio 'confesar que no se sabe lo que es'. No obstante, nuestra traducción está tan bien apoyada como cualquier otra. Algunos consideran que se trata del leopardo. Quizás esta conjetura, combinada con *el león y la cabra*, ha dado lugar a la absurda idealidad de algunos expositores rabínicos y romanistas (no descartada del todo por nombres más respetables) que consideran a estas cuatro criaturas como proféticas de las cuatro grandes monarquías. Dn. 8. El lector puede imaginarse fácilmente el grado de fantasía necesario para mantener esta interpretación.

[54] Daillè sobre Fil. 4:8.

Por otro lado, no olvidemos imitar los rasgos de la *hermosura* aquí descrita; seamos intrépidos como *el león* al seguir el camino del deber, *sin apartarse tras ningún otro* (ver Neh. 6:3, 11); deseemos la entusiasta agilidad del *galgo* en nuestro curso celestial; seamos útiles como *el macho cabrío*, como líderes de un grupo piadoso; y mantengamos nuestra propia autoridad en cualquier posición de responsabilidad, como padres o defensores de la familia, sin permitir que nadie se *levante contra ella.*

C. CONCLUSIÓN: UNA ADVERTENCIA PARA NO ALTERAR EL ORDEN DIVINO (30:32-33)

32. *Si has sido necio en ensalzarte, o si has tramado el mal, pon la mano sobre tu boca; 33. porque batiendo la leche se saca mantequilla, y apretando la nariz sale sangre, y forzando la ira se produce pleito.*[55]

Esto evidentemente se aplica a la ilustración anterior, el *rey contra quien no hay levantamiento.* Pero *si te has ensalzado,* despreciando su autoridad (Ro. 13:1-2), o *si has tramado el mal, pon tu mano sobre tu boca*, y sofoca tal euforia en una sumisión callada y humilde (Cf. Pr. 17:28; Job 21:5).

Sin embargo, como regla general, podemos agradecer la advertencia. Si hemos *sido necios* al provocar enojo, *al ensalzarnos,* o, tan siquiera al *tramar el mal* contra un hermano; apaguemos la chispa naciente antes de que se convierta en una llama. "*El pensamiento del necio* es pecado" (Pr. 24:9). Con todo, es más pecaminoso cuando se abre paso hasta la boca. Las palabras acrecientan el pecado, muestran más de su poder y son más dañinas a los demás. Obviamente es sabio *poner las manos sobre nuestras bocas*, y restringir la manifestación cuando no podemos evitar el pensamiento. Es mejor mantener la enfermedad, que darle rienda suelta.

Pero cuando, en lugar de *poner la mano sobre la boca*, se carece de disciplina, guardia o moderación, "la boca del necio derrama *necedad*" (Pr.

---

[55] "El que bate la leche hace mantequilla; el que se frota la nariz, la hace sangrar y el que provoca la ira, engendra contiendas". Ob. Miles Coverdale (1487–1569).

15:2), desbordándose por los labios, y trayendo un torrente de problemas sobre el alma (Pr. 15:18; 16:28-29; 17:14; 18:7). ¡Cuánto más cuando el orgulloso gusano *se ensalza* contra el Gran Rey! *La necedad* incluso de un *mal pensamiento* contra Él es tal que ninguna lengua es capaz de expresarla. ¡El Señor nos humille con una tierna sensibilidad a este pecado! "¡He aquí que soy vil!, ¿qué te responderé? *Mi mano pongo sobre mi boca*" (Job 40:4-5).

Sin embargo, es más frecuente que *la ira del hombre sea forzada* a que éste *se irrite* naturalmente. Un hombre pacífico puede ser incitado a la ira (Pr. 15:1; 26:21; 29:22), del mismo modo que la violenta sacudida de la leche en la mantequera *produce mantequilla, o el retorcimiento de la nariz produce sangre*. El ejercicio de la fuerza produce lo que de otra manera no se hubiera logrado. No obstante, temible es *el pleito* producto *de esta ira forzada*. De este modo Sehón provocó su propia ruina (Nm. 21:23-24), los efrateos suscitaron pleitos sanguinarios (Jue. 12:1–6), Asael afiló la lanza de Abner con su obstinado capricho (2 S. 3, 23), Amasías se sumió en la destrucción tras la *contienda* producida al *forzarse la ira* de Joás, quien estaba dispuesto a mantener la paz y la tranquilidad (2 Cr. 25:17-23).

¡Cuántas fuentes de miseria han surgido fruto de un temperamento ingobernable y una voluntad obstinada! "Sólo por la soberbia viene la contienda" (Pr. 13:10). Dónde haya de terminar esta disputa, ¿quién puede saberlo? 'Yo estoy, y pretendo estar', dijo el piadoso Obispo Joseph Hall (1574-1656), 'donde están los términos, con ninguna de las dos partes, pero también con ambas; por la paz de ambas, y para el agrado de ninguna'.

El corazón humilde reprimirá las chispas de este fuego impío. El espíritu afligido por los pecados cometidos con el pensamiento forma parte de la cura (Ec. 7:4). No deberíamos complacer fácilmente el pecado por el cual hemos sido verdaderamente humillados ante nuestro Dios. Mientras que, a falta de este espíritu genuino, ¡cuán reacios somos a reconocer nuestra ofensa hacia el otro! Siempre podemos encontrar alguna buena razón para *ensalzarnos, o para tramar el mal*. ¡Y cuán difícil es para nuestros orgullosos temperamentos ser los primeros en *poner nuestras manos sobre nuestras bocas*! ¡Estamos mucho más dispuestos a abrir la boca para justificarnos que para humillarnos! Así, en lugar de apagar, *forzamos la ira*.

En lugar de "sabia mansedumbre", hay "envidia y contienda, confusión y toda obra maligna" (Stg. 3:13, 16); enemistad entre los profesantes nominales del evangelio, y distanciamiento incluso entre los que se creen miembros del mismo cuerpo, herederos de la misma herencia (Ef. 4:4-6), y sujetos a la misma obligación de amarse unos a otros (Jn. 13:34-35).

> **Juan 13:34–35** »Un mandamiento nuevo les doy: "que se amen los unos a los otros"; que como Yo los he amado, así también se amen los unos a los otros. »En esto conocerán todos que son Mis discípulos, si se tienen amor los unos a los otros».

¡Oh, apresura el bendito momento en que la Iglesia será transformada plenamente a la imagen del Divino Señor! ¡cuando sea una Iglesia de amor perfecto en un mundo de amor!

SÉPTIMA PARTE: LOS DICHOS DE LEMUEL (31:1-31)

A. INTRODUCCIÓN (31:1)

1. *Palabras del rey Lemuel, oráculo que le enseñó su madre.*

DEL Rey Lemuel no sabemos más que del profeta Agur en el capítulo anterior. Ambos han sido identificados con Salomón, aunque sin ninguna evidencia histórica. Parece improbable que Salomón, habiendo dado su propio nombre más de una vez en este libro (Pr. 1:1; 10:1), dé dos nombres místicos al final sin ninguna aplicación personal distintiva.

> **Proverbios 1:1** Los proverbios de Salomón, hijo de David, rey de Israel:
> **Proverbios 10:1** Los proverbios de Salomón. El hijo sabio alegra al padre, Pero el hijo necio es tristeza para su madre.

Tampoco hay ningún testimonio bíblico en favor de Betsabé que nos lleve a estamparle este peculiar honor de ser una de los escritores de la palabra de Dios.

> Los versos admonitorios compuestos para el Rey Lemuel por su madre, cuando se encontraba en la flor de la juventud y con gran expectación, son una producción inimitable, tanto en lo que respecta a los temas en sí, como a la delicadeza, con la que fueron seleccionados. En lugar de intentar establecer reglas sobre asuntos de estado y de política gubernamental, la ilustre escritora se limita, con el arte más simpático y apropiado, a una recomendación de las apacibles virtudes de la templanza, la benevolencia y la misericordia, como a una minuciosa e inigualable descripción del carácter femenino que podría resultar el más prometedor en contribuir a la felicidad de su hijo en su vida conyugal.[1]

Todo lo que sabemos es que se le concedió, como a muchos en el pueblo de Dios (Sal. 116:16, 2 Ti. 1:6; 3:15), la invaluable bendición de una madre piadosa; quien, como Débora en la antigüedad (Jue. 5), fue honrada por Dios con la autoría de un capítulo del Volumen Sagrado.

---

[1].Dr. Good, in loco.

B. EL REY NOBLE (31:2-9)

2. *¿Qué, hijo mío? ¿Y qué, hijo de mis entrañas (O mi vientre)? ¿Y qué, hijo de mis votos?*

¡Qué vivo arranque el que procede del amoroso corazón de una madre! *¡Qué! ¡Hijo mío!, ¡hijo de mi vientre, de mis votos!* Bienaventurada es la madre cuando *el hijo de su vientre es el hijo de sus votos,* como Samuel, un niño dedicado, un niño producto de muchas oraciones, "pedido al Señor, cedido para su servicio" (1 S. 1:11, 28). Si hubiera más Anas, ¿no habría más Samueles? Si tú, madre cristiana, deseas tener un hijo como Samuel o Agustín, ¡debes ser como Ana o como Mónica! El hijo de tus oraciones, de tus *votos,* de tus lágrimas, será –en el tiempo apropiado del Señor– el hijo de tu alabanza, tu regocijo y tu más rico consuelo. No obstante, tu fe no terminará con la dedicación de tu hijo. *Lemuel, el hijo de los votos, fue enseñado por su madre.* ¡Tal es el práctico hábito de la piedad! La fe en los votos estimula la diligencia en la enseñanza. El niño *verdaderamente* consagrado será "criado en la disciplina y amonestación del Señor" (Ef. 6:4).

3. *No des tu vigor a las mujeres, ni tus caminos a lo que destruye a los reyes. 4. No es para los reyes, oh Lemuel, no es para los reyes beber vino, ni para los gobernantes desear bebida fuerte; 5. no sea que beban y olviden lo que se ha decretado, y perviertan los derechos (Lit. el juicio) de todos los afligidos (Lit. hijos de aflicción). 6. Denle bebida fuerte al que está pereciendo, y vino a los amargados de alma. 7. Que beba y se olvide de su pobreza, y no recuerde más su aflicción.*

Salomón nos ha dado los sabios consejos de su padre (Pr. 4:4). Lemuel nos da los de su madre. A ambos se les debe la misma reverencia (Pr. 1:8). Llena de profunda desazón, en esta piadosa madre rebosa una ternura apasionada; como si algunas tentaciones acosadoras fueran inminentes, y estuvieran, tal vez, envenenando a su amado hijo.

¡Qué! ¡Hijo mío, hijo de mis entrañas, de mis votos! Me siento abarrotada. Necesito desahogarme. ¿Acaso he sufrido los dolores de parto en vano? Ten cuidado. *No des tu vigor a las mujeres.* ¡Cuántos ejemplos había señalado Salomón! (Pr. 2, 5, 7). ¡En qué ejemplo se había convertido él mismo! (Neh.

13:26). Estas satisfacciones prohibidas eran *caminos que destruían a los reyes*. Tal fue el juicio sobre David. Su autoridad real se vio sacudida (2 S. 12:9-10).

2° Samuel 12:9–10 "¿Por qué has despreciado la palabra del Señor haciendo lo malo ante Sus ojos? Has matado a espada a Urías el hitita, has tomado su mujer para que sea mujer tuya, y a él lo has matado con la espada de los amonitas. "Ahora pues, la espada nunca se apartará de tu casa, porque me has despreciado y has tomado la mujer de Urías el hitita para que sea tu mujer".

El pecado de Salomón *destruyó* su reino (1 R. 12:11. Cf. Pr. 5:9, Job 31:9-12). El fruto de este pecado es la vergüenza. Su fin, si es que no hay arrepentimiento, es la muerte.

La angustiada madre le advierte a continuación contra otro pecado (Os. 4:11) relacionado con la intemperancia. El vicio que degrada al hombre al nivel de las bestias es vergonzoso para todos, pero resulta especialmente indecoroso en el caso de *los reyes*. Ellos son como una "ciudad asentada sobre una colina". Los hombres los miran (o deberían mirarlos) en busca de guía y ejemplo. ¡Qué espectáculo dan *los reyes al beber vino y bebida fuerte!* Observa a Ela (1 R. 16:8-9), Ben Adad (1 R. 20:16), Belsasar (Dn. 5:2–4), o a "los príncipes de Israel enfermos con las copas de vino"! (Os. 7:5. Cf. Ec. 10:16-17).

¡Cómo se cubrieron de vergüenza su alto cargo y su gloria! A veces, se alega como una excusa para el pecado. Pero si el rey borracho *olvida la ley y pervierte el juicio*,[2] ¿no será responsable? Asuero fue indudablemente responsable por su conducta indecorosa con Vasti (Est. 1:10-11). Herodes asesinó al Bautista durante un festín impío (Mc. 6:21-28). Sacerdote y profeta "yerran con la *bebida fuerte*" (Is. 28:7; 56:11-12). Por consiguiente, se ha establecido un sabio veto para los gobernantes de la Iglesia: "No sean dados al vino" (1 Ti. 3:3, Tit. 1:7).

A pesar de todo, el abuso de las bendiciones de Dios no anula su uso. "El vino es un regalo de Dios. Alegra el corazón del hombre" (Sal. 104:14-15). Sí, incluso en una ilustración audaz de su refrigerio, se dice que también "alegra a Dios" (Jue. 9:13). No obstante, *no es para los reyes*, para su indulgencia y agitación pecaminosa, sino para aquellos que lo necesitan. Como bebidas

---

[2] Una mujer condenada injustamente por Filipo de Macedonia, cuando estaba borracho, exclamó audazmente: 'Apelo a Filipo; pero para cuando esté sobrio'. Sacudido por la apelación, el monarca examinó la causa y dio un juicio justo.

reconstituyentes y refrescantes, los licores pueden ser oportunos en la hora de la necesidad.

Denle bebida fuerte al que está pereciendo, como hizo el samaritano con el viajero herido (Lc. 10:34), como Pablo lo prescribió para "las enfermedades" de su amado hijo en la fe (1 Ti. 5:23). Muchos espíritus abatidos pueden ser reanimados y *olvidar su miseria* tras un reconstituyente oportuno. Por tanto, la regla del amor y la abnegación es –en vez de desperdiciarlas en ti mismo y complacer tus apetitos, lo cual sólo degradará tu naturaleza–; procura dispensar tus lujos entre aquellos que *realmente* los necesitan. Busca casos de penuria y agotadora miseria. Que sea un honor para ti llevar al pobre que es marginado a tu casa, *para que olvide su pobreza y no recuerde más su aflicción.*[3] ¿No nos recuerda esto al Mensajero del amor, relacionándose con aquellos que *están a punto de perecer*? (Is. 61:1-2, Mt. 11:28).

Isaías 61:1–2 El Espíritu del Señor Dios está sobre mí, porque me ha ungido el Señor Para traer buenas nuevas a los afligidos. Me ha enviado para vendar a los quebrantados de corazón, Para proclamar libertad a los cautivos Y liberación a los prisioneros; Para proclamar el año favorable del Señor, Y el día de venganza de nuestro Dios; Para consolar a todos los que lloran.

Sus conciencias están cargadas de culpa. Sobre sus corazones recae una carga que no pueden soportar, ni librarse de ella. Él les habla acerca del amor de Dios por los pecadores; del rescate instaurado para ellos; de la acogida prometida. Este es un licor *fuerte*, y un vino como el que ellos necesitan. El *corazón cargado* "ya no estará triste" (Cf. 1 S. 1:18). *La pobreza* anterior *será olvidada*, y *su miseria no será recordada más*. ¡Bienaventurado el ministro, dotado como su Maestro Divino, de "la lengua de los sabios, que sabe hablar palabras a tiempo al cansado" (Is. 50:4).

---

[3] Esta era la idea clásica del poder del vino: 'Huic calix mulsi impingendus, *ut plorare desinat*'. Cicerón. Tuscal. 3. '*Nunc vino pellite curas*'. Horacio, Od. l. i. 7. '*Vinum obliviosum*' (borra el recuerdo del mal). Ibid. Od. l. ii. 7. 'Tunc dolor et curæ rugaque frontis abit'. Ovidio. de Arte Amandi. l. i. El vino mezclado que Helena le dio a Telémaco, llamado Nepentha, tuvo tal efecto que eliminó la pena y enterró en el olvido los males pasados. Odisea. iv. 220, 1. Cf. Mc. 15:23.

8. *Abre tu boca por los mudos, Por los derechos* (*Lit.* **el juicio**) *de todos los desdichados* (*Lit.* **los hijos del fenecimiento**).[4] **9.** *Abre tu boca, juzga con justicia, Y defiende los derechos del afligido y del necesitado.*

La madre, muy razonablemente, inculca misericordia a su regio hijo. Y es que ésta es uno de los pilares del trono del Rey (Pr. 20:28). Él debe ser un Padre para su pueblo, y emplear toda su autoridad para proteger a aquellos que no pueden protegerse a sí mismos (Sal. 72:12-14). Ningún asunto desesperado, tras serle conocido, debe estar por debajo de su atención. Así, nuestras leyes convierten al juez en un abogado para el prisionero que no puede defenderse a sí mismo, de modo que *abra su boca por los mudos*. En consecuencia, los magistrados deben sopesar cuidadosamente que nadie debe perder su justo derecho debido a su inhabilidad para defenderlo (Dt. 16:18-20, Sal. 82:3-4). Aquellos que están, o parecen estar, *destinados a la destrucción*, deben tener recursos justos y abiertos para implorar y salvar sus vidas (Cf. 1 R. 21:9-13 cf. Jn. 7:51).

Esto fue lo que marcó la diferencia entre la prosperidad del piadoso Josías y la ruina de su malvado hijo (Jer. 22:15-19). ¡Cuántas veces *abrió* Jonatán *su boca* por su amigo *designado para destrucción*! (1 S. 19:4–7; 20:32; 22:14-15). ¡Cuán efectivamente Ester defendió la causa de su indefenso y devoto pueblo! (Est. 3:9–11; 7). Pasando a condiciones más bajas (pues, ¿por qué deberíamos restringir estos sabios mandatos a los estrechos límites de la realeza?) ¡qué reflejo más completo de esta misericordia exhibe Job! Siendo "ojos para el ciego y pies para el cojo", sin duda perfeccionó su carácter como "padre de los menesterosos" al ser también "*boca para el mudo*" (Job. 29:15-16).

¡Cómo fue honrado Ebed Melec por su misericordiosa defensa del condenado! (Jer. 38:8-9; 39:15-18). ¡Cuán terrible es la amenaza de venganza por abandonar esta misericordia! (Pr. 24:11-12, Jer. 5:28-29).

Jeremías 5:28–29 "Han engordado y se han puesto lustrosos. También sobrepasan en obras de maldad; No defienden la causa, La causa del huérfano, para que prospere, Ni defienden los derechos del pobre. "¿No he de castigar por esto?", declara el Señor. "De una nación como esta ¿No he de vengarme?".

---

[4] Nota del Traductor: La versión usada en el inglés original señala literalmente: "Abre tu boca para los mudos en la causa de todos los destinados a la destrucción..."; de allí las referencias realizadas por el autor.

¡Ay! Jesús, aunque había encontrado un defensor en ocasiones anteriores (Jn. 7:50-51), se presentó como una oveja ante sus trasquiladores; *mudo, destinado a la destrucción*. No se halló a nadie que *abriera la boca* por la divina y afligida víctima (Is. 53:7, Mt. 26:59-63). Y, no obstante, ¡cómo revierte este cuadro de descuido despiadado por medio de su poderosa y eficaz *defensa de la causa de aquellos* a quienes la voz de la justicia, tan fuerte y merecidamente, *señala para destrucción*! Que sus representantes en la tierra estudien el carácter de su Rey en el cielo, y se conformen más plenamente a su imagen de perdón y amor.

C. LA ESPOSA DE GRAN VALOR (31:10-31)

1. Introducción (31:10-12)

10. *Mujer hacendosa, ¿quién la hallará? Su valor supera en mucho al de las joyas.*[5]

Llegamos ahora a la parte principal del capítulo. La sabia madre de Lemuel ha advertido a su regio hijo contra la seducción de las mujeres malvadas, y contra sus tentaciones afines; le ha dado también reglas sanas para el gobierno. Ahora le presenta el retrato completo de una *mujer virtuosa*, aquél selecto regalo del cual se dice enfáticamente que proviene "del Señor" (Pr. 19:14). Es un elegante poema de veintidós versos (como el Salmo ciento diecinueve) ingeniosamente construido; y cada verso comienza con una de las letras del alfabeto hebreo (Cf. Sal. 145. Las Lamentaciones de Jeremías). Describe a una esposa, una ama de casa, y a una madre. 'Todas las madres y amas de casa deberían enseñar a las alumnas a su cargo a leerlo y aprenderlo de memoria'.[6]

Tan raro es el tesoro en cuestión que el desafío es: "*¿Quién hallará mujer virtuosa?* (Cf. Pr. 20:6). Abraham mando a buscar en una tierra lejana esta inestimable bendición para su amado hijo (Gn. 24:3-4).

---

[5] Nota del Traductor: La versión usada en el inglés original señala literalmente: "¿Quién puede hallar una mujer virtuosa? porque su valor supera al de los rubíes"; de allí las referencias realizadas por el autor.

[6] Sermón del Obispo George Horne (1730-1792) sobre el carácter femenino.

Génesis 24:2–4 Y Abraham dijo a su siervo, el más viejo de su casa, que era mayordomo de todo lo que poseía: «Te ruego que pongas tu mano debajo de mi muslo, y te haré jurar por el Señor, Dios de los cielos y Dios de la tierra, que no tomarás mujer para mi hijo de las hijas de los cananeos, entre los cuales yo habito, sino que irás a mi tierra y a mis parientes, y tomarás mujer para mi hijo Isaac».

Tal vez una de las razones de que este sea un don muy raro es que casi nunca es buscado. Muchas veces se busca logros, no *virtudes*; características externas y accidentales, en lugar de una valía interna y piadosa.

La pregunta también presupone el valor del regalo cuando es hallado. Incluso la parte de inocencia de Adán no estuvo completa hasta que su generoso padre "le hizo una compañera para él" (Gn. 2:18). Verdaderamente *su precio supera al de las joyas*. Ningún tesoro se le puede comparar (Cf. Eclesiástico 7:19; 25:13–18). No es demasiado decir junto al príncipe de la filosofía pagana: 'Si las mujeres son buenas, la mitad de la comunidad podrá ser feliz donde ellas están'.[7]

11. *En ella confía el corazón de su marido, y no carecerá de ganancias.*[8] 12. *Ella le trae bien y no mal todos los días de su vida.*

---

[7] Aristóteles, *Rhet.* i. 5. Compare Polit. ii. 9. "Aristóteles, filósofo y científico griego (384-322 a.C.), alumno de Platón. Aristóteles nació en Estagira, Macedonia, donde su padre era médico de la corte del rey Amyntas II. Se trasladó a Atenas para estudiar en la Academia de Platón cuando tenía unos 18 años, y permaneció en ella durante 20 años. Tras la muerte de Platón, hacia el año 348, Aristóteles abandonó Atenas y vivió en Assos y Mitilene, en Asia Menor, antes de regresar en el año 343 a Macedonia, donde ejerció de tutor del joven Alejandro Magno. Hacia el 335 a.C. regresó a Atenas, donde fundó su propia escuela, el Liceo. A la muerte de Alejandro, en el 323, surgió un sentimiento antimacedonio en Atenas, lo que llevó a Aristóteles a abandonar la ciudad. Murió un año después en Calcis. A diferencia de Platón, que subrayaba que la naturaleza de la realidad se expresaba más claramente en las formas no materiales o en las ideas, Aristóteles destacó la importancia de partir de los fenómenos particulares para comprender la realidad. Esto llevó a que Aristóteles pusiera mayor énfasis en el estudio empírico. Aunque la influencia de Aristóteles en el pensamiento cristiano medieval fue enorme (Tomás de Aquino se refiere a él simplemente como "el Filósofo"), su relevancia bíblica se discute sobre todo en términos de su influencia en la retórica grecorromana tal y como fue utilizada por los autores del Nuevo Testamento, así como su posible influencia en los códigos domésticos que se encuentran en las cartas del Nuevo Testamento." Elliot Ritzema, "Aristotle," ed. John D. Barry et al., *The Lexham Bible Dictionary* (Bellingham, WA: Lexham Press, 2016).

[8] Nota del Traductor: La versión usada en el inglés original señala literalmente: "El corazón de su marido confía en ella, de modo que no tiene necesidad de despojos..."; de allí las referencias realizadas por el autor.

Se ha hecho mención del *valor de la mujer virtuosa*. Ahora nos referiremos a sus diferentes características. Las primeras líneas del retrato describen su carácter de *esposa*. Su fidelidad, su corazón unánime y su afectuosa obediencia hacen que el *corazón de su marido confíe en ella*.[9] Una esposa fiel y un marido confiado se bendicen mutuamente. Teniendo tal joya como su esposa, el marido no tiene dudas, siente que sus intereses están a salvo con ella. No hay necesidad de mirar con ojos sospechosos los asuntos que le ha confiado. No tiene reservas, no tiene recelos. Gobernando en su esfera exterior, él la anima a gobernar en su esfera interior.

Todo se lleva a cabo con tal prudencia y economía, de manera que él *no tiene necesidad de despojos* –no es tentado por ganancias injustas– *no tiene necesidad de* dejar su feliz hogar para enriquecerse con los *despojos* del soldado. El apego de tal esposa es tan duradero como el tiempo de su unión, constante, consistente. En lugar de abusar de la confianza entregada, cada día busca hacerse más digna de ella, no quejándose, sino subordinadamente; preocupándose "de cómo agradar a su marido" (1 Co. 7:34), *haciéndole bien y no mal todos los días de su vida*. ¡Ojalá todo fuera siempre así! Pero contempla a Eva, la ayuda idónea (Gn. 2:18, cf. 3:6), convirtiéndose en una tentadora; a las esposas de Salomón apartando su corazón (1 R. 11:1–5); a Jezabel incitando a su marido a cometer una abominable maldad (1 R. 21:25); a la esposa de Job emplazando a su marido a "maldecir a Dios y a morir" (Job 2:9); o la dolorosa cruz de "la mujer rencillosa sobre el terrado de la casa" (Pr. 21:9, 19; 25:24); estas ofrecen un contraste terrible; *trayendo el mal* y no *el bien*.

> **Proverbios 21:9** Mejor es vivir en un rincón del terrado que en una casa con mujer rencillosa.
>
> **Proverbios 21:19** Mejor es habitar en tierra desierta que con mujer rencillosa y molesta.

---

[9] Tal fue la descripción que Lutero hizo de su esposa: 'El mayor don de Dios es una esposa piadosa y amable, que tema a Dios, ame su casa y con *quien se puede vivir en perfecta confianza*'. Hist. of Reformation, D'Aubigne, Libro x. Cap. 13. Contraste con este cuadro Pr. 7:18-20 y Gn. 39:16-19.

Ambrosio entiende que la mujer hace referencia a la Iglesia, y explica *la confianza de su marido* como base de su perseverancia, añadiendo que 'no es *el corazón* de su Señor el que puede ser engañado, sino *el de su marido*, los cuales no deben confundirse'. In loc. ¿Escaparía de un severo castigo una presunción semejante con cualquier otro nombre? La Exposición de Agustín tiene el mismo carácter; fantasiosa, no juiciosa. De Temper. Serm. p. 217. Muchos comentaristas romanos aplican esta descripción a la Virgen.

Proverbios 25:24 Mejor es vivir en un rincón del terrado que en una casa con mujer rencillosa.

No obstante, a menudo se presenta una mezcla de *mal y bien*. Rebeca cuidó que su marido no presente oposición a Dios, pero lo engañó perversamente (Gn. 27); Raquel amaba a Jacob, pero trajo idolatría a su familia (Gn. 31:19; 35:1–4); Mical al principio *hizo bien* a David preservando su vida, pero después *hizo mal* despreciándolo como siervo de Dios (1 S. 19:12, 2 S. 6:20–22). Muchas veces oímos hablar de una administración prudente, pero no en el temor de Dios, sino ligada a un temperamento burlón.

Sin embargo, en este cuadro hay *bien y no mal*. El carácter de su marido es su preocupación y su descanso. Vivir para él es su mayor felicidad. Una conducta así, sobre principios cristianos, ¡cómo ensalza el santo y honorable estado del matrimonio! ¡Cómo ilustra "el gran misterio de Cristo y su Iglesia" (Ef. 5:32) y la afinidad de sus intereses! ¡Las pruebas de la iglesia son también las de Él (Hch. 9:4), y Su causa, también es la de ella! (Sal. 139:22).

2. Cuerpo del argumento (13-27)

a. Sus fuentes de ingresos (31:13-18)

13. *Busca lana y lino, y con agrado (O* voluntad) *trabaja con sus manos*. 14. *Es como las naves de mercader, trae su alimento de lejos*. 15. *También se levanta cuando aún es de noche, y da alimento a los de su casa y tarea (O* porción asignada) *a sus doncellas*. 16. *Evalúa un campo y lo compra; Con sus ganancias (Lit.* el fruto de sus palmas) *planta una viña*. 17. *Ella se ciñe (Lit.* ciñe sus lomos) *de fuerza y fortalece sus brazos*. 18. *Nota que su ganancia es buena, no se apaga de noche su lámpara*.

Este encantador personaje ha sido trazado siguiendo las costumbres de la antigüedad; aunque los principios generales son de aplicación universal. Describe no sólo a la esposa de un hombre de alta posición, sino a una señora sabia, útil y excelente en sus responsabilidades domésticas. Es "una mujer que profesa piedad", adornada "con buenas obras" (1 Ti. 2:10); una María no menos que una Marta.

Puede ser necesario retocar los trazos del retrato que hayan sido oscurecidos por el paso de los años; o, en otras palabras, explicar algunas partes de la descripción que hacen referencia a los antiguos usos y costumbres, a fin de mostrar cómo pueden aplicarse útilmente a los de nuestra propia época y país.[10]

No obstante, hay algo que es muy notable. El estándar de piedad aquí expuesto no es el de un recluso religioso que abandona sus obligaciones vigentes so pretexto de una mayor santidad y consagración a Dios. No hay aquí ninguno de esos hábitos de ascetismo monástico que ahora son ensalzados como el punto más alto de la perfección cristiana. Al menos la mitad de la descripción de *la mujer virtuosa* se relaciona con su labor personal y doméstica. ¡Qué represión para aquella inactividad que se complace a sí misma! Sus diversas ocupaciones ilustran admirablemente una genuina simplicidad de costumbres, y una economía práctica, pero liberal.

Sus hábitos personales están llenos de energía. El trabajo manual, incluso el servicio doméstico, era la ocupación de las mujeres de los rangos más altos en la antigüedad.[11]

La mujer virtuosa iba delante de sus siervos en diligencia no menos que en dignidad. *Buscaba* sus materiales de trabajo. Ella sentaba el ejemplo al *trabajar con sus manos con agrado*. En lugar de holgazanear mientras otros trabajaban, no se avergonzaba de emplear *el huso y la rueca*.[12] Ella trabajaba temprano y

---

[10] Obispo George Horne (1730-1792) ut supra.

[11] Sara, Gn. 18:6-8; Rebeca, 24:18-20, con 12-14; Raquel, 29:9, 10; las hijas del príncipe de Madián, Ex. 2:16; la hija de un rey, 2 S. 13:5-9.

[12] Compare las 'Illustrations' de George Paxton (1762 – 1837), 2:418-420. Hom. Il. I. 125. Z. 490, 491. X. 440. Odyss. A. 357. E. 62. Ovidio aconseja a las doncellas, si deseaban tener el favor de Minerva, que aprendan a usar la rueca, a cardar y a girar (Fasti. Lib. iii.) Compare Metamorpho. L. iv. f. l. v. 34. Virgilio (70-19 a.C.) Georg. iv. 348. Los lectores clásicos mencionan que Lucrecia fue encontrada girando la rueca con sus criadas cuando su marido vino del campo a visitarla. La lana hilada por la esposa de Tarquín permaneció mucho tiempo con una rueca y un huso en el templo. Se dice que Alejandro Magno mostró a las princesas persas sus prendas, hechas por su madre. Se dice también que Augusto no usaba ropas que no hayan sido hechas por los miembros de su propia familia. ('Oriental Customs' de Burder) Nuestros registros ingleses de la realeza femenina proporcionan pruebas similares de trabajo manual. El magnífico y famoso tapiz de Bayeux fue obra de la reina de Guillermo I. Los mensajeros que Enrique envió a Catalina de Aragón, anunciando su divorcio, la encontraron con una madeja de seda roja alrededor del cuello, trabajando con sus criadas. Aún se conservan hermosos recuerdos de la habilidad manual de la reina Katherine Parr. Vea 'Queens of England' de la Srta. Strickland.

tarde, *levantándose por la noche.*[13] Aprovechaba bien el fruto de su trabajo. Lo comercializaba por *comida traída de lejos.*

Su mercancía era de buena calidad, *tapicería, lino fino, proveía de cinturones a los mercaderes.*[14] Dedicaba toda su alma a su trabajo, *ciñendo sus lomos de fuerza y fortaleciendo sus brazos*; lista para cualquier trabajo apropiado a su sexo y posición. La tierra también tenía su parte de atención. Siempre atenta a los intereses de su marido, *evaluaba* el valor de *un campo*; y, si era una buena compra, lo *compraba y plantaba una viña* para obtener los mejores productos.

Observa también su conducta como ama de casa. Aquí tampoco se le elogia porque pase su tiempo en ejercicios devocionales (aunque los aprecia debidamente como "mujer que teme al Señor"; v. 30); sino porque, de acuerdo al canon de la Escritura, "ella gobierna su casa" (1 Ti. 5:14), velando cuidadosamente por su responsabilidad, distribuyendo tanto su alimento como su trabajo en la proporción debida, y "en su debido tiempo".

Esta es su responsabilidad. Si "el hombre sale a su trabajo, y a su labor hasta el atardecer" (Sal. 104:23), la mujer halla su trabajo como "cuidadora de la casa" (Tit. 2:5. Cf. Gn. 18:9).

> **Tito 2:3–5** Asimismo, las ancianas deben ser reverentes en su conducta, no calumniadoras ni esclavas de mucho vino. Que enseñen lo bueno, para que puedan instruir a las jóvenes a que amen a sus maridos, a que amen a sus hijos, *a que sean* prudentes, puras, hacendosas en el hogar, amables, sujetas a sus maridos, para que la palabra de Dios no sea blasfemada.
> **Génesis 18:9** Entonces ellos le dijeron: «¿Dónde está Sara tu mujer?». «Allí en la tienda», les respondió.

Y es verdaderamente hermoso ver cómo su solicitud, abnegación y sinceridad "edifican su casa" (Pr. 14:1). No se levanta *cuando aún es de noche* para que la admiren y hablen de ella, sino para *dar alimento a los de su casa*. La delicadeza con la que conserva su propia esfera es también notable. Pues, aunque provee de comida a todos *los de su casa, asigna una porción,* esto es, reparte *tareas,* no

---

[13] Vea la hermosa imagen de Parkhurst-Virgil de la esposa industriosa. Æn. viii. 407.

[14] Vea 'Illustr.' de George Paxton (1762 – 1837) 2:420. Cremalleras, un rico artículo de vestir tanto para hombres (2 S. 18:11), como para mujeres. Is. 3:24. *El mercader,* 'el cananeo'. Heb. LXX.

a los siervos (a los que, con gran propiedad, deja a cargo de su marido), sino *a sus doncellas*.[15]

También les provee de ropas según lo necesario para su comodidad. Mientras que su propia ropa *es de seda y púrpura*, conforme a su posición, cada miembro de la casa recibe atención.

Ella no tiene temor de la nieve por ellos. Están vestidos *de escarlata*, o, mejor dicho, con *ropas dobles*,[16] bien recubiertos para un invierno severo. Tan *bien vigila por la marcha de su casa,* tan incansable energía muestra en cada área, que nadie puede acusarla de *comer el pan de la ociosidad*. Nada que concierna al orden, la sobriedad, la economía o el manejo general, es descuidado.

¿Es necesario advertir aquí del gran despliegue de disciplina y abnegación que implica el cuidado de *nuestra casa*? Implica *vigilar bien* sus hábitos morales, su instrucción religiosa, su asistencia a los medios de gracia (dándoles tiempo para la oración secreta y la lectura de la palabra de Dios[17]), la ordenanza diaria del culto familiar, la cuidadosa observancia del Sabat, la ansiosa vigilancia de sus modales, hábitos y relaciones; en pocas palabras, implica considerar a los siervos no como bestias de carga, no como meros mercenarios, sino como un solemne y responsable encargo para Dios y para la eternidad. ¿Quién podrá reclamar el título de *mujer virtuosa* si no siente este peso de responsabilidad familiar?

b. Transición (31:19)

19. *Extiende sus manos a la rueca, y sus manos toman el huso.*

Tampoco limita su cuidado providencial a sus propios dependientes. Pone en funcionamiento *su huso y su rueca*, no sólo para ella misma, o *para los de su casa*, sino para *el pobre y necesitado*.

---

[15] Vea la hermosa descripción de Foxe de Ana Bolena como ama de casa, v. 63.

[16] 'Duplicibus penulis', como hizo la esposa de Héctor. Il. X. 441. Compare Odyss. Y. 225, 226, 241. 'Todas las personas de su casa están vestidas con ropas dobles'. Ob. Miles Coverdale (1487–1569).

[17] Seguramente Ester adquirió el hábito de instruir a sus doncellas; si no, no podrían haber estado preparadas para los extraordinarios servicios del ayuno. 4:16.

c. Su producción (31:20-27)

20. *Extiende su mano al pobre, y alarga sus manos al necesitado.* **21.** *No tiene temor de la nieve por los de su casa, porque todos los de su casa llevan ropa escarlata (O ropas dobles).* **22.** *Se hace mantos para sí; su ropa es de lino fino y de púrpura.* **23.** *Su marido es conocido en las puertas de la ciudad, cuando se sienta con los ancianos de la tierra.* **24.** *Hace telas de lino y las vende, y provee (Lit. da) cinturones a los mercaderes.* **25.** *Fuerza y dignidad son su vestidura, y sonríe al futuro (Lit. día postrero).* **26.** *Abre su boca con sabiduría, y hay enseñanza (O ley) de bondad en su lengua.* **27.** *Ella vigila la marcha de su casa, Y no come el pan de la ociosidad.*

Así pues, habiendo primero "entregado su alma" (Is. 58:10), *extiende sus manos* (Cf. Dt. 15:7-8) para abrazar, por decirlo así, a los que están lejos de ella con el fluir de su amor; y, de este modo, "la bendición de los que estaban a punto de perecer viene sobre ella" (Job 29:13. Cf. Hch. 9:36, 39).

> **Deuteronomio 15:7–8** »Si hay un menesteroso contigo, uno de tus hermanos, en cualquiera de tus ciudades en la tierra que el Señor tu Dios te da, no endurecerás tu corazón, ni cerrarás tu mano a tu hermano pobre, sino que le abrirás libremente tu mano, y con generosidad le prestarás lo que le haga falta para *cubrir* sus necesidades.

Su espíritu y su conducta tienen también el mismo carácter, todo de acuerdo a las cosas que profesa.

Las mentes inteligentes, activas y gestoras a menudo son deficientes en las gracias más delicadas. Sus lenguas, al ser provocadas, no tienen restricciones ni reglas. Los niños, los siervos y los vecinos sufren esta repugnante dureza, y hallan que es "mejor vivir en un rincón del terrado que con una mujer rencillosa en una casa espaciosa" (Pr. 21:9). Pero *la ama de casa piadosa* no sólo tiene la ley del amor en su corazón, sino también *sabiduría en su boca y la ley de la bondad en su lengua.* El mismo amor que constriñe su corazón, gobierna su lengua, no con el capricho, sino con *la ley de la bondad*; una ley que recibe de la *sabiduría* y que moldea todo su espíritu, de modo que 'no dice nada que sea necio, nada que sea brusco'.[18] Al estar ricamente dotada de "la sabiduría que viene de lo alto", es "gentil, condescendiente; misericordiosa, amigable" (Stg. 3:17, 1 P. 3:8).

Así pues, "*la mujer virtuosa* es corona para su marido" (Pr. 12:4). *Él es conocido en las puertas, cuando se sienta entre los ancianos de la tierra*; como alguien bendecido con un inusual tesoro de felicidad; 'como quien quizá debe su ascenso a la riqueza al manejo femenino del hogar, y, posiblemente, la preservación y establecimiento de su virtud al estímulo provisto por su ejemplo y conversación'.[19]

En cuanto a ella misma, múltiples y manifiestas bendiciones descansan sobre ella. La *fuerza es la vestidura* de su hombre interior. El coraje y la resolución cristianas la elevan por encima de las espantosas dificultades. *El vestirse de honor* la sella con la aceptación del Señor, como fiel servidora, hija de su gracia, y heredera de su gloria.

Ella se regocija, no sólo en su felicidad presente, sino también *en la venidera*. Habiendo sido tan sabiamente previsora para el día de mañana, no está sobrecargada con sus preocupaciones. Habiendo vivido en *el temor de Dios*, y honrado a su Dios con los frutos de justicia; tiene luz en su hora de prueba, "en el valle de sombra de muerte", en el despejado día de la eternidad.

---

[18] Obispo George Horne (1730-1792). Cf. Eclesiástico 36:23. Richard Hooker (1554–1600) probablemente tenía este retrato ante sus ojos cuando, en su exquisito sermón fúnebre para su 'dama *virtuosa*', enumeró 'entre tantas virtudes, una devoción sincera hacia Dios; una tierna compasión hacia la pobreza; afecto maternal hacia los sirvientes; una servicial amabilidad incluso hacia los amigos; un comportamiento suave y una intención inofensivo hacia todos'. Remedy against Sorrow and Fear.

[19] Obispo George Horne (1730-1792). "George Horne (1730-92), obispo de Norwich. Nació en Otham, cerca de Maidstone, y se educó en el University College de Oxford, donde se hizo amigo de W. Jones ("de Nayland"), su futuro biógrafo, y de J. Moore, más tarde abad de Canterbury. En 1750 fue elegido miembro del Magdalen College de Oxford, del que llegó a ser presidente en 1768. Fue nombrado vicerrector de la Universidad en 1776 y decano de Canterbury en 1781. En 1790 fue nombrado obispo de Norwich. Horne fue discípulo de J. Hutchinson, pero rechazó sus especulaciones más fantasiosas sobre la etimología hebrea. Aunque era partidario de los principios de la Alta Iglesia, simpatizaba con la seriedad espiritual de los metodistas y se negó a prohibir que J. Wesley predicara en su diócesis. También apoyó la petición de los obispos escoceses al Parlamento en 1789. Entre sus escritos hay muchos panfletos dirigidos de diversas maneras contra las opiniones de I. Newton, D. Hume, W. Law y otros, cuya importancia parece no haber comprendido siempre. Horne fue sobre todo un predicador, y sus sermones se reimprimieron con frecuencia. Su obra más importante es su Comentario a los Salmos (1771); en él sostenía que la mayor parte de los Salmos eran mesiánicos." F. L. Cross and Elizabeth A. Livingstone, eds., *The Oxford Dictionary of the Christian Church* (Oxford; New York: Oxford University Press, 2005), 795.

Ella le sonríe al tiempo venidero, cuando los ángeles ministradores, y con ellos los benditos receptores de su generosidad (Lc. 16:9), reciban a esta hija de Jerusalén "al gozo de su Señor".

3. Conclusión (31:28-31)

28. *Sus hijos se levantan y la llaman bienaventurada, también su marido, y la alaba diciendo:* **29.** *«Muchas mujeres (Lit.* **hijas)** *han obrado con nobleza, pero tú las superas a todas».* **30.** *Engañosa es la gracia y vana la belleza, pero la mujer que teme al Señor, esa será alabada.* **31.** *Denle el fruto de sus manos, y que sus obras la alaben en las puertas de la ciudad.*

La mujer virtuosa está obviamente sirviendo sus propios intereses. Pues, ¿qué mayor felicidad terrenal que la reverencia de *sus hijos* y la *'bendición'* de su marido? Podemos imaginarnos sus circunstancias; coronada por los años, *sus hijos* crecidos, quizás ellos mismos rodeados de familias, y tratando de formarlas, como ellos mismos han sido formados. Su madre está constantemente ante sus ojos. Su guía tierna, sus sabios consejos, su amorosa disciplina, su ejemplo santo, todos son vívidamente recordados; y no dejan de *llamarla bienaventurada* ni de bendecir al Señor por ella, como su inestimable don. Su *marido* la alaba no menos calurosamente. Su apego a ella se basó, no en los *engañosos y vanos* encantos de la *belleza,* sino en *el temor del Señor.*

Por lo tanto, ante sus ojos, ella es el apoyo de sus últimos años, quien lo calma en sus preocupaciones, lo aconseja en sus momentos de incertidumbre, lo consuela en sus penas, y la luz de sus alegrías terrenales (Cf. Eclesiástico 36:23-24). Tanto *los hijos como el marido* unen sus voces en el agradecido reconocimiento: *Muchas hijas han obrado con nobleza, pero tú las superas a todas.*

Pero, ¿por qué –podría preguntarse alguien– no forman parte de este retrato las cualidades externas? Todo lo que se describe es de una excelencia sólida; no obstante, *la gracia es engañosa.* Muchas veces una forma y un semblante agraciados terminan en una decepción más amarga de lo que las palabras pueden expresar. A menudo facilitan una cubierta para las corrupciones más viles (2 S. 14:25; 15:6).

Por su parte, *la belleza,* ¡qué agónica *vanidad* es! (Gn. 20:2, cf. 23:4, 1 P. 1:24).[20] Cualquier enfermedad puede arrasarla (Sal. 39:11). La aflicción y la preocupación marchitan sus encantos (Sal. 6:7. P. T). Y aunque permaneciere, está poco ligada a la felicidad (Gn. 29:17; 30:1-2). Ha demostrado ser ocasión fructífera de diversos problemas (Est. 1:11-12, 19), la fuente de muchas tentaciones y trampas hirientes (Pr. 6:25, 26, Gn. 12:11-19; 20:1-2, 11; 26:7; 39:6-7, 2 S. 11:2; 13:1), y, sin un principio sustancial, para una mente en su sano juicio es más bien un objeto que provoca repugnancia antes que atracción (Pr. 11:22).

El retrato, esbozado por inspiración divina, comienza con la pincelada de *una mujer virtuosa,* y completa el boceto con los trazos de *una mujer que teme al Señor* (vv. 10, 30). Por los hermosos rasgos descritos –su fidelidad a su marido, sus activos hábitos personales, su buena gestión y diligencia en su familia, su consideración por las necesidades y comodidades de los demás, su vigilancia de la conducta, su sensibilidad por los pobres y afligidos, su comportamiento amable y cortés con todos– esta plenitud de carácter y gracia sólo podría brotar de aquella *virtud* que se identifica con una piedad viva. Son

---

[20] Cf. Virgilio (70-19 a.C.) Eclog. ii. 17-18. "Virgilio (70-19 a.C.), poeta romano. Publio Vergilio Maro, hijo de un rico ciudadano de Mantua, fue educado en Cremona, Milán y Roma, con vistas a una carrera política. Pronto abandonó la retórica y la política para estudiar filosofía con el epicúreo griego Siron, cerca de Nápoles (?49-45 a.C.). Pretendía, tras completar la Eneida, dedicarse a la filosofía. Fue autor de diez pastorales, la Bucólica (?45-37 a.C.), conocida como las Églogas (es decir, poemas ocasionales); las Geórgicas (36-31 a.C.), sobre Italia y su riqueza agrícola, y que culmina con el relato del descenso de Orfeo a los infiernos para recuperar a su esposa Eurídice; y la Eneida (26-19 a.C.), una epopeya en 12 libros sobre la fundación de Roma por el exiliado troyano. Esta obra es una fusión de los dos poemas de Homero, la Ilíada y la Odisea, en una secuela profética, que espera la inauguración de una edad de oro por el descendiente de Eneas, el Emp. Augusto, bajo la guía providencial de Júpiter. La Eneida fue rápidamente reconocida como la epopeya de Roma y en el año 37 d.C. se había convertido en el elemento básico de la educación literaria en el Occidente romano. El lenguaje y el estilo de Virgilio tuvieron una gran influencia en los siguientes 1.500 años y fueron imitados con frecuencia, con los cristianos escribiendo centos virgilianos para contar historias bíblicas. El emperador Constantino trató de apropiarse de la Cuarta Égloga ("mesiánica") como una profecía de Cristo, nacido de una virgen (1. 6: iam redit et virgo), y Lactancio se acercó a aceptar tal visión (Inst. 1. 19. 5; 7. 24. 1). Esto, y el hecho de que Virgilio fuera apodado Parthenias (Gk. παρθένος, 'virgen') y viviera en Parthenope (Nápoles), llevó a la alteración de la ortografía de su nombre. San Jerónimo protestó contra la fácil cristianización de Virgilio, y San Agustín lo convirtió en su principal objetivo en su De Civitate Dei. Durante el último período de seria oposición pagana en Roma, y en la lucha por el "Altar de la Victoria" en la Casa del Senado (384 d.C.), los paganos llegaron a considerar a Virgilio como una autoridad filosófica y una fuente de oráculos (*Sortes Vergilianae*)." F. L. Cross and Elizabeth A. Livingstone, eds., *The Oxford Dictionary of the Christian Church* (Oxford; New York: Oxford University Press, 2005), 1714.

los frutos buenos que "prueban que el árbol es bueno" (Mt. 7:17). Son frutos que fluyen de un principio recto, que la natural y corrupta estirpe del hombre nunca podría producir.

La mujer virtuosa no busca la alabanza de los hombres. Contenta con ser conocida y amada en su propio círculo, nunca pretende llamar la atención. Sin embargo, dado que es una bendición pública, no puede esconderse (Rut 3:11, Hch. 9:39, 1 Ti. 5:10, 25). Y si bien no tiene un heraldo que la alabe, todos dicen: *"Denle el fruto de sus manos y que sus obras la alaben en las puertas"*. Dice el Obispo Simon Patrick (1626-1707):

> Que todos ensalcen su virtud. Que no carezca del justo elogio de sus piadosas labores. Así, mientras unos son ensalzados por la nobleza del linaje del cual proceden, otros por su fortuna, otros por su belleza, otros por diversas cosas; que las buenas obras que ella misma ha hecho sean alabadas públicamente en las más grandes asambleas, donde, si todos los hombres callaran, sus propias obras declararían su excelente valor.[21]

Añádase a esto que, así como *sus obras la alaban en las puertas*, también le "siguen. La memoria del justo será bendita" (Ap. 14:13. Pr. 10:7).

Si *este cuadro es visto como una manifestación de piedad, observamos que la religión no disminuye la importancia de los deberes temporales.* Por el contrario, nos presenta el retrato de una mujer escrupulosamente fiel a todas sus obligaciones domésticas, a todo lo que está dentro de su ámbito; coloreada cuidadosamente con una total falta de interés en traer reproche a su santa profesión. ¿Por qué debería mostrarse descuidada o despreocupada, poniendo sus deberes importantes fuera de tiempo o fuera de lugar? De ella se espera especialmente, como síntesis de todos sus ejercicios prácticos, que "haya practicado diligentemente toda buena obra" (1 Ti. 5:10).

¡Cuán valioso es este cuadro también como un directorio para la elección del cónyuge! Que la *virtud*, no la *belleza*, sea el principal objetivo. Compara la *vanidad de la belleza* con la verdadera felicidad ligada a *una mujer que teme al Señor*. La predilección por lo externo causó la destrucción del mundo (Gn. 6:2-7). Una elección piadosa tiene el inconfundible sello de la aprobación divina.

Finalmente, decía el piadoso obispo Pilkington:

---

[21] Simon Patrick *In loco.*

Si las mujeres desean aprender por qué Dios las castiga y cómo; que lean el tercer capítulo del profeta Isaías. Y si desean aprender lo que Dios quiere que hagan y en lo que se ocupen, aunque sean del mejor tipo, que lean el último capítulo de los Proverbios. Es suficiente con anotarles y señalarles que han de *aprender*.[22]

'Lo último que hay que hacer' –concluye un viejo expositor– 'es resaltarlo bien, y dejar que cada mujer se esfuerce por ejemplificarlo tanto como pueda. Que cualquier hombre se avergüence si es que una mujer lo supera en virtud y piedad'.[23]

'Así' –dice el piadoso Matthew Henry (1622-1714), en su pintoresco estilo– 'se cierra este espejo para las damas, el cual se les ha pedido que abran y usen para vestirse; pues si lo hacen, su adorno será hallado en alabanza, honra y gloria en la manifestación de Jesucristo'.[24]

Concluiremos con un breve resumen de algunos puntos prominentes comprendidos en el estudio de este libro tan instructivo.

Observemos la conexión entre el principio interno y la conducta externa. Nunca olvidemos que los ejercicios aquí descritos o inculcados suponen un origen interno. La luz interior es la que brilla en el exterior. La vida oculta es así manifestada. El manantial produce sus aguas saludables. El árbol bueno da sus

---

[22] Works, Parker Society Edit. p. 387.

[23] Michael Jermin (1590-1659) in loco. "Michael Jermin (1591-1659), fue un teólogo ingles, nacido en 1591 en Devonshire. Fue hijo de Alexander Jermin, comerciante y sheriff de Exeter, de la que su abuelo fue dos veces alcalde. El 20 de junio de 1606 se matriculó a la edad de quince años en el Exeter College, Oxford. Fue elegido becario del Corpus Christi College el 23 de septiembre de 1608, y becario de prueba el 25 de abril de 1615, graduándose con un B.A. el 12 de octubre de 1611 y M.A. el 24 de enero de 1615. Al dejar Oxford fue al extranjero como capellán de la princesa Elizabeth, electora palatina, y se doctoró en la Universidad de Leyden. Volvió a Inglaterra en 1624, obteniendo el 27 de julio de ese mismo año un segundo doctorado en la Universidad de Oxford y ese mismo año fue nombrado capellán del Rey Charles I. En 1628 se convirtió en rector de St. Martin's, Ludgate. Jermin sufrió mucho por la causa real cuando estalló la guerra civil y fue expulsado de su vivienda. Se retiró en 1652 al hogar de su yerno en Kemsly, cerca de Sevenoaks, y murió repentinamente, el 14 de agosto de 1659, cuando regresaba de predicar en Sevenoaks. Fue enterrado al norte del altar de Kemsly, donde se levantó un monumento de mármol sobre su tumba. Escribió muchas obras. Su comentario en Proverbios y Eclesiastés son considerados los mejores comentarios escritos a estos libros en el siglo XVII. Su comentario a Proverbios *'Paraphrastical Meditations by way of Commentary on Proverbs* (1638), fue dedicado al Rey Charles I, y su comentario en Eclesiastés, *'Commentary on Ecclesiastes'* (1639) dedicado a la electora duquesa Elizabeth. " (n. ed.)

[24] Matthew Henry, In loco.

frutos buenos. "El hombre bueno, del buen tesoro de su corazón saca cosas buenas" (Mt. 12:33-34).

Por lo tanto, estas son las manifestaciones, no los principios innatos. Fluyen del cultivo de la fuente interior. Nada permanente puede producirse de un cambio de opinión, una agitación de los sentimientos, o de un convencimiento de la conciencia, sino solamente de una nueva clase de corazón. La "suave respuesta" (Pr. 15:1) es la manifestación exterior de un corazón blando y humilde. Una religión de meros propósitos sinceros, aunque prometedora, se marchita al "no tener ninguna raíz en sí" (Mt. 13:5-6, 20-21).

Así pues, las costumbres y modas del mundo terminan gobernando con un poder mucho más fuerte que los dictados de la palabra de Dios o la voz de la conciencia. Los reparos externos del sistema cristiano también resultan impotentes sin un principio interno. Ciertamente evidencian un cuerpo de verdad, pero un cuerpo sin vida, sin ninguna fuente de influencia o consuelo. Una religión cimentada en el corazón regulará la conducta externa, y pondrá cada cosa en su lugar y proporción apropiados.

Notemos también que una felicidad verdadera fluye de todo lo relacionado a la piedad. A menudo el sabio ha trazado esta conexión con el más ferviente interés (Pr. 3:13-18; 4:4-13; 8:17-21, 32-36). Es sumamente importante dejar esta impresión en la mente de todos nuestros lectores, especialmente de los más jóvenes: la religión es motivo de gozo. Para el mundo es un asunto que debe ser soportado, no disfrutado. El profesante farisaico concibe que hay mucho que hacer, pero nada que disfrutar. Para él es una cuestión seria y de gran peso; pero nunca ha hallado en ella ningún rayo de sol.

El hombre de placer no tiene otra concepción de la religión que no sea una atmósfera de penumbras, tan absurda como hablar de la oscuridad del mediodía. Sin embargo, a pesar de todos estos conceptos erróneos, no hay realidad más incuestionable que ésta: la santidad es felicidad. No es, por supuesto, la alegría del necio, o el frívolo regocijo del irreflexivo. Pero es lo único que merece el nombre de felicidad, el único principio de gozo sólido y permanente. La mente no iluminada la asocia con la restricción, nunca con la libertad o la confianza. Pero, de hecho, aquellas acciones que son valoradas de acuerdo a su conformidad con la voluntad de Dios, aunque sean seculares en su carácter, son parte de su servicio, y aseguran su aprobación.

Tomando este estándar correcto, seremos capaces de resistir nuestras pasiones dominantes. No ocuparemos ninguna posición dudosa. No adoptaremos ningún curso cuestionable. No prestaremos la influencia de nuestro carácter al espíritu de este mundo. Sentiremos que sólo tenemos un solo objetivo, una sola obligación, la de mantener el honor de nuestro Dios. Y, aun así, este yugo de estricta disciplina es nuestra felicidad, no nuestra carga. Está unido a un anticipo de la felicidad celestial, de la cual ninguno de nosotros tiene una concepción adecuada. La religión especulativa es, en efecto, seca y estéril.

La piedad práctica es rica en delicias (vea Sal. 19:11; 119:14, 127, Is. 32:17, Stg. 1:25). Y aunque el defecto de la felicidad terrenal es que tiene un final; la perfección de esta felicidad es que perdurará por toda la eternidad. Ciertamente tenemos más razones para gozarnos que para lamentarnos, así pues, nos apresuramos a ir al hogar donde "los días de nuestro luto se acabarán" (Is. 60:20) para siempre.

Es un gran momento para resaltar la estimación del sabio sobre el bien verdadero. Él centra cada partícula del bien primordial en Dios. Hallarlo es vida (Pr. 8:35). Temerlo es sabiduría (Pr. 1:7). Confiar en Él es bienaventuranza (Pr. 16:20). Amarlo es un tesoro sustancial (Pr. 8:18-21). Abandonarlo es una ruina segura (Pr. 8:36). Ahora bien, el hombre es naturalmente un idólatra. Él mismo es su centro, su objeto, su fin. En lugar de someterse a un guía, se guía a sí mismo. Disputa la soberanía con Dios, enmendaría las leyes del Gran Legislador. ¿Es necesario añadir "Este su camino es su locura"? (Sal. 49:13). ¿Qué es, entonces, el verdadero bien? "Familiarízate con Dios, y tendrás paz" (Job 22:21). No es la excelencia real, sino la excelencia conocida la que aviva el deseo. El Dios que conocemos será nuestra porción (Sal. 16:5, Lm. 3:24). Él demandará nuestro servicio completo (Sal. 45:11, Mt. 22:37). Se mostrará a nosotros como nuestro mayor bien; un privilegio que vale más que diez mil mundos por conocer; una satisfactoria porción para la eternidad.

Estudiemos la integridad y la consistencia cristianas. Tales elementos de carácter se pondrán de manifiesto tras un estudio diligente y en oración de este importante Libro. Que sean reunidos en su debida relación y proporción; y "el hombre de Dios será perfecto, completamente preparado para toda buena obra" (2 Ti. 3:17). Queremos que la religión sea para el alma, lo que el alma es para el cuerpo, el principio vivificante. El alma opera en cada miembro. Ve por los ojos, oye en los oídos, habla con la lengua, anima todo el cuerpo con facilidad y uniformidad, sin ostentación ni esfuerzo.

Así la religión debería dirigir y regular cada pensamiento, palabra y acto. En esta época de luz y conocimiento, la ignorancia de nuestro deber implica demasiadas veces el descuido de los medios de instrucción, y por lo tanto es una circunstancia agravante para nosotros antes que una excusa. El principal objetivo es que la conciencia sea inteligentemente instruida con la enseñanza divina. Luego, deja que el caminar diario sea cuidadosamente regulado por ella.

Nunca te desvíes un solo paso de su guía. Nunca aceptes las máximas o hábitos de este mundo. Protégete de todo lo que dañe tu espiritualidad vital, rebaje el alto estándar de las Escrituras, o reduzca la energía de la incesante vigilancia cristiana. Que nuestro sendero esté firmemente equilibrado entre concesiones comprometedoras y peculiaridades innecesarias. Que el cristiano sólo camine con Dios en el camino del Evangelio. Nunca estará satisfecho aparentando mantener su terreno; sino que reconocerá la sabiduría de la disciplina que no le permite ningún disfrute en el presente excepto en asir algo más allá de él (Fil 3:12-14).

> **Filipenses 3:12–14** No es que ya *lo* haya alcanzado o que ya haya llegado a ser perfecto, sino que sigo adelante, a fin de poder alcanzar aquello para lo cual también fui alcanzado por Cristo Jesús. Hermanos, yo mismo no considero haber*lo* ya alcanzado. Pero una cosa *hago:* olvidando lo que *queda* atrás y extendiéndome a lo que *está* delante, prosigo hacia la meta para *obtener* el premio del supremo llamamiento de Dios en Cristo Jesús.

No queremos una profesión que nos proporcione un nombre en la Iglesia, o incluso un sello de reproche en el mundo, sino que ponga la imagen divina ante nuestros ojos, y nos anime a crecer en conformidad con nuestro estándar (Mt. 5:48). Una conciencia iluminada de este modo, y un corazón siguiendo su voz de buena gana, resistirán los pecados que llevan menos reproche en el mundo tanto como los que son más repugnantes. No toleraremos más un espíritu poco caritativo que una conducta derrochadora.

Un tono enfadado, una mirada amenazadora, una réplica mordaz o una palabra despectiva causarán dolor en la conciencia, y serán reprendidos por ella tan severamente como esos groseros estallidos que deshonran nuestro carácter delante de los hombres. "Andar de este modo delante de Dios" –no delante de los hombres– equivale a la perfección cristiana (Gn. 17:1). Su ojo es nuestro freno; su parecer, nuestra regla; su voluntad, nuestro deleite.

Pero, podrás preguntarte *"¿Quién es suficiente?"* ¡Hijo de Dios! Que el temblor por tu insuficiencia se detenga ante el recuerdo de la suficiencia total en tu Dios (Cf. 2 Co. 2:16, 3:5; también 12:9). Aquello que Él te exige, Él trabaja en ti. Su pacto asegura tu santidad, no menos que tu aceptación; tu santidad, no como el fundamento (como algunos la presentan), sino como el fruto de tu aceptación. Busca en primer lugar esta última, y la otra seguramente le seguirá.

"PONDRÉ MI LEY DENTRO DE ELLOS Y LA ESCRIBIRÉ EN SUS CORAZONES…
PORQUE PERDONARÉ SU INIQUIDAD Y NO ME ACORDARÉ MÁS DE SUS
PECADOS"
(JER. 31:33-34. CF. EZ. 36:26-27).

FIN.

Printed in Great Britain
by Amazon

87694543R00287